O Guia das Curiosas

Marcelo Duarte
Inês de Castro

O GUIA DAS CURIOSAS

3ª impressão

PANDA BOOKS

Este livro segue as normas do novo
ACORDO ORTOGRÁFICO

© Marcelo Duarte e Inês de Castro

Diretor editorial *Marcelo Duarte*	Projeto gráfico *Mariana Bernd*	Preparação *Cristiane Goulart*
Diretora comercial *Patty Pachas*	Diagramação *Ana Miadaira* *Kiki Millan*	Revisão *Telma Baeza G. Dias* *Alessandra Miranda de Sá*
Diretora de projetos especiais *Tatiana Fulas*	Ilustração do título *Arthur Carvalho*	Impressão *Yangraf*
Coordenadora editorial *Vanessa Sayuri Sawada*	Ilustração da capa *Pauli*	
Assistentes editoriais *Alice Vasques de Camargo* *Lucas Santiago Vilela*	Ilustradores *Andrea Ebert* *Fabiana Shizue*	
Assistentes de arte *Alex Yamaki* *Daniel Argento*	*Pauli Pastorek*	

CIP – BRASIL. CATALOGAÇÃO NA FONTE
SINDICATO NACIONAL DOS EDITORES DE LIVROS, RJ

Castro, Inês de.
 O guia das curiosas: Inês de Castro e Marcelo Duarte – 1ª ed. – São Paulo: Panda Books, 2008. 580 pp.

ISBN: 978-85-88948-51-8

1. Curiosidades e maravilhas. I. Duarte, Marcelo. II. Título.

07-2394	CDD: 001.93
	CDU: 001.92

2013
Todos os direitos reservados à Panda Books.
Um selo da Editora Original Ltda.
Rua Henrique Schaumann, 286, cj. 41
05413-010 – São Paulo – SP
Tel./Fax: (11) 3088-8444
edoriginal@pandabooks.com.br
www.pandabooks.com.br
twitter.com/pandabooks
Visite também nossa página no Facebook.

Nenhuma parte desta publicação poderá ser reproduzida por qualquer meio ou forma sem a prévia autorização da Editora Original Ltda. A violação dos direitos autorais é crime estabelecido na Lei nº 9.610/98 e punido pelo artigo 184 do Código Penal.

E tudo começou porque Eva era curiosa...

SUMÁRIO

1. ..... História 9
2. ..... Cinema e televisão 91
3. ..... Música 155
4. ..... Beleza 207
5. ..... Moda e estilo 275
6. ..... Estética e dietas 339
7. ..... Sexo e saúde 379
8. ..... Ritos de passagem 433
9. ..... Esportes e dança 485
10. ..... Letras e artes 519

Referências bibliográficas 573

Obras dos autores 579

1

Nada na vida deve ser temido, somente compreendido. Agora é a hora de compreender mais, para temer menos.

MARIE CURIE
(1868-1934), cientista

História

Se o fruto estava ali, por que não prová-lo?

Deus disse: "Dele não comereis, nele não tocareis, sob pena de morte". A serpente disse então à mulher: "Não, não morrereis. Mas, no dia em que dele comerdes, vossos olhos se abrirão e vós sereis como os deuses, versados no bem e no mal". A mulher viu que a árvore era boa ao apetite e formosa à vista. Tomou-lhe o fruto e comeu-o. Deu-o também a ele. Então, abriram-se os olhos dos dois e perceberam que estavam nus, entrelaçaram folhas de figueira e se cingiram.

(Gênesis, Bíblia Sagrada)

LINHA DO TEMPO

Os homens abandonaram as cavernas para se transformar em agricultores. Doze mil anos antes de Cristo quem facilitou a transição foram as mulheres, que já conheciam as plantas comestíveis e sabiam quais podiam ser cultivadas.

Pré-História
Alguns pesquisadores afirmam que a mulher era encarregada apenas de criar os filhos e cuidar da habitação. Outros, porém, defendem a teoria de que a mulher também era responsável pela caça e pela pesca, já que a figura feminina aparece em pinturas rupestres caçando ao lado dos homens.

Grécia Antiga

Em Atenas, as mulheres casadas viviam num regime de confinamento dentro de suas próprias casas, limitando-se a atividades domésticas. Para as solteiras, a situação era ainda pior. Não podiam circular livremente ou ter contato com homens, mesmo que de sua família. Viviam reclusas em aposentos destinados especialmente às mulheres solteiras, os chamados "gineceus". Já em Esparta, as mulheres viviam com mais liberdade. Habitualmente praticavam atividades físicas, pois acreditava-se que seus filhos nasceriam saudáveis e fortes como a mãe. Mesmo assim, ainda eram vistas como simples reprodutoras.

Egito Antigo

As mulheres tinham papel secundário, limitadas a serem esposas, mães ou amantes. Não ocupavam cargos administrativos, com exceção de algumas rainhas que exerciam o cargo somente por falta de opção masculina. A harmonia familiar era bem-vista, por isso os egípcios tratavam bem a mulher e queriam muitos filhos. Os mais ricos poderiam ter quantas amantes conseguissem sustentar.

Roma Antiga

Entre os 12 e os 14 anos de idade, as meninas se casavam com o rapaz escolhido por seu pai. O casamento era uma das principais instituições da sociedade romana. A função das mulheres era gerar filhos que herdariam a propriedade dos pais. Cabia à família do marido educar a jovem. O conservadorismo ditava as regras e o espaço das mulheres limitava-se ao ambiente doméstico. Com o tempo, ganharam um pouco de liberdade e de ascensão social, mas eram impedidas de opinar em questões políticas, tema totalmente masculino.

Renascimento

O fim do feudalismo e o início do capitalismo tiraram muita gente do campo. Mulheres que trabalhavam foram para a cidade e tinham a função de ajudar seus maridos. Enquanto isso, as mulheres da aristocracia tomavam conta do lar e conquistaram o direito de discutir literatura e filosofia dentro de casa.

Iluminismo
No século XVIII a sociedade se abriu para ver o homem como centro do universo e as mulheres, finalmente, começaram a ser vistas com mais igualdade. Foi permitido que estudassem, inclusive ciências e artes nobres.

Revolução Francesa
Considerada o berço do feminismo no mundo, já que, em 1791, a francesa Olímpia de Gouges lançou a "Declaração dos Direitos da Mulher e da Cidadã", uma referência ao documento que ditava as regras de Revolução no país ("Declaração dos Direitos do Homem e do Cidadão"). A autora, no entanto, foi morta na guilhotina e sua proposta de igualdade não foi aceita pelo Parlamento.

> "Pois é... o que é chato é que a mulher, em vez de ter um papel, teve um trapo na história da humanidade."
> Mafalda, personagem criada em 1963 pelo cartunista argentino Quino

OS DIREITOS DA MULHER NO BRASIL

Em 1º de novembro de 2003, entrou em vigor o novo Código Civil. O antigo, que vigorava desde 1916, dava ao homem o direito de devolver a esposa se descobrisse, depois do casamento, que ela não era mais virgem. A alegação tinha nome: erro essencial de pessoa.
No ano de 1917, a Câmara dos Deputados aprovou um projeto de Maurício Lacerda que estipulava as normas para o trabalho feminino. Em 23 artigos, ficou estabelecido que as mulheres não poderiam ser admitidas em atividades ofensivas ao pudor ou à moral, trabalhos noturnos, subterrâneos e manipulação de inflamáveis, entre outras proibições.
O voto feminino só foi instituído em 1932, quando o presidente Getúlio Vargas

publicou o novo Código Eleitoral. O documento previa o voto secreto e o direito de as mulheres elegerem e também serem eleitas para cargos políticos. Mas foi a Constituição Federal de 1988 que instituiu plena igualdade entre os sexos e transformou os direitos da mulher em princípio inabalável, proibindo qualquer forma de discriminação. Segundo dados do IBGE de 2005, as mulheres representam 45,1% da população economicamente ativa do país.

O que é feminismo?

É a luta das mulheres por direitos iguais aos dos homens. Veja como ele surgiu:

Século XIX: as mulheres não podiam frequentar escolas. As moças de fino trato tinham de dedicar-se a prendas domésticas e as operárias trabalhavam até 18 horas, recebendo 1/10 do salário dos homens em funções idênticas. Não podiam votar.

1893: a Nova Zelândia foi o primeiro país a conceder o direito de voto às mulheres. As brasileiras só tiveram esse direito em 1932.

Anos 1920: durante e logo após a Primeira Guerra Mundial, elas foram obrigadas a sair de casa para ocupar as vagas deixadas por seus maridos, combatentes nos campos de batalha. Começaram a se organizar e a protestar contra a desigualdade de condições. O direito ao estudo e ao voto foi conquistado aos poucos.

Anos 1950: a Segunda Guerra Mundial reforçou o movimento feminista. Novamente elas ocuparam o lugar dos homens no mercado de trabalho. É dessa época a invenção da pílula anticoncepcional, que deu às mulheres o direito de escolher quando querem ter filhos.

Final do século XX: o perfil do movimento feminista mudou. Entre as reivindicações das mulheres estão também as lutas por igualdades sociais de minorias.

A bandeira do feminismo no Brasil

A primeira mulher a lutar por direitos iguais aos dos homens foi a escritora francesa **Christine de Pisan**, que viveu no século XIV. No Brasil, a primeira feminista apareceu cinco séculos depois; chamava-se Nísia Floresta.

Alice Tibiriçá: foi uma das defensoras do direito dos portadores de hanseníase e se destacou pela luta em favor dos direitos da mulher. Representou a seção paulista da Federação Brasileira pelo Progresso Feminino, em 1931. Separada do marido, dirigiu o Instituto Feminino de Serviço Construtivo no pós-guerra e, em 1947, se mobilizou para comemorar o Dia Internacional da Mulher no Brasil. Foi a primeira presidente da Federação de Mulheres do Brasil, entidade fundada em 1949, que centralizava atividades de várias organizações femininas.

Alzira Rufino: coordenou a Rede Feminista Latino-Americana e do Caribe Contra a Violência Doméstica, Sexual e Racial (de 1995 a 1998). A Casa de Cultura da Mulher Negra que ela preside foi a primeira ONG brasileira a ser credenciada pela Organização dos Estados Americanos (OEA).

Bertha Lutz: em 1933, criou a União Profissional Feminina e publicou *A nacionalidade da mulher casada*, defendendo os direitos jurídicos da mulher. Lutou pela mudança da legislação trabalhista referente à mulher e ao menor, e propôs igualdade salarial, licença de três meses à gestante e redução da jornada de trabalho, que era de 13 horas.

Branca Fialho: seu trabalho como educadora foi reconhecido ao ser escolhida uma das presidentes de honra do Congresso Internacional de Educação em Paris, em 1937. Uma das suas maiores lutas foi pela ampliação dos direitos femininos. Participou de todas as campanhas promovidas pelo movimento de mulheres de 1940 a 1960.

Carmem Portinho: defendeu o direito das mulheres ao voto e, nos anos 1930, propôs que as mulheres não mudassem o nome ao se casar. Achava essa atitude uma demonstração de dependência. Ajudou a criar a Associação Brasileira de Engenheiras e Arquitetas, em 1937.

Isabel de Sousa Matos: como tinha título científico, a dentista requereu alistamento eleitoral em 1885, o que era permitido por lei. O ministro do Interior julgou absolutamente improcedente a reivindicação.

Isabel Dillon: foi a primeira mulher a se apresentar como candidata a deputada na Constituinte de 1891. Não conseguiu sequer o alistamento para votar.

Nordestina arretada

Nísia Floresta Brasileira Augusta nasceu em Papari (RN), em 1810. Com vinte anos, quando as moças da sua época só pensavam em casar e ter filhos, Nísia escrevia artigos defendendo a emancipação feminina. Casou-se aos 13 e separou-se aos 14, para viver com o homem por quem era apaixonada. Ao se mudar para o Rio de Janeiro, fundou o Colégio Augusto, que oferecia às moças conhecimento de línguas e de ciências. Viveu em muitos países da Europa, onde se aprimorava nos estudos sobre educação feminina para um futuro de emancipação e liberdade. Depois de sua morte, em 1885, a cidade de Papari foi rebatizada com o nome de Nísia Floresta.

• Em seu túmulo havia correntes para que o fantasma não assustasse os moradores da cidade. Diziam que, em noite de lua cheia, Nísia saía do túmulo em busca de homens.
• Aos 22 anos escreveu o livro que a tornou célebre: *Direitos das mulheres e injustiça dos homens*.
• Assinou seu primeiro artigo de jornal em 1830, com apenas vinte anos.
• Criticava as aulas de bordado e o uso do espartilho. Dizia que o curso de português e os exercícios físicos eram melhores para as mulheres.

Uma psiquiatra revolucionária

Nise da Silveira (1905-1999) era alagoana e saiu de Maceió aos 15 anos para estudar no Rio de Janeiro. Formou-se em medicina, a única mulher num grupo de 156 homens.
• Especializou-se em neurologia e jamais chamou seus pacientes de loucos ou doentes mentais. "Chamo-os pelo nome", dizia.
• Certa de que os pacientes precisavam dar e receber afeto, levava cães e gatos ao hospital e os chamava de coterapeutas.

- Amiga de Carl Jung, foi ele quem a aconselhou a estudar mitologia para se aperfeiçoar como médica.
- Criou o Serviço de Terapêutica Ocupacional do Centro Psiquiátrico Pedro II, no Rio de Janeiro, em 1946, um dos maiores avanços da psiquiatria mundial.

- Ganhou a antipatia dos hospitais onde trabalhou por se recusar a usar eletrochoque nos pacientes esquizofrênicos. Distribuía pincéis e tinta para que eles passassem a ter uma vida criativa.
- Em 46 anos de trabalho, reuniu mais de trezentas mil peças de arte, que formam o acervo do Museu do Inconsciente.

Mãe dos primeiros mamelucos

Mamelucos são filhos de índios com brancos. Pois, aqui no Brasil, a índia **Bartira**, filha do cacique Tibiriçá, foi a primeira a dar à luz filhos de um branco europeu. Considerada a mais bela da sua tribo, Bartira, também chamada por alguns de Potira, encantou o explorador português João Ramalho assim que ele desembarcou em São Vicente, litoral do estado de São Paulo, em 1513. Fascinado pela nudez da moça, ele lhe propôs casamento, mas o pai de Bartira só concedeu porque João Ramalho aceitou que a cerimônia fosse comandada segundo os rituais indígenas. Tiveram nove filhos, que foram considerados os primeiros mamelucos paulistas. O português, que era casado e tinha filhos em Portugal, também teve filhos com outras índias, mas só os que ele teve com Bartira é que foram considerados legítimos.

MULHERES NA IMPRENSA

Ana Arruda Calado: como jornalista do *Jornal do Brasil* nos anos 1950, reportou a construção de Brasília. Foi a primeira chefe de reportagem de um jornal, o *Diário Carioca*.

Ana Montenegro: jornalista, poetisa e membro do Partido Comunista Brasileiro, foi cofundadora do periódico *Movimento Feminino*, em 1945. Primeira mulher a ser exilada durante o regime militar.

Eugênia Brandão: foi a primeira repórter feminina, também chamada, na época, reportisa. Tinha 16 anos, vinha de Barbacena (MG) e não se intimidava em dizer o que lhe vinha à cabeça. Isso lhe valeu uma vaga no jornal *Última Hora* (anterior ao homônimo de Samuel Wainer) e depois em *A Rua*. Para desvendar um crime passional, se internou num asilo para moças que tinham dado um "mau passo" na vida. Lá entrevistou aquela que havia feito o amante matar a esposa. A reportagem foi publicada na primeira página do jornal e Eugênia ganhou fama nacional, sendo considerada a primeira repórter feminina do Brasil, em 1914.

Francisca Senhorinha da Motta Diniz: professora mineira, fundou o jornal *O Sexo Feminino*, em 1870, para defender a educação feminina. Dizia que o inimigo da mulher não era o homen, mas a ignorância.

Josefina Alvares de Azevedo: no fim do século XIX, conseguiu a façanha de fazer seu jornal *A Família* circular por dez anos, falando sobre movimentos de emancipação da mulher.

LUTA CONTRA A DITADURA
Em 1975, a advogada paulista **Therezinha de Godoy Zerbini** fundou o Movimento Feminino pela Anistia. Durante a ditadura militar, ela foi presa por supostamente abrigar subversivos em sua casa. Aproveitou o tempo na cadeia para articular o movimento em prol da anistia. Por causa disso, trinta anos depois, foi incluída na lista das 52 brasileiras que mereciam receber um prêmio Nobel pela Paz.

A poderosa dona de jornal

Niomar Moniz Sodré Bittencourt (1916-2003) era muito feminina, mas foi chamada de homem pelos generais da ditadura, porque ousava contrariar suas ordens. Dona do extinto jornal *Correio da Manhã*, ela enfrentou o regime militar em 1967 sem medo de ser presa. A prisão de fato aconteceu quando Niomar desafiou o governo mandando publicar textos que haviam sido censurados. Ficou presa por 72 dias e teve seus direitos políticos cassados por dez anos. Diferente de Marília Gabriela, que interpretou Josefa na novela *Senhora do destino*, personagem inspirado em Niomar, a dona do jornal era uma ruiva baixinha, vaidosa e muito voluntariosa. Usava *tailleurs* Chanel até quando estava em casa e era muito respeitada pelos jornalistas homens, que seguiam suas ordens. Começou a escrever contos com apenas 14 anos e, depois de se apaixonar pelo herdeiro do *Correio da Manhã*, abandonou o marido e foi viver com o novo amor, tomando as rédeas do negócio. Em 1985, um incêndio queimou seu apartamento e, com ele, obras de arte que valiam uma fortuna. Com o jornal combalido pela ditadura, ela se autoexilou em Paris.

Você sabia?

Katharine Graham (1917-2001) chegou ao comando do jornal *Washington Post* depois da morte do marido. Era uma pacata dona de casa, mãe de quatro filhos, e teve de assumir o cargo de presidente da empresa. Sua liderança no jornal foi marcante pelo apoio que deu à investigação do caso Watergate na década de 1970, ao publicar documentos secretos do Pentágono. Durante sua gestão, o jornal ganhou 17 prêmios Pulitzer (o mais cobiçado da imprensa americana). Suicidou-se, vítima de depressão.

VENCEDORAS DO PRÊMIO NOBEL

O prêmio Nobel foi instituído por Alfred Nobel, o industrial sueco que inventou a dinamite. Chocado por ter sido confundido com o irmão que havia morrido, ele decidiu que, quando ele próprio morresse, a data seria comemorada com uma entrega de prêmios que levariam seu nome, o que acontece todo dia 10 de dezembro, desde 1901.

FÍSICA
- Marie Curie (polonesa): 1903, por suas pesquisas sobre radiação
- Maria Goeppertmayer (americana): 1963, 1/4 do prêmio pelas descobertas relacionadas à estrutura das camadas nucleares

QUÍMICA
- Marie Curie (polonesa): 1903, pela descoberta dos elementos rádio e polônio
- Dorothy Crowfoot Hodgkin (inglesa): 1964, por ter aberto caminho nas aplicações da técnica de raio X

MEDICINA
- Gerty Theresa Cori (americana): 1947, 1/4 do prêmio por descobertas sobre a conversão do glicogênio
- Rosalyn Yalow (americana): 1977, 1/2 do prêmio pelo desenvolvimento de estudos sobre a ação do hormônio peptídeo
- Barbara McClintock (americana): 1983, pela descoberta dos elementos genéticos móveis
- Rita Levi-Montalcini (italiana): 1986, 1/2 do prêmio pela descoberta do fator do crescimento
- Gertrude B. Elion (americana): 1988, 1/3 do prêmio pela descoberta de novos princípios para tratamento contra as drogas
- Christiane Nüsslein-Volhard (alemã): 1995, 1/3 do prêmio pelo controle genético de embriões em desenvolvimento
- Linda B. Buck (americana): 2004, 1/2 do prêmio por descobertas sobre a organização do sistema olfativo

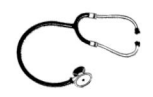

PAZ
- Bertha Sophie Felicita von Suttner (austríaca): 1905
- Emily Greene Balch (americana): 1946
- Betty Williams e Mairead Corrigan (inglesas): 1976
- Madre Teresa (iugoslava): 1979
- Alva Myrdal (sueca): 1982
- Rigoberta Menchú Tum (guatemalteca): 1992
- Wangari Muta Maathai (queniana): 2004

LITERATURA
- Selma Ottilia Lovisa Lagerlöf (sueca): 1909
- Grazia Deleda (sardenha): 1926
- Sigrid Undeset (norueguesa): 1928
- Pearl S. Buck (americana): 1938
- Lucila de Maria Del Perpetuo Socorro Godoy Alcayaga, sob pseudônimo de Gabriela Mistral (chilena): 1945
- Nelly Sachs (alemã): 1966
- Nadine Gordimer (sul-africana): 1991
- Toni Morrison (americana): 1993
- Wislawa Szymborska (polonesa): 1996
- Elfriede Jeliinek (autríaca): 2004
- Doris Lessing (britânica): 2007

Você sabia?

Há rumores de que nunca se cogitou entregar um prêmio Nobel de Matemática porque uma amante de Alfred Nobel, a quem ele havia pedido em casamento, o preteriu para ficar com um matemático.

CIENTISTAS PREMIADAS
Desde 1998, o prêmio L'Oréal Unesco for Women in Science premia, todos os anos, mulheres que se destacaram na pesquisa científica ao redor do mundo. Cada premiada recebe cem mil dólares. Aqui no Brasil, três mulheres já foram agraciadas:
- **Mayana Zatz**, bióloga do Centro de Estudos do Genoma Humano, da Universidade de São Paulo, por sua pesquisa em genética (2001)
- **Lucia Mendonça Previato**, bioquímica da Universidade Federal do Rio de Janeiro, por seus estudos sobre a doença de Chagas (2004)
- **Belita Koiller**, física carioca, por seu trabalho com ligas metálicas (2005)

PIONEIRAS DO BRASIL

Nas suas áreas de atuação, essas brasileiras foram precursoras na história do país.

Ada Leda Rogato: primeira a tirar um brevê de voo (1935), a participar de uma prova de paraquedismo noturno (1950) e a pilotar um avião Cessna por todo o continente americano (1951).

Alzira Soriano: primeira prefeita eleita do país. Isso aconteceu na cidade de Lajes (RN), o primeiro estado brasileiro a garantir voto às mulheres, ainda não oficialmente (1928). Porém, ela foi impedida de exercer o mandato.

Ana Amélia Queirós Carneiro de Mendonça: primeira mulher a fazer parte de um tribunal eleitoral (1934).

Ana Néri: primeira enfermeira voluntária (1865). Ela não esperou a permissão do presidente da província para embarcar para a Guerra do Paraguai.

Ana Tereza Rio Branco Silva: primeira maquinista de locomotiva de minério na Companhia Vale do Rio Doce (2000).

Anésia Pinheiro Machado: primeira a realizar um voo transcontinental, a transportar passageiros, a escrever sobre aviação e a fazer acrobacias aéreas (1922).

Antonieta de Barros: primeira deputada negra do Brasil (1934).

Aparecida Wilma Pestana: primeira caminhoneira do Brasil. Ganhou o título de Motorista do Ano, concedido pela Transportadora Trans-Ritmo (1985).

Arlete Ziolkowski: primeira piloto comercial da história da aviação da América Latina. Ela foi contratada pela Vasp depois de cinco tentativas (1986).

Benedita Souza da Silva Santos: primeira senadora negra do Brasil (1994). Fez de 20 de novembro o Dia Nacional da Consciência Negra.

Cacilda Becker: primeira mulher a ter a sua própria companhia teatral, ao lado de Ziembinski, o marido Walmor Chagas e a irmã Cleyde Yáconis (1958).

Carlota Pereira de Queiroz: primeira deputada federal do Brasil, eleita por São Paulo (1933).

Você sabia?

Carlota Pereira de Queiroz formou-se em medicina em 1926, e organizou, junto com a Cruz Vermelha, um grupo de setecentas mulheres para cuidar dos feridos da Revolução Constitucionalista de 1932. Ficou no cargo de deputada federal até 1937, quando o Congresso Nacional foi fechado pelo Estado Novo. Fundou a Associação Brasileira de Mulheres Médicas em 1950.

Carmen Portinho: primeira urbanista do país, título que conquistou ao concluir sua pós-graduação (1939).

Carmen Prudente: primeira mulher a fundar e administrar um hospital para tratamento do câncer (1953).

Carolina Martuscelli Bori: primeira mulher a presidir a Sociedade Brasileira para o Progresso da Ciência – SBPC (1986).

Cecília Bússolo: primeira guarda-costas presidencial. Sua missão: controlar os passos de José Sarney (1989).

Celina Guimarães Vianna: primeira eleitora do Brasil a se alistar num cartório eleitoral. Foi em Mossoró (RN), em 1927.

Chiquinha Gonzaga: primeira maestrina brasileira (1885).

Cláudia de Vasconcellos Guedes: primeira mulher a apitar um jogo numa competição da Fifa, o Mundial de Futebol Feminino, na China (1991).

Dilma Rousseff: primeira mulher a ser eleita, em 2011, presidente do Brasil.

Dorina Nowill: criou a primeira fundação para cegos do Brasil, que levou seu nome (1946). Foi a primeira mulher a presidir o Conselho para o Bem-Estar dos Cegos, da ONU.

Elisabete Quintiliano, Maria da Penha Rodrigues e Marlene Araújo: primeiras a guiar os trens da Companhia de Trens Metropolitanos, a antiga Fepasa (1993).

Ellen Gracie Northfleet: primeira ministra do Supremo Tribunal Federal (STF) (2000), e primeira presidente do STF (2006).

Ester de Figueiredo Ferraz: primeira ministra do Brasil. Ocupou a pasta da Educação durante o governo do general João Baptista Figueiredo (1982).

Eunice Michiles: a amazonense foi a primeira senadora do Brasil (1980).

Eva Evangelista de Souza: primeira mulher a presidir um Tribunal de Justiça no Brasil (1987).

Felipa de Souza: primeira mulher a assumir publicamente seus relacionamentos homossexuais na Bahia. Foi punida pelo Tribunal do Santo Ofício e açoitada publicamente (1592).

Fernanda Montenegro: primeira atriz contratada pela tevê, a extinta Tupi (1951).

Gilda de Abreu: primeira mulher a dirigir um filme de sucesso, *O ébrio* (1946).

Gioconda Rizzo: primeira fotógrafa do Brasil (1914).

Hebe Camargo: primeira apresentadora da televisão brasileira com o programa O Mundo é das Mulheres (1957).

Inês Corrêa de Souza: primeira presidente de banco no Brasil, à frente da subsidiária brasileira do suíço UBS Warburg, um dos cinco maiores bancos de investimentos do mundo (2004).

Iolanda Fleming: primeira governadora brasileira, eleita pelo estado do Acre (1986).

Ivete Senise Ferreira: primeira diretora da Faculdade de Direito do Largo de São Francisco, em São Paulo (1998).

Lúcia Maria Stefanovich: primeira secretária de Segurança Pública, nomeada em Santa Catarina (1995).

Léa Campos: primeira juíza de futebol, da Federação Mineira de Futebol (1967). Só recebeu o diploma e a autorização para apitar seu primeiro jogo quatro anos depois.

Lia Tora: primeira mulher a escrever um filme, em (1929), e também a primeira brasileira a chegar a Hollywood.

Lúcia Maria Stefanovich: primeira mulher a assumir o posto de superintendente de uma Polícia Civil Estadual (1990).

Luísa Parente: primeira ginasta brasileira a obter nota máxima em sete das oito modalidades nos Jogos Pan-Americanos de Cuba (1991).

Luzia Galvão Lopes: primeira juíza a trabalhar numa Instância Superior de Direito, o Tribunal de Alçada Cível, em São Paulo (1966).

Madalena Caramuru: filha do náufrago Diogo Correia, foi a primeira mulher brasileira a saber ler e escrever (1510).

Marcia Haydée: primeira bailarina brasileira a assumir a direção de um balé internacional, no caso, o Ballet de Stuttgart (1976).

Marcia Rejane Braga: primeira mulher aceita em um curso de formação de policiais de elite, coordenado pela S.W.A.T. americana (1999).

Maria Aparecida Carneiro: primeira mulher a tocar na bateria da Nenê de Vila Matilde (1982), a escola de samba mais antiga de São Paulo.

Maria Augusta Generoso Estrella: primeira médica brasileira (1881).

Maria Elisabete Torres de Oliveira, Tanara Régia Del Santoro e **Marilu Sidnei Braga:** primeiras mulheres a operar os trens do Metrô de São Paulo (1986).

Maria Ester Bueno: primeira mulher a conquistar um título nacional de tênis (1958), tricampeã em Wimbledon (1964).

Maria Lenk: primeira e única atleta sul-americana a participar da Olimpíada de Los Angeles (1932); primeira mulher da América do Sul a entrar para o International Swimming Hall of Fame (1987).

Marta Rocha: primeira chefe de polícia do Rio de Janeiro (1993).

Mayana Zatz: pioneira no estudo de doenças neuromusculares no Brasil (1986).

Nélida Cuiñas Piñon: primeira mulher a assumir a presidência da Academia Brasileira de Letras (1996).

Neuza Maria Alves da Silva: primeira juíza federal negra do país (1988).

Norma Bengell: primeira atriz brasileira a fazer um nu frontal no filme *Os cafajestes* (1962).

Patrícia Rehder Galvão: autora do primeiro romance proletário brasileiro, *Parque industrial*, assinado com o pseudônimo de Mara Lobo (1933).

Rachel de Queiroz: primeira escritora a ocupar uma vaga na Academia Brasileira de Letras (1977).

Rita Lee Jones: primeira mulher a ganhar o Prêmio Shell de Música (1996).

Rosmary Correa: primeira delegada na primeira delegacia da mulher do Brasil (1985).

Victoria Rosseti: primeira engenheira agrônoma de São Paulo (1939).

Vida Alves: protagonizou o primeiro beijo na boca da televisão com o ator Walter Forster (1951), na novela *Sua vida me pertence*.

ENGENHEIRAS DE PRIMEIRA
Edwiges Maria Becker e **Jovita Garcia de Souza** foram as duas primeiras mulheres formadas em engenharia no Brasil, em 1919. Na época, como conta Pedro Carlos da Silva Telles no seu livro *História da engenharia no Brasil*, as mulheres não sentavam nas salas de aula com os rapazes, mas em cadeiras especiais, colocadas à frente, na primeira fila. Apesar dessa segregação velada, no entanto (vejam só o poder!), já em 1924, **Iracema da Nóbrega Dias** era professora da Politécnica do Rio de Janeiro. A primeira professora em um curso de engenharia no Brasil.

A primeira prefeita de São Paulo

- **Luisa Erundina de Sousa** nasceu no sertão da Paraíba, em Uiraúna.
- Seu pai era agricultor e artesão, e sua mãe vendia café e bolo na feira local.
- Ela gostava tanto de estudar que, aos dez anos, se mudou para a casa de uma tia, em Patos, para terminar o curso primário e o ginasial.
- Em 1934, para que os irmãos menores também pudessem estudar, ela foi trabalhar como balconista em um armazém.
- Fez mestrado em ciências sociais em São Paulo e voltou a João Pessoa para lecionar.
- Foi assistente social da prefeitura de São Paulo e trabalhava nas favelas da periferia da cidade.
- Em 1979, recebeu o convite de Luiz Inácio Lula da Silva para fundar o Partido dos Trabalhadores.
- Em 1988, indicada pelo PT, tornou-se a primeira prefeita da história da cidade de São Paulo, com 1.534.547 votos.
- Em 1993, foi nomeada ministra da Administração Federal no governo Itamar Franco.
- O sonho que ela jamais realizou foi o de estudar medicina.

Por baixo da saia

Com o apelido de Absolut, uma brasileira divorciada, 47 anos, economista, com dois filhos, residente em Nova York, estava procurando companhia masculina num site americano de relacionamentos. Sim, tinha tudo para ser a ex-primeira-ministra da Fazenda **Zélia Cardoso de Mello**, apesar de ela negar a autoria do anúncio. Quando a notícia chegou à imprensa, havia a foto dela no site, mas logo a imagem foi retirada, apesar de o anúncio continuar lá.
Zélia, no período em que foi ministra da Economia do governo Collor, teve um romance com o então ministro da Justiça Bernardo Cabral. Certa vez, durante uma reunião, ele lhe enviou um bilhete onde estava escrito: "Essa sua saia curta está deliciosa".
Zélia foi casada também com o humorista Chico Anysio, com quem teve dois filhos: Rodrigo e Vitória.

CORPO A CORPO COM O ELEITORADO

• A atriz pornô italiana **Cicciolina** inventou a técnica de usar sensualidade em campanhas eleitorais. Ela fez isso na década de 1980. Mostrando os seios em toda a campanha, Cicciolina se elegeu deputada do Parlamento italiano, em 1987. Cicciolina já era uma conhecida estrela pornô quando se candidatou ao cargo político – ela ficou famosa com filmes como *Passionate lover* e *World cup*.

• "Leve-me para a Câmara". A modelo **Núbia de Oliveira** disputou uma cadeira de vereadora pelo PL de Uberaba (MG). "O partido queria que eu usasse shortinho e miniblusa na campanha, mas preferi blazers", conta ela. Núbia recebeu 166 votos e não se elegeu.

• **Célia Artacho**, eleita deputada estadual em São Paulo pelo Prona, em 1994, venceu um concurso chamado Lady Universo, na Itália, dez anos antes. Ela trabalhou como modelo e dançarina de casas noturnas. Recebeu apenas 1.102 votos, mas se elegeu por causa dos votos dados à legenda.

• Dez anos antes de se eleger deputada federal, **Rita Camata** foi eleita rainha dos estudantes capixabas. A bela loira de 1,65 metro e 51 quilos, olhos verdes para uns e azuis para outros, acabaria recebendo ainda o título de A Musa da Constituinte.

• **Vanessa Felippe**, então com 22 anos, foi a mais jovem deputada federal eleita no país. Na eleição de 1994, a candidata do PSDB de 1,63 metro e 55 quilos recebeu 64.488 votos.

• Na cidade piauiense de Colônia, com 7 mil habitantes, o(a) candidato(a) mais votado(a) de 1996 foi o travesti **Kátia Tapeti**, do PFL.

• Nas eleições de 2004, Edivânia Matias Ferreira, mais conhecida como **Débora Soft**, foi candidata a vereadora em Fortaleza (CE). Antes disso, ela trabalhava como *stripper* e imitadora da apresentadora Xuxa. Sua campanha tinha como lema "Vote com prazer e sem preconceito".

• Em 2006, a candidata a deputada estadual por Salvador, **Milena Silva**, abandonou a eleição para poder posar nua em uma revista masculina.

A "PRIMEIRA VEZ" DAS MULHERES

●◆ O Banco do Brasil, fundado em 1808, só permitiu que as mulheres participassem de um concurso de admissão em 1969. Hoje, as mulheres são 35% dos seus funcionários.

●◆ O primeiro livro escrito por um brasileiro nato é de uma mulher. Teresa Margarida da Silva Orta escreveu *Aventura de Diófanes* em 1752.

●◆ O primeiro romance abolicionista escrito por uma mulher é da professora maranhense Maria Firmina dos Reis.

●◆ Em 1906, a Associação Beneficente Funerária e Religiosa Israelita reuniu prostitutas de origem judaica e pela primeira vez deu a elas o direito de dirigir a instituição. Foram as primeiras a fundar uma sinagoga para receber mulheres e prostitutas.

●◆ A ativista Maria Lacerda Moura se tornou uma escritora polêmica nos anos 1930. Foi a primeira brasileira a defender o amor livre e negar a maternidade como destino inevitável.

●◆ A primeira mulher a vestir calças compridas numa sessão do Supremo Tribunal Federal foi a ministra Cármen Lúcia Antunes Rocha, em 15 de março de 2007. Ela foi a segunda mulher a integrar o Supremo, depois de Ellen Gracie Northfleet, mas a primeira a quebrar o protocolo. O STF só liberou o uso de calças por mulheres em 2000.

Quebrando tabus

•❖ Depois de batalhar por uma década, em maio de 2007, a alemã **Alexandra Hai** conquistou o direito de ser gondoleira. Um tribunal concedeu a ela a permissão para remar pelos canais de Veneza, mas só para atender hóspedes de um dos hotéis da cidade. Só não gostaram os 425 gondoleiros, um tradicional ofício masculino, que passa de pai para filho. Hai reclamou da discriminação e disse que a prefeitura de Veneza e os gondoleiros fraudaram três dos quatro testes que fez. Garantiu que, além de ter recebido insultos e ameaças, seu barco foi alvo de vandalismo várias vezes.

•❖ **Moira Cameron**, 42 anos, começou a trabalhar na torre de Londres em 3 de setembro de 2007. A corporação dos guardas da torre, chamados popularmente de *Beefeaters* (comedores de carne), foi criada em 1485 e desde então nenhuma mulher havia feito parte do grupo. Cameron entrou aos 16 anos para o Exército britânico, cumprindo os 22 anos como militar necessários para se candidatar ao cargo. A primeira mulher a ocupar o posto venceu cinco homens na disputa pelo emprego. No uniforme negro, ela ostenta duas letras gigantes bordadas em vermelho: ER, que significam Elizabeth Regina (rainha, em latim). Nas entrevistas que deu, Cameron contou que pretende carregar sempre num dos grandes bolsos do uniforme um espelho e um gloss para os lábios.

A primeira surda e cega a se formar na faculdade

*

A americana **Helen Keller** (1880-1968) nasceu perfeita. Mas, com um ano e meio, uma escarlatina a deixou surda e cega, o que fazia com que a menina vivesse em constantes acessos de fúria. Os pais buscaram ajuda de um conhecido pesquisador, Alexander Graham Bell, o inventor do telefone, que se dedicava ao ensino dos surdos. Graham Bell indicou Anne Sullivan,

* Helen.

uma jovem professora praticamente cega. Graças a Anne, Helen Keller completou seus estudos em filosofia e letras. Casou-se com um professor que a ajudou a escrever sua própria biografia – *A história da minha vida* – e passou a viajar pelo país e pelo mundo, divulgando sua experiência e promovendo campanhas em prol da educação dos deficientes. Em 1962, o filme *O milagre de Anne Sullivan*, que conta a história de Helen e Anne, ganhou o Oscar de melhor documentário.

A primeira irmã de caridade brasileira

Maria Rita de Souza Brito Lopes Pontes, **irmã Dulce**, nasceu em 26 de maio de 1914, em Salvador. Com apenas 13 anos já atendia pessoas carentes na sua própria casa. No ano de 1933, depois de receber o diploma de professora, ingressou na Congregação das Irmãs Missionárias da Imaculada Conceição da Mãe de Deus, do Convento de São Cristóvão, em Sergipe. Numa homenagem à mãe, adotou o nome de irmã Dulce quando fez os votos de profissão da fé religiosa, em 15 de agosto de 1934. Um ano depois, fundou a União Operária São Francisco, primeiro movimento cristão operário de Salvador. Tanta dedicação aos pobres, menores carentes e idosos lhe valeu o título de Anjo Bom da Bahia. Entre suas muitas obras encontra-se a Fundação Irmã Dulce (1981). Foi ela também quem iniciou a reforma do novo Hospital Santo Antônio, com quatrocentos leitos (1983). Irmã Dulce morreu no dia 13 de março de 1992, no Convento Santo Antônio, depois de ter ficado internada durante 16 meses. O seu processo de beatificação começou em 1998.

A primeira santa brasileira

Amabile Lucia Visitainer, conhecida como **madre Paulina**, nasceu na Itália, mas se mudou ainda pequena para Santa Catarina. Em 1890, uma mulher da região adoeceu com câncer e Amabile cuidou dela num casebre próximo à igreja da Imaculada Conceição. Lá fundou sua congregação e passou a atender a pobres e doentes, trabalho com o qual se ocupou por toda a sua vida. Em 1933, o papa Pio XI assinou o Decreto de Louvor reconhecendo a importância de sua obra de caridade. O processo de canonização de madre Paulina teve início em 1965. Dois milagres foram confirmados pelo Vaticano para que o processo fosse concluído. No dia 19 de maio de 2002, madre Paulina foi canonizada pelo papa João Paulo II, tornando-se a primeira santa brasileira.

A primeira Maria da Era Cristã

Segundo a crença cristã, Maria, que morava na baixa Galileia, recebeu a mensagem do anjo Gabriel dizendo que, embora fosse virgem, ela seria mãe do filho de Deus. Tinha entre 16 e 18 anos. Conhecida nas escrituras como Virgem Maria, sempre foi homenageada como a mãe de Deus pelos cristãos. As aparições de Maria levaram à construção de altares em todo o mundo.

Maria no nome

Nos Cartórios de Registro Civil do Brasil, Maria sempre foi o nome mais usado para registrar as meninas. Vem sozinho ou acompanhado de outro nome.

MARIA-MOLE

Por volta de 1880, a família real tinha o hábito de comprar gelo dos alpes e enviar ao Brasil pelos navios portugueses. Entre outras coisas, esse gelo servia para fazer sorvetes. Um dia, um navio cargueiro desapareceu. Para não desagradar às crianças, uma escrava chamada Maria resolveu misturar mocotó, coco ralado, água e açúcar. O doce, que ficou molengo e grudento, foi apelidado de maria-mole.

BANHO-MARIA

É um método utilizado na cozinha e nos laboratórios químicos para aquecer de maneira lenta e uniforme. Consiste em colocar um recipiente dentro de outro onde haja água. Levados ao fogo, o recipiente que contém água aquece o outro sem que a substância atinja temperatura superior a 100 °C. O processo foi inventado pela alquimista Maria, a judia, que viveu no Egito por volta de 273 a.C.

BOLACHA MARIA

No século XIX, as bolachas finas e doces entraram na moda. Na Europa, elas eram degustadas com chá. Quando foi anunciado o casamento do duque de Edimburgo e da duquesa Maria, a empresa Peeck-Freen decidiu homenageá-los, criando uma nova bolacha fina e delicada que ganhou o nome de bolacha Maria.

MARIA-VAI-COM-AS-OUTRAS

Maria I, mãe de dom João VI e, portanto, avó de dom Pedro I e bisavó de dom Pedro II, ficou louca e proibida de governar em 1792. Por causa de seu estado de saúde, ela saía muito pouco do palácio e sempre acompanhada por várias damas de companhia. Nessas ocasiões, o povo costumava dizer: "Lá vai dona Maria com as outras". A frase passou a designar pessoas que fazem absolutamente tudo igual às outras, que não têm opinião e vontade próprias. No entanto, no livro *Locuções tradicionais do Brasil*, Luís da Câmara Cascudo explica de outro modo a expressão. Como no rosário a sequência de 150 ave--marias é separada por 15 pai-nossos, a uma Maria outras se seguiriam.

MARIA-FUMAÇA

O termo surgiu no século XX para designar a locomotiva a vapor de uma maneira muito brasileira e bastante popular. Quando ela vinha chegando, os moradores a viam de longe por causa da fumaça. Como Maria sempre foi o nome mais popular nas regiões por onde a locomotiva passava, costumavam dizer: lá vem a Maria fazendo fumaça.

MARIA-CHIQUINHA

As filhas e netas de portugueses tinham o hábito de prender os cabelos em dois tufos laterais, para que não atrapalhassem nos trabalhos domésticos. Como muitas delas chamavam-se Maria Francisca, o penteado ficou conhecido como maria-chiquinha.

MARIA-SEM-VERGONHA

É o nome científico da planta *Impatiens*. Ela se alastra com muita rapidez, sem precisar ser plantada. Daí ter sido apelidada assim, como sinônimo de mulher fácil, que aparece em todo lugar sem ser chamada e sem ter vergonha.

Você sabia?

- Existe uma ciência chamada Mariologia, que estuda os fenômenos ligados à Virgem Maria, mãe de Jesus Cristo.
- A Igreja Católica reconhece 118 Nossas Senhoras, nomes dados às aparições ou homenagens à Virgem Maria.

OS DEZ NOMES PREFERIDOS DO SÉCULO XXI

1º	Maria
2º	Ana
3º	Julia
4º	Giovanna
5º	Beatriz
6º	Vitória
7º	Letícia
8º	Gabriela
9º	Larissa
10º	Isabela

Parceria com a Igreja

Zilda Arns nasceu em 1934 em Santa Catarina, é médica pediatra e sanitarista. Mãe de cinco filhos, estabeleceu uma afinada parceria com a Igreja Católica por seu trabalho em prol da saúde das crianças pobres. Em 1983, a pedido da Conferência Nacional dos Bispos do Brasil (CNBB), fundou a Pastoral da Criança, uma instituição que leva noções de saúde e nutrição às comunidades mais pobres do Brasil. Entre os inúmeros prêmios que recebeu, um dos mais importantes foi a indicação para o Nobel da Paz, em 2006.

Tudo pela filantropia

Jolinda Garcia dos Santos Clemente (1926-) nasceu em Mato Grosso. Aos vinte anos de idade, casou-se com o médico Antonio Clemente Filho. Seu segundo filho nasceu com síndrome de Down, e o marido proibiu o médico de comunicar a ela a condição de Zeca. Quando ela ficou sabendo, ouviu do doutor: "Seu filho é demente. Cuide dele como uma planta e não espere nada em troca". Jô Clemente, como sempre foi chamada, não se conformou e passou a estudar crianças em situações idênticas às de seu filho. Em 1961, com mais quatro famílias que também tinham filhos portadores de Down, fundou a Apae - Associação de Pais e Amigos dos Excepcionais. A ideia era educar crianças que não conseguiam estudar em outras escolas, oferecendo, além dos ensinamentos, tratamento com fonoaudiólogos e fisioterapeutas. Com o tempo, a Apae passou a organizar seminários e cursos de formação para professores, o que fez com que os cuidados com as crianças Down evoluíssem muito. Jô Clemente foi incansável na captação de recursos para a instituição que ajudou a fundar. Criou a Feira da Bondade e o Agulhas de Ouro, dois eventos ligados ao consumo e à moda, que tinham a finalidade de arrecadar dinheiro para a Apae, que passou a oferecer formação profissionalizante para os portadores de síndrome de Down. Em 2006, Jô Clemente lançou o livro *Retalhos da vida*, contando sua história.

Homenagem ao irmão morto

O piloto de F-1 Ayrton Senna morreu em 1º de maio de 1994, num acidente em Ímola, na Itália. Meses depois, a família decidiu abrir um instituto que levaria seu nome, com a meta principal de oferecer oportunidades de desenvolvimento a crianças e jovens brasileiros. Desde então, **Viviane Senna**, irmã do piloto, é a presidente do Instituto Ayrton Senna.

• Viviane Senna foi eleita em 1999 pela revista *Time* uma das líderes para o novo milênio.
• Até 2005, o Instituto Ayrton Senna já havia beneficiado cerca de 5 milhões de crianças brasileiras.

- É a única brasileira membro do grupo Amigos Adultos do Prêmio das Crianças do Mundo, ao lado da rainha Silvia, da Suécia; de Nelson Mandela, ex--presidente da África do Sul; e de José Ramos Horta, Prêmio Nobel da Paz.
- Viviane trabalhou como psicóloga durante 15 anos, antes de assumir a presidência do Instituto Ayrton Senna.

CARISMA MILIONÁRIO

Athina Onassis Roussel (1985-) nasceu na França. Seu avô, o armador grego Aristóteles Onassis, era considerado o homem mais rico do mundo e ela foi fruto do quarto casamento de sua mãe, Christina Onassis, com o francês Thierry Roussel. Quando a mãe se suicidou, em 1988, ela foi viver com o pai. Rapidamente foi enviada para uma escola na Suíça, onde terminou seus estudos. Sua atividade preferida é a equitação.

Você sabia?

- Ao se casar com o cavaleiro brasileiro Álvaro de Miranda Affonso Neto, o Doda Miranda, 12 anos mais velho que ela, Athina mudou-se para São Paulo, onde comprou um apartamento dúplex de cobertura por 8 milhões de dólares, com vista para o parque do Ibirapuera.
- Em seu casamento foram servidas mil garrafas de champanhe Veuve Clicquot e os noivos dispensaram presentes. Em troca, pediram donativos para uma instituição de caridade.
- Em 2007, ela foi classificada como a mulher mais rica do planeta e sua fortuna estimada em 2,8 bilhões de dólares.
- Todas as despesas que seu pai fazia em nome da filha durante a infância tiveram de ser aprovadas por um grupo que administrava a fortuna da herdeira.

GRANDES MULHERES AO REDOR DO MUNDO

Elas marcaram a história da humanidade.

Ada Byron King (1815-1851)
Condessa de Lovelace, filha de lord Byron, aos 17 anos descobriu que Charles Babbage tivera a ideia de criar uma máquina analítica e sugeriu que poderia ser usada para criar complexas partituras musicais e executar trabalhos gráficos, antevendo um dos principais elementos da computação atual. O Exército americano, em 1979, batizou uma linguagem de computador em homenagem a ela, que ficou conhecida como a pioneira da computação.

Amélia Earhart (1897-1937)
Foi a primeira mulher a atravessar sozinha o Atlântico em avião. Entrevistada depois da façanha, teve uma única queixa: a ausência de um toucador onde pudesse se maquiar. Seu último voo, em 1937, terminou em mistério. Na última transmissão de rádio recebida, ouvia-se a voz de Amélia dizendo que estavam indo para o Norte e para o Sul. Seu avião nunca foi encontrado.

Anita Garibaldi (1821-1849)
Casada com um sapateiro, a catarinense Anita conheceu o italiano Giuseppe Garibaldi quando tinha 18 anos. Fugiu com ele e o ajudou na luta pelos ideais republicanos em inúmeras batalhas. Na batalha de Laguna, Anita atravessou dezenas de vezes a área de combate carregando munição. Na Itália, Anita acompanhou Garibaldi nas lutas contra os austríacos. Ficou conhecida como a heroína dos dois mundos. Presa pelos soldados, foi informada de que Garibaldi estava morto. Conferiu um a um os sessenta corpos espalhados no campo de batalha, sem encontrá-lo. Morreu grávida do quarto filho, nos braços de Garibaldi.

Aspásia (meados do século V a.C.)

Nasceu em Mileto, leste da Grécia, e, por ser uma "estrangeira", não pôde se casar em Atenas. Transformou-se numa das mulheres mais importantes do grupo das heteras (cortesã de luxo) – com excelente educação e liberdade para assistir às palestras e participar de debates com os homens. Abriu uma escola de filosofia e retórica e sua casa se transformou no salão mais importante de Atenas, frequentado por Platão, Sócrates e Péricles, o juiz mais importante de Atenas.

Catarina de Aragão (1485-1536)

Foi uma das rainhas mais queridas da história da Inglaterra. Primeira esposa de Henrique VIII, viveu feliz durante muitos anos. Grande patrona da educação, contribuía com muito dinheiro para prover palestras em universidades como Oxford e Cambridge. Patrocinou diversos intelectuais da época, mas não conseguiu dar um herdeiro vivo ao rei, que se separou dela.

Caroline Herschel (1750-1848)

Uma das astrônomas mais admiradas da história, esta alemã foi a primeira mulher a descobrir um cometa (1786). Medalha de ouro da Sociedade Real de Astronomia e eleita por unanimidade a cientista mais importante do século XIX.

Eleanor Roosevelt (1884-1962)

Considerada a mulher mais influente da política americana do século XX. Casada com Franklin Delano Roosevelt, foi eleita para a Assembleia Legislativa de Nova York, onde defendeu o direito das mulheres fazendo aprovar o salário mínimo para elas. Durante a primeira das quatro campanhas presidenciais sucessivas do marido, Eleanor coordenou a divisão das mulheres do Comitê Democrático. Também incentivou o marido a contratar mulheres qualificadas para o governo. Depois da morte de Roosevelt, foi nomeada delegada da ONU, onde contribuiu na formulação da Declaração Universal dos Direitos Humanos. Sua última incumbência foi presidir a Comissão do Status da Mulher, durante o governo do presidente Kennedy.

Elizabeth Stanton (1815-1902)
Filha de um juiz nova-iorquino, ela foi uma das primeiras a condenar as leis descriminatórias americanas. Em 1840, elaborou a primeira Convenção pelos Direitos das Mulheres, em Nova York.

Émilie Du Chatelet (1706-1749)
Como tinha 1,80 metro de altura, os pais de Émilie estavam certos de que ela jamais arranjaria um marido. Trataram, então, de lhe dar formação intelectual. Ela se transformou numa das maiores cientistas newtonianas da França. Casou-se aos 19 anos, mas se disfarçava de homem para poder entrar nos cafés onde se reuniam os cientistas da época. Foi a responsável por ter feito o filósofo e escritor Voltaire se interessar pela física e metafísica.

Florence Nightingale (1820-1910)
Considerada a fundadora da enfermagem moderna e inovadora da saúde pública. Acreditando ter recebido um chamado de Deus, a inglesa viajou para a Europa para estudar os sistemas hospitalares e usou seus conhecimentos para reorganizar o Instituto de Assistência a Senhoras Enfermas. Depois da Guerra da Crimeia (1853-1856), foi recebida na Inglaterra como heroína nacional.

> "É necessária uma certa dose de estupidez para se fazer um bom soldado."
>
> (Florence Nightingale)

Harriet Beecher Stowe (1811-1896)
Sétima filha de um pastor presbiteriano e de uma escritora abolicionista, comovia-se com o desespero dos escravos fugitivos. Para fazer uma denúncia de como a escravidão estava destruindo a vida da família negra, escreveu A cabana do pai Tomás. Publicado em 1852, o livro vendeu 500 mil exemplares e ajudou a apressar o início da Guerra Civil. Sua obra foi traduzida para vinte idiomas.

Helena de Troia (1100 a.C.)
Designado por Zeus para escolher a deusa mais justa, Páris escolhe Afrodite, que lhe promete a mais bela mulher do mundo, Helena. Páris rapta Helena, filha de Zeus e esposa de Menelau, rei de Esparta. Isso desencadeia a lendária Guerra de Troia, que dura dez anos, quando os chefes gregos, solidários a Menelau, organizam uma expedição contra a cidade. Há duas versões para o fim de Helena: após a morte de Páris, ela teria casado com o cunhado e depois o teria traído. A outra versão diz que foi expulsa da cidade pelos enteados, fugiu para a ilha de Rodes onde foi enforcada pela rainha Polixo, que havia perdido o marido na Guerra de Troia.

Joana D'Arc (1412-1431)
Foi a mais famosa guerreira francesa. Na época, a Inglaterra controlava seu país, com a conivência da Borgonha. De camponesa passou a líder militar. Joana demonstrava um talento que motivava as tropas de uma forma como nenhum homem havia feito antes. Ela dizia que era guiada por santos e anjos e que a visão deles a acompanhava nos campos de batalha. Por causa dessas declarações, e também por usar roupas masculinas, foi presa em 1430 pelos borgonheses. Em vez de entregá-la aos ingleses, condenaram-na por heresia. Em 30 de maio de 1431 foi levada à fogueira. O Vaticano reconheceu seus contatos com os espíritos e, em 1909, ela foi beatificada, sendo canonizada 11 anos mais tarde. É tida como padroeira da França.

Lady Mary Montagu (1689-1762)
Foi a pioneira na inoculação da varíola na Europa. Na época, a doença matava 45 mil pessoas por ano na Inglaterra. Vivendo na Turquia, para fugir de um casamento arranjado, ela observou que ao inserir secreções da vítima em outra pessoa com uma agulha era possível prevenir o mal. Ao provar sua teoria da inoculação, abriu caminho para a redução drástica dos casos de varíola na Europa.

Lucy Stone (1818-1893)
De origem humilde – sua mãe teve de ordenhar oito vacas na noite em que deu à luz –, Lucy trabalhava durante a madrugada para ter como pagar a faculdade Oberlin, em Ohio, a única que aceitava mulheres e negros. Formou-se em literatura e oratória, em primeiro lugar, em 1847. Depois de dar muitas palestras, em 1870 fundou o Woman's Journal, a principal publicação do

movimento de liberação da mulher. Foi a primeira mulher da Nova Inglaterra a quem se concedeu o direito de ser cremada.

Madame Curie (1868-1934)
Primeira mulher a conquistar o Nobel de Física com o marido, Pierre Curie, em 1903, e um segundo, de Química, em 1911. Polonesa, Marie Curie é um marco referencial na história da ciência. Suas pesquisas sobre a radioatividade resultaram no raio X e na radioterapia para tratamento do câncer.

Madre Teresa de Calcutá (1910-1997)
Destacou-se entre as mulheres do século XX como a que mais se dedicou a cuidar dos pobres e doentes em regiões pobres do mundo. Agnes Gonxha Bojaxhiu nasceu na Macedônia e aos 18 anos foi viver na Irlanda, onde se tornou religiosa. Escolheu o nome de Teresa inspirada em Santa Teresa D'Ávila e foi trabalhar com os pobres da Índia. Em 1946 contou ter recebido um chamado do Senhor pedindo que fosse viver entre os pobres de Calcutá. Foi então que se tornou madre Teresa de Calcutá. Em 1950 recebeu aprovação do papa Pio XII para fundar a congregação Missionárias da Caridade, que se dedicava a servir os mais pobres entre os pobres. Em 1979 recebeu o prêmio Nobel da Paz.

Maria Montessori (1870-1952)
Primeira mulher a se formar em medicina no seu país (Itália), em 1896. Dedicou-se à psiquiatria e passou a cuidar de crianças doentes mentais. Aos trinta anos, como diretora de uma escola, elaborou uma série de jogos e brinquedos destinados a desenvolver as habilidades psicomotoras das crianças. Fundou a Casa dei Bambini em 1907, instituição-modelo de preparação escolar. O método Montessori, divulgado no mundo inteiro, foi a base da pedagogia moderna.

Marie Lavoisier (1758-1836)
Quando tinha 14 anos, casou-se com Antoine Lavoisier, 28. Durante 25 anos o casal trabalhou junto em pesquisas sobre calor e fogo. Marie aprendeu latim e inglês para traduzir tratados de química, e, depois que o marido foi guilhotinado, terminou a obra de oito volumes, *Memórias da química*, que escreveu com ele.

Margaret Mee (1909-1988)
Foi uma botânica inglesa que passou parte da vida embrenhada na Amazônia. Começou suas aventuras nos anos 1950 e durante toda a vida se empenhou em desenhar flores que ela encontrava em suas expedições. Era amiga de Roberto Burle Marx e, depois de morta, virou enredo da escola de samba Beija-Flor de Nilópolis, com o tema "A dama das bromélias".

Margaret Sanger (1879-1966)
Foi pioneira no controle da natalidade. Sexta de uma prole de 11 filhos, testemunhou as dificuldades da mãe em criar os filhos com pouco dinheiro. Formada em enfermagem, em 1914 lançou o jornal *Woman Rebel* (Mulher Rebelde), no qual ensinava técnicas de contracepção às mulheres. Dois anos depois, abriu uma clínica onde ensinava métodos de contracepção. Foi condenada, se defendeu, e seis anos mais tarde fundou a Liga Americana de Controle da Natalidade. Sua Agência de Pesquisas Clínicas em Controle da Natalidade ajudou a orientar médicos americanos.

Mary Wollstonecraft (1759-1797)
Considerada a primeira feminista moderna, essa inglesa teve uma infância marcada pelo abuso sexual. Saiu de casa para ser governanta e acabou se envolvendo com um círculo de intelectuais. Ficou conhecida entre os homens por suas ideias revolucionárias e progressistas, que se baseavam na premissa de que a liberdade e a igualdade se aplicam também às mulheres. Insistia que a educação a todos os cidadãos era obrigação dos governos, lutando pelo acesso das mulheres às escolas. Sua filha Mary Shelley, que foi estimulada pela mãe a estudar literatura, foi autora de uma das mais famosas histórias de terror, *Frankenstein*.

Olga Benário (1908-1942)
Alemã-judia e filha de um socialdemocrata, se ligou à Juventude Comunista aos 15 anos. Perseguida na Alemanha, foi para a União Soviética, onde conheceu Luís Carlos Prestes, líder brasileiro que pretendia derrubar o ditador

Getúlio Vargas. Os dois receberam a missão de fazer uma revolução comunista no Brasil, e a união, de política, passou a real, porque se apaixonaram. Depois que Getúlio Vargas decretou estado de sítio no Brasil, Olga e Prestes passaram a ser fugitivos. Pegos, Prestes foi ameaçado pelos soldados, quando Olga se colocou à sua frente. Foram presos e separados. Olga foi deportada para a Alemanha onde foi entregue à Gestapo, a polícia nazista. Estava grávida. Depois de dar à luz Anita Leocádia, que foi registrada como cidadã brasileira, Olga foi para um campo de concentração, onde foi executada aos 34 anos, em uma câmara de gás.

Rosa Luxemburgo (1871-1919)
Ainda muito jovem, se juntou ao partido socialista Proletariat, da Polônia, seu país natal, mas teve de fugir para a Suíça para escapar da prisão. Em 1893, já formada em economia, fundou o Partido Social Democrata da Polônia e Lituânia e lutou para depor o czar. Membro do Partido Social Democrata Alemão, o mais importante da Europa, Rosa foi a Varsóvia organizar greves de trabalhadores. Em seu livro *A Revolução Russa*, denunciou a estrutura centralizadora de Lênin e os horrores da revolução. Foi executada por soldados alemães que, mais tarde, foram inocentados.

Rosa Parks (1913-2005)
Ficou conhecida como a primeira-dama dos direitos civis. A costureira americana que voltava do emprego, sentada na primeira fila de bancos do ônibus designada aos negros, foi obrigada a ceder seu lugar a um homem branco. Ela se recusou e o motorista chamou a polícia que a prendeu, o que provocou um boicote aos ônibus de Montgomery, em 1955, nos Estados Unidos.

Sophie Germain (1776-1831)
Era criança na fase em que a França enfrentava a Queda da Bastilha e tinha se tornado um país perigoso. Como não podia ir às ruas, Sophie se refugiava nos livros de matemática. Enfrentou a resistência dos pais e, já adulta, desenvolveu a Lei da Vibração de Superfícies Elásticas, que foi usada por muitos cientistas para resolver problemas práticos durante a construção de estruturas, como as da torre Eiffel.

Escândalo na Casa Branca

Hillary Rodham Clinton nasceu em Chicago, Illinois, em 26 de outubro de 1947. Foi primeira-dama dos Estados Unidos entre 1993 e 2001, na condição de esposa do presidente Bill Clinton, e depois a mais jovem senadora de seu país. Mesmo após os escândalos de infidelidade dos quais seu marido foi acusado por ex-funcionárias da Casa Branca (Paula Corbin Jones, Linda Tripp, Kathleen Willey e Monica Lewinsky), Hillary ficou ao lado do marido quando o presidente depôs no tribunal sobre o caso, afirmando que era tudo mentira. E manteve essa posição mesmo quando a polícia encontrou manchas do sêmen dele no vestido da estagiária Monica Lewinsky.

A MULHER E O MERCADO DE TRABALHO
- 29% dos lares brasileiros são comandados por mulheres
- 20% das trabalhadoras brasileiras têm ensino superior
- A mulher que está no mercado de trabalho tem um ano a mais de estudo que o homem, mas seu salário corresponde a 65% da remuneração masculina

DE OLHO NO PODER

No trono ou no parlamento, essas mulheres ajudaram a decidir os destinos dos seus países e do mundo.

Angela Merkel (1954-)
Protegida do ex-chanceler alemão Helmut Kohl, destacou-se como uma das principais líderes do Partido Conservador Cristão (CDU). Em 2005, venceu as eleições para o posto de chanceler alemã.

Benazir Bhutto (1953-2007)
Antes de assumir o posto de primeiro-ministro do Paquistão, foi presa diversas vezes por liderar o Partido do Povo. O grupo político lutava por melhores

condições sociais no país. Em seus dois mandatos (1988-1990 e 1993-1996), desenvolveu uma campanha para acabar com as castas e com a discriminação da mulher, embora tenha sido acusada de permitir que a corrupção tomasse conta do governo. Ficou oito anos no exílio. Ao voltar, a primeira mulher na história moderna a comandar uma nação islâmica foi assassinada com dois tiros depois de participar de um comício na cidade de Rawalpindi. O assassino pertenceria a grupos islâmicos radicais ligados ao Talibã.

Catarina, a Grande (1729-1796)
Talentosa e ambiciosa, casou-se com o grão-duque Pedro de Holstein. Mas Pedro foi deposto pelos guardas do palácio russo, que colocaram Catarina em seu lugar para governar. Em vez de governar em nome do filho, como mandava a tradição, ela se declarou rainha e durante todo o seu reinado determinou-se a tornar a sociedade russa tão culta quanto os alemães e franceses. Para se instruir, correspondia-se com escritores famosos, que a ajudavam a desenvolver os ideais do Iluminismo. Fundou uma faculdade de medicina e a primeira escola para meninas da Rússia.

Catarina de Médici (1519-1589)
Rainha da França, teve poder por mais de trinta anos. Seu lado conciliador a fez abolir a pena de morte para os delitos religiosos. Por outro lado, a ela foi atribuída a responsabilidade por um dos piores massacres da história do país, a Noite de São Bartolomeu, quando foram assassinados 20 mil protestantes. Historiadores dizem que, entre erros e acertos, ela conseguiu preservar a unidade da França.

Cristina Kirchner (1953-)
A advogada foi deputada e senadora antes de ter sido eleita presidente da Argentina em 2007. Ela sucedeu o seu marido, Néstor Kirchner.

Cleópatra (69-30 a.C.)
Quando o pai, Ptolomeu XI, morreu, Cleópatra, de 17 anos, seguiu o costume e se casou com o irmão Ptolomeu XII, de 12, e começaram a governar juntos o Egito. Mas o irmão ambicioso a mandou para o exílio, onde ela conheceu Júlio César, por quem se apaixonou imediatamente. Mandou matar Ptolomeu e foi declarada rainha do Egito. Novamente ela se casou com outro irmão, Ptolomeu XIII, mas continuou com Júlio César. Tiveram um filho, Cesarion; Júlio César foi assassinado. Cleópatra voltou ao Egito, envenenou o irmão e subiu só ao trono. Foi quando conheceu o comandante do Império Romano, Marco Antônio, com quem viveu um romance tempestuoso, cheio de interrupções e reencontros.

Ao receber a falsa notícia de que a amante havia se matado, Marco Antônio suicidou-se. Atitude que ela copiou, matando-se em seguida. Reza a lenda que Cleópatra fez isso deixando-se picar por uma cobra.

Você sabia?

O corpo de Cleópatra não foi enterrado em nenhuma pirâmide, porque as construções datam de muito tempo antes (entre 2650 e 1700 a.c.). Conforme seu pedido, a rainha do Egito foi enterrada ao lado de Marco Antônio, no Mausoléu Real, em Sema, Alexandria.

Elizabeth I (1533-1603)

Carismática e popular, reinou durante 45 anos, introduzindo uma era de conquistas e prosperidade econômica na Inglaterra. Filha de Henrique VIII, foi declarada ilegítima depois que seu pai mandou matar sua mãe, Ana Bolena. Quando sua sucessão foi restabelecida, a rainha acalmou a agitação religiosa, aprovando leis que formavam a base doutrinal da Igreja Anglicana.

Eva Perón (1919-1952)

Aos 17 anos, Maria Eva Duarte partiu para a capital Buenos Aires em busca de carreira artística. Mas conheceu Juan Perón e os dois passaram a viver juntos. Na campanha pela presidência, Evita teve participação ativa na eleição de Perón. Falava às massas, que chamava de descamisados. Quando Perón tomou posse, ela ficou igualmente poderosa, objeto de adoração dos argentinos. Lutou em prol do voto feminino e formou o Partido Peronista das Mulheres, em 1949. Morreu aos 33 anos, vítima de leucemia. Seu velório durou 14 dias e o cortejo fúnebre foi seguido por um milhão de argentinos.

Golda Meir (1898-1978)

Golda Mabovitz nasceu na Ucrânia e migrou para os Estados Unidos aos seis anos, onde se formou professora. Casada com um ativista do Partido Trabalhista Sionista, mudou-se para a Palestina, onde se tornou delegada de congressos da Organização Sionista Mundial. Como membro do Conselho Provisório de Estado, foi uma das que assinou a Declaração de Independência de Israel, sendo nomeada a primeira embaixatriz israelense na União Soviética. Em 1949 foi nomeada ministra do Trabalho e da Seguridade Social do primeiro-ministro Ben Gurion, sendo a única mulher da administração. Sete anos mais tarde, tornou-se ministra das Relações Exteriores e depois presidiu a delegação israelense da ONU. Aceitou o pedido para atuar como primeira-ministra interina de Israel em outubro de 1969, e em 1974 renunciou.

Indira Gandhi (1917-1984)
Era filha do primeiro-ministro Jawaharlah Nehru; cresceu num período turbulento em que a Índia se libertava da Inglaterra. Estudou nas universidades de Visva-Bharati e Oxford e, depois disso, casou-se com Feroze Gandhi, que não tinha parentesco com o líder Mahatma Gandhi, mas separou-se alguns anos depois. Em 1959, tornou-se presidente do Partido do Congresso e, sete anos após, foi a primeira mulher a assumir o cargo de chefe de governo da Índia e a primeira a ter coragem de abolir os privilégios dos príncipes indianos. Em 1975 mandou prender os membros do partido de oposição e governou como ditadora. Perdeu as eleições em 1977, mas voltou como primeira-ministra em 1980. Serviu de inspiração para muitas mulheres e deu início ao movimento de participação feminina na política. Em 1984, enquanto passeava pelos jardins da sua casa, foi assassinada por dois membros da sua guarda pessoal, extremistas da seita *sikh*.

Maatkare Hatchepsut (morta em 1483 a.C.)
No século XVI a.C., o Egito antigo foi governado por essa princesa. Afrontando a tradição egípcia, ela se coroou faraó. Os faraós que a sucederam não lhe perdoaram a petulância e destruíram suas estátuas. Ela permaneceu desaparecida por mais de três mil anos, até que arqueólogos descobriram seu templo em Deir el Bahari.

Margareth Thatcher (1925-2013)
Conhecida como "a Dama de Ferro" pelo seu raciocínio rápido, temperamento irredutível e absoluta aversão ao comunismo, tornou-se primeira-ministra britânica pelo Partido Conservador em 1979. Durante seu governo, reduziu a inflação e fez subir a cotação da libra esterlina. Foi bem-sucedida no proces-

so de privatização de empresas estatais e na luta contra o desemprego na Inglaterra. Ganhou força com a vitória na Guerra das Malvinas e sobreviveu a um atentado. Foi vitoriosa em três eleições para primeira-ministra. Em 1990 deixou de ser premiê e voltou a ser deputada no Parlamento inglês, cargo que manteve até 1992.

Você sabia?

- Ela era filha de um dono de mercearia e só conseguiu estudar na Universidade de Oxford porque ganhou uma bolsa de estudos.
- Dormia apenas três horas por noite.
- Chegou a figurar na lista de mais bem-vestidas da Europa, por causa dos *tailleurs* bem cortados que usava para trabalhar diariamente.

Maria de Lourdes Pintasilgo (1930-2004)

Assumiu o cargo de primeira-ministra de Portugal em 1979. Ficou pouco tempo no poder – apenas um ano –, mas tornou-se conhecida por seu trabalho em prol dos direitos das mulheres. Também foi embaixadora da Unesco e representante portuguesa na ONU. Em 1986 lançou sua candidatura para a Presidência do país, mas perdeu para Mário Soares.

Rainha Vitória (1819-1901)

Seu reinado foi o mais longo da história (64 anos), sendo chamado de período vitoriano. Subiu ao trono com 18 anos e submeteu-se a um casamento arranjado com o primo Albert. Por fim, se apaixonou por ele, tanto que após a morte do marido ela se recolheu por três anos. Quando surgiu novamente no cenário, usava apenas roupas negras, hábito que manteve até sua morte. Seus descendentes – 37 bisnetos – governaram a Suécia, a Dinamarca, a Noruega e a Espanha. Ela ganhou o título de "avó da Europa".

Tansu Çiller (1946-)
Economista de sucesso, tornou-se primeira-ministra da Turquia (1993), onde o machismo é cultivado como patrimônio cultural. Com a sua administração, deu cara nova à política turca e implementou um ousado programa de privatizações e reformas democráticas.

Thamar (1156-1212)
A grande rainha medieval da Geórgia (entre a Europa, a China e o Oriente Médio) levou seu reino ao auge antes de Gêngis Khan. Do ano 1200 até sua morte, Thamar empreendeu muitas campanhas militares bem-sucedidas. Sob o seu comando, a Geórgia viveu um grande renascimento das artes e das letras.

Verónica Michelle Bachelet Jeria (1951-)
Filha de uma atropóloga e de um general de brigada aérea, que morreu sob tortura por ser colaborador de Salvador Allende, a pediatra chilena Michelle Bachelet contrariava todos os prognósticos para ser eleita presidente do Chile. Sem religião, mulher e separada, é socialista e ex-exilada. Quando retornou ao Chile lutou pela restauração da democracia no país. Em 1990 incorporou-se ao Ministério da Saúde, em 2002 tornou-se ministra da Defesa e, em 2006, foi eleita a primeira presidente do Chile.

Rainha-Mãe

●◆ A **rainha Elizabeth**, conhecida como Rainha-Mãe, chama-se Elizabeth Angela Marguerite Bowes-Lyon. Seu pai, Claude George Bowes-Lyon, ou conde Strathmore, era um aristocrata latifundiário escocês. Ela foi a nona dos dez filhos do casal e passou a infância entre a aristocracia escocesa.

●◆ Ela foi a primeira plebeia a fazer parte da família real, desde o reinado de Henrique VIII. A tradição exigia que os filhos dos reis se casassem com membros da realeza, mas Elizabeth quebrou a regra. Em 1923, casou-se com George VI, o segundo na linha de sucessão do trono. Três anos mais tarde, nasceu sua primeira filha, Elizabeth II. Margaret, a segunda filha, nasceu em 1930.

●◆ Em 1936, o rei George V, seu sogro, morreu. O cunhado, Edward VIII, assumiu o trono, mas logo abdicou para se casar com a plebeia Wallis Simpson. George VI foi então coroado e Elizabeth tornou-se rainha.

●◆ George VI morreu de câncer no pulmão em 1952 e Elizabeth II, a princesa, assumiu o trono. A Rainha-Mãe deixou o palácio de Buckingham, onde morava, e partiu para o palácio Clarence House, onde viveu até falecer em 2002.

●◆ No início da Segunda Guerra Mundial, a família real britânica poderia ter se refugiado no Canadá para escapar das batalhas, mas a rainha Elizabeth decidiu ficar com o marido e as filhas no palácio de Buckingham durante a guerra. Mesmo quando o palácio foi atingido por bombas, a família continuou no local. Nessa época, a rainha aprendeu a usar armas e visitava feridos em hospitais.

●◆ Elizabeth foi a primeira pessoa da família real a completar cem anos de idade. Apesar da idade, ela andava normalmente. Para percorrer distâncias mais longas, ela usava o *Queen Mum Mobile* (algo como "Carro da Rainha-Mãe"), um carrinho como os usados por jogadores de golfe.

RAINHA NINGUÉM CONTRARIA
Leonor da Aquitânia chegou à catedral de Vézelay, ajoelhou-se aos pés do abade Clairvaux e ofereceu trezentos súditos para a Cruzada à Terra Santa. O Exército era formado só por mulheres, damas da corte lideradas por Leonor. Como ela, além de rica e poderosa, era rainha da França, ninguém ousou contrariá-la e, em 1146, ao lado do marido Luís VII e do seu exército de mulheres, partiu para as Cruzadas.

ISABEL, A PRINCESA BRASILEIRA

Isabel Cristina Leopoldina Augusta Micaela Gabriela Gonzaga de Bragança e Bourbon nasceu em 29 de julho de 1846, no Rio de Janeiro, filha de Teresa

Cristina e dom Pedro II. Como seus dois irmãos mais velhos morreram, a princesa Isabel ganhou o título de princesa imperial. Muito bem instruída quando criança – aprendeu latim, francês, inglês e alemão –, foi destinada a casar-se com Luís Felipe Maria Gastão de Orléans, o conde D'Eu, e teve três filhos com ele. Foi a única mulher a administrar o Brasil, o que aconteceu durante as viagens do imperador Pedro II. Nessas gestões, a princesa Isabel fez promulgar as principais leis de combate à escravidão: a Lei do Ventre Livre (1971) e a Lei Áurea (1888). Por sua luta contra a escravatura, ganhou o título de "A Redentora". Quando a República foi proclamada, a família real foi banida do país e a princesa Isabel passou a viver na França, onde morreu em 1921. Após 32 anos, seus restos mortais voltaram ao Brasil e foram depositados na catedral Metropolitana do Rio de Janeiro e, mais tarde, na capela Imperial da catedral de Petrópolis.

Você sabia?

A princesa Isabel sentou-se à mesa com os pais pela primeira vez aos 19 anos. Antes disso, fazia suas refeições isoladamente, enquanto o imperador dom Pedro II e a imperatriz Teresa Cristina desfrutavam de almoços e jantares no salão oficial.

As princesas do século XXI

Princesa Charlotte Marie Pomeline Casiraghi, de Mônaco: filha de Caroline, nasceu em 1986 e seu rosto é considerado o mais bonito da realeza. Discreta, é dona de uma ilha que vale 9 milhões de dólares, presente dos avós Grace Kelly e Rainier, quando ela completou cinco anos de idade.

Princesa Madeleine Thérèse Amelie Josephine Bernadotte, da Suécia: nascida em 1982, foi escolhida pela revista sueca *Glamour* como o corpo mais bonito do país. Trabalha para a Fundação World Childhood, em Estocolmo, e faz parte efetiva da luta pelos direitos das crianças. Com cadeira cativa na lista das dez mais bonitas e sexies da Europa, é filha de uma brasileira, a rainha Sílvia.

Princesa Victoria Alice Desideria Bernadotte, da Suécia: ao contrário da irmã mais nova, Victoria não é um exemplo de beleza, mas é considerada uma das mais simpáticas e populares princesas europeias. É a primeira na linha de sucessão do trono e, em 1977, admitiu que sofria de anorexia. O noivo, Daniel Westling, é considerado um dos homens mais lindos do país.

Princesa Letizia Ortiz Rocasolano, de Astúrias: mãe de dois herdeiros do trono espanhol, nascida em 1972, é jornalista e era divorciada quando conheceu o príncipe Felipe.

Princesa Maxima Zorreguieta, de Orange: de ascendência argentina, é princesa da Holanda. Teve problemas para manter a dupla nacionalidade, mas diz que não abre mão de suas origens. Nasceu em 1971 e tem uma filha.

Princesa Mary Elizabeth Donaldson, da Dinamarca: australiana da Tasmânia, Mary nasceu em 1972 e casou-se com um dos melhores partidos da Europa, Frederico da Dinamarca, a quem ela conheceu num bar de Sidney, durante as Olimpíadas de 2000.

Princesa Paola de Orleans e Bragança: a princesa brasileira, que nasceu em 1983, é modelo e frequentadora do circuito *fashion* em São Paulo e no Rio de Janeiro. Já investiu na carreira de apresentadora, mas não foi longe. É tataraneta da princesa Isabel.

Princesa Beatrice Elizabeth Mary Mountbatten-Windsor, de York: filha mais velha do príncipe Andrew e de Sarah Ferguson, "Bea de York", como é chamada, nasceu em 1988 e é uma das mais discretas princesas da Europa; está sempre cercada de seguranças. A imprensa internacional diz que ela sofre de dislexia, mas o problema nunca foi assumido pela casa real.

Princesa Eugenie Victoria Helena Mountbatten-Windsor, de York: irmã de Beatrice, nasceu em 1990, gosta de festas e badalação. Seu aniversário de 16 anos teve como tema o filme *Piratas do Caribe* e estima-se que tenha custado 30 mil libras. Foi o seu primeiro escândalo.

Princesa Gabrielle Maria Alexandra Ophelia, de Windsor: filha do príncipe de Kent e da baronesa de Reibnitz, lady Gabrielle nasceu em 1981 e é muito ligada em moda. É compradora de grifes famosas e também faz questão de ir às temporadas de moda, onde sempre tem uma cadeira reservada na primeira fila.

Princesa Zara Anne Elizabeth Phillips: neta da rainha Elizabeth II e única filha da princesa Anne com o capitão Mark Phillips, Zara nasceu em 1981 e tem como principal mérito seu desempenho na equitação. Adora aparecer na mídia e, por isso, vendeu sua imagem vestindo roupas do italiano Roberto Cavalli para uma propaganda de carros.

FUTURA RAINHA?
Kate Middleton virou Cinderela. Durante quatro anos ela namorou o príncipe herdeiro do trono inglês, William. Viveram juntos e chegaram a ficar noivos. Mas, para surpresa dos súditos, no começo de 2007 ele rompeu o relacionamento. Ela ficou abalada, mas continuou tocando a vida e manteve o emprego na Jigsaw, famosa grife de roupas inglesa. Em julho de 2007, o casal voltou a se encontrar e se casaram em 2011.

O diário da princesa

Meggin Patricia Cabot ou **Meg Cabot**, como ficou conhecida, nasceu no estado americano de Indiana, em 1967. Romântica, ela passou sua adolescência lendo as obras de Jane Austen e Barbara Cartland. Formada em artes, decidiu ser ilustradora em Nova York. Mas abandonou a profissão para trabalhar num alojamento de estudantes. Lá, sempre que sobrava um tempinho, Meg se dedicava a escrever romances, que assinava como Patricia Cabot. Em 2001 escreveu *O diário da princesa*, que conta a história de Mia, uma adolescente que inesperadamente se transforma em herdeira do trono de Genóvia e descobre como é difícil a vida de uma princesa. O livro, que ela assinou como Meg Cabot, se transformou em *best-seller* assim que foi lançado e chamou a atenção dos estúdios Disney, para quem a autora vendeu os direitos. Mais sucesso e Meg passou a escrever em tempo integral, lançando outros dez romances que levam a palavra princesa no título.

RAINHA À MODA MODERNA

Palestina da Cisjordânia, **Rania** nasceu em 1970 na cidade de Turlkarm, mas a família logo se mudou para o Kuwait em busca de melhores condições de estudos para os filhos. Rania foi educada à moda ocidental e se formou em administração de empresas na Universidade do Cairo. Quando Saddam Hussein invadiu o Kuwait, a família toda mudou para a Jordânia, onde Rania foi trabalhar numa empresa de computadores. Durante um jantar em 1983, conheceu o príncipe Abdullah II bin al-Hussein, com quem se casou no mesmo ano. Ele não estava na linha de sucessão do trono, mas em 1999, alguns dias antes de morrer, seu pai, o rei Hussein, destituiu o irmão e colocou o filho no poder. Rania foi coroada junto. De lá para cá, a rainha Rania, da Jordânia, criou uma fundação para ajudar crianças pobres e mulheres vítimas de abusos de toda a Palestina. Viaja o mundo dando palestras sobre a emancipação feminina e foi considerada uma das dez mulheres mais influentes do mundo.

PRINCESAS À MODA ANTIGA

As princesas **Masako** (casada com o primeiro príncipe Naruhito Koizume) e **Kiko** (casada com o segundo príncipe Akishino Koizume) são conhecidas como vítimas do "Trono do Crisântemo", como é chamado o império japonês. Masako só tem uma herdeira, e Kiko, duas. Ambas foram vítimas de depressão causada pela expectativa de gravidez de um filho homem, que não acontecia. Em 2006, depois de 15 anos de casamento, Kiko deu à luz o príncipe Hisaito, colocando fim à discussão sobre a sucessão feminina do trono. Apesar de Masako e Kiko terem estudado, não são autorizadas a trabalhar nem a viajar sozinhas. A tarefa delas se restringe à educação parcial dos filhos (eles são educados por tutores) e a acompanhar os príncipes-herdeiros em algumas de suas missões.

Rainha brasileira

A alemã **Sílvia Sommerlath** criada no Brasil era chefe das recepcionistas do Comitê Olímpico Internacional nos Jogos de Munique. Nos intervalos das competições, conheceu o príncipe Carlos Gustavo, que se tornaria rei da Suécia em 1973. Casaram-se em 1976 e Sílvia é hoje rainha da Suécia.

ELAS DERAM O QUE FALAR

Ana Jacinta de São José, a dona Beja (1800-1880): nasceu em Araxá. Aos 12 anos, órfã de mãe, passou a ser cuidada pelos tios. Bela e muito alegre, despertava atenção dos homens que chegavam à região, atraídos pelo garimpo. Um deles, o ouvidor Joaquim Inácio Silveira da Mota, ordenou o rapto de Beja e passou a viver com ela em Paracatu do Príncipe. No começo Beja se revoltou mas, depois, tirou proveito, tornando-se uma mulher muito rica. Tinha dez quilos de ouro em pó, sacolas de joias e uma jarra de diamantes. Quando fez 17 anos, o ouvidor voltou a Portugal e Beja voltou a Araxá. Repudiada pelas mulheres da vila, decidiu construir a chácara do Jatobá, onde recebia homens influentes em troca de dinheiro e joias. Reencontrou, lá, Manoel Sampaio, um namorado da juventude, com quem teve longo romance e uma filha. Mas, por ciúme, ele a mandou espancar brutalmente. Recuperada, manteve romance com um advogado com quem teve outra filha. Casou as duas descendentes com homens ricos e influentes e, depois disso, mandou matar o primeiro amante que a havia desfigurado. Foi julgada e absolvida. Morreu aos oitenta anos, cercada de netos.

Carlota Joaquina de Bourbon (1775-1830): nasceu nos arredores de Madri, Espanha. Casou-se com dom João VI aos 10 anos, mas como era impúbere, ficou aos cuidados da sogra, dona Maria, até completar 15 anos, quando então o casamento foi consumado. Apesar de viverem em casas separadas, teve nove filhos com dom João VI. Como as crianças tinham biotipos diferentes, comenta-se a possibilidade de várias paternidades. Chegou ao Brasil em 1808, com 33 anos, onde também viveu em residência diferente do marido. Conta-se que sua vida amorosa era atribulada e que ela até teria mandado matar a mulher de um juiz por ciúme, fato que teria sido abafado. Empenhou-se em conspirações contra o marido e contra a colônia. Voltou a Portugal em 1821, onde se recusou a jurar a bandeira, o que fez com que sua cidadania portuguesa fosse cassada. Em 1826, o marido morreu envenenado, e Carlota Joaquina foi tida como principal suspeita.

Chica da Silva (1732-1796): nasceu em Tijuco (MG), filha de uma escrava e de um português. Os dois primeiros filhos ela teve com seu proprietário, Manoel Pires Sardinha, que estava impedido pela Igreja de assumir a paternidade, mas que concedeu a alforria aos meninos, transformando-os em herdeiros. Chica foi alforriada pelo desembargador João Fernandes, que a arrematou em 1753. Tornou-se rica e dona de muitos escravos. Teve mais 13 filhos com João Fernandes, que herdaram todo seu patrimônio, e agia como as senhoras abastadas da elite. Para ganhar respeito de todos, filiou-se a várias irmandades de Tijuco, mas jamais alforriou seus próprios escravos. A imagem de Chica da Silva foi estereotipada como mulher que abusava da sensualidade, mas isso está ligado à imagem difundida das negras da era colonial. Sua principal preocupação era com os filhos, com suas riquezas e com o status social.

Diana Spencer, a lady Di (1961-1997): era professora e casou-se com o príncipe Charles, o primeiro na linha de sucessão do trono inglês, em 1981. Com o título de princesa de Gales, se tornou uma das mulheres mais polêmicas do século XX. Foi amada pelos trabalhos humanitários que desenvolveu e admirada pelo seu estilo elegante. Em 1996 separou-se do príncipe, que admitiu tê-la traído com seu primeiro e grande amor: Camilla Parker Bowles. Separada do príncipe, lady Di assumiu o romance com o milionário egípcio Dodi Al Fayed, com quem pretendia se casar. Em 31 de agosto de 1997, fugindo dos *papparazzi* que perseguiam a princesa, a Mercedes dirigida por um motorista embriagado bateu dentro do túnel de L'Alma, em Paris. Diana e Dodi morreram.

Você sabia?

- Lady Di foi considerada a mulher mais famosa do século XX.
- Depois da separação dos pais, foi viver com o pai. O juiz negou a guarda à mãe por ela ter tido um caso extraconjugal.
- Chamava a amante do marido, Camilla Parker Bowles, de *rotweiller*.
- Com a morte do avô, que era conde, o título foi passado ao pai de Diana. Em consequência, ela e a irmã ganharam o título de lady.
- Diana soube do novo casamento do pai por intermédio da diretora da escola onde estudava. Ele não teve coragem de comunicá-la.

- Era prima distante de três famosos: Audrey Hepburn, Humphrey Bogart e o príncipe Rainier III, de Mônaco.
- Na escola ganhou dois títulos em saltos ornamentais. Dizia às colegas que quando crescesse seria bailarina.
- Ao assumir o noivado com o príncipe Charles, teria ouvido de Grace Kelly, princesa de Mônaco: "Não se preocupe. Tudo vai ficar muito pior".
- A cerimônia de casamento de Charles e Diana teve 3.500 convidados e foi assistida por um bilhão de pessoas no mundo todo pela televisão.
- Quando engravidou de William, tentou o suicídio, jogando-se da escada do palácio.
- Após o nascimento do primeiro filho, teve depressão pós-parto e tentou suicídio mais três vezes.
- Na época da separação, recebeu 28 milhões de libras para recusar o título de "Sua Alteza Real", passando a ser chamada Diana, princesa de Gales.
- Sua pensão foi fixada em 23 milhões de dólares. Na prática, ela recebia 600 mil dólares mensais.
- Foi enterrada em Althorp, na propriedade de sua família. O local que abriga seu caixão tem 36 árvores plantadas, que representam a idade da princesa na data de sua morte, e quatro cisnes negros nadam no lago que circunda o local, representando sentinelas.

Domitila de Castro, a marquesa de Santos (1797-1867): era paulista e aos 16 anos casou-se com um militar que, durante uma briga, a esfaqueou. Grávida do terceiro filho, ela voltou para a casa do pai e pleiteou o divórcio e a guarda dos filhos junto a dom João VI. Por essa ocasião, conheceu dom Pedro I, que se apaixonou por ela. Foi viver no Rio de Janeiro, sendo designada primeira dama da imperatriz Leopoldina. Teve cinco filhos com o imperador, de quem recebeu o título de marquesa de Santos, em provocação a José Bonifácio de Andrada, que era santista e recriminava a ligação de dom Pedro com Domitila. Quando a imperatriz morreu em circunstâncias nunca esclarecidas, Pedro tentou casar-se com a marquesa de Santos, mas enfrentou oposição de toda a corte e acabou afastando-se dela. Domitila voltou a se casar e tornou-se grande benemérita da sociedade paulista.

Dora Vivacqua, a Luz Del Fuego (1917-1967): passou a infância no Espírito Santo e depois em Belo Horizonte, onde seu programa favorito era visitar o serpentário. Fascinada pelas cobras, costumava brincar com elas. Depois de uma briga com a família por causa da herança do pai, mudou-se para o Rio de Janeiro, onde se envolveu com artistas locais. Desconfiada de que o marido assediava Dora, sua irmã a internou num hospital psiquiátrico. Após várias internações, se livrou da família e voltou para o Rio. Trabalhava em circos e teatros apresentando-se nua, enrolada em cobras. Na década de 1950, escandalizou a sociedade carioca, desfilando nua sobre um carro. Fundou o Partido Naturalista Brasileiro e, seis anos depois, criou o primeiro clube de nudismo brasileiro, na ilha de Paquetá (RJ). Foi assassinada em 1967 por dois pescadores cujas atividades criminosas tinham sido denunciadas anos antes pela ex-vedete.

Você sabia?

Adotou o pseudônimo de Luz Del Fuego, inspirada no lançamento de um batom argentino.

Iva Toguri D'Aquino, a Rosa de Tóquio (1916-2006): nasceu em 4 de julho, dia da Independência dos Estados Unidos. Não ficou conhecida por nenhum ato heroico, mas por colaborar contra os Estados Unidos na Segunda Guerra Mundial. Em 1941, quando vivia no Japão, Iva participou dos programas de rádio, feitos em inglês pelo Exército nipônico, para desmotivar as tropas norte-americanas. As mulheres que narravam essas transmissões via rádio eram chamadas de "Rosa de Tóquio". Entre as mensagens dirigidas aos soldados estavam coisas como: "sua batalha está perdida" ou "enquanto vocês estão aqui lutando, suas namoradas os estão traindo". O programa Zero Hour, apresentado por Iva, era exibido na rádio Tóquio. Iva se identificava como "Orphan Ann", para preservar sua verdadeira identidade. Ao final da guerra (1945), o jornalista Henry Brundidge, da revista *Cosmopolitan*, convenceu Iva a lhe conceder uma entrevista. Na matéria, ela afirmava ser a verdadeira "Rosa de Tóquio". A publicação trouxe à tona sua identidade. Iva foi presa ainda no Japão e, em 1949, ao retornar para os Estados Unidos, foi condenada por traição. Ela pegou dez anos de cadeia, mas cumpriu só um pouco mais da metade. Além disso, Iva também perdeu o direito de ser cidadã norte-americana.

Você sabia?

Terminou sua vida administrando uma loja de origamis e artesanato montada com ex-presidiários de campos de concentração que os norte-americanos mantinham em Pearl Harbor.

Jackeline Bouvier Kennedy Onassis (1929-1994): era americana, descendente de irlandeses, ingleses e escoceses. Estudou em Paris. Formada em literatura francesa, foi trabalhar como repórter no *Washington Times-Herald*. Uma de suas tarefas foi entrevistar um jovem senador de Massachusetts, John F. Kennedy. Jackeline era comprometida, mas se encantou pelo senador. A partir daí, voltaram a se encontrar em algumas festas, namoraram e, em 1953, casaram-se. A primeira-dama era participativa e gostava de se exibir ao lado do marido, sempre com modelos exclusivos que rapidamente eram copiados. O último filho de Jackeline e John Kennedy, Patrick, nasceu em 1963 e viveu dois dias. Morreu no berço, asfixiado pelo vômito. Jackeline foi para a Europa para esquecer a dor. Lá conheceu o multimilionário grego Aristóteles Onassis. Três meses depois da morte do filho, o presidente americano John Kennedy foi assassinado. Jackie estava ao seu lado. Durante alguns anos ela saiu de cena. Acreditava que sua família fosse alvo de um complô. Em 1968 casou-se com Onassis na ilha grega de Skorpios, o que lhe lhe trouxe má fama, porque os americanos achavam que ela deveria guardar a imagem de viúva do presidente. Foi ícone de moda e estilo entre mulheres do mundo e todas as suas roupas eram desenhadas por Oleg Cassini. Morreu de câncer no sistema linfático.

TRÊS CURIOSIDADES SOBRE JACKIE O.
- Em 1947, foi escolhida debutante do ano.
- Fotos de Jackie fazendo *topless* numa praia grega ficaram famosas.
- Onassis planejava se divorciar dela quando morreu em 1975.

Jeanette Jerome Churchill (1854-1921): era filha de um especulador financeiro. Nasceu em Nova York e era considerada uma das mais belas mulheres do seu tempo. Com vinte anos, casou-se com lord Randolph Churchill, filho de um duque inglês, a quem conheceu apenas três dias antes. No mesmo ano, teve seu primeiro filho, Winston Churchill, com quem ela mantinha uma relação distante na infância. Após a morte do marido, casou-se mais duas vezes. Tornou-se amiga e confidente do filho, que, ao se transformar em primeiro-ministro britânico, disse que sua maior inspiração na carreira havia sido a mãe. Jeanette era conhecida como Jennie e tinha uma tatuagem no pulso que simulava um bracelete. O coquetel Manhattan foi inspirado nela, que adorava misturar vermute e bourbon.

> **FOFOCA SOBRE A PRIMEIRA-MÃE**
> Existem rumores de que seu segundo filho, John Churchill, era filho de um amante seu, o nobre irlandês John Jocelyn.

Lady Godiva (990-1067): nasceu em família nobre anglo-saxônica, na cidade de Coventry, onde se casou com Leofric, um senhor de terras que cobrava altos impostos do povo. Penalizada com os pobres, lady Godiva pediu que ele retirasse a cobrança. O marido concordou, desde que ela cavalgasse nua pelas ruas da cidade. Sem envergonhar-se, Godiva fez o que o marido lhe pedia, mas solicitou ao povo da cidade que se trancasse em casa enquanto ela desfilava em seu cavalo. Todos concordaram e Leofric perdoou os impostos.

Você sabia?

Na Inglaterra, 31 de maio é o dia de lady Godiva.

Leila Diniz (1945-1972): carioca, começou a carreira de atriz aos 17 anos, como parte do elenco da peça infantil *Em busca do tesouro*. Foi modelo de propagandas da Coca-Cola, de sabonetes e de creme dental. Ganhou o título de "Rainha das Vedetes" na década de 1970. Na mesma época, cortou relações profissionais com a Rede Globo após uma briga com José Bonifácio de Oliveira Sobrinho, o Boni (um dos principais executivos da emissora na época). Ficou grávida do cineasta Ruy Guerra em 1971 e, quando estava com um barrigão de oito meses, foi fotografada na praia, de biquíni. A atitude foi considerada audaciosa na época. Morreu em um acidente de avião no ano seguinte. A aeronave da Japan Airlines em que estava explodiu no ar quando sobrevoava Nova Delhi (Índia).

BOCA SUJA

Em 21 de novembro de 1969, o jornal *O Pasquim* publicou uma polêmica entrevista com Leila, na qual a atriz declarava achar normal uma pessoa transar mesmo sem haver amor na relação. Além disso, proferiu inúmeros palavrões durante suas declarações. Todos eles foram substituídos no texto por asteriscos. Ao todo, foram 73 asteriscos.

Margaretha Geertruida Zelle, a Mata Hari (1876-1917): holandesa, descendente de javaneses, ela não conseguiu prosseguir na carreira de professora como queria a família, nem foi bem-sucedida no casamento. Mudou-se para Paris, onde ganhou a vida como dançarina, modelo vivo de pintores e cortesã de militares. Adotou o nome Mata Hari ("olho do dia", em malaio) porque atendia seus clientes de dia. Durante a Primeira Guerra Mundial mantinha relações com oficiais franceses e alemães, o que a transformou em pivô de muitas intrigas. Acusada de espionagem, foi considerada culpada e fuzilada.

Sobre a morte de Mata Hari, há várias lendas:
1. Os oficiais teriam sido vendados, para não se deixar seduzir por Mata Hari.
2. A espiã teria jogado beijos aos soldados e, antes de receber os tiros, teria aberto a túnica que usava, mostrando o corpo nu a eles.
3. No dia da sua morte, Mata Hari estava tranquila, porque havia combinado com um oficial que ele e os outros usariam balas de festim. Mas isso não aconteceu.

Maria Antonia Josefa de Habsburgo-Lorena, a Maria Antonieta (1755--1793): era filha da imperatriz da Áustria e foi destinada a se casar com apenas 14 anos com o herdeiro, Luís XVI, que se tornou rei da França.

Ele tinha apenas 17 anos e, consta, era virgem como ela. O casamento demorou sete anos para ser consumado e, enquanto isso, Maria Antonieta se ocupava em construir a imagem da mulher mais elegante da corte, trocando de vestido várias vezes ao dia. Exerceu grande influência sobre o marido, mas era uma rainha impopular, que gastava demais e ignorava os problemas do povo. Quando a Revolução Francesa começou, inflamou a batalha ao tentar favorecer os extremistas. Foi presa com o marido e, com apenas 38 anos, foi condenada à guilhotina.

Maria Bonita (1911-1938): nasceu na Bahia, filha de uma família muito pobre. Com apenas 15 anos, casou-se com José Miguel da Silva, um sapateiro que não podia ter filhos. O casal vivia brigando e Maria se refugiava na casa dos pais. Numa dessas fugas, reencontrou Virgulino, o Lampião, que havia sido amigo da família e estava de passagem pela região. Os pais de Maria admiravam o rei do Cangaço e acabaram servindo de cupido para o casal, que foi viver junto um ano mais tarde. Como Lampião não tinha residência fixa, convidou Maria para fazer parte do bando de cangaceiros. Como seguidora do bando, foi ferida apenas uma vez. Teve uma filha chamada Expedita, que foi degolada quando o bando de Lampião foi surpreendido numa emboscada.

Nair de Teffé (1886-1981): foi primeira-dama do Brasil, casada com Hermes da Fonseca. Mas não só isso. Era caricaturista, uma arte até então dominada pelos homens. Brasileira, foi educada na França, Itália e Bélgica. Filha de pais liberais, causou muitos comentários quando, ao voltar para o Rio de Janeiro, durante um passeio a cavalo, levou um tombo e foi socorrida pelo marechal Hermes da Fonseca. Em poucos meses, ela, que tinha 27 anos, e ele com 58, se casaram. Nair gostava de ir ao teatro – chegou a protagonizar uma peça, e por isso foi muito criticada – e também adorava música. Levou a compositora Chiquinha Gonzaga para tocar no Palácio do Catete e promovia rodas de maxixe, tocado em violão, um instrumento considerado de classe baixa. Foi recriminada por Rui Barbosa, mas o marido a apoiava. Só não permitia que se intrometesse em política. Nair adotou três crianças e terminou a vida em dificuldades financeiras. Conta-se que gostava de jogar cartas e teria perdido muito dinheiro com isso. Até o fim da vida desenhou suas caricaturas. Declarou-se a favor do divórcio, fã da Jovem Guarda e da minissaia.

Olga Tchekova (1897-1980): era sobrinha do escritor Anton Tchekov e estudou escultura com Rodin. Aos 17 anos, essa russa fugiu de casa para casar escondido com um ator mulherengo que a traía. Sozinha e com uma filha, sobreviveu ao inverno russo dormindo enrolada em tapetes. Disfarçada de camponesa, foi para a Alemanha, onde usou o nome da família para conseguir um papel no cinema. Sua interpretação agradou tanto que ela fez mais oito filmes, despertando o interesse das autoridades soviéticas, que passaram a usá-la como informante. Em 1928 fez *Moulin Rouge* e se transformou em favorita do ditador Adolf Hitler. Suas atividades entre a Alemanha e a Rússia nunca ficaram totalmente comprovadas, mas no fim da vida ela mesma deu indícios de que colaborava nos planos para acabar com Hitler. Aos cinquenta anos voltou à Rússia, onde abriu uma escola de maquiagem para mulheres.

Valéria Messalina (20-48): foi a terceira esposa do imperador romano Cláudio e ficou famosa por seu apetite sexual. Ela chegou a transformar seu quarto num bordel e convidava homens de todas as camadas sociais para se entreter a seu lado. Numa ocasião, desafiou uma conhecida prostituta para ver qual delas conseguia saciar mais homens no período de 24 horas. Messalina ganhou a disputa. Calcula-se que em seus 28 anos de vida ela tenha tido relações sexuais com cerca de oito mil homens. Por isso, Messalina virou sinônimo de "mulher devassa".

Yoko Ono (1933-): nasceu numa família rica e teve oportunidade de estudar numa das escolas mais tradicionais do Japão, a Gakushin. Estudou piano e canto e durante a Segunda Guerra Mundial foi morar em Nova York, onde conheceu muitos músicos de vanguarda. Em 1956 casou-se com Toshi Ichiyanagi contra a vontade dos pais, o que fez perder a ajuda financeira. Nos anos 1950 e 1960 fez várias experiências conceituais em música e poesia. Numa apresentação no Carnegie Hall usou os microfones para registrar o barulho das privadas, performance que foi muito criticada. Voltou ao Japão em 1961, onde foi internada por depressão. De volta aos Estados Unidos, juntou-se ao grupo vanguardista Fluxus, lançou um livro e produziu filmes. Todos polêmicos, como os 365 *closes* de nádegas que ela retratou. Durante uma de suas exposições, o beatle John Lennon se encantou pela artista, com quem começou uma farta produção de composições de vanguarda em 1960. Casaram-se nove anos depois e, por seu estilo experimental, que influenciou John Lennon, ela foi criticada pelos integrantes da banda. Com a morte de Lennon, em 1980, ela voltou às artes plásticas e seu pioneirismo a colocou em lugar de destaque nos Estados Unidos.

A primeira coelhinha da *Playboy*

O americano Hugh Hefner era diretor de circulação de uma revista chamada *Children's Activities* em 1953. Ele tinha 27 anos e acreditava que havia mercado para uma revista de jovens adultos como ele. Para Hefner, as revistas masculinas da época ignoravam o que parecia ser a principal preocupação da maioria dos homens: as mulheres. Preferiam se concentrar em caçadas, armas, carros antigos ou como dirigir um trator. Comprou por quinhentos dólares os direitos das fotos que **Marilyn Monroe** tirara para um calendário no início da carreira e foi atrás de dinheiro. Pegou emprestado com amigos e parentes (a mãe lhe emprestou mil dólares, embora não aprovasse a ideia da revista).
O nome da revista deveria ser *Stag Party* (algo como "farra"). O símbolo seria um veado (*stag*), fumando de piteira e esperando uma companhia feminina. Às vésperas do lançamento, porém, Hefner descobriu que já existia uma publicação com esse nome. Vários nomes foram pensados – *Top Hat*, *Bachelor*, *Gentlemen* –, até que um amigo sugeriu *Playboy*, nome de uma fábrica de carros que falira. Junto com o nome, Hefner encomendou ao desenhista Arthur Paul uma nova mascote. O coelho foi adotado e hoje é uma marca mundialmente conhecida. Em outubro de 1953, dos 69.500 exemplares do primeiro número que foram para as bancas, 54.175 foram vendidos.

COELHINHA VERSÁTIL
Pamela Denise Anderson (1967-) trabalhava como modelo no Canadá. Amante do futebol americano, ela não faltava às partidas do seu time, o BC Lions. Numa delas, a câmera que filmava o jogo focou a modelo em grande angular e ela foi vista em todo o país. Causou impacto e logo foi convidada a posar para a *Playboy*. Graças ao corpo perfeito, virou atriz do seriado *Baywatch* entre 1992 e 1997. Seu personagem, C. J., virou ícone sexy em todo o mundo.

Onde mais ela apareceu?
- Na capa de todos os tabloides ingleses por causa de suas brigas com o marido, o cantor Tommy Lee, que a surrava.
- Em vídeos eróticos que o casal gravou para registrar sua lua-de-mel. O vídeo "vazou" e foi parar na internet.
- Nas capas das revistas de saúde, depois de ter confirmado que era portadora do vírus da hepatite C, contraído ao partilhar uma seringa de tatuagem com o marido.
- Nas capas de revistas de beleza, mostrando suas próteses de silicone de 450 ml em cada seio.
- Nas capas das revistas naturalistas, por ser membro do Peta – People for the Ethical Treatment of Animals, organização de proteção aos animais.

Por causa de um foguete...

... Rosenery Mello, a fogueteira do Maracanã, como ficou conhecida, acabou posando para a revista *Playboy* em 1989. Um rojão lançado durante a partida contra o Brasil teria atingido o então goleiro do Chile nas eliminatórias da Copa de 1990. Caído no chão, o ensanguentado Roberto Rojas interrompeu o jogo. No momento do estouro, feriu a própria testa com um instrumento cortante e acusou ter sido alvo de estilhaços do projétil. Rosenery Mello era quem tinha lançado o rojão. Mas a verdade é que o artifício passou longe do goleiro. Devido à falsa acusação, Rosenery virou celebridade instantânea.

Elas conseguiram mobilizar o mundo pela internet

Em março de 2005, a iraniana **Nazanin Fatehi**, que tinha 17 anos, foi assediada em pleno parque da cidade de Karaj e ameaçada de estupro. Para se defender, tirou uma faca do bolso e matou seu algoz. Como ela já havia sido assediada por um parente na infância, a estranha lei iraniana a considerou reincidente e a condenou à morte por enforcamento. Um dia, sua xará, **Nazanin Afshin**, miss Canadá 2003, a descobriu na internet. Indignada com a história, decidiu criar um site para chamar a atenção do mundo. O abaixo-assinado teve 350 mil assinaturas e o caso foi parar na Anistia Internacional. O barulho foi tanto, que a corte iraniana reviu a pena e libertou Nazanin Fatehi após dois anos de cadeia. A história virou documentário no cinema.

O poder da traidora

A dupla bíblica Sansão e Dalila protagonizou uma história de amor e traição.

Dalila era uma jovem sedutora que vivia no vale do Soreque, na Palestina. Sansão, um líder do povo hebreu que se apaixonou por ela. Acontece que San-são era detestado pelos filisteus, que dariam tudo para descobrir o segredo da força do inimigo. Como se julgavam incapazes para isso, foram até sua amada e lhe ofereceram 5.500 peças de prata para que ela lhes dissesse. Dalila seduziu Sansão e descobriu que a força dele estava nas sete tranças que ele tinha na cabeça. Então, ela o fez adormecer e chamou alguns homens para lhe rasparem a cabeça. Assim, Sansão perdeu toda a sua força.

VOCÊ SABE QUEM FOI TEREZA?

É a corda usada pelos presidiários e faz referência a uma mulher que sempre visitava seu marido na Penitenciária do estado de São Paulo, na década de 1950. Tereza tinha cabelos muito longos e escuros. Para não pegar piolhos durante as visitas, ela fazia duas tranças e as enrolava num coque no alto da cabeça. Na primeira fuga da história da Penitenciária do Estado, os presos usaram tranças de lençol para fugir. Para se referirem aos lençóis sem chamar a atenção dos carcereiros, os fugitivos batizaram as tranças de tereza.

Dia Internacional da Mulher

O dia 8 de março passou a ser o Dia Internacional dos Direitos da Mulher e pela Paz em 1977, por decisão da Assembleia Geral das Nações Unidas. Existem duas versões para sua escolha:
Uma diz que, em 8 de março de 1857, 129 operárias de uma fábrica têxtil de Nova York entraram em greve. Além de salário igual ao dos homens, elas reivindicavam a redução da jornada de trabalho, que era de até 16 horas diárias. Os patrões trancaram as operárias e incendiaram a fábrica. Todas as grevistas morreram queimadas.
A outra versão faz referência a uma manifestação de operárias em Petrogrado (São Petersburgo) em 1917.

Você sabia?

• A primeira proposta de criar um dia em homenagem às mulheres foi feita pelo Partido Socialista norte-americano em 1909.
• Em 1910, a 2ª Conferência da Internacional Comunista, realizada em Copenhague, na Dinamarca, decidiu colocar a ideia em prática, já que manifestações pelo direito de voto e fim da discriminação feminina se multiplicavam em todos os países industrializados. Escolheram o dia 19 de março para a celebração, que não se repetiu no ano seguinte.
• Até 1913, nos Estados Unidos, a ocasião era lembrada no último domingo do mês de fevereiro.

Boas na luta pela terra

Essas mulheres defenderam os direitos de minorias e desprivilegiados.

Dorothy Mae Stang (1931-2005): a americana ingressou na vida religiosa com 17 anos e em 1966 fez a opção de vir para o Brasil, trabalhar com as tribos indígenas e trabalhadores rurais da região do Xingu. Atuou ativamente nos movimentos sociais e de projetos de desenvolvimento sustentável no Pará. Defensora da reforma agrária, mantinha bom diálogo com as lideranças camponesas e também com os proprietários de terras. Em 2004, recebeu um prêmio da Ordem dos Advogados do Brasil por sua luta em defesa dos direitos humanos. Recebeu diversas ameaças de morte e, em 2005, uma se cumpriu. Irmã Dorothy, como era conhecida, foi assassinada com sete tiros numa estrada de terra próxima a Anapu, no Pará.

Heloisa Helena (1962-): alagoana de Pão de Açúcar, nasceu pobre e doente. Sua mãe prometeu que não cortaria seus cabelos até os nove anos, caso a filha "vingasse". Formou-se em enfermagem e, em 1992, foi eleita vice-prefeita do seu estado pela coligação PSB/PT e, dois anos depois, conquistou uma cadeira na Assembleia Legislativa de Alagoas. Uma das suas lutas mais aguerridas foi pela reforma agrária. Ligada aos movimentos sindicais e indigenistas, participou da CPI do crime organizado do estado. Em 1998, foi eleita a primeira senadora por Alagoas, com mais de 374 mil votos. Em 2003, por discordar de orientações do seu partido, foi expulsa do PT. No ano seguinte, funda o PSOL, do qual se torna presidente. Em 2006, candidatou-se à Presidência da República do Brasil, mas teve apenas 9% dos votos.

> **DENTE VOADOR**
> Durante uma entrevista ao programa Opinião Nacional, da TV Cultura, em agosto de 2007, o pivô da frente (dente postiço) da ex-senadora saltou para fora da sua boca. Ela disfarçou, abaixou, pegou o dente fujão e o recolocou no lugar.

Margarida Maria Alves (1943-1983): filha mais nova em uma família de nove irmãos, ela nasceu em Alagoa Grande, na Paraíba. Católica fervorosa, desde muito cedo se uniu aos religiosos da região onde vivia para lutar pelos direitos dos trabalhadores rurais. Aos trinta anos, foi eleita a primeira presidente mulher de um Sindicato Rural na Paraíba. Fundou o Centro de Educação e Cultura para ajudar na formação dos trabalhadores da terra. Em 12 anos de gestão no Sindicato, ajudou a mover 600 ações trabalhistas contra os usineiros e senhores de engenho na região. Com o surgimento do Plano Nacional de Reforma Agrária, os latifundiários intensificaram a violência no campo e em 1983 ela foi assassinada por pistoleiros, em sua casa, em frente do marido e dos dois filhos.

Noite sem homens

Em Bogotá, na Colômbia, o Dia Internacional da Mulher é comemorado de forma bastante original: sem homens. Das 19h30 às 24 horas, os homens ficam proibidos de acompanhar namoradas, esposas ou amigas nas ruas. A "noite sem homens" foi criada pelo prefeito Antanas Mockus, em 2001, e pretende mostrar que as mulheres se comportam melhor que os homens.

Rainhas ou escravas do lar?

●◆ As colchas de cama eram lavadas à mão até os primeiros anos do século XX. Quando molhadas, chegavam a pesar cerca de 50 quilos.

●◆ Os primeiros ferros de passar eram aquecidos com carvão em brasa. Pesavam entre 3 e 5 quilos.

●◆ Um manual publicado na Inglaterra em 1914 saudou os primeiros eletrodomésticos como algo capaz de converter uma esposa neurótica, desgastada pelas preocupações e problemas domésticos, em uma mulher adorável, borbulhante de alegria e jovialidade.

●◆ As primeiras máquinas de lavar surgiram em 1915. Mas a combinação de água e energia elétrica provocava constantes curtos-circuitos. Frequentemente ameaçavam eletrocutar suas usuárias. Modelos novos surgiram dez anos depois, mas muitos maridos não aceitavam a novidade. Acreditavam que máquina alguma seria capaz de proporcionar os mesmos bons resultados obtidos pelas mãos e pelo insubstituível toque de amor feminino.

●◆ As máquinas de lavar eram usadas na Alemanha desde o século XIX. Por causa da imigração dos alemães, Joinville foi a cidade com o maior número de máquinas de lavar *per capita* do país.

- A campanha do primeiro sabão em pó – Rinso – feita na televisão não pegou. Era 1953 e nem 3 mil brasileiros tinham TV em casa. Para alardear as vantagens do produto, as vendedoras passaram a ir de porta em porta perguntando às donas de casa: "Posso usar seu tanque?". Era uma forma de demonstrar o produto. Ficaram conhecidas como moças de azul.

- Quatro anos depois, a empresa Lever trouxe da Inglaterra o sabão OMO – Old Mother Owl (ou: velha-mãe-coruja).

VOCÊ SABE O QUE É LIXÍVIA?
Para lavar a roupa no século XIX, as mulheres colocavam as peças de molho em bacias e espalhavam cinzas por cima. Depois derramavam água fervente para fazer um molho tira-manchas. Nem sempre funcionava. Então, a dona de casa era obrigada a ferver a roupa durante duas horas em latas d'água e, com o tecido ainda quente, esfregá-la para tirar a mancha. Isso era a lixívia.

ESTES ERAM OS DEZ "MANDAMENTOS" DA MULHER
Essa "pérola" foi publicada no *Jornal do Commercio*, em 1888
1. Amai o vosso marido sobre todas as coisas
2. Não lhe jureis em falso
3. Preparai-lhe dias de festa
4. Amai-o mais do que a vosso pai e a vossa mãe
5. Não o atormenteis com exigências, caprichos e amuos
6. Não o enganeis
7. Não lhe subtraias dinheiro nem gasteis este com futilidades
8. Não resmungueis nem finjais ataques nervosos
9. Não desejeis mais do que um próximo, e que este próximo seja o seu marido
10. Não exijais luxo e não vos detenhais diante das vitrines

Observação: esses dez mandamentos devem ser lidos pelas mulheres doze vezes por dia e depois ser bem guardados em sua caixinha de toalete.

Como surgiram as empregadas domésticas?

●◆ Antes da Primeira Guerra Mundial, as mulheres praticamente não tinham formação intelectual. Quando seus maridos iam à luta, restava-lhes a incumbência de manter o lar. Para isso, se empregavam como domésticas em residências mais ricas.

●◆ As domésticas não eram remuneradas regularmente. Recebiam retribuições esporádicas, sujeitas a descontos, caso quebrassem alguma louça ou estragassem as roupas.

●◆ As jornadas de trabalho, até meados do século XX, eram ilimitadas.

●◆ Na Europa era reservado à empregada doméstica o último andar das residências, o mais frio e sem acesso ao aquecimento. Muitas morriam de tuberculose.

●◆ Empregadas domésticas sempre foram presas fáceis dos patrões e de seus filhos. Muitas tinham, entre suas funções, iniciar os garotos da casa na vida sexual.

●◆ Nem tudo era problema na vida das domésticas. Algumas, muito queridas pelos patrões, ganhavam dotes em ouro para poder "comprar" um marido. Em geral, esses maridos eram operários em má situação financeira.

●◆ No romance *Les Bonnes*, as irmãs Christine e Lá Papin, de 28 e 21 anos, retratadas como anjos, assassinaram a patroa, arrancando-lhe os olhos em seguida. O livro relembrava casos reais ocorridos na Europa.

Preceptoras, babás dos ricos

Nas famílias abastadas da Europa, as crianças eram educadas e cuidadas por aias, profissionais que se ocupavam dos afazeres do lar e dos filhos dos patrões. Já nas famílias aristocráticas, as babás incumbidas de ministrar lições às moças eram as preceptoras. Ensinavam línguas estrangeiras – principalmente inglês e francês –, costura, bordado, desenho, piano e boas maneiras. Algumas ensinavam também equitação. Essas jamais se ocupavam dos afazeres domésticos, delegados às criadas das casas, mansões, castelos e palácios. No século XIX, moças de famílias pobres, mas instruídas, da Alemanha, foram as principais preceptoras da aristocracia francesa. Eram as chamadas *fraülein*.

> **VOCÊ SABE QUEM FOI A CONDESSA DE BARRAL?**
> Luísa Margarida Borges de Barros era baiana, mas foi educada na França, onde também se casou. Como havia aprendido todos os hábitos elegantes da capital francesa, foi convidada pelo imperador dom Pedro II para ser preceptora das princesas. A condessa aceitou e se transformou em pessoa muito íntima do palácio. Tanto que acabou tendo um caso com o imperador, que escondia o romance a todo custo. Ele não queria ficar com a mesma fama de mulherengo do pai, dom Pedro I. O romance entre os dois durou quarenta anos.

> "As mulheres dentro do lar
> têm missão nobre a cumprir.
> Esposa e mãe exemplar
> trabalha sempre a sorrir."
>
> (verso do escritor paulista Martim Francisco,
> para quem sorriso era obrigação – 1853-1927)

Trabalho sim, salário não

No começo do século XX, as mulheres pobres das regiões rurais da Europa eram colocadas em empregos por seus pais. Trabalhavam como criadas em grandes propriedades ou iam para a cidade trabalhar como operárias. Nessas fábricas elas viviam em vilas-dormitórios, cuidadas por religiosas: trabalhavam durante o dia, cuidavam dos afazeres dos dormitórios e rezavam à noite. Passavam meses sem voltar para casa e seus salários eram enviados diretamente aos pais. Esse tipo de internato industrial existiu na Suíça e na Alemanha, mas os mais rigorosos eram os do Oriente.

Você sabia?

Ao entrevistar uma candidata a datilógrafa, o patrão perguntava se a moça sabia tocar piano. Achava-se que o dedilhar facilitava o trabalho; era só uma questão de mudar o teclado.

Negócio de mulheres

●◆ Para conquistar a futura esposa, o diretor do Escritório de Turismo do distrito de Shuangqiao, na China, não apenas prometeu obediência eterna como criou uma cidade governada só por mulheres, com área de 2 quilômetros quadrados em volta de um lago e um letreiro na entrada que diz: "as mulheres sempre têm razão". Lá dentro os homens têm de obedecer às suas esposas, mães e namoradas, sob pena de serem multados pela administração local. Feita por mulheres, evidentemente.

●◆ A primeira faculdade só para mulheres foi inaugurada em Hitchin, na Inglaterra, pela feminista Emily Davies. Em 1848, a alemã Malwida von Meysenburg seguiu o exemplo e inaugurou outra faculdade feminina em Hamburgo.

●◆ A universidade americana de Wellesley também forma até os dias de hoje uma elite feminina. Foi lá que estudou Hillary Clinton.

As mulheres-peixe

Na Coreia do Sul, a caça submarina é uma profissão feminina por tradição. As *haenyeo*, como são conhecidas, ganham dinheiro mergulhando atrás de crustáceos, moluscos e outros frutos do mar para vender aos turistas, que gostam de comê-los frescos. O trabalho é realizado com equipamentos precários, o que não impede senhoras de mais de setenta anos de exercê-lo. Elas são remanescentes do grande número de mulheres-mergulhadoras que praticavam a atividade nos anos 1950. Hoje não há mais de 3 mil *haenyeo* no país. Com enorme resistência física, muitas conseguem submergir por dois minutos e descer até 20 metros abaixo da superfície.

Essa não foi muito parceira

Emma Darwin era muito religiosa e conservava o hábito de rezar várias vezes por dia. Por causa da sua fé em Deus, tinha certeza de que iria para o céu, e que Charles Darwin, por sua teoria da evolução, iria para o inferno. Ela se torturava com a ideia de passar a eternidade longe do marido e, por isso, atormentava-o para que deixasse os estudos de lado.

MISS McDONALD'S, UMA MISSÃO PARA AS JAPONESAS
No Japão, o McDonald's dispensou o palhaço Ronald como garoto-propaganda. Em seu lugar, colocou uma japonesa magra, de biquíni e salto alto. A mudança foi feita para promover um estilo de vida mais saudável.

Profissão: gueixa

No início do século XX, havia 80 mil gueixas no Japão. Hoje são apenas duas mil. A influência do Ocidente é o principal motivo do desinteresse das japonesas pela profissão.

◆ As gueixas são mulheres japonesas que estudam a arte da sedução, da dança, do canto e do entretenimento.

◆ A palavra que as batiza significa "pessoa de artes".

◆ Ao contrário do que se pensa, essas acompanhantes de luxo não são prostitutas. Essa percepção errada se disseminou após a ocupação norte-americana no Japão. Na época, diante da miséria que assolava o país, muitas gueixas começaram a vender seu corpo. Hoje em dia, algumas ainda o fazem, mas esse não é o objetivo da profissão.

◆ Entre os séculos XVIII e XIX, as famílias pobres japonesas costumavam vender suas filhas para casas de gueixas.

◆ O treinamento para se tornar uma gueixa dura muitos anos. O aprendizado tem início na adolescência, num internato chamado Okiya, onde meninas de 13 a 15 anos aprendem, entre outras coisas, a tocar *shamisen* (espécie de banjo), a preparar-se para a cerimônia do chá e a desenhar ideogramas.

◆ Os serviços de gueixa custavam caro. Por isso, apenas figurões – empresários ricos e membros da máfia – podiam contratá-las.

◆ Em 2005, o diretor Rob Marshall levou para as telas a adaptação do livro *Memórias de uma gueixa*. A obra de Arthur Golden é um romance sobre uma menina de olhos azuis que se torna uma influente gueixa.

> **QUEM FINANCIA UMA GUEIXA?**
> O *danna*, um cliente especial, com quem elas têm uma relação duradoura e, muitas vezes, com quem se envolvem sexualmente.

Brasileiras na Segunda Guerra Mundial

Embora o Brasil quisesse se manter neutro na guerra, os Estados Unidos já influenciavam economicamente toda a América Latina. Então, o jeito foi mandar tropas de soldados e enfermeiras para ajudar as forças aliadas.

A ditadura do Estado Novo de Getúlio Vargas tinha ideologia que se espelhava no nazifascismo, mas a ajuda financeira que os americanos davam fez com que o Brasil apoiasse as forças aliadas. Em 1944, vários batalhões foram enviados para a Europa. Da Força Expedicionária Brasileira faziam parte 73 enfermeiras. Olímpia de Araújo Camerino foi a enfermeira-chefe do primeiro grupo. Mas a hierarquia acabava aí, o que causou muito constrangimento às enfermeiras brasileiras que, diferentemente das americanas, não tinham insígnias nem situação militar definida. Para evitar os constrangimentos, todas foram promovidas ao posto de segundo-tenente, embora tivessem vencimentos relativos ao posto de segundo-sargento.

MULHERES NAS FORÇAS ARMADAS

O Exército brasileiro foi a primeira instituição militar do Hemisfério Sul a admitir mulheres em seus quadros permanentes e de carreira. Em 1992, eles incorporaram ao seu quadro administrativo a primeira turma feminina de oficiais. Antes deles, porém, a Marinha já havia formado, em 1981, 307 mulheres. Apesar do pioneirismo, até hoje não deixa que elas façam parte da Escola Naval e concorram às vagas de capitão-de-mar-e-guerra, contra--almirante e almirante. A Aeronáutica, por sua vez, abriu as portas para as oficiais femininas pouco depois, mas foi muito mais exigente nos pré-requisitos das candidatas. Apenas as solteiras de até 27 anos eram admitidas para exercer funções meramente administrativas.

Mulheres no ar

Em 2002, a Força Aérea Brasileira abriu vagas para mulheres aviadoras. Quando passam no concurso, tornam-se cadetes e seguem uma rígida lista de regras militares. O que elas não podem fazer?

• Pintar o cabelo: ao ingressar na Aeronáutica, o militar (homem ou mulher) faz um cadastro em que consta a cor do cabelo. Pintá-lo significa enfrentar um complicado processo burocrático para alterar o cadastro.

• Usar brinco grande ou *piercing*, ter unha comprida ou andar com uniforme amassado: essas regras também valem para os homens.

• Deixar o cabelo solto: elas podem escolher entre o coque, o rabo de cavalo e a trança. Para eventos públicos, é obrigatório o coque.

• Usar saia curta: nenhuma saia da farda militar, não só na Força Aérea, tem comprimento menor que 4 centímetros acima dos joelhos.

• Namorar dentro da academia: isso só pode ser feito do lado de fora.

• Engravidar: elas são afastadas de treinamentos e escalas de voo por um ano, pois a intensidade dos exercícios e das missões coloca em risco o corpo da mãe.

Mulheres no espaço

Valentina Vladimirovna Tereshkova (1937-) foi a primeira cosmonauta da história, em 16 de junho de 1963. Paraquedista amadora, em 1961 começou a estudar para ser astronauta. Em 1962, a coronel-engenheira foi admitida na função e, um ano depois, pilotou a nave Vostok 6. Durante sua carreira, completou 48 órbitas ao redor da Terra, no total de 71 horas. No espaço, ela declarou: "Na janela à direita estou enxergando os horizontes. Vem das nuvens uma faixa azul. Estou vendo a Terra. Tudo em ordem!".

•◆ A primeira astronauta americana foi Sally Rider, que voou na nave espacial Challenger, em 1985.

•◆ Em 1991, a astronauta norte-americana Shannon Lucid permaneceu 530 horas no espaço. Na volta, reclamou por ter sido discriminada pelos homens que estavam a bordo com ela.

•◆ Svetlana Yevgenyevna Savitskaya foi a segunda mulher a ir ao espaço, em 1982, a bordo da missão Soyuz T-7. Em sua segunda missão, dois anos depois, tornou-se a primeira mulher a conduzir atividades extraveiculares no espaço, permanecendo fora da estação orbital por 3 horas e 35 minutos. Por seus dois voos, foi condecorada como heroína da União Soviética.

•◊ Sunita Williams foi a mulher que passou mais tempo no espaço: 188 dias e 4 horas, a bordo da Estação Espacial Internacional, em 2006.

•◊ Lisa Marie Caputo Nowak foi para o espaço no ônibus Discovery, em julho de 2006, no segundo voo do ônibus depois da tragédia do Columbia. Mas só ficou conhecida ao perseguir uma suposta rival amorosa, Colleen Shipman, com quem ela disputava o amante Bill Oefelein. Ao ser presa, portava faca, marreta de aço, luvas, sacos plásticos e uma pistola de chumbinho.

•◊ A milionária americana de origem iraniana Anousha Ansari foi a primeira turista do espaço, a bordo da nave russa Soyuz TMA-9, com destino à Estação Espacial Internacional, em setembro de 2006.

A mulher-soldado

Antes de dom Pedro I declarar a Independência do Brasil, a Bahia já havia pego em armas para combater o domínio português. Essa guerra, que se estendeu até 1824, teve lá os seus heróis, e entre eles figura o nome da baiana de Feira de Santana, **Maria Quitéria de Jesus** (1792-1853). A moça tinha como maior sonho lutar e trocou as saias pela farda, atendendo a um apelo da Junta Conciliadora de Defesa de Cachoeira, na Bahia, que precisava de soldados. Claro que o convite não se estendia às mulheres, mas Quitéria tratou de dar um jeitinho. Mudou seu nome para José Cordeiro de Medeiros e foi combater no Batalhão dos Periquitos, liderado pelo avô de Castro Alves. Foi a primeira mulher a pertencer a uma unidade militar e logo foi elogiada pela sua bravura. Também, pudera, até fumava charutos com os homens após as refeições. No final da guerra, liderou as tropas que ocuparam Salvador depois da debandada da milícia portuguesa. Após conquistar o respeito dos companheiros, livrou-se das roupas masculinas e casou-se com um antigo namorado. Virou patrona do Quadro Complementar de Oficiais do Exército Brasileiro.

QUEM FORAM AS AMAZONAS?
Mulheres da primeira tribo indígena feminina de que se tem notícia, as amazonas eram guerreiras que usavam cabelos compridos e soltos. Elas tinham o hábito de mutilar o seio direito para poder empunhar melhor a lança ou o arco durante as lutas. A tribo das amazonas faz parte de todos os relatos sobre a cultura brasileira a partir de 1539.

Piratas de saias

As representantes do sexo frágil também foram à luta nos mares e, na verdade, se vestiam como homens para não serem atacadas pelos demais. As mais famosas foram as inglesas **Mary Read** e **Anne Bonny**, que faziam parte da mesma tripulação em meados de 1710 e eram amantes do mesmo homem, Jack Rackham, o "Calico Jack". Foram presas grávidas e, por isso, escaparam da forca. Após darem à luz na prisão, Marie morreu e Anne desapareceu.

Mulher no barco dá azar?
Na época dos *vikings*, mulher não entrava nos barcos pesqueiros. Diziam que elas davam azar. A verdade é que os pescadores queriam dar uma paradinha em outros portos para visitar suas namoradas. Se as esposas estivessem no barco, a escapadela não seria possível.

Você sabia?

• A rainha Teuta, que controla as costas dalmáticas e gregas, foi considerada uma das primeiras mulheres piratas.
• Por volta do ano 1000, a *viking* sueca Alwilda comandava navios piratas no mar Báltico.
• Jeanne de Belleville comandava três navios piratas por volta de 1300. Era considerada o terror dos mares.
• Em 1582, a inglesa Lady Elisabete Killigrew ou senhora de Falmouth, dirigiu o sindicato dos piratas das costas inglesas.
• Os séculos XVII e XVIII foram considerados os tempos dos corsários. Anne Le Long chefiava várias empresas de navegação bretã.
• Em 1807, a chinesa Ching Yih Saoa, conhecida como o flagelo dos mares do Oriente, comandou uma frota de seis esquadras por dez anos.
• Em 1930, Lai Choi San foi considerada a rainha dos piratas de Macau. Atuava em Hong Kong e Xangai.

Rosa Branca,
a mulher que enfrentou Hitler

Estudante de biologia e filosofia, a alemã Sophie Scholl ajudou a formar a organização clandestina Rosa Branca, um grupo de jovens que se opunha ao regime do ditador Adolf Hitler. Contrabandeados para fora do país, os panfletos que eles escreviam e distribuíam eram uma arma na mão dos aliados. Entregue à Gestapo por um bedel da escola, Sophie foi condenada à morte, não sem antes desafiar o juiz. Foi para a guilhotina em setembro de 1943. Em 1964, vinte anos após a tentativa de assassinato de Hitler, Sophie virou selo comemorativo. Depois disso, foi nome de rua e de cem escolas na Alemanha.

EM DEFESA DAS MULHERES

Lei Maria da Penha contra a violência doméstica

Em 1983, aos 38 anos, a biofarmacêutica **Maria da Penha Maia** foi vítima do marido, o professor universitário Marco Antonio Herredia, que tentou matá-la por duas vezes. Na primeira, ele deu um tiro que a deixou paraplégica. Na segunda, tentou eletrocutá-la. Nove anos depois, Herredia foi condenado a oito anos de prisão, mas usou recursos jurídicos para protelar a pena e acabou cumprindo apenas dois anos de reclusão. O caso chegou à Comissão Interamericana dos Direitos Humanos da Organização dos Estados Americanos que, pela primeira vez, acatou a denúncia por um crime doméstico. Maria da Penha deu início, então, a um movimento contra a violência e a impunidade, tornando-se coordenadora de estudos e pesquisas da Associação de Parentes e Amigos de Vítimas da Violência, no seu estado, o Ceará. Um grupo interministerial organizou um projeto que foi enviado ao Congresso Nacional em 25 de novembro de 2004. Em 2006, virou um projeto de lei que foi sancionado pelo presidente Lula em 7 de agosto do mesmo ano. A Lei de Violência Doméstica e Familiar Contra a Mulher ganhou o nome de Lei Maria da Penha Maia.

E TEM MAIS...
• No começo do século XX, bater na mulher e nos filhos era comum, principalmente quando o marido julgava que sua esposa era uma dona de casa "relaxada".
• No Brasil, quatro mulheres são espancadas dentro de casa por minuto.
• Ocorrem cerca de dois milhões de casos de violência doméstica e familiar por ano no país.
• Uma em cada cinco brasileiras já sofreu algum tipo de violência por parte de algum homem.
• Dentre as formas de violência, as mais comuns são a agressão física branda, sob forma de tapas e empurrões (20%), xingamentos e ofensas com relação à conduta moral (18%), e ameaça por meio de roupas rasgadas e objetos atirados (15%).
• A primeira cidade do Brasil a condenar um cidadão com base na Lei Maria da Penha foi Chapecó (SC), no dia 28 de março de 2007.
• Seis mulheres morrem na França semanalmente vítimas de violência doméstica.
• 53% das portuguesas já foram agredidas fisicamente por seus maridos ou ex-companheiros.
• Trezentas mulheres alemãs são assassinadas anualmente por homens com quem conviveram.

Protetora das espancadas

Em 1929, quando tinha 28 anos, **Isabel Maria da Conceição**, que vivia na serra da Ibiapaba, a 350 quilômetros de Fortaleza (CE), foi espancada e morta pelo marido, conhecido como Zé Passarinho. Ele tinha ciúme da sua beleza e, por causa disso, batia nela. Depois de matá-la, jogou-a de um penhasco, mas o corpo ficou preso numa árvore mantendo-se intacto por muito tempo. Assim, a finada Isabel, como ficou conhecida, virou uma santa popular, venerada por mulheres que sofrem maus-tratos do marido.

> **MISOGINIA**
> Quer dizer desprezo ou aversão às mulheres, repulsa do homem ao contato com a mulher. Muitas vezes esse termo é confundido com machismo, mas a misoginia se baseia na crença de que a mulher é um ser desprezível, que deve ser mantido alheio a tudo.

QUEM FOI CHICA HOMEM?
Era uma mameluca que viveu em Goiás, no século XVII, e participou do movimento de Entradas e Bandeiras do sertão goiano. Chica Homem era uma mulher de extrema coragem e manejava como ninguém as armas de fogo. Tinha o hábito de fumar e ela própria secava, enrolava e colocava as folhas de tabaco no cachimbo. Também era exímia domadora de potros e matou a golpes de machado dois índios que invadiram a vila de São Paulo de Piratininga, onde vivia, ameaçando as mulheres do local. Morreu em decorrência de ferimentos provocados pelo ataque de um touro.

QUEM INVENTOU O CINTO DE CASTIDADE?
A partir do século XI, quando os homens seguiam para as Cruzadas, queriam ter certeza de que as suas esposas não os iriam trair. Para isso, colocavam nelas um cinto com uma alça metálica que passava entre as pernas, cobrindo toda a genitália feminina, e que era trancado a chave. O cinto de castidade também foi usado durante a Idade Média pelos senhores feudais. Eles precisavam de garantias de que os filhos que sua esposa havia gerado eram realmente seus. Como não havia exame de DNA, obrigavam as esposas a usar o invento.

A sexóloga da TV

Sexóloga envolvida com as causas feministas, ela apresentou programa de televisão e dirigiu a cidade mais rica do Brasil.

Marta Teresa Smith de Vasconcelos Suplicy nasceu em 1945, em uma família aristocrata de São Paulo. Em 1964, casou-se com Eduardo Matarazzo Suplicy. Estudou psicologia na PUC-SP e se especializou em psicologia infantil em Michigan, nos Estados Unidos. Na sua volta ao Brasil, juntou-se ao primeiro grupo de reflexão composto por acadêmicas paulistas. Seu envolvimento com as causas feministas lhe rendeu um convite para apresentar um quadro sobre comportamento sexual no programa TV Mulher, da Rede Globo, em 1980. Pioneira, ela falava sobre temas polêmicos como masturbação e orgasmo. Publicou vários livros sobre sexo e em 1983 se filiou ao Partido dos Trabalhadores, sendo eleita deputada federal em 1995. Sua participação foi corajosa; colocou na pauta do Congresso temas ligados ao aborto e à realidade dos homossexuais. Em 2000 venceu Paulo Maluf no segundo turno das eleições à Prefeitura de São Paulo. Em 2001, separou-se do marido Eduardo Matarazzo Suplicy, com quem foi casada por 37 anos. Com o divórcio oficializado em 2003, casou-se com o franco-argentino Luís Favre. Em 2007, foi escolhida para ocupar a pasta do Turismo no ministério do presidente Lula. Durante seu primeiro ano de gestão, foi autora de uma das mais infelizes frases pronunciadas por políticos. Ao ser questionada sobre o que os turistas deveriam fazer diante do caos aéreo que tomara conta do país, aconselhou: "relaxa e goza".

Brasileiras em números

- Seis em cada dez brasileiras defendem a permanência da mulher em casa se o marido tiver boa renda.
- Metade das brasileiras aponta a igualdade de oportunidades de trabalho entre os sexos como uma das principais mudanças para a melhora da qualidade de vida no novo milênio.
- 33% das contas correntes abertas em bancos e 24% das cadernetas de poupança estão em nome de mulheres.
- Apenas três em cada dez brasileiras usam cartão de crédito.

Ela defende as crianças

Patrícia Lúcia Saboya Ferreira Gomes nasceu em 1962, em Sobral (CE), e foi por esse estado que ela se elegeu senadora com quase dois milhões de votos em 2003, graças à bandeira que ela levantou contra a exploração infantil.

Foi casada com Ciro Gomes e com ele teve três filhos. Em 1991, quando o marido se tornou governador do Ceará, ela se envolveu com a política social do estado, jogando luz sobre a violência sexual contra crianças e adolescentes. Em 1999 separou-se de Ciro, mas continuou sua luta política. Em Brasília, conseguiu instaurar uma CPI para investigar a exploração sexual, inclusive as que envolvem líderes religiosos.

MÃES DA PRAÇA DE MAIO

A Argentina vivia uma terrível ditadura militar. No dia 30 de abril de 1977, 13 mães se reuniram na praça de Maio, em frente à Casa Rosada, sede do governo, para protestar contra o desaparecimento de seus filhos. Elas vestiam roupas pretas, com os nomes dos filhos bordados em lenços brancos na cabeça. As mães fizeram sua primeira marcha em volta da estátua da Liberdade. Carregavam cartazes com fotos dos desaparecidos. A ronda das Mães de Maio foi feita todas as quintas-feiras às 15 horas, até o dia 26 de janeiro de 2006. O objetivo delas era manter viva a lembrança do desaparecimento de cerca de 30 mil jovens e crianças. Muitas delas, incluindo sua fundadora, Azucena Villaflor, sumiram durante o regime militar.

Missão: caçar tiranos

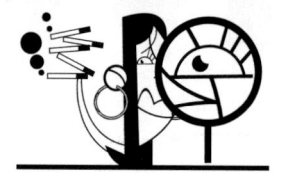

Carla del Ponte é conhecida como "La Puttana". Não por gente de bem, mas pelos criminosos da Guerra da Ruanda, pelos mafiosos da Cosa Nostra, e por banqueiros suíços envolvidos em lavagem de dinheiro. A procuradora-geral do Tribunal Penal Internacional, criado pela ONU para investigar crimes contra a humanidade, é uma mulher de 58 anos, 1,52 metro de altura e fumante compulsiva. Ela já conseguiu:
• Ser incluída na lista da revista *Time* como um dos trinta heróis contemporâneos.
• Levar à justiça o ex-presidente iugoslavo Slobodan Milosevic.
• Classificar os estupros em massa, cometidos durante guerras, como crimes contra a humanidade.

- Denunciar Boris Ieltsin por escândalo financeiro.
- Congelar as contas bancárias da ex-primeira-ministra paquistanesa Benazir Bhutto.
- Confiscar 118 milhões de dólares de Raul Salinas, irmão do presidente mexicano.

Curiosidade
Na Irlanda, foi comparada à ½ *pint of Guinness* (metade de um copo de Guinness, a cerveja mais popular do país), por ser baixinha, só usar preto e ter o cabelo completamente branco.

RICAS E PERIGOSAS

Estas celebridades já amargaram alguns dias ou só algumas horas atrás das grades.

Brigitte Bardot: conhecida como defensora dos bichos, a atriz francesa foi presa em 1990 por castrar o asno Charly, depois de ter sido acusada pelo proprietário do animal. Além de libertar Brigitte, a corte francesa ainda fez com que o dono pagasse a ela a multa de mil dólares por depreciar sua imagem de protetora dos animais. A atriz decidiu acabar com a alegria de Charly quando ele tentava atacar a fêmea Mimosa, que vive em sua propriedade.

Farrah Fawcett: a atriz cometeu pequenos furtos duas vezes em 1970, quando era apenas uma modelo desconhecida e nem sonhava em ser uma das estrelas do seriado *As panteras*. Ao ser flagrada roubando em duas lojas, ela disse que, na verdade, estava trocando os produtos que havia comprado. Eles estavam com defeito e, como as funcionárias se recusaram a substituí-los, ela resolvera apelar para o "faça você mesmo".

Jane Fonda: a atriz foi presa pela primeira vez em uma base militar na cidade de Seattle, Estados Unidos, durante um protesto organizado pelo Movimento dos Índios Americanos, em 1970, e expulsa do local. Sete meses depois, em novembro, Jane foi pega por contrabandear pílulas e chutar um policial e um oficial da alfândega. Seu julgamento foi adiado para o ano seguinte e as queixas foram retiradas mais tarde.

Kate Moss: em 2006, a modelo inglesa foi fotografada cheirando cocaína, o que fez com que várias empresas quebrassem o contrato que tinham com ela. Sem se abalar muito com o fato, Kate viajou a Paris para uma sessão de fotos para a revista *W*. A Scotland Yard não gostou e deu dez dias para que a modelo escolhesse uma delegacia para depor. Ela aceitou e não foi julgada pelo ato. Apenas se comprometeu a fazer um tratamento desintoxicante.

Lindsay Lohan: em julho de 2007, duas semanas depois de sair de uma clínica de reabilitação, Lindsay Lohan foi presa por dirigir embriagada e com a carteira de habilitação suspensa pelas ruas de Santa Mônica, na Califórnia (EUA). Os policiais encontraram também cocaína no bolso da moça. A atriz já havia sido presa dois meses antes por dirigir embriagada.

Martha Stewart: uma das mais famosas apresentadoras de televisão e dona de um conglomerado de empresas nos Estados Unidos, em 2004 foi acusada de participar de uma venda suspeita de ações. Como se recusou a revelar a verdade aos fiscais federais, foi acusada de informação privilegiada e condenada a cinco meses de prisão. A apresentadora, que estava com 63 anos, tinha como funções lavar banheiros e ajudar na cozinha. Pelos serviços, recebia 0,12 centavos de dólar por hora. Depois de cumprir a pena, voltou a assinar um contrato com a televisão. Seu salário: 900 mil dólares por ano.

Naomi Campbell: em 2006, a supermodelo estava atrasada para um compromisso, não achava a calça jeans que queria vestir e, aos berros, mandava a empregada procurar. Ana Scolavino não conseguiu encontrar o que a patroa pedia. Irritada, Naomi pegou o celular e atirou em direção à cabeça da moça, que precisou levar alguns pontos para fechar o ferimento. Naomi reconheceu a culpa, mas disse que não tinha sido sua intenção machucar a funcionária. A corte de Nova York não quis saber; condenou a modelo a fazer aulas de como controlar a raiva e também a mandou passar uma semana limpando banheiros como pena socioeducativa.

Paris Hilton: herdeira da cadeia de hotéis Hilton, Paris Hilton foi multada diversas vezes por excesso de velocidade. Em 2007, teve sua carteira de motorista suspensa. Não se intimidou e continuou dirigindo até que um guarda a prendeu por cometer três infrações conjuntas: ultrapassar a velocidade permitida, não usar os faróis e dirigir sem carteira. Foi condenada a 45 dias de prisão e ameaçada, pelo pai, de ser deserdada.

Sophia Loren: nem a voluptuosidade da atriz italiana conseguiu enganar o fisco de sua terra natal. Em 1982, Sophia foi presa por não pagar impostos e teve de passar 17 dias na cadeia, em Roma. A musa tinha "esquecido" de quitar uma pequena dívida de 180 mil dólares em 1964. Seu marido na ocasião, o produtor Carlo Ponti, foi declarado culpado pela corte romana por transferência ilegal de dinheiro para o exterior. Ele pegou quatro anos de prisão e pagou uma multa de 24 milhões de dólares. Sophia foi inocentada de qualquer envolvimento com os negócios do marido.

Winona Ryder: em dezembro de 2001, ela decidiu economizar nas compras de Natal e levou produtos no valor de 5.500 dólares, sem pagar nada, da Saks Fifth Avenue, uma das lojas mais luxuosas de Beverly Hills, em Los Angeles. No começo de dezembro de 2002, Winona foi condenada a três anos de condicional e a 480 horas de trabalho comunitário.

> **DÚVIDA CURIOSA**
> **Se a esposa do presidente é a primeira-dama, o que o marido de uma presidenta seria?**
> De acordo com o protocolo do Ministério das Relações Exteriores, o esposo de uma presidenta, governadora ou prefeita é simplesmente seu marido, não tem nenhuma denominação especial. A expressão "primeira-dama" surgiu no jornal americano *Frank Leslie's Illustrated Newspaper*, em 31 de março de 1860, e referia-se a Harriet Lane. Na verdade, ela era sobrinha do presidente James Buchanan, que esteve na Presidência entre 1857 e 1861 e foi o único chefe de Estado da história dos Estados Unidos que não se casou. A posição de primeira-dama foi ocupada pela primeira vez no Brasil por Mariana da Fonseca, que se casou com o marechal Deodoro em 1860.

IMAGENS FEMININAS

Estátua da Liberdade

O monumento foi um presente do governo francês ao povo norte-americano por ocasião do Centenário da Independência dos Estados Unidos. Em troca, os norte-americanos deram à França o elevador curvo da torre Eiffel. Seu verdadeiro nome é "Liberdade iluminando o mundo". O escultor Fédéric Auguste Bartholdi desenhou a estátua com a ajuda do engenheiro Alexander Gustave Eiffel, o mesmo da torre Eiffel, para projetar a estrutura da peça, que foi feita com chapas de cobre batido a mão. A estátua veio da França desmontada em 350 peças, guardadas em 214 caixas. A fragata *Isere* fez o transporte das partes. O monumento demorou quatro meses para ser montado em solo americano. Sua inauguração ocorreu no dia 28 de outubro de 1886 e foi comandada pelo presidente Grover Cleveland. Em seu discurso o político declarou: "Nós nunca nos esqueceremos que a liberdade fez morada aqui; e nunca negligenciaremos o altar que ela escolheu". A "Senhora Liberdade" tem 57 metros de altura, pesa 225 toneladas e só o seu nariz possui 1,37 metro de comprimento. As sete pontas de sua coroa representam os oceanos e os continentes do mundo. Para chegar à cabeça da estátua é preciso subir 354 degraus.

Espírito do êxtase da Rolls-Royce

Em 1904, Charles Stewart Rolls, um lorde inglês que gastava seu tempo com esportes de elite e aventuras, encomendou ao torneiro mecânico Frederick Henry Royce um motor veloz e ao mesmo tempo silencioso. O ex-morador de rua atendeu ao pedido; criou um motor possante e silencioso, que em pouco tempo despertou o desejo de consumo dos elegantes londrinos. O primeiro carro da marca foi o Silver Ghost (Espírito de prata), um veículo de luxo totalmente artesanal, com motor seis cilindros, que estreou no Salão de Paris de 1906. Além do motor, o veículo chamava a atenção pela grade do radiador que remete a colunas gregas, e pela mulher alada, chamada de Spirit of ecstasy (Espírito de êxtase). Ela foi encomendada por lorde Montagu assim que recebeu o seu carro montado à mão em 1911. Quem serviu de modelo foi sua secretária, Eleonor Thorton, por quem o nobre era apaixonado. O escultor Charles Sykes foi quem recebeu a tarefa do lorde para fazer uma escultura que representasse a amada, sentindo o vento e a "música" do motor de sua nova máquina. Sykes cedeu os direitos de cópia à Rolls-Royce, com a condição de que ele fosse o único a produzir as peças. Somente em 1939 a obra virou equipamento-padrão da fabricante. A montadora, que já foi da Volkswagen e agora pertence ao grupo alemão BMW, ainda hoje mantém os processos artesanais na produção dos veículos, garantindo exclusividade aos compradores em todo o mundo.

A dama da Columbia Pictures

A imagem de abertura dos filmes produzidos pela Columbia Pictures foi inspirada na revolução americana. A dama da Columbia, como ficou conhecida, surgiu pela primeira vez em 1924, quatro anos depois da fundação dos estúdios. Nessa época, tinha uma bandeira dos Estados Unidos nos braços que, em 1949, foi substituída por um manto. Mas, ao contrário do que se especula, os estúdios garantem que a dama da Columbia não foi inspirada em nenhuma atriz em especial e que seu rosto seria a lembrança da mãe do seu escultor, Frédéric Auguste Bartholdi. Em 2001, a atriz figurante Jane Bartholomew, que atuou em alguns filmes na década de 1930, declarou a um jornal de Chicago que seu rosto teria servido de inspiração para a dama da Columbia. Na biografia de Bette Davis, a autora Claudia Dell garante que foi a atriz Amelia Bacheler que teria servido de modelo para a criação da imagem. Para isso, teria recebido 25 dólares por um dia de trabalho. A imagem atual foi redesenhada pelo ilustrador Michael J. Deas, em 1993. Ele usou Jenny Joseph, uma dona de casa da Louisiana, como modelo. Ela posou para o artista durante alguns dias, usando roupão e segurando uma tocha. Mas não se reconheceu depois de ver o trabalho pronto. O motivo: Michael trabalhou a imagem no computador, modificando quase inteiramente a fisionomia da modelo.

E a Mercedes?

Mercedes virou símbolo de carro luxuoso. O nome vem de Mercedes Jellinek, filha de um diplomata e banqueiro austríaco. O diplomata era amigo do fabricante de automóveis Gottlieb Wilhelm Daimler, que passou a batizar os carros que produzia com o nome da moça. Em 1926, Daimler fundiu sua empresa com a também alemã Benz, de Karl Friedrich Benz.

Quem dá nome de mulher aos furacões?

● Antes de 1950, o Exército dos Estados Unidos era responsável por fazer a previsão do tempo e costumava atribuir um número às tormentas tropicais.

● A ideia de oficializar nomes para as tempestades surgiu a partir de 1951, quando George R. Stewart lançou o livro *Storm*. O personagem principal era um meteorologista que acompanhou uma tempestade desde o seu nascimento, batizando-a de Maria. O livro virou filme de Walt Disney.

● Durante a Segunda Guerra Mundial, os meteorologistas começaram, informalmente, a dar nomes femininos às tempestades. Era comum os fenômenos ganharem os nomes de mulheres ou namoradas dos oficiais.

● As tempestades tropicais passaram a ser batizadas apenas com nomes femininos a partir de 1953. A lista elaborada seguia a ordem alfabética. Assim, o primeiro fenômeno registrado deveria levar um nome que começasse com a letra A. Esse critério foi utilizado apenas até 1978, por pressão de movimentos feministas americanos, que não gostaram de ver nomes de mulheres atrelados a fenômenos que provocavam destruição. Depois disso, se passou a alternar nomes masculinos e femininos à lista de furacões.

2

Eu estou de calcinha preta.

BREATHLESS MAHONEY (INTERPRETADA POR MADONNA)
(1990), perguntada se está de luto pela morte do namorado,
no filme *Dick Tracy*.

cinema e televisão

CINEMA

Há mais de um século, essas celebridades servem de espelho para gerações de anônimas ou nem tanto. Graças a Elizabeth Taylor, casar e recasar virou moda. Por causa da Fiona, personagem que representa a nova geração dos estúdios Disney, o príncipe encantado sumiu dos sonhos femininos, abrindo espaço para o amor verdadeiro. Mesmo que seja por um ogro.

As grandes estrelas do cinema

No final do século XIX, Thomas Edison fez suas primeiras experiências com fotografias que se moviam. Alguns anos depois, em 1877, foi fundada Hollywood, uma cidade inspirada na fazenda da família Wilcox, uma das mais antigas da região. Lá foram feitos os primeiros experimentos com filmagens. Não por coincidência, 25 anos mais tarde, a cidade de Hollywood, com 4 mil habitantes, festejou a inauguração do cinema Electric Theatre, que também estimulou o aparecimento de produtoras cinematográficas na região. Na indústria mais glamourosa do mundo, não faltaram musas.

☆ Anos 1910

Nos Estados Unidos, **Theda Bara** foi a vamp mais sensual do cinema e a atriz que melhor definiu a *femme fatale* do cinema. Hollywood a vendia como diva misteriosa, a primeira a interpretar Cleópatra no cinema. Na Dinamarca, **Asta Nielsen** surgiu em 1915 como a vamp do Norte, interpretando o papel de Mata Hari. Sua rival era a polonesa **Pola Negri**, que ficou conhecida como a melhor intérprete para feiticeiras. Todas elas tinham pele muito clara e cabelos negros, quase sempre curtos e provocantes. No contraponto estava

Lilian Gish, como virgem intocada, de rosto inocente, e também a canadense **Mary Pickford**, que ficou conhecida como a primeira namoradinha da América, com seus cabelos compridos e olhar ingênuo.

SÓCIA DE CHARLIE CHAPLIN

A canadense **Mary Pickford** (1892-1979) tornou-se provedora da família aos oito anos, quando sua mãe ficou viúva. Adolescente, foi para a Broadway e se transformou na maior estrela do cinema mudo. Dona de um aguçado tino comercial, aos 26 anos fundou a United Artists Corporation com Charlie Chaplin, D. W. Griffith e seu futuro marido, Douglas Fairbanks. A companhia, além de produzir filmes, distribuía-os. Mary deixou as telas aos quarenta anos, como uma das mais bem-sucedidas empreendedoras do cinema.

☆ **Anos 1920**

Louise Brooks surgiu em 1928 e tornou-se a maior estrela internacional do cinema graças à sua interpretação em *Lou Lou*. Seu penteado à *garçonne* é copiado no mundo todo. **Josephine Baker**, a Vênus de Ébano, é a primeira estrela negra e faz muito sucesso na Europa. **Gloria Swanson** se consagra no cinema mudo, ao lado de Rodolfo Valentino. Personifica mulheres extravagantes e muito seguras. **Greta Garbo**, a Divina, desponta em um dos primeiros filmes falados. Sua voz rouca e sensual a torna um ícone rapidamente, embora ela se maquiasse pouco e tivesse um visual menos feminino do que **Marlene Dietrich**, lançada pelas mãos do marido Joseph von Sternberg para concorrer com Garbo. Dietrich se transforma em arquétipo de mulher fatal. **Mae West** se notabiliza pelo estilo sexy mais provocante e direto. Suas formas voluptuosas e roliças a consagram.

CHEIA DE AMANTES

A atriz sueca **Greta Garbo** (1905-1990) era igualmente enigmática para homens e mulheres. Teve uma longa lista de amantes de ambos os sexos: Aristóteles Onassis, Cecil B. de Mille, Mimi Pollak e Mercedes Acosta. Detestava a fama dizendo que, em seu país, quem aparecia nos jornais eram os reis, as rainhas e os bandidos. Quando abandonou o estrelato adotou o nome de Harriet Brown, para escapar do assédio da imprensa.

⭐ Anos 1930

Joan Crawford surge como grande símbolo sexual e se transforma na mulher mais imitada da América, depois de estrear *Pretty ladies*. A também morena **Hedy Lamarr** entra na concorrência e se destaca em três filmes que fizeram sucesso na época: *Êxtase* (onde ela simula uma cena de nu), *Algéria* e *Flor dos trópicos*. No final da década filma *A mulher que eu quero*, que só é lançado no ano seguinte, com enorme sucesso. Em contraste absoluto com a morenice de Crawford e Lamarr, **Jean Harlow** cria o estilo loira platinada e é lançada num filme de mesmo nome. Havia lugar para todas as mulheres no cinema, desde que fossem sensuais e enigmáticas. **Lana Turner** foi descoberta em 1936, aos 15 anos, numa lanchonete de Hollywood. Foi contratada por 50 dólares por semana e fez enorme sucesso com *Esquecer, nunca*, em que era a garota do suéter. **Carol Lombard**, que já tinha feito sucesso em *Um crime perfeito*, contracena com Clark Gable e desponta para o estrelato. Mas um acidente deixa uma cicatriz em seu rosto, dificultando os trabalhos. **Bette Davis** protagoniza os papéis de mulher má e vira referência nesse âmbito. **Katherine Hepburn** vem no contraponto das belezas da época e é notada pelo enorme talento em *Little woman*. Foi a atriz que mais indicações recebeu na história do Oscar.

LUTA LIVRE

Aos sete anos, **Katherine Hepburn** (1907-2003) decidiu que queria ser um menino, porque todos diziam que ela era feia demais para ser uma menina. Raspou o cabelo, só usava calças compridas e insistia para que a chamassem de Jimmy. Mais tarde, tornou-se atriz, à revelia dos pais. Paralelamente à carreira de atriz ela praticava luta livre, porque achava que lhe dava bem-estar e ajudava a enrijecer os músculos.

⭐ Anos 1940

Betty Bacall desponta na Broadway e rapidamente é levada para Hollywood, onde seu nome é trocado para **Lauren Bacall**, para estrelar *Uma aventura na Martinica*. Como ficava nervosa diante da câmera, inventou uma posição de cabeça que a tranquilizava. Ficou conhecida como "The Look". **Esther Williams**, que praticava nado sincronizado, se lança e faz sucesso em filmes como *Escola de sereias*. O mundo feminino segue a moda que ela lança à beira das piscinas. **Betty Grable**, que tinha um sorriso mais maroto e não nadava tão bem quanto Esther, também faz filmes nos quais aparece em trajes de banho. Seu tipo engraçado é sucesso entre as mulheres, mas elas copiam mesmo **Veronika Lake**, no filme *Segure aquela loira*, usando o cabelo ondulado que tampava um dos olhos. Entretanto, a sensação da década foi **Rita Hayworth**, em *Sangue e areia*. Consagra-se com *Gilda* (1946), e eterniza a frase: "Nunca houve uma mulher como Gilda". A que ela emendou: "Os homens vão para a cama com Gilda e acordam comigo".

> **FOI PARA O TRONO**
> A chegada dos filmes em cores favoreceu a atriz **Rita Hayworth** (1918-1987), que tinha cabelos naturalmente vermelhos e a pele muito branca. Em 1948, ela abandonou temporariamente o cinema para se casar com o príncipe paquistanês Ali Khan, com quem teve uma filha, a princesa Yasmin Aga Khan. O casamento durou apenas três anos e Rita voltou gloriosa no filme *Salomé*, em que era protagonista.

☆ Anos 1950

No cinema francês, **Juliette Gréco** expõe o tipo feminino atormentado e introspectivo que tomou conta da Europa no pós-guerra. O realismo do cinema italiano também estava na moda. Estrelas voluptuosas como **Anna Magnani** se opõem ao padrão clássico criado por Hollywood. Mas é **Sophia Loren** a musa dos anos 1950. Descoberta num set de filmagem, onde fazia uma figuração, cai nas graças do diretor Carlo Ponti, com quem se casa. Fez mais de vinte filmes, uma média de dois por ano, e trabalhou com diretores importantes como Vittorio de Sica, Federico Fellini, Ettore Scola e Lina Wertmüller. Em Hollywood, uma loira com senso de humor e sensualidade transbordantes surge no cenário cinematográfico: **Marilyn Monroe**. Num espaço de três anos, faz sucesso em *Como agarrar um milionário*, *Os homens preferem as loiras*, *O pecado mora ao lado* e *Nunca fui santa*, e se transforma na mulher mais desejada e copiada do planeta. **Ava Gardner**, com um estilo provocante, porém discreto, e **Grace Kelly**, com sua elegância, agradam as mais certinhas, que também apreciam **Doris Day**, o retrato da boa moça em filmes como *O homem que sabia demais*. No final da década, um furacão francês chamado **Brigitte Bardot**, protótipo da mulher-criança, desperta a imaginação de homens e mulheres com o filme *E Deus criou a mulher*. Da Inglaterra, um outro ícone explode em Hollywood: **Elizabeth Taylor**. Com sua beleza retumbante e os olhos cor-de-violeta mais belos do cinema, protagoniza *Assim caminha a humanidade* e rapidamente é alçada ao patamar das grandes divas.

QUEM MATOU?

Quando **Marilyn Monroe** (1926-1962) morreu, seu filme *Something's got to give* estava inacabado. A causa da morte teria sido uma overdose de pílulas para dormir. Mas a possibilidade de um assassinato não foi descartada. Segundo alguns de seus biógrafos, Bob Kennedy, irmão do presidente John Kennedy, estava envolvido na morte. A suspeita surgiu porque o diário em que Marilyn revelava detalhes de sua ligação com John Kennedy, bem como as ligações da família com a máfia, simplesmente desapareceu.

Um dos beijos mais famosos do cinema está no filme *A um passo da eternidade* (1953), com **Deborah Kerr** e Burt Lancaster. Os dois rolam à beira-mar. Deborah Kerr (1921-2007) ficou famosa por viver papéis de mulheres da aristocracia Inglesa.

☆ Anos 1960

O mundo se moderniza, as mulheres começam a se manifestar pela emancipação feminina. **Ali Mac Graw** faz o mundo chorar com *Love story*, enquanto numa ficção científica surge **Jane Fonda** vivendo a provocante *Barbarella*. Rapidamente ganha o posto de ícone sexual, que clama pela liberação em movimentos feministas. Na França, **Catherine Deneuve** provoca a imaginação dos homens e das mulheres com *A bela da tarde*. **Audrey Hepburn**, que já tinha feito sucesso com *Sabrina*, vira ícone de moda ao protagonizar uma garota de programa em *Bonequinha de luxo*. Seu estilo básico e elegante e sua interpretação despojada retratam a mulher dos anos 1960. **Anne Bancroft**, que já tinha maturidade como atriz, faz um grande sucesso com *A primeira noite de um homem*, colocando as mulheres mais velhas no foco dos debates.

> **SUSPENSE, NÃO!**
> A atriz francesa **Catherine Deneuve** (1943-) foi a razão da maior frustração de Alfred Hitchcock. Em todas as mulheres que ele colocava em cena, buscava o ideal de beleza baseado na loira clássica e elegante. A mulher que tinha uma aparência gélida, mas que escondia um vulcão por dentro. Mesmo personificando os sonhos de Hitchcock, Catherine jamais aceitou filmar com ele, assim como recusava-se a fazer teatro, justificando ser íntima das câmeras.

☆ Anos 1970

Romy Schneider, a atriz austríaca que já havia feito sucesso em *Sissi*, nos anos 1950, ressurge com força no cenário, protagonizando mais de vinte filmes ao longo da década. Os desfiles de moda revelam **Marisa Berenson**, que faz sucesso em *Morte em Veneza* e *Cabaré*. **Farrah Fawcettt** é outra estrela de brilho rápido. Depois do sucesso em *As panteras*, na televisão, faz vários filmes que só conseguem mídia por causa da bela imagem da atriz. **Margaux Hemingway** aparece no filme *Lipstick*, que aborda um estupro, e vira estrela. Também de um filme só, porque os outros não tiveram relevância. No final da década, **Bo Derek** aparece no filme *Mulher nota 10*, que, embora fosse de qualidade questionável, lança um novo padrão estético que se anuncia. **Sally Field** abandona os personagens bonzinhos para viver Norma Rae, que lhe dá o Oscar de melhor atriz. **Jodie Foster**, uma menina de 14 anos, ganha reconhecimento por seu papel em *Taxi driver*. É apenas o começo da carreira de uma grande atriz. **Diane Keaton** dá início aos papéis de mulher questionadora e neurótica nos filmes de Woody Allen. **Eiko Matsuda**, no papel de prostituta, no provocante e erótico *Império dos sentidos*, joga luz sobre as produções do cinema japonês.

> **GAROTINHA BRONZEADA**
> **Jodie Foster** (1962-) começou sua carreira de sucesso mostrando um bronzeado que ela nunca teve. Ela era a garotinha que aparecia nos comerciais do bronzeador Coppertone. No final dos anos 1970, passou a receber cartas de amor de John Hinckley Jr., que alguns anos mais tarde atirou no presidente americano Ronald Reagan, alegando que a culpa era da atriz, que não correspondia a seus sentimentos.

⭐ Anos 1980

Esses foram os anos adolescentes, dos filmes que reviram os padrões de comportamento dos jovens. **Demi Moore** aparece em *Sobre ontem à noite* criando uma nova geração de musas. Em seguida, surge **Meg Ryan**, em *Harry e Sally – feitos um para o outro*. **Madonna** aparece nos palcos e também protagoniza *Quem é essa garota?*, um sucesso de bilheterias. Das passarelas para o cinema, **Lauren Hutton** faz sucesso com *Gigolô americano*, o primeiro filme a mostrar um homem (Richard Gere) em nu frontal. **Nicole Kidman** se faz notar por sua beleza clássica em *Bicicletas voadoras*. **Cher**, que está madura em *O feitiço da lua*, ganha finalmente reconhecimento como atriz. **Meryl Streep**, que já tinha surgido no final da década de 1970, encabeça o ranking de estrelas dos anos 1980. Protagonizou *Plenty – entre dois amores*, *A difícil arte de amar*, *A escolha de Sofia* e *Amor à primeira vista*. Todos sucessos de público e de crítica. A má da década foi **Glenn Close**, em *Atração fatal*, um filme perturbador.

> **FEIA, MAS PREMIADA**
> Antes de ingressar no mundo do cinema, **Meryl Streep** (1949-) era garçonete. Mas sua tenacidade a fez persistir, apesar de ter sido recusada sob a alegação de ser feia para o cinema. Para atuar no filme *Música do coração*, aprendeu a tocar violino em apenas oito semanas. É a recordista absoluta de indicações ao Oscar, entre atores e atrizes. Concorreu à estatueta 13 vezes e, até 2007, venceu duas vezes – *Kramer vs. Kramer* (1979) e *A escolha de Sofia* (1982). É também a campeã de críticas favoráveis nos meios de comunicação.

⭐ Anos 1990

Sharon Stone abre a década provocando com *Instinto selvagem* e se consagrando como símbolo sexual. Mas é **Julia Roberts** quem faz sucesso com filmes como *Uma linda mulher*, *O casamento do meu melhor amigo* e *Um lugar chamado Nothing Hill*, que a transformam na atriz mais bem paga de Hollywood. Na França, **Juliette Binoche** alcança sucesso com *O paciente* *inglês*, renovando a leva de atrizes europeias. Em 1997, a inglesa **Kate Winslet** fascina com sua interpretação emocionada em *Titanic*. **Helen Hunt**, com *Melhor é impossível*, dá sequência à categoria de estrelas que vingam pelo talento, em detrimento da beleza, como aconteceu com **Holly Hunter**, que foi premiada com o Oscar de melhor atriz em *O piano*. No final da década, **Hilary Swank** é reconhecida por seu trabalho em *Meninos não choram*.

> **PROBLEMA DE HORMÔNIO**
>
> Embora tenha feito diversos cursos de interpretação, **Julia Roberts** (1968-) não completou nenhum. Seu salário como vendedora de sapatos era insuficiente. Em 1992 perdeu o papel principal de *Instinto selvagem* para Sharon Stone. Os produtores julgaram que ela possuía muito senso de humor para viver a personagem Catherine Tramell, que assassinava o amante logo no começo da trama. Ao registrar-se na Associação dos Atores dos Estados Unidos, descobriu que já havia uma atriz chamada Julie Roberts (seu verdadeiro nome). Ela trocou uma letrinha e virou Julia Roberts.

☆ Século XXI

Charlize Theron, por seu trabalho em *Monstro*, pode ser vista como a grande expoente do começo do novo milênio. **Reese Whiterspoon**, que fez *Johnny & June*, também resgata um pouco do que foram as estrelas dos anos 1940 e 1950, e chama a atenção do público. Há ainda **Gwyneth Paltrow**, que fez *Shakespeare apaixonado*, com seu estilo discreto, mas cheio de personalidade. **Cameron Diaz** tem graça e fez sucesso com *Quem vai ficar com Mary*, retratando muito bem a geração atual. **Renée Zellweger**, um tipo muito marcante, refletiu o comportamento obsessivo feminino com *O diário de Bridget Jones*. **Catherine Zeta-Jones** e **Angelina Jolie** refletem os tempos. São recrutadas para o cinema muito mais pela aparência deslumbrante do que pelo talento. **Scarlet Johanson**, que surgiu como outra bela do cinema, caiu nas graças de Woody Allen e se consagrou em *Match point*. As atrizes chinesas **Gong Li** e **Ziyi Zhang** de *Memórias de uma gueixa* abriram os olhos do mundo para uma nova estética feminina.

VIDAS MARCADAS

O sonho de **Charlize Theron** (1975-) era ser bailarina, mas, como se machucou dançando, entrou para um concurso de atores no qual ficou com o primeiro lugar. Seu único papel romântico foi em *The Wonders – o sonho não acabou*, dirigido por Tom Hanks. Ela diz preferir papéis fortes que combinam com sua personalidade dramática. Aos 15 anos a atriz presenciou o assassinato do pai pela própria mãe, que agiu em legítima defesa.

A musa da Itália

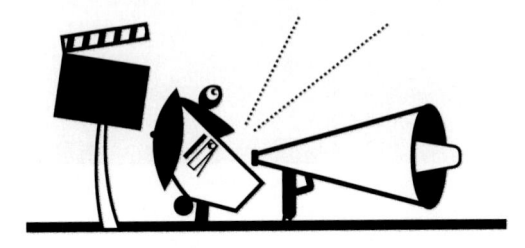

❖ O verdadeiro nome de **Sophia Loren** é Sofia Villani Scicolone. Ela nasceu em uma enfermaria de caridade para mulheres solteiras em Pozzuoli, na Itália, no dia 20 de setembro de 1934.

❖ Quando criança, tinha os apelidos Palito de Dente e Vareta.

❖ Tornou-se Sophia Loren por sugestão do diretor Giovanni Riccardi. Loren era o nome de uma atriz nórdica.

❖ Foi descoberta durante um concurso de miss Roma. O diretor Carlo Ponti a viu na plateia e a chamou para participar da disputa. A atriz acabou ficando em segundo lugar.

❖ Trocou alianças com Ponti, 22 anos mais velho, em 1957. Ele, que já era casado, entrou com o pedido de divórcio no México para obter a papelada mais rápido e poder se unir à atriz. Cinco anos depois, a ex-esposa entrou com um processo na justiça acusando-o de bigamia. O casal precisou se separar, mas voltou a subir ao altar em 1966.

❖ Em 1982, ela passou 18 dias na prisão italiana por sonegação de impostos.

❖ A primeira oportunidade que ela teve no cinema foi numa cena de multidão em *Quo vadis*, com outros 3 mil figurantes.

❖ Nas filmagens de *Boy on a dolphin* (*Menino no golfinho*), em 1957, a produção pediu a Sophia que andasse em uma vala quando contracenava com Alan Ladd. O recurso serviu para disfarçar o fato de ela ser muito mais alta que o colega.

❖ Sua irmã foi casada com o filho do ditador italiano Benito Mussolini.

❖ Aos 21 anos, tinha 98 cm de busto, 64 de cintura e 98 de quadril. Aos 50, as medidas mudaram para 96 cm de busto, 64 de cintura e 97 de quadril.

Estrela de Bollywood

A indústria cinematográfica da Índia é a maior do mundo, com dois lançamentos por dia. Por isso, ganhou o apelido de Bollywood (trocadilho feito com as palavras Bombain e Hollywood). Lá apareceu **Aishwarya Rai** (1973-), principal rosto da nova fase do cinema indiano. Ela estreou em *The rising*, lançado nos Estados Unidos. Segundo Julia Roberts, é a mulher mais bonita do mundo. Sua inspiração foi **Nargis** (1929-1981), cujo nome verdadeiro era Fatima Rashid. Nargis foi a pioneira do cinema indiano. Com apenas seis anos de idade estreava nos filmes de Raj Kapoor.

MAIS DEZ NOMES FEMININOS DO CINEMA INDIANO

1. Bipasha Basu
2. Diya Mirza
3. Hema Malini
4. Kareena Kapoor
5. Lara Dutta
6. Madhuri Dixit
7. Preity Zinta
8. Priyanka Chopra
9. Rani Mukerji
10. Shabana Azni

Pequenas e talentosas

Shirley Temple (1928-) era uma pequena bailarina da Meglin's Dance School, que também cantava e tocava piano. Durante uma audição, foi vista por um diretor de *casting* de Hollywood e chamada para protagonizar filmes em que crianças apareciam em situações adultas. Mas foi no musical *Stand up and cheer* que ela encantou as plateias do mundo inteiro com sua dança e seu modo faceiro de cantar. Dizia-se, na época, que Shirley só entrava em cena depois de fazer 52 cachinhos por toda a cabeça. Atuou ao lado de atores e atrizes importantes e até recebeu um Oscar em 1934 por sua contribuição ao mundo do entretenimento. Mas ela deixou de ser prodígio à medida que crescia e acabou se afastando do cinema, ingressando na carreira diplomática, onde teve grande destaque, chegando a embaixadora americana em Gana e na antiga Tchecoslováquia.

Nos anos 1970, o cinema acompanhou o nascimento de outra pequena atriz: **Tatum O'Neal**, a mais jovem vencedora de um Oscar de melhor atriz coadjuvante pelo filme *Lua de papel*, em 1973. A segunda atriz mais jovem foi a neozelandesa **Anna Paquin**, que também recebeu o prêmio de atriz coadjuvante pelo filme *O piano*, em 1993. Mas ela só pôde assistir ao filme cinco anos mais tarde, porque ele era impróprio para menores de 16 anos e ela estava com apenas 11.

Ninfetas do cinema

Sue Lyon: com 15 anos, estrelou *Lolita* (1962), de Stanley Kubrick, baseado no romance homônimo de Vladimir Nabokov. Viveu casamentos que não vingaram e se entregou às drogas.

Maria Schneider: aos 19 anos viveu um tórrido romance com Marlon Brando em *O último tango em Paris* (1972). Deu o que falar a cena de sexo anal com manteiga. Brando ganhou 3 milhões por sua participação no filme. Ela, apenas 3 mil dólares. Nunca mais tirou a roupa no cinema e hoje vive reclusa em Paris.

Linda Blair: aos 14 anos, viveu uma garota possuída pelo demônio em *O exorcista* (1973). Entre outras coisas, masturbava-se com um crucifixo. Depois disso, a atriz se entregou ao álcool e às drogas.

Brooke Shields: tinha 11 anos quando foi considerada uma das mulheres mais sensuais do mundo, vivendo uma virgem que é leiloada num prostíbulo, no filme *Pretty baby* (1978). Dois anos mais tarde, fica mundialmente conhecida com o filme *Lagoa azul*, onde ela vive uma adolescente que descobre o amor numa ilha deserta. Sua carreira entrou em ascensão e ela ganhou projeção mundial em 2006, ao relatar sua experiência pessoal num livro sobre depressão pós-parto.

Flavia Monteiro: aos 16 anos protagonizou uma ninfeta no filme *A garota do lado* (1988), uma estudante em férias que tem um caso com um escritor quarentão, vivido por Reginaldo Farias. Mais tarde, alcançou um retumbante sucesso como protagonista da novela infantil *Chiquititas*, que ela gravou na Argentina.

Jane March: com 17 anos protagonizou *O amante* (1992), onde vivia cenas tórridas com o chinês Tony Leung. Sua carreira foi bem-sucedida e ela protagonizou filmes como *A bela e a fera* e *Tarzan and the lost city of gold*.

Dez filmes com nome de mulher

Personagens principais da trama, elas deram nome a esses filmes.

1. *Cleópatra, a rainha do Egito*, com Elizabeh Taylor (1963)
A atriz apareceu linda e com os olhos muito bem pintados para interpretar uma das mulheres mais poderosas da história. Logo no começo das filmagens, a atriz ficou doente e a produção teve de parar durante seis meses, até ela se recuperar. Durante o filme, Liz Taylor mudou de roupa 68 vezes, um recorde para a época. Foi o filme mais caro de todos os tempos (44 milhões, o que hoje seria equivalente a 270 milhões de dólares) e um retumbante fracasso comercial.

2. Gilda, com Rita Hayworth (1946)
Cantando, de maneira sensualíssima, a canção "Put the blame on Mame" (Ponha a culpa na Mame) ao tirar suas luvas num quase *striptease*, Rita Hayworth se consagrou como a mulher mais sensual do cinema. Ninguém discorda de que essa cena seja uma das mais memoráveis e o momento-chave do clássico *Gilda*. O filme foi produto da safra de grandes filmes *noir* da década de 1940.

3. Anastácia, a princesa esquecida, com Ingrid Bergman (1956)
Um general russo exilado evita que uma jovem cometa suicídio para que ela possa se fazer passar pela filha do último czar russo, conseguindo uma recompensa por tê-la encontrado. Ingrid Bergman recebeu o Oscar de melhor atriz pela interpretação.

4. Alice não mora mais aqui, com Ellen Burstyn (1974)
A viúva Alice Hyatt viaja, de cidade em cidade, de amor em amor, em busca de uma nova vida para ela e para o filho. A interpretação emocionada da atriz lhe valeu o Oscar de melhor atriz, e o filme virou ícone dos movimentos feministas que bradavam pelo fim da violência doméstica.

5. Shirley Valentine, com Pauline Collins (1989)
Frustrada com a rotina de dona de casa para quem a família não dá atenção, Shirley resolve aceitar o convite de uma amiga e parte para uma excursão pelas ilhas gregas. Lá, ela se redescobre e conhece um novo amor.

6. Thelma e Louise, com Geena Davis e Susan Sarandon (1991)
Thelma é uma dona de casa entediada, e Louise, uma garçonete. Juntas, partem para uma aventura a bordo de um Thunderbird 66 conversível que vai mudar a vida delas. Foi o filme que revelou Brad Pitt.

7. Kika, com Verónica Forqué (1993)
Kika é uma maquiadora casada com um fotógrafo e que mantém um caso de amor com um escritor americano. Sabendo disso, a empregada lésbica a ameaça. Foi o segundo longa-metragem de Almodóvar, que usa sempre uma narrativa super-realista e anticonvencional.

8. Erin Brockovich, com Julia Roberts (2000)
Erin é uma mulher divorciada, que cria três filhos sozinha e consegue emprego numa empresa de advocacia. Lá descobre as maracutaias de uma companhia de luz e gás que está envenenando uma pequena cidade. Sozinha, come-

ça uma luta que muda radicalmente a sua vida. A verdadeira Erin Brockovich fez uma ponta no filme.

9. *O diário de Bridget Jones*, com Renée Zellweger (2001)
Uma mulher de 32 anos resolve começar a escrever seu próprio diário, que se tornará o mais provocativo, erótico e histérico livro jamais lido e onde ela poderá colocar sua opinião sobre os mais diversos assuntos. Renée Zellweger fez com que as mulheres torcessem por ela na dura tarefa de escolher entre Hugh Grant e Colin Firth.

10. *O fabuloso destino de Amélie Poulain*, com Audrey Tautou (2001)
Uma jovem inocente, vinda do subúrbio, chega a Paris para ser garçonete e se instala em um apartamento antigo. No banheiro, encontra uma caixa repleta de peças do antigo dono. Ao perceber a alegria dele ao receber seus pertences de volta, ela decide que seu destino é ajudar as pessoas que a cercam com pequenos gestos.

> **NOME FEMININO QUE NÃO ERA TÃO FEMININO ASSIM...**
> *Priscila, a rainha do deserto* (1995) não é uma mulher, mas um ônibus cor-de-rosa. O filme conta a história de três transexuais que atravessam o deserto australiano fazendo shows. Tudo porque um deles pretende resgatar o filho que teve com uma mulher. Ganhou o Oscar de melhor figurino.

Almodóvar, o homem que ama as mulheres

O espanhol Pedro Almodóvar nunca estudou cinema porque sua família era pobre. Mas isso não o impediu de passar a infância observando o comportamento das mulheres da sua família para, alguns anos mais tarde, reproduzi-las nas telas. Ele já retratou as tias, a mãe e até as namoradas com as quais ele sonhou, mas nunca teve. Seus filmes mais famosos tiveram temáticas absolutamente femininas.

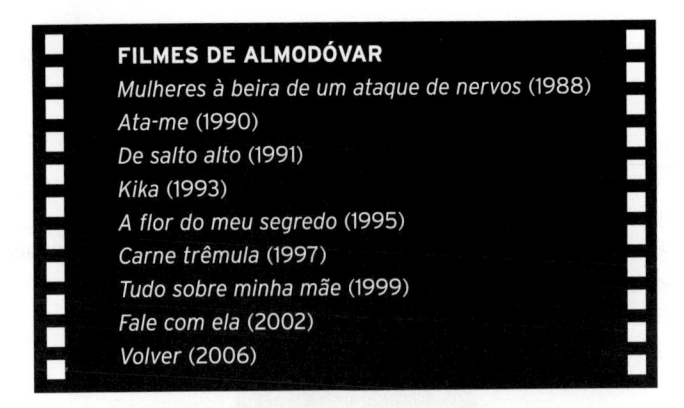

FILMES DE ALMODÓVAR
Mulheres à beira de um ataque de nervos (1988)
Ata-me (1990)
De salto alto (1991)
Kika (1993)
A flor do meu segredo (1995)
Carne trêmula (1997)
Tudo sobre minha mãe (1999)
Fale com ela (2002)
Volver (2006)

Uma mulher no comando

Ela seguiu os passos do pai e foi para trás das câmeras.

Sofia Coppola (1971-) é filha do diretor Francis Ford Coppola e começou no cinema como atriz. Suas atuações foram duramente criticadas em *Star wars 1 - a ameaça fantasma*, *O poderoso chefão III* e *O selvagem da motocicleta*. Ela decidiu que estava na hora de ir para trás das câmeras e dirigiu o filme *Virgens suicidas*, pelo qual recebeu o prêmio de melhor diretora estreante da MTV Movies Awards. Quatro anos mais tarde, em 2003, lançou o filme *Encontros e desencontros*, que foi aplaudido pelo público, pela crítica, e recebeu o Oscar de melhor roteiro original. Mais três anos se passaram e ela concluiu *Maria Antonieta*, um filme que foi muito criticado. Sofia declarou: "Por ser filha de quem sou, tudo sempre será mais difícil para mim".

UMA RAINHA QUE INVENTAVA MODA

Maria Antonieta, vivida por Kirsten Dunst no filme homônimo de Sofia Coppola, foi obrigada a casar-se aos 14 anos com o herdeiro do trono francês, Luís XVI, que só tinha 15 e levou sete anos para lhe tirar a virgindade. Para se ocupar, a rainha investia em moda e trocava de vestido a toda hora. Por causa disso, foi aplaudida e imitada não só pelas mulheres da nobreza, mas pela população feminina. No filme:

❖ A italiana Milena Canonero, responsável pelo figurino, passou cinco meses pesquisando os modelos da rainha.

❖ Cada um dos mais de duzentos vestidos criados para o filme consumiram 15 metros de tecido.

❖ Foram disponibilizados 4 milhões de dólares para joias e adornos criados pela joalheria Fred Leighton.

❖ O moderno sapateiro Manolo Blahnik criou vinte modelos de sapatos para calçar a atriz.

❖ Os vestidos de festa tinham armações nos quadris que mediam 4 metros de uma ponta à outra.

❖ O filme mostra que a frase "se não têm pão, que comam brioches" nunca teria sido dita por Maria Antonieta da forma como ficou conhecida.

Atriz e cineasta *made in* Brasil

Carmen Santos nasceu em Portugal em 1904, mas adotou o Brasil como seu país, onde estreou no cinema mudo com o filme *Sangue mineiro*, em 1929. Entretanto, poucos viram a película porque o homem com quem ela vivia ficou enciumado e destruiu todas as cópias. Carmen não desistiu do cinema. Em 1948, lançou *Inconfidência mineira*, filme de que foi produtora e diretora, que foi mal recebido pelo público porque, afinal, aquilo não era trabalho de mulher.

OITO COISAS SOBRE CARLA CAMURATI
1. Trabalhou como recenseadora e professora de biologia antes de se dedicar ao teatro.
2. O filme *Carlota Joaquina* (1996), que ela dirigiu, foi considerado um marco da retomada do cinema nacional.
3. Em 1983 fez um ensaio fotográfico para a revista *Playboy*.
4. Em 1987 ganhou o Kikito de ouro em Gramado, por seu trabalho como atriz em *Eternamente Pagu*.
5. Seu filme *Os mistérios de Irma Vap*, homônimo da peça que ficou em cartaz por 11 anos, não foi bem de bilheteria e recebeu muitas críticas negativas.
6. Foi o ator Paulo José quem a incentivou a sair da frente das câmeras para se transformar em diretora de cinema.

7. Seu avô paterno, Enrico Camurati, foi confeiteiro do Copacabana Palace Hotel e inspirou um dos personagens do filme *Copacabana*, dirigido por ela em 2001.

8. O primeiro filme que ela fez foi o curta-metragem *A mulher fatal encontra o homem ideal*, em 1987. Ganhou vários prêmios, inclusive o de melhor filme no Rio Cine Festival.

> **Você sabia?**
>
> - **Gilda de Abreu** (1904-1979), nascida em Paris e brasileira de registro, foi a primeira mulher a dirigir um filme de sucesso, *O ébrio*, em 1946.
> - A atriz **Norma Bengell** (1935-), que protagonizou o primeiro nu frontal do cinema brasileiro no filme *Os cafajestes* (1962), atuou em mais de sessenta produções cinematográficas. Tornou-se cineasta em 1996, dirigindo o filme *O Guarani* e, depois, *Eternamente Pagu*, *O mundo dentro de um piano* e *Infinitamente Guiomar Novaes*. Alguns anos depois, foi acusada de ter desviado dinheiro dos recursos arrecadados.

Pioneira no Brasil

Eliana Macedo (1926-1990) foi a primeira estrela do cinema brasileiro. Seu nome verdadeiro era Ely de Souza Macedo. Fazia quase sempre a mocinha ingênua, namorada dos galãs. Fez 26 filmes em 27 anos de carreira. O primeiro foi *E o mundo se diverte*, de 1948, dirigido por seu tio, Watson Macedo. Encerrou sua carreira no filme *Um morto ao telefone*, do início dos anos 1960. Em 1979, participou da novela *Feijão maravilha*.

Campeã de bilheteria infantil

Depois de dirigir *Gaijin - os caminhos da liberdade*, **Tizuka Yamasaki** (1949-) se especializou em filmes infantis, que levaram mais de 10 milhões de espectadores às salas de cinema.

❖ Sentou numa cadeira de diretor pela primeira vez em 1980. Seu filme *Gaijin* retratava a situação dos imigrantes japoneses no Brasil.

❖ Em 1990, aceitou o convite de Xuxa para gravar *Lua de cristal*. Foi criticada pelos cinéfilos, mas o filme foi um sucesso.
❖ Em 1997, dirigiu Renato Aragão em *O noviço rebelde*.
❖ Seu maior sucesso na televisão foi *Kananga do Japão*, em 1989, pela TV Manchete.
❖ Era fã dos filmes de Tarzan e Mazzaropi quando criança.

CACHÊS MILIONÁRIOS

No ranking de atrizes mais bem pagas do cinema, elas conseguiram somas vultuosas. Veja quanto elas receberam por estas produções:

- Julia Roberts: 25 milhões de dólares por *O sorriso da Monalisa*
- Nicole Kidman: 20 milhões de dólares por *A feiticeira*
- Cameron Diaz: 20 milhões de dólares por *As panteras, detonando*
- Reese Whiterspoon: 16 milhões de dólares por *Penelope*
- Halle Berry: 15 milhões de dólares por *Mulher gato*
- Renée Zellweger: 15 milhões de dólares por *Miss Potter*
- Angelina Jolie: 13,5 milhões de dólares por *Sr. e sra. Smith*
- Demi Moore: 12,5 milhões de dólares por *Striptease*
- Sharon Stone: 10 milhões de dólares por *Diabolique*
- Whoopi Goldberg: 8 milhões de dólares por *Mudança de hábito 2*
- Kirsten Dunst: 8 milhões de dólares por *Homem-aranha*

Uma francesa celebrada pelo mundo todo

A atriz **Jeanne Moreau** (1928-) começou sua carreira na França. E ganhou reconhecimento no mundo todo.

❖ O diretor Orson Welles disse que ela era a melhor atriz do planeta.

❖ Foi a primeira atriz não americana a aparecer na capa da revista *Times* (1965).

❖ Foi a primeira mulher a integrar a Academia de Belas Artes, em Paris (2001).

❖ Foi a única atriz francesa a ganhar um tributo feito pelo Museu de Arte Moderna de Nova York, que exibiu seus trinta melhores filmes.

❖ Foi a primeira mulher a presidir o Festival de Cinema de Berlim (1983).

❖ É a única atriz a dar nome a um cinema em Paris.

❖ Foi a única atriz francesa a presidir duas vezes o Festival de Cinema de Cannes (1975 e 1995).

Musicais, uma paixão feminina

A história dos musicais começou nos palcos da Broadway, em 1915, antes de o som chegar ao cinema. O produtor Ziegfeld percebeu que os vestidos mais bonitos eram os mais aplaudidos, independentemente das cenas. Dos palcos para o cinema, foi um pulo. Os musicais criaram uma indústria para ganhar dinheiro e divertir o público. Por isso, os temas escolhidos eram muito populares, como caubóis e prostitutas.

Audrey Hepburn (1929-1993): essa belga, que começou profissionalmente na carreira de modelo, sempre será lembrada por seu desempenho em *Bonequinha de luxo*. Foi considerada o ícone máximo de elegância no cinema, mas não era apaixonada pela dança.

Barbra Streisand (1942-): embora não faça parte da geração de ouro dos filmes musicais, se destacou pela voz afinada e pelo carisma no palco. Seus filmes *Nosso amor de ontem* e *Funny lady* foram sucesso nos anos 1970. Mas foi com *Nasce uma estrela*, filme em que também era produtora-executiva, que se consagrou no cenário musical.

Ginger Rogers (1911-1995): foi a parceira preferida de Fred Astaire. Teve outros 33 parceiros de dança, fez mais de cinquenta musicais e foi considerada a mais representativa estrela dos musicais da Broadway, porque se dedicava aos ensaios de canto e dança exaustivamente. Seu maior sucesso foi *Roberta*.

Judy Garland (1922-1969): seu grande personagem foi Dorothy, em *O mágico de Oz*, quando tinha 17 anos. Havia uma cláusula no contrato que a impedia de engordar. Viciada em remédios para emagrecer, tentou o suicídio várias vezes. Casou-se cinco vezes e com o segundo marido, Vincent Minelli, que era bissexual como ela, teve Liza Minelli. Estrelou *Nasce uma estrela* e morreu aos 47 anos, de overdose.

Julie Andrews (1935-): *Mary Poppins*, *A noviça rebelde*, *Victor ou Victória* foram alguns dos clássicos que tiveram a atriz inglesa como protagonista. Cantou ainda para musicais recentes do universo infanto-juvenil como *Shrek* e *Diários da princesa*. Seu rosto angelical e sua voz melodiosa foram considerados muito fáceis de trabalhar. Ela se adequava a papéis diversos.

Leslie Caron (1931-): formada pelo balé de Champs-Elysées, protagonizou clássicos dos musicais como *Um americano em Paris*, *Gigi* e *Lili*. O fato de ser francesa algumas vezes atrapalhou na sua escolha para determinados papéis. Seu sotaque era muito acentuado.

Liza Minelli (1946-): começou cedo na carreira, protagonizando peças de teatro com apenas 14 anos, ao lado da mãe, Judy Garland. O sucesso que marcou sua carreira foi o filme *Cabaré*, pelo qual ganhou o Oscar de melhor atriz. Fez ainda o filme *New York, New York*, mas a febre dos filmes musicais já estava em declínio.

Natalie Wood (1938-1981): seu musical de maior sucesso foi *West side story*, que no Brasil ganhou o nome de *Amor, sublime amor*. Com apenas 43 anos, durante um passeio de barco, morreu afogada num acidente misterioso.

Olivia Newton-John (1948-): a inglesa resgatou os bons musicais dos anos 1950 com *Grease – nos tempos da brilhantina*, em 1978, ao lado de John Travolta. Com o grande sucesso, no ano seguinte ela foi convidada a contracenar com Gene Kelly, o maior ator de musicais de todos os tempos, no filme *Xanadu*.

Elas não esquecerão jamais

Muitas cenas ficaram marcadas na memória coletiva feminina. Mas algumas são inesquecíveis:

... E o vento levou (1939)
- 1.400 atrizes foram entrevistadas para o papel de Scarlett O' Hara.
- Quatrocentas foram convocadas para a leitura do texto.
- Um mês depois da publicação do livro, o produtor David O. Selznick comprou os direitos de Margareth Mitchell por 50 mil dólares. Na época, essa foi a quantia mais alta paga ao primeiro livro de um autor.
- Bette Davis recusou o papel de Scarlett O'Hara, achando que seu companheiro seria Errol Flynn, com quem ela se recusava a trabalhar.
- Vivien Leigh recebeu em torno de 25 mil dólares por 125 dias trabalhados.
- Clark Gable trabalhou 75 dias e recebeu mais de 120 mil dólares.

Casablanca (1942)
- Apesar de ser associada ao filme *Casablanca* (1942), a célebre frase "Play it again, Sam" nunca foi dita por Rick (Humphrey Bogart). Ele diz: "You played it for her, you can play it for me. Play it!". Ilsa (Ingrid Bergman) fala: "Play it, Sam. Play as time goes by".
- A fala "Play it again, Sam" aparece no filme *Uma noite na Casablanca* (1946), dos Irmãos Marx.
- O produtor Hal B. Wallis havia criado inicialmente o papel de Sam para uma mulher. Hazel Scott, Lena Horne e Ella Fitzgerald fizeram testes para o papel. Sam (Dooley Wilson) era um baterista profissional que fingia tocar piano. Como a música e o filme foram gravados ao mesmo tempo, o som do piano era na verdade uma gravação da performance de Elliot Carpenter, que ficava tocando atrás da cortina.

Sabrina (1954)
- Humphrey Bogart desaprovava Audrey Hepburn para o papel-título. Queria Lauren Bacall, sua esposa, no lugar.
- Para o filme, Bogart recebeu 300 mil dólares, e Hepburn somente 15 mil.

- Na nova versão do filme, exibida em 1995, a desconhecida atriz Julia Ormond foi convidada para viver a protagonista Sabrina Fairchild, contracenando com Harrison Ford. Inicialmente, os produtores haviam pensado em Winona Ryder, que foi dispensada por ter um temperamento pouco dócil, segundo divulgaram.
- O papel de David Larrabee foi vivido pelo desconhecido Greg Kinnear. Mas quem implorou por ele antes disso foi Tom Cruise.

Grease - nos tempos da brilhantina (1978)
- A trilha sonora gerou duas canções que ficaram em primeiro lugar nas paradas de sucesso: a música-tema "Grease", cantada por Frankie Valli, e "You're the one that I want", interpretada por John Travolta e Olivia Newton-John.
- Travolta e Olivia também estrelaram juntos o filme *Embalos a dois* (1983).

Quatro casamentos e um funeral (1994)
- Kristin Scott Thomas e Hugh Grant também estrelaram *Lua de fel* (1992). Em ambos, o nome da personagem de Kristin é Fiona.
- Para a versão em francês, Kristin Scott Thomas dublou sua própria voz.
- Um ano após o lançamento do filme, Hugh Grant foi eleito pela revista *Empire* um dos cem homens mais sexies da história.
- Depois de arrebatar corações femininos por todo o mundo, o ator foi preso em Los Angeles, em 1995, por praticar sexo oral com a prostituta Divine Brown dentro do carro. Sua namorada na época, a atriz Liz Hurley, deu risada de toda a história.

> **O AMOR NÃO TEM IDADE**
> Esses casais ficaram falados por causa da diferença de idade:
> - Cindy Crawford e Richard Gere - 17 anos
> - Melissa Mathison e Harrison Ford - 18 anos
> - Angelina Jolie e Billy Bob Thornton - 20 anos
> - Annete Bening e Warren Beatty - 21 anos
> - Sophia Loren e Carlo Ponti - 22 anos
> - Elizabeth Taylor e Michael Todd - 23 anos
> - Lauren Bacall e Humphrey Bogart - 25 anos
> - Catherine Zeta-Jones e Michel Douglas - 25 anos
> - Soon-Yi Previn e Woody Allen - 35 anos
>
> Veja outros na página 388

Garotas 007

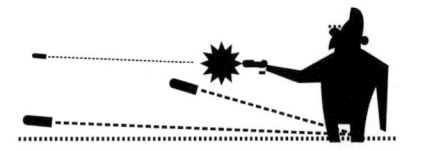

O agente secreto James Bond, também conhecido como 007, foi criado pelo autor inglês Iam Fleming. Já foi vivido por Sean Connery, George Lazenby, Roger Moore, Thimoty Dalton, Pierce Brosnan e Daniel Craig. Todos com licença para matar e com uma queda natural para se envolver com belas mulheres.

❖ Daniela Bianchi, de *Moscou contra 007* (o segundo filme da série), foi a mais nova das *Bond-girls*. Tinha 21 anos e viveu a russa Tatiana Romanova, papel em que ela foi dublada, por causa do sotaque italiano.

❖ Ursula Andress foi a primeira e a mais famosa *Bond-girl* em *007 contra o satânico dr. No*.

❖ A sueca Maud Adams foi a mais velha das garotas Bond. Com 38 anos, ela viveu a *Octopussy*, no filme em que 007 luta contra a personagem-título.

❖ A sueca Britt Ekland tinha só vinte anos quando viu Ursula Andress no primeiro filme da série. Ficou tão fascinada que saiu do cinema jurando que, um dia, seria *Bond-girl*. Doze anos depois, em 1974, conseguiu estrelar ao lado de Roger Moore, no papel de Mary Goodnight, no filme *007 contra o homem com a pistola dourada*.

❖ Eva Green, filha da atriz francesa Marlene Jobert, foi a *Bond-girl* de *Cassino Royale* (2006), o 21º filme do agente secreto. Ela contracena com Daniel Craig, o primeiro James Bond loiro.

Você sabia?

• A rainha Elizabeth II, da Inglaterra, é uma fã tão ardorosa dos filmes e livros de 007, que agraciou os atores Ian Fleming, Sean Connery e Roger Moore com o título de *sir*.

• Halle Berry e Kim Basinger são as únicas *Bond-girls* que, anos depois de estrelarem filmes de 007, conseguiram ser premiadas com o Oscar.

ESSA *BOND-GIRL* FOI ALÉM
• Kimila Ann Basinger, a **Kim Basinger** (1943-), tem ascendentes irlandeses, suecos e até de índios da tribo cherokee. Adotou o apelido Kim aos 16 anos, para disputar o concurso de miss Estados Unidos Jr.
• Depois de fazer *007 nunca diga nunca outra vez*, ao lado de Sean Connery, em 1983, transformou-se em *sex-simbol* graças à interpretação quente no filme *9 1/2 semanas de amor*, ao lado de Mickey Rourke.
• Seu casamento com o ator Alec Baldwin durou nove anos e eles acabaram se divorciando litigiosamente. Para se ver livre do ex-marido, ela fugiu com a filha.
• Em 1989, ela comprou a cidade de Braselton em seu estado natal, Georgia, por 20 milhões de dólares.

Princesas da Disney

Cinderela, a gata borralheira
A história de Cinderela foi escrita em 1697 por Charles Perrault (1628-1703), escritor francês que criou o gênero literário dos contos de fadas. Foi ele quem a concebeu com os detalhes que hoje conhecemos, embora a base da história venha da China, do ano 860 d.C. Na versão Disney, as filhas más da madrasta de Cinderela são Anastácia e Drisela.

Branca de Neve
Branca de Neve e os sete anões foi a primeira animação de longa-metragem do cinema. A adaptação do conto dos irmãos Grimm começou a ser feita em 1934 e só foi lançada três anos depois.
Na história, que se passa num país distante, uma rainha vivia feliz num grande castelo. Certa vez, ela costurava sentada próximo a uma janela, de onde podia ver a neve cair do lado de fora. Descuidou-se a acabou furando o dedo com a agulha. O sangue caiu na camisola que costurava e ela pensou: "Gostaria de ter uma filha com a pele branca como a neve, lábios vermelhos como sangue e lindos cabelos negros". A criança nasceu e foi batizada de Branca de Neve. Mas, em seguida, ela ficou órfã de mãe. O pai se casou novamente e logo depois morreu também, deixando Branca nas garras da

madrasta vaidosa, que a transformou em criada. Branca não a ameaçava, até que o espelho mágico da madrasta decreta: "Existe, no mundo, alguém mais bela que você: é Branca de Neve". Isso desperta a ira da madrasta, que resolve exterminá-la. A partir de então, Branca de Neve vai contar com a ajuda dos sete simpáticos anõezinhos e, no final da história, do príncipe encantado.

Ariel, a pequena sereia

A história da sereia Ariel, que é fascinada pela ideia de viver em terra firme, foi baseada no conto do dinamarquês Christian Andersen. O melhor amigo de Ariel é o peixe Linguado. O caranguejo Sebastião, que também é amigo dos dois, é o regente da orquestra de sereias. Ela se casa com o príncipe Eric.

Bela

A história de *A Bela e a Fera* foi baseada no conto dos irmãos Grimm. Bela não tem origem nobre. Vive em uma pequena vila com seu pobre pai Maurice. Ela se encontra com a Fera quando seu pai, um inventor, cai por engano nas terras do monstro e este lhe condena à prisão. Quando sai à procura de seu pai, ela descobre que ele havia sido preso. Para reverter a situação, a honrada filha entrega-se no lugar do pai para a Fera.

Bela adormecida

O conto *A bela adormecida* fazia parte da cultura oral europeia. Mas foi registrada pela primeira vez pelo francês Charles Perrault, em 1697. O livro de Perrault foi intitulado inicialmente de *Histórias ou contos do tempo passado com moralidades*, mas ficou conhecido mundialmente como *Histórias da mamãe Gansa*. O nome original do conto é *La belle au bois dormant*. Depois de ter sido amaldiçoada em seu batizado, Aurora passa a ser criada por três fadas: Flora, Fauna e Primavera. Ela vive com as fadas até os 16 anos.

Jasmine

A história de Aladdin faz parte dos contos de *As mil e uma noites*. Os contos nasceram da cultura oral dos povos árabes e a primeira versão compilada data do século X. Sua reunião deu origem a outra lenda, a de *Sherazade*. Os contos *As mil e uma noites* são narrados pela princesa. Segundo a lenda, Sherazade começou a contar suas histórias para se livrar da morte, pois o rei Shariar, da Pérsia, decretou que se casaria toda noite e pela manhã mataria sua esposa. Quando foi escolhida como esposa, Sherazade resolveu contar histórias durante a noite, deixando o rei curioso para saber o final. Este sempre lhe concedia mais um dia. Assim sucedeu por mil e uma noites. Na 1001ª noite, já mãe de três filhos, Sherazade pede que o rei a poupe por amor às crianças. Ele a perdoa.

Mulan

A história de Mulan foi inspirada em um conto chinês chamado "Poema de Mulan". O nome da personagem, Hua Mulan, significa "magnólia", que é uma flor. Um dos companheiros da heroína é o dragão Musho. O animal havia caído em desgraça por ter arrumado muitas confusões. Mas os ancestrais lhe deram uma última chance de se redimir. Sua missão era convencer Mulan a voltar para casa. Ele não consegue e passa a ajudar a moça em sua luta. Outro fiel companheiro é o cavalo Khan, que está sempre com ela.

Pocahontas

O filme foi baseado na história real do envolvimento de uma jovem índia norte-americana e um soldado da Marinha britânica. A verdadeira personagem chamava-se Motoaka ("Pocahontas" era seu apelido). Ela nasceu em 1595 e, na realidade, conheceu o capitão John Smith quando tinha apenas 12 anos. A verdadeira Pocahontas se casou com o soldado inglês John Rolfe. Ela morreu de varíola aos 22 anos. Aparentemente, a história de a índia ter salvado a vida do capitão Smith é verdadeira. A índia é filha do cacique Powahatan.

Bruxas, rainhas e madrastas

Elas infernizaram a vida de heróis e heroínas.

Bruxa do Leste
Ela persegue a pequena Dorothy em *O mágico de Oz*.

Cruela
Não deu sossego para os *101 dálmatas*, de Anita e Roger.

Deusa Caos
Ameaçou tirar o mundo de controle em *Simbad e a lenda dos sete mares*.

Espanca e Esponja
As terríveis e exploradoras tias de James, em *James e o pêssego gigante*.

Fada Madrinha
Fada às avessas, queria casar Fiona com seu filho, o príncipe Encantado, em *Shrek*.

Madame Mim
Tentou de tudo para tirar os poderes do Mago Merlin, em *A espada era a lei*.

Maga Patalógica
Está sempre tentando roubar a moedinha número um do Tio Patinhas.

Malévola
A bruxa que faz a Bela Adormecida dormir por muitos e muitos anos.

Rainha de Copas
Em *Alice no País das Maravilhas*, o único jeito que tem de resolver os problemas é dizer: "cortem a cabeça".

Úrsula
Ela atormenta a vida de Ariel, a pequena sereia.

ESSA CAUSAVA PESADELOS
A bruxa da Branca de Neve deixava as crianças arrepiadas de medo. Mas ela nasceu de uma inspiração cômica. Ao encomendar a malvada aos seus desenhistas, Walt Disney pediu que se inspirassem na atriz e comediante Lucille La Verre, de quem ele era fã.

VOZ MALIGNA
Eleanor Audley fez a voz da senhora Tremaine, a madrasta da Cinderela (1948). Ela voltaria a emprestar sua voz a uma vilã Disney em *A bela adormecida* (1959), quando interpretou Malévola, a rainha de todo o mal.

Dez personagens femininas que se destacaram nas histórias infantis

1. Fiona: no segundo episódio de *Shrek*, rompe com a ditadura da magreza e decide que mais vale um amor e uma cabana do que sair bem na foto ao lado do príncipe que só pensa em ajeitar a cabeleira loura.

2. Dori: a peixinha desmemoriada de *Procurando Nemo* leva a vida numa boa. Desencanada, ajuda o peixe-palhaço Marlin a encontrar Nemo e ainda vive uma aventura radical nas costas das tartarugas. É a personagem engraçada para equilibrar a melancolia e o mau humor de Marlin.

3. Helena Pêra, a Mulher-Elástico ou Senhora Incrível: mãe e supermulher, é o retrato feminino bem-acabado do século XXI. O título *Os incríveis* só vale porque é ela quem manda na família. Boa estrategista, ajuda o marido trapalhão a vencer o pior vilão, o Gurincrível/Síndrome.

4. Mary Poppins: consegue colocar até um abajur dentro da sua maleta de mão. Está sempre elegantíssima e conhece lugares inusitados para se divertir.

5. Lilo: apesar de ser praticamente uma menor abandonada, com Stitch, seu alienígena de estimação, vive a vida loucamente, aproveitando as delícias do Havaí. Não aceita regras nem rédeas. Nascida para transgredir.

6. Dorothy: consegue sobreviver ao furacão, faz três novos amigos em questão de horas – o leão, o espantalho, o Homem de Lata – e, com um simples balde d'água, acaba com a bruxa má do Leste em *O mágico de Oz*. Tudo isso, sem largar Totó nem despentear o cabelo.

7, 8 e 9. Flora (verde), **Fauna** (azul) e **Primavera** (rosa): determinadas a derrotar a Malévola que fez o reino todo dormir em *A Bela Adormecida*, as três fadinhas gorduchas enfrentam até um dragão para ajudar o príncipe Felipe a despertar a Bela.

10. Alice: usa um sonho para viver aventuras e quebrar regras do mundo real. E de cada estripulia consegue tirar uma boa lição.

Você sabia?

A personagem **Alice**, de *Alice no País das Maravilhas*, foi criação do escritor Lewis Carroll, mas era visto por Walt Disney, que já sonhava com a Disneylândia, como seu *alter ego*. Ao inaugurar o parque, ele disse que era como se estivesse na pele de Alice, passando para o outro lado do espelho.

PARA NÃO ASSUSTAR AS CRIANCINHAS

Na versão original de **Chapeuzinho Vermelho**, do escritor francês Charles Perrault, escrita no final do século XVII, o lobo devora a menina e sua avó. Na versão dos irmãos Jacob e Wilhelm Grimm, de 1810, a história foi atenuada e o caçador abre a barriga do lobo, libertando avó e neta.

TELEVISÃO

Desde que se tornou mais popular (anos 1950 nos Estados Unidos e anos 1970 no Brasil), a televisão trouxe o mundo dos famosos para dentro das casas de família.

A origem da telenovela

Depois da Segunda Guerra Mundial, cinema e teatro se tornaram divertimentos mais dispendiosos, para aqueles de poder aquisitivo mais elevado. Para quem não se dispunha a sair de casa, a televisão representava o melhor lazer para o dia a dia. Nos Estados Unidos, os filmes atendiam a essa necessidade. Mas em países mais pobres, como o México, em que as donas de casa passavam boa parte do dia ocupadas com os afazeres domésticos, era preciso contar as histórias em capítulos. Surgiram, assim, as primeiras telenovelas, enredos populares, dramáticos e românticos, feitos sob medida para agradar às mulheres. Os países onde o gênero faz mais sucesso são: México, Brasil e Portugal.

ÓPERAS DO SABÃO

As primeiras novelas surgiram em 1937, transmitidas pelo rádio, nos Estados Unidos. O formato era sempre o mesmo: episódios românticos e dramáticos, cuja história era interrompida de forma a deixar um suspense no ar. O patrocinador também era sempre o mesmo: a empresa Procter & Gamble, que fabricava sabão em pó. Por isso as novelas ficaram conhecidas como *soap opera* (ópera do sabão, em inglês).

40 curiosidades sobre mulheres nas novelas

1. Rosamaria Murtinho estrelou um dos primeiros grandes sucessos das novelas diárias com *A moça que veio de longe* (1964). Ela fez par romântico com o galã Hélio Souto.

2. Em *Pigmalião 70* (1970), **Tônia Carrero**, no papel da milionária Cristina, lançou a moda do cabelo repicado, que ficou conhecido como corte pigmalião.

3. Em *Assim na terra como no céu* (1971), o personagem de Francisco Cuoco (Vitor) abandonava a batina para se casar com **Renata Sorrah** (Nívea). O autor Dias Gomes recebeu um abaixo-assinado das alunas do Colégio Pedro II, do Rio de Janeiro, rogando uma praga: o fantasma de Nívea acompanharia o dramaturgo pelo resto da vida.

4. O presidente Juscelino Kubitschek era fã de *Selva de pedra* (1972). Ao encontrar a atriz **Regina Duarte** disse que estava cansado de vê-la sofrendo tanto na história.

5. Sandra Bréa fez corar muita gente em *O bem amado* (1973), no papel de Telma Paraguaçu, filha de Odorico, interpretado por Paulo Gracindo. Jovem, ela se envolvia amorosamente com um médico bem mais velho, interpretado por Jardel Filho.

6. Em *O rebu* (1974) toda a história (132 capítulos) se passava numa festa. Ao final, **Arlete Salles** desabafou: "Quando tirei aquele vestido pela última vez eu não podia mais vê-lo nem em sonho".

7. O vestido de chita azul que **Sonia Braga** usou na novela *Gabriela* (1975) para subir no telhado, deixando a calcinha à mostra, faz parte do acervo de preciosidades da TV Globo.

8. Na novela *Saramandaia* (1976), dona Redonda, personagem de **Wilza Carla**, explodiu de tanto comer. Os críticos analisaram o episódio como uma contestação à sociedade de consumo. Dias Gomes, o autor, negou: era gula mesmo.

9. Na novela *Estúpido cupido* (1976), **Françoise Forton** vivia uma candidata a miss Brasil. A cena gravada no estádio do Maracanã seria levada ao ar ao vivo, sem roteiro. Ao saber que vencera o concurso, a atriz desabou em lágrimas absolutamente verdadeiras.

10. Um dos cortes de cabelo mais criticados das telenovelas foi usado por **Vera Fischer** em *Brilhante* (1981). Para remediar o estrago, a figurinista Marília Carneiro recorreu às bandanas no pescoço de Vera, que viraram moda no Brasil.

11. O público feminino vibrou quando apareceu no ar o primeiro bumbum masculino. Foi de André de Biasi na novela *Os adolescentes* (Bandeirantes, 1981). Outro bumbum que entrou para a história foi o do modelo Vinícius Manne na abertura da novela *Brega & Chique* (1987). Teve também um bumbum que a mulherada não vai esquecer nunca: Alexandre Borges, que vivia Danilo, em *Laços de família* (2000).

12. As então modelos **Luíza Brunet** e **Xuxa** fizeram uma pequena participação na novela *Elas por Elas* (1982). Elas apareceram nos sonhos da personagem Ieda, interpretado por **Cristina Pereira**, que ficava se imaginando uma mulher linda e irresistível.

13. O look mais comentado das telenovelas foi o usado por **Regina Duarte** para viver a viúva Porcina, em *Roque Santeiro* (1985). A roupa era para ser uma fantasia, mas as mulheres passaram a copiar seus turbantes na vida real.

14. Na novela *Ti-ti-ti* (1985), os modelos vendidos por Victor Valentim, vivido por Luís Gustavo, eram criados, na verdade, por Cecília, personagem de **Natália Thimberg**, uma velhinha já meio esclerosada.

15. A primeira novela de **Cláudia Raia** foi *Roque Santeiro* (1985), em que ela vivia a dançarina Ninon, que se apaixonava pelo lobisomen. Cláudia Raia começou sua carreira profissional aos dez anos, como manequim do costureiro Clodovil.

16. Até hoje a novela *Dona Beija* (Manchete, 1986) é lembrada como uma das mais sensuais da história da TV. Tudo graças às inúmeras cenas de **Maitê Proença** nua, tomando banhos e banhos de cachoeira e andando a cavalo.

17. A Tancinha, de **Cláudia Raia**, na novela *Sassaricando* (1987) foi inspirada em Sophia Loren e falava com sotaque italiano.

18. *Bebê a bordo* (1988) foi a última novela de **Dina Sfat**, que morreu de câncer um mês depois do fim da trama.

Você sabia?

O verdadeiro nome de **Dina Sfat** (1938-1989) era Dina Kutner de Souza. Ela adotou o sobrenome artístico "Sfat", cidade de Israel onde nasceu sua mãe.

19. Raquel Acioly, interpretada por **Regina Duarte** em *Vale tudo* (1988), fez tanto sucesso que o nome da rede de restaurantes "Paladar", da qual ela era dona na novela, passou a identificar restaurantes em Cuba, que até hoje são chamados Paladares.

20. Na novela *Tieta* (1989), a personagem Perpétua, vivida por **Joana Fomm**, escondia uma caixa no fundo do armário. Dentro dela, repousava o órgão genital do marido falecido, conservado em formol.

21. Durante a novela *Rainha da sucata* (1990), a estação de Ponte Pequena do metrô paulistano – reduto de armênios na cidade – foi rebatizada estação Armênia, em homenagem ao personagem de **Aracy Balabanian**, que foi convidada para a reinauguração.

22. Márcia, interpretada por **Malu Mader** em *O dono do mundo* (1991), perdeu a virgindade com outro homem em plena lua-de-mel. Por causa disso, a personagem, que nasceu para ser heroína, virou vilã. Já a garota de programa Taís, interpretada por **Letícia Sabatella**, causou tanta empatia que virou a campeã de cartas da emissora.

23. A segunda versão de *Mulheres de areia* (1993) foi a novela que mais fez sucesso na Rússia. O último capítulo, por determinação do governo, foi exibido no dia das eleições, um feriado. Tudo para evitar que a população viajasse e não fosse votar.

24. Em *A próxima vítima* (1995), Isabela, vivida por **Cláudia Ohana**, trai o marido no dia do casamento. Ao descobrir, ele a joga escada abaixo e a esfaqueia. Membros do Conselho Nacional dos Direitos da Mulher condenaram as imagens, que foram qualificadas como estímulo ao machismo e à violência contra a mulher.

25. A frase "Stop, Salgadinho" foi ideia da atriz **Regina Dourado** para seu personagem Lucineide, na novela *Explode coração* (1995).

26. A personagem Léia, de **Silvia Pfeifer**, em *O rei do gado* (1996), traía o marido com Ralf, interpretado por Oscar Magrini. O amante a tratava com tabefes que chocaram o país e fizeram com que a violência contra a mulher virasse um dos temas mais debatidos.

27. A atriz **Taís Araújo** tinha 17 anos quando começou a fazer a novela *Xica da Silva* (Manchete, 1996/7). A trama previa que ela apareceria nua. Taís (e o público) esperou 50 capítulos até que, no dia 2 de dezembro de 1996, a cena foi ao ar. Ela havia completado 18 anos uma semana antes.

28. Em *Por amor* (1997), a personagem de **Gabriela Duarte,** Maria Eduarda, despertou ódio nos telespectadores. O site "Eu odeio a Maria Eduarda" recebeu 8 mil visitas em sua estreia.

29. A novela *Terra nostra* (1999) teve 5 mil figurinos de época. Os mais elaborados eram os de Paola, personagem de **Maria Fernanda Cândido**, e Giuliana, de **Ana Paula Arósio**.

30. Para esconder do público a gravidez de **Júlia Lemmertz**, as últimas cenas de *Andando nas nuvens* (1999) foram todas feitas em *close* ou com algum objeto tapando o seu barriguinha.

31. A Capitu, de **Giovanna Antonelli**, uma personagem que se prostituía em *Laços de família* (2000), fez os telespectadores terem uma visão compreensiva a respeito das garotas de programa.

32. Para vestir Jade (**Giovanna Antonelli**), Nazira (**Eliane Giardini**), Latiffa (**Letícia Sabatella**), Zoraide (**Jandira Martini**), Ranya (**Nívea Stelmann**), Khadija (**Carla Diaz**) e Samira (**Stephany Brito**), os figurinistas de *O clone* (2001) trouxeram setecentos vestidos do Marrocos.

33. Raquel, personagem de **Helena Ranaldi** em *Mulheres apaixonadas* (2003), foi a estrela da cerimônia de posse do novo Conselho Nacional da Mulher, porque representava uma mulher que vivia apanhando do marido com uma raquete.

34. Todas as personagens da minissérie *A casa das sete mulheres* (2003) colocaram apliques nos cabelos. Foram usados mais de 10 metros de cabelos artificiais.

35. *Mulheres apaixonadas* (2003) teve 15 aberturas diferentes, todas com fotos mandadas por telespectadores. As mulheres apareciam destacadas e a imagem dos homens, embaçadas. As fotos seriam trocadas a cada quatro semanas. Mas o projeto fez tanto sucesso que passaram a ser trocadas a cada duas.

36. Renata Sorrah roubou as cenas com Nazaré Tedesco, em *Senhora do destino* (2004).

37. *Senhora do destino* (2004) foi a primeira novela a mostrar duas mulheres homossexuais – Eleonora e Jenifer – a dormir juntas na mesma cama. Também foi a primeira novela a mostrar a aceitação de uma família diante do homossexualismo feminino.

38. Para viver Sol, em *América* (2005), **Deborah Secco** foi trabalhar num McDonald's de Nova York, sem se identificar como atriz. Ficou com a função de esfregar o chão.

39. As ex-vedetes **Carmen Verônica** e **Íris Bruzzi** (Mary Montilla e Guida) improvisaram muito na novela *Belíssima* (2005), de Silvio de Abreu. Os improvisos nunca foram cortados. Mary Montilla apareceu de novo em *Paraíso tropical* (2007), de Gilberto Braga. Foi a primeira vez que um personagem ressurgiu na novela de outro autor.

40. A personagem Nanda, interpretada por **Fernanda Vasconcelos** em *Páginas da vida* (2006), era tão querida que, mesmo morrendo no primeiro mês da trama, virou um fantasma presente ao longo da novela. Foi criada uma comunidade no Orkut chamada "Eu tenho medo da Nanda".

> A novela *Páginas da vida* mostrou o parto verdadeiro de uma atriz pela primeira vez. Isso aconteceu no capítulo que foi ao ar em 28 de dezembro de 2006. A atriz **Júlia Carrera**, que vivia o papel de uma fonoaudióloga, deu à luz Valentina. O parto, aí sim na ficção, foi feito pela personagem de **Regina Duarte** (Helena).

Janete Clair, a rainha das novelas

A mineira **Janete Clair** (1925-1983) começou sua carreira como radioatriz na Tupi Difusora de São Paulo em 1943. Seu talento como novelista foi revelado pela primeira vez com *Perdão, meu filho*, de 1956, radionovela veiculada pela Nacional do Rio de Janeiro. Ao todo, ela escreveu 21 tramas, entre elas *Irmãos Coragem* e *Selva de pedra*. Por seus inúmeros sucessos de audiência no horário nobre, ganhou o título de "Maga das Oito".

❖ A relação da escritora com a Rede Globo teve início em 1967, quando a empresa a contratou para substituir a cubana Glória Magadan na novela *Anastácia, a mulher sem destino*, que estava no ar. Foi exigida não apenas uma reformulação do enredo, como também a redução de custos. Por isso, Janete adicionou à trama um terremoto que eliminou metade do elenco e dos cenários. Quem a ajudou com a ideia foi seu próprio marido, o também dramaturgo Dias Gomes.

❖ Teve três filhos com Dias Gomes. Morreu aos 58 anos, vítima de câncer, em meio à produção da novela *Eu prometo*. Quem a substituiu foi Glória Perez, considerada por muitos sua principal discípula.

❖ O nome de nascença de Janete Clair é Jenete Emmer. O escrivão não entendeu o sotaque do pai dela e registrou errado. Ela adotou o Clair inspirada pela canção *Clair de lune*, de Debussy.

❖ Ela foi uma das autoras mais censuradas durante a ditadura militar, mesmo sendo acusada pela crítica de elaborar tramas que alienavam a população. Em 1974, 12 capítulos de sua novela *Fogo sobre terra* tiveram de ser reescritos porque os censores achavam perigosas as discussões sobre temas ecológicos existentes na história.

❖ A intenção da autora era dar um final feliz ao taxista Carlão, de *Pecado capital*. Graças à insistência do diretor Daniel Filho, ela mudou de ideia: ele acabou morrendo com um tiro, abraçado a uma mala de dinheiro. Esse foi o primeiro mocinho de novela a morrer no horário nobre.

Os sucessos que ela escreveu

Anastácia, a mulher sem destino	1967
Sangue e areia	1967
Passos dos ventos	1968
Rosa rebelde	1969
Véu de noiva	1969
Irmãos Coragem	1970
O homem que deve morrer	1971
Selva de pedra	1972
O semideus	1973
Fogo sobre terra	1974
Bravo!	1975
Pecado capital	1975
Duas vidas	1976
O astro	1977
Pai herói	1979
Coração alado	1980
Sétimo sentido	1982
Eu prometo	1983

Campeã em horário nobre

Ivani Ribeiro (1922-1995) nasceu em Santos (SP), e seu maior sonho era escrever novelas para o rádio. Mas o primeiro convite foi para que ela interpretasse. Assim, Ivani Ribeiro começou a carreira atuando como radioatriz. Logo em seguida, conseguiu um espaço na recém-inaugurada TV Tupi para a novela que ela havia terminado: *Os eternos apaixonados*. Foi um sucesso e Ivani se consagrou no horário nobre – naquela época, às 19h30. Ao longo de sua carreira como autora de novelas escreveu 39 obras.

Você sabia?

- Nos anos 1960, Ivani Ribeiro escreveu 13 novelas consecutivas, 1.600 capítulos que foram exibidos durante 48 mil horas, ao longo de sete anos seguidos.
- Com o fechamento da TV Excelsior, Ivani se revezou escrevendo novelas para as TVs Tupi, Record, SBT e Bandeirantes.
- Em 1964, ela escreveu seis novelas: *Ambição*, *Alma cigana*, *A moça que veio de longe*, *A gata*, *Se o mar contasse*, *A outra face de Anita*.
- Algumas de suas novelas fizeram tanto sucesso que ganharam nova versão vinte ou trinta anos depois, entre elas *Mulheres de areia*, *O profeta* e *A viagem*.

Em campanha

A autora de novelas **Glória Perez** (1948-) adora misturar realidade e ficção em suas telenovelas. E aproveita as tramas para lançar campanhas de utilidade pública.
- *Carmen* (1987): discutia os preconceitos contra os portadores de aids.
- *Barriga de aluguel* (1990): tratava de temas ligados à inseminação artificial.
- *De corpo e alma* (1992): fez uma grande campanha em prol da doação de órgãos.
- *Explode coração* (1995): jogou luz sobre a questão das crianças desaparecidas.
- *O clone* (2001): discutia dependência química e drogas.
- *América* (2005): falou sobre homossexualismo, cleptomania e imigração ilegal.

A primeira vez na televisão

❖ "Foi um beijinho insosso, de boca fechada", disse o ator Walter Foster. Mas aquele foi o primeiro beijo da TV brasileira. Foster tomou Vida Alves nos braços e deu-lhe um beijo. Aconteceu na novela *Sua vida me pertence*, a primeira da TV Tupi, iniciada em 21 de dezembro de 1951 e com dois capítulos semanais. A emissora recebeu inúmeras cartas de protesto pela "imoralidade que ameaçava os lares brasileiros".

❖ O primeiro nu feminino da televisão brasileira foi protagonizado pela atriz Cidinha Milan na novela *Gabriela* (1975). Cidinha interpretava a personagem Chiquinha, que era pega na cama com seu amante e, amedrontada, fugia nua da cidade. O amante, Pedro Paulo Rangel, também aparecia nu. A cena foi feita no meio da chuva para dificultar a visão dos corpos.

❖ O jornal *Repórter Esso* foi o responsável por apresentar a primeira cena de nudez frontal, no início dos anos 1950. Foi usada para anunciar uma matéria sobre índios. A reportagem foi ao ar tarde da noite e, mesmo assim, sofreu protestos de uma associação de senhoras.

❖ O primeiro beijo inter-racial ocorreu na novela *A cor de sua pele*, exibida pela Tupi em 1965. A atriz negra Yolanda Braga foi beijada pelo personagem de Leonardo Villar.

❖ A primeira personagem hermafrodita foi interpretada pela atriz Maria Luísa Mendonça na novela *Renascer* (1993). Seu nome masculino era Alcides e o feminino, Buba.

Loiras na televisão brasileira

A PRECURSORA
Hebe Camargo (1929-2012) entrou para a carreira artística em 1940, quando formou uma dupla caipira com sua irmã. Eram Rosalinda e Florisbela, e cantavam no rádio. Em 1950, foi convidada por Assis Chateaubriand para

participar da primeira transmissão ao vivo na televisão brasileira. Durante anos apresentou o programa *Rancho Alegre*, ao lado de Ivon Cury. Em 1957, mudou radicalmente o visual, pintando o cabelo de loiro, para apresentar o programa *O mundo é das mulheres*, na TV Paulista. Em 1966, na TV Record, passou a comandar um programa com o seu nome, que a consagrou como apresentadora de tevê. Trabalhou em todas as emissoras brasileiras e desde 1986 mantém um programa semanal no SBT.

Curiosidades

✪ Na primeira transmissão da televisão, Hebe Camargo havia sido convidada para cantar o Hino Nacional. Não apareceu, dando a desculpa de estar doente. Lolita Rodrigues entrou em seu lugar. Muitos anos depois, revelou-se que a ausência se deu por causa de um encontro amoroso.

✪ Foi ela quem apelidou o cantor Ronnie Von de "Príncipe". Hebe também abriu espaço em seus programas para principiantes como Roberto Carlos e Erasmo Carlos.

✪ Em 22 de abril de 2006, ela comemorou o milésimo programa pelo SBT.

✪ Foi amiga pessoal de Paulo Maluf. Mas as suspeitas de corrupção do político a afastaram dele.

AS BEM-SUCEDIDAS

Marilia Gabriela (1948-) começou sua carreira como estagiária de jornalismo no *Jornal Nacional*, na TV Globo, onde também apresentou o *Jornal Hoje* e o *Fantástico*. Em 1980 passou a apresentar o *TV Mulher*, contracenando com participantes como Clodovil, Xênia e Marta Suplicy. Em 1985 foi para a TV Bandeirantes, onde apresentou os programas *Marilia Gabi Gabriela* e *Cara a Cara*. Em 1997 foi contratada pelo SBT e, em 2002, foi para o canal a cabo GNT.

Ana Maria Braga (1949-) nasceu no interior de São Paulo e fugiu de casa na adolescência para fazer faculdade de biologia e trabalhar. Empregada na TV Tupi, apresentava telejornais, shows e um programa feminino ao vivo. Foi diretora comercial da Editora Abril e voltou à tevê em 1992, com o programa *Note Anote*, na TV Record. Graças a ele, entrou para o *Guinness Book*, com o maior tempo de permanência no ar. Em 1999 foi para a TV Globo, onde passou a apresentar o programa *Mais você*.

Claudete Troiano (1953-) estreou na Bandeirantes como apresentadora infantil aos 13 anos e também apresentou programas infanto-juvenis e foi repórter da rádio Bandeirantes. Trabalhou em diversas rádios e emissoras de TV, apresentando programas femininos.

Xuxa (1963-) começou a carreira nos anos 1980 como modelo e em 1983 foi para a TV Manchete apresentar o programa *Clube da Criança*. Três anos depois, mudou-se para a TV Globo, onde apresenta programas infantis e para adolescentes.

Curiosidades
✪ Xuxa lançou muitas paquitas: Pituxa, Xiquita, Catuxa, Xiquitita, Catuxita, Paquitita e Pituxa 2. As meninas eram escolhidas pela produção, mas, quando passavam de uma determinada idade, eram substituídas. As paquitas que ficaram famosas foram Letícia Spiller, Bianca Rinaldi, Andréa Faria e Juliana Baroni.
✪ Xuxa aparecia com uma roupa diferente a cada programa. Em dois anos e meio ela usou 759 *looks* diferentes.
✪ Botas brancas viraram paixão das adolescentes em 1986, lançadas pela Xuxa.

Adriane Galisteu (1973-) começou sua carreira de modelo com quatro anos, fazendo propaganda do McDonald's. Cantou no conjunto Meia Soquete, mas ficou internacionalmente conhecida ao namorar o piloto Ayrton Senna, em 1994. Contou sua história no livro *O caminho das borboletas* em 1995 e, logo em seguida, entrou para a televisão, apresentando programas na Rede Record, Rede TV, TV Bandeirantes e SBT. Também desenvolve trabalhos como atriz e já encenou várias peças de teatro, como *Deus lhe pague*, com direção de Bibi Ferreira.

Angélica (1973-) fez a primeira aparição na TV aos quatro anos, quando foi eleita a criança mais bonita do Brasil no programa do Chacrinha. Com 13 anos passou a apresentar o *Nave da fantasia* e depois o *Clube da Criança*, na Manchete. Gravou vários discos, foi para o SBT em 1993 e para a TV Globo em

1996, onde apresentou programas para crianças, adolescentes e programas de variedades.

Eliana (1973-) fez seu primeiro trabalho aos oito anos, desfilando como modelo. Sua primeira aparição na televisão foi na campanha do primeiro sutiã, onde ela era figurante. Foi integrante do grupo As Patotinhas e também do Banana Split. Foi apresentadora do SBT durante sete anos e depois da TV Record.

A marca registrada do humor

❖ **Nair Bello** Souza Francisco nasceu em São Paulo, em 28 de abril de 1931.

❖ Nair começou a carreira artística em 1949 como locutora na rádio Excelsior. Depois, emplacou carreira de comediante de TV. Sua estreia foi como garota-propaganda.

❖ O primeiro trabalho em um show de televisão foi em 1961, na TV Record. O programa chamava-se *Grande show união* e era transmitido ao vivo. No humorístico, que tinha diversos quadros, Nair interpretava a personagem Santinha, a mesma dona de casa rabugenta que fazia no programa *Zorra total*.

❖ Seu primeiro filme foi *Liana, a pecadora*, lançado em 1951. Ao contrário da maioria dos atores, o teatro só veio depois, com *Alegro desbum*, de 1976.

❖ Em 1953 casou-se com o publicitário Irineu Souza Francisco. Os dois permaneceram juntos até a morte de Irineu, em 1999.

❖ A pedido do marido, a atriz não fazia cenas de beijo. Irineu era muito ciumento.

❖ O casal teve quatro filhos: Zezinho, Maria, Manoel e Ana Paula.

❖ Nair Bello sempre foi grande admiradora do médium Chico Xavier. Quando seu filho Manoel Francisco Neto morreu, em 14 de dezembro de 1975, num acidente de carro, aos 20 anos, Chico psicografou uma carta do falecido.

❖ A atriz foi amiga, desde a adolescência, da apresentadora Hebe Camargo e de Lolita Rodrigues. As amigas começaram a carreira juntas.

❖ Na novela *Uga Uga*, Nair fazia o papel de Pierina, mãe do personagem de Marcos Pasquim, o Van Damme. Na trama, Pierina era uma mãe muito ciumenta e controladora. Para dar realidade ao personagem, Nair batia de verdade em Marcos Pasquim. "O público precisa ouvir o som do tapa. E, como ele é forte, aguenta bem", disse a atriz.

❖ Em 11 de novembro de 2006 a atriz sofreu uma parada cardíaca enquanto arrumava o cabelo e foi internada em estado grave. Nair Bello faleceu no dia 17 de abril de 2007, depois de cinco meses de internação, aos 75 anos de idade.

A GAROTA DO FANTÁSTICO

Um dos quadros mais lembrados do *Fantástico* começou a ser transmitido na edição de nº 545, em 18 de março de 1984. A primeira garota a mostrar suas formas em um dos clipes gravados em lugares paradisíacos foi Renata Oliveira. Na disputa, quem levou a melhor foi Rosana Campos, que desbancou a então desconhecida atriz Cláudia Lyra. Também tentaram o título Gisele Fraga, Marcella Praddo, Luciana Vendramini, Paula Burlamarqui, Núbia de Oliveira, Mari Alexandre, Viviane Araújo e Adriana Garambone. Em 2002, a produção do programa organizou um novo concurso nos mesmos moldes, batizado de Top Model. A campeã foi a brasiliense Shalana Agneta Maria Mendes Santana, de 18 anos, que levou de prêmio um contrato com a agência de modelos Mega e uma ponta na novela *Desejos de mulher*.

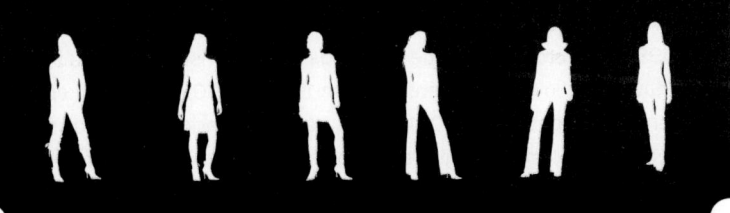

A bela e seus escândalos

❖ A modelo **Luma de Oliveira**, que nasceu em Nova Friburgo (RJ) em 1965, é a caçula de seis irmãos. Entre eles está a também modelo Ísis de Oliveira.

❖ Luma manteve um romance com o jogador de futebol Renato Gaúcho. Em 1992, ele revelou em uma entrevista à revista *Interview* detalhes do relacionamento.

❖ A *sex symbol* casou-se com o empresário do setor de mineração Eike Batista em 1991. Ele abandonou sua noiva, a socialite Patrícia Leal, depois da cerimônia religiosa e a uma semana da união civil para ficar com a modelo. Dois anos depois, Patrícia trocou alianças com Antenor Mayrink Veiga, ex--namorado de Luma.

❖ Luma fez duas novelas: *O outro* (1987) e *Meu bem, meu mal* (1991). Também atuou em dois filmes: *Os heróis trapalhões* (1988) e em *Boca de ouro* (1989), longa de Walter Avancini.

❖ Em 1998, ela causou polêmica entre as feministas ao aparecer na Sapucaí fantasiada de pantera e com uma gargantilha com o nome de seu marido. A cena se repetiu em 2001, durante a festa de lançamento da *Playboy* com seu ensaio fotográfico. Na ocasião, a musa estampou as iniciais do companheiro na alça da calcinha.

❖ Em 1999, Eike proibiu Luma de posar nua para a revista masculina *Playboy*. Ela já havia feito outros dois ensaios (em 1987 e 1990). Depois do episódio, a morena ainda posou em 2001. Dessa vez, seu marido tentou dissuadi-la oferecendo a ela o mesmo valor do cachê, mas foi em vão. Luma também foi selecionada para estampar a capa brasileira da publicação em seu aniversário de cinquenta anos.

❖ Desde a década de 1980, a atriz desfila no Carnaval carioca. Começou à frente da bateria da Tradição. Depois, migrou para a Viradouro, que a manteve como madrinha por cinco anos. A escola a dispensou em 2003 sob alegações de que a musa faltava demais nos ensaios. Em 2004, ela desfilaria pela Mocidade Independente, mas acabou desistindo. Na época, ela alegou que estava grávida do terceiro filho, mas depois admitiu que havia inventado essa desculpa porque o marido não queria que ela desfilasse. O caso acabou sendo o estopim da separação do casal.

❖ Luma e Eike se separaram em fevereiro de 2004. Na época, afirmou-se que uma das razões para o fim da relação seria o caso que a musa mantinha com o bombeiro José Albucacys de Castro Junior. Os dois se conheceram quando ela foi escolhida como madrinha de um calendário com fotos de modelos-bombeiros. Tanto Albucacys quanto Luma negaram o romance.

❖ Em dezembro de 2004, surgiram rumores de que o caso de Luma na época em que se separou de Eike era o policial Sigmar de Almeida. O oficial posou com o bombeiro Albucacys para o calendário Anjos do Brasil. Os dois foram flagrados juntos em um hotel em Itacaré (BA). Aliás, o fotógrafo que tirou as fotos lavrou um boletim de ocorrência dizendo que havia sido "torturado, espancado e ameaçado de morte" por Sigmar. O casal, contudo, negou o romance. A modelo declarou à revista Veja que estava namorando outra pessoa, que conheceu na cidade baiana.

A rainha da periferia

❖ **Regina Casé** foi uma das fundadoras do grupo de teatro Asdrúbal Trouxe o Trombone, que revelou nos anos 1970 atores como Evandro Mesquita, Luiz Fernando Guimarães e Patrícia Travassos.

❖ Seu avô, Ademar Casé, veio de Caruaru para o Rio de Janeiro em um pau-de-arara. Nos anos 1930 e 1940, ele ficou famoso por seus programas na rádio Mairink Veiga. Alguns deles chegavam a durar 12 horas.

❖ É filha de Geraldo Casé, idealizador e diretor do programa infantil Sítio do pica-pau amarelo, transmitido pela Rede Globo.

❖ Regina tinha dez anos de idade quando seus pais se separaram. O pai se mudou para São Paulo, e a mãe, para a Europa. A atriz preferiu ficar no Rio. Acabou indo morar com uma tia que tinha oitenta anos.

❖ Em 1978, aos 23 anos, recebeu o Prêmio Molière de melhor atriz do ano por seu trabalho na peça *Trate-me, Leão*. Foi a mais jovem atriz a receber este prêmio, um dos mais importantes do teatro brasileiro.

❖ Apesar de sua participação em filmes e minisséries, Regina Casé consagrou-se como apresentadora. O quadro "Minha periferia", do *Fantástico*, chegou a virar série na Rede Globo.

A midas da autoajuda

Oprah Winfrey nasceu em 1954, no Mississipi. Foi eleita miss Tennessee em 1971, mesmo ano em que entrou na universidade. Foi correspondente de vários canais de televisão, apresentou jornais e, em 1984, se transformou em âncora do principal *talk show* de Chicago que, um ano depois, foi rebatizado com o nome Oprah Winfrey Show. Recebeu o Globo de Ouro por sua participação no filme *A cor púrpura* e, em 1988, abriu sua própria produtora. De lá para cá, não parou de crescer: tem uma revista que leva sua assinatura, um programa diário na televisão, vários livros e programas assistenciais. Em 1997 foi eleita a pessoa mais importante e influente da mídia americana, título que foi confirmado em 2004.

VESTIDO DE MULHER

De seus 250 personagens, Jô Soares encenou dois tipos femininos inesquecíveis em seus programas semanais.

Bô Francineide (1981): no *Viva o gordo*, ela era atriz de pornochanchada, filha da pornô-mãe, interpretada por Henriqueta Brieba, que lhe dava o maior apoio. Seu bordão era: "E pensar que eu saí de dentro dela!"

Norminha (1971): ela era comunicóloga da PUC, no programa *Faça humor, não faça a guerra*. Nessa época, em que os estudantes de comunicação ainda eram perseguidos pela ditadura, Norminha era hippie e vivia situações inusitadas.

"Não é palavrão, é apelido"

❖ Dolores Gonçalves Costa, ou **Dercy Gonçalves**, nasceu em 23 de junho de 1905 na cidade de Santa Maria Madalena, no Rio de Janeiro, de onde fugiu quando tinha 17 anos. Mas, então, por que se comemorou o centenário da atriz em 2007? Ela dizia que seu pai demorou dois anos para registrá-la.

❖ Dercy fugiu escondida embaixo de um vagão de trem em 1924, rumo à cidade de Macaé, no Rio de Janeiro, pois queria se juntar a uma trupe de teatro mambembe que lá estava, a Companhia de Maria Castro.

❖ Sua mãe foi embora de casa quando Dercy ainda era muito pequena. Margarida descobriu que seu marido, Manuel Castro, a traía e largou o homem infiel com os sete filhos.

❖ Quando jovem, Dercy trabalhava como bilheteira no cinema de sua cidade, o Ideal, onde aprendeu, assistindo aos filmes, como se maquiar e atuar.

❖ Na noite em que perdeu a virgindade, Dercy conta que usava uma camisola feita de saco de arroz: "Tinha escrito no peito: Indústria Brasileira de Arroz Agulhinha, arroz de primeira".

❖ Enquanto excursionava com a trupe, Dercy contraiu tuberculose. Um exportador de café chamado Ademar Martins pagou todas as contas do sanatório para a internação da atriz, que não tinha dinheiro suficiente para custear o tratamento. Depois de curada, Ademar e Dercy tiveram um caso. Deste romance nasceu Decimar, única filha de Dercy. Ademar era casado.

❖ A atriz participou de 36 filmes em sua carreira.

❖ Nos anos 1960 apresentava o programa de televisão *Consultório sentimental*, na Rede Globo.

❖ Dercy possui um túmulo monumental de 120 metros quadrados de área e 3 metros de altura, em formato de pirâmide e todo construído em cristal e mármore. O mausoléu precisou ser construído fora do cemitério da Vila Madalena, pois não cabia do lado de dentro.

❖ A atriz era assumidamente fã de bingos.

❖ Em sua cidade natal foi construído um museu em sua homenagem. O Museu Dercy Gonçalves abriga, entre outras coisas, a locomotiva usada por ela na fuga.

❖ Para conseguir um prato de comida, dançava para os hóspedes do Hotel dos Viajantes, em sua cidade natal.

❖ Para ir à missa, usava um vestido de chita. Ao final, cantava e dançava abraçada à imagem de Jesus.

❖ Sua estreia como atriz foi em comédias que ela representava na praça Tiradentes, no Rio de Janeiro.

❖ Com o programa *Consultório sentimental*, que ela apresentava nos anos 1960, teve 90% da audiência da televisão.

❖ Em um de seus programas, ela indicou uma receita feita com ipê-roxo para curar câncer. Surgiram filas na porta. Muitos anos depois de ter deixado o programa, ela justificou a saída dizendo que reclamavam dos palavrões que dizia no ar. "Mas não era palavrão, era apelido", explicou.

UM COLUNISTA QUE ADORAVA AS MULHERES

Ibrahim Sued (1924-1995) apresentou um quadro de entrevistas no *Fantástico*, da TV Globo, que fazia muito sucesso. Ele já era conhecido por sua coluna no jornal *O Globo*, onde falava, de forma muito particular, sobre a sociedade e as mulheres. Algumas expressões que ele criou caíram na boca do povo:
• Geração pão com cocada: as moças bronzeadas (cocadinhas) e os rapazes bonitos (pão)
• Bonecas: mulheres lindas
• Deslumbradas: novas ricas
• Panteras e panterinhas, bonecas e deslumbradas: seu cumprimento habitual às mulheres

Chacretes e buzinadas

Em 1967, o programa *A buzina do Chacrinha* lançou os concursos mais bizarros da televisão: a mais bela datilógrafa, a mais bela dona de casa, a miss vovó. Mas foram as "Vitaminadas do Chacrinha", moças que dançavam enquanto os calouros se apresentavam, que viraram marca registrada do programa. Mais tarde, elas ganhariam outro nome: chacretes. Algumas das mais famosas foram: Rita Cadillac, Bia Zé Colméia, Sarita Catatau, Vera Furacão, India Poty e Lia Hollywood. Os "sobrenomes" eram alusão ao tipo físico das moças.

Você sabia?

Nos programas do Chacrinha a ordem era lotar o auditório com mulheres. Homem só entrava se sobrasse lugar.

BIG BROTHERS PELADAS*

Antonela .... BBB4 .... *Playboy* (fevereiro de 2004)
Carolini .... BBB7 .... *Playboy* (maio 2007)
Fani .... BBB7 .... *Playboy* (abril 2007)
Flávia .... BBB7 .... *Sexy* (maio 2007)
Grazielli .... BBB5 .... *Playboy* (agosto de 2005)
Helena .... BBB1 .... *Sexy* (novembro de 2003)
Íris .... BBB7 .... *Playboy* (agosto de 2007)
Joseane .... BBB3 .... *Playboy* (março de 2003)
Juliana .... BBB4 .... *Sexy* (junho de 2004)
Juliana .... BBB6 .... *Playboy* (fevereiro de 2006)
Karla .... BBB5 .... *Sexy* (julho de 2005)
Leka .... BBB1 .... *Playboy* (maio de 2002)
Manuela .... BBB2 .... *Playboy* (setembro de 2002)
Marcela .... BBB4 .... *Sexy* (julho de 2004)
Mariana .... BBB6 .... *Playboy* (julho de 2006)
Natália .... BBB5 .... *Playboy* (abril de 2005)
Roberta .... BBB6 .... *Playboy* (abril de 2006)
Sabrina .... BBB3 .... *Playboy* (maio de 2003 e dezembro de 2004)
Solange .... BBB4 .... *Sexy* (março de 2005)
Tarciana .... BBB2 .... *Sexy* (setembro de 2002)
Tathy Rio .... BBB5 .... *Sexy* (abril de 2005)
Thaís .... BBB2 .... *Playboy* (janeiro de 2003)
Viviane .... BBB3 .... *Sexy* (maio de 2003)
Xaiane .... BBB1 .... *Sexy* (março de 2002)

* Até dezembro de 2007.

Episódios em série

I LOVE LUCY

O seriado mostrava as aventuras do casal Lucille Ball e Desi Arnaz. Foi baseado num programa de rádio que Lucille fazia com Richard Denning chamado *My favorite husband*. Quando foi para a televisão, a atriz exigiu que seu parceiro fosse substituído pelo marido verdadeiro, o cubano Desi Arnaz. A comédia, que foi exibida de outubro de 1951 a maio de 1958, teve 180 capítulos e foi considerada a série de maior sucesso nos Estados Unidos.

A FEITICEIRA

James Stephens (Dick York e Dick Sargent) conhece Samantha (Elizabeth Montgomery) e se apaixona por ela. Ele é de classe média, não tem grandes ambições e percebe que seus problemas só começaram quando Samantha revela que não é igual às outras mulheres. Ela é uma feiticeira. O seriado, que estreou nos Estados Unidos em 1964, foi um dos maiores sucessos de audiência da história da televisão e seus capítulos são reprisados até hoje em mais de sessenta países. James pede que a mulher não use seus poderes e o acerto até daria certo, não fosse a interferência da família de bruxos. Embora fosse um enredo totalmente ficcional, o seriado trazia temas de discussão muito atual para a época, como a separação – os pais de Samantha eram dois bruxos divorciados –, a discriminação dos idosos – a tia mais idosa de Samantha, tia Clara, sempre erra suas mágicas – e a liberação da mulher, que foi abordada pela prima da protagonista, a bruxa Serena, também interpretada por Elizabeth Montgomery. Dois anos depois da estreia, Samantha tem uma filhinha feiticeira, que foi chamada de Tabatha. No ano seguinte, nasceu Adam, mortal como o pai.

MALU MULHER

A televisão brasileira já teve uma série dedicada às mulheres. Era final da década de 1970, o feminismo andava a todo vapor e ninguém permanecia casada se não fosse por amor. Regina Duarte foi o melhor exemplo dessa fase. Ex-namoradinha do Brasil, ela desmanchava mais um casamento, agora com o diretor Daniel Filho. Sozinho, ele foi assistir ao filme *Uma mulher descasada*, com Jill Clayburgh (1978), sucesso absoluto nos Estados Unidos.

Emocionado com a história, Daniel teve a ideia de criar alguma coisa semelhante para exibir na televisão. Não uma novela, mas uma série que fosse ao ar uma vez por semana. A equipe de produção sugeriu Marília Pêra para viver a protagonista, mas Daniel disse não. Ele queria a ex-esposa, Regina Duarte. Só ela poderia viver o personagem com verdade, já que passava por uma situacão semelhante na vida real. Assim nasceu *Malu Mulher*, o primeiro programa a abordar os problemas femininos na televisão.

SEX AND THE CITY

No final dos anos 1990, o jornal *New York Observer*, um dos mais atrevidos da cidade de Nova York, sugeriu à jornalista Candace Bushnell que escrevesse colunas sobre as histórias interessantes e picantes da cidade; coisas que ela ouvia das amigas, cenas que presenciava nos cafés. A jornalista topou e assim nasceu a coluna *Sex and the city*, publicada semanalmente em folhas cor-de-rosa. O sucesso foi imediato e Candace foi convidada a transportar suas histórias para um seriado de televisão, que acabou ganhando o mesmo nome. Nele, quatro amigas – Carrie, Samantha, Charlotte e Miranda – vivem as agruras e as delícias de Nova York entre um e outro namorado, muitas aventuras sexuais e uma dose exata de romantismo. Nascido para durar uma ou duas temporadas, o seriado chegou à sexta temporada. Quando finalmente foi anunciado o último capítulo, uma turma de fãs, dizendo-se órfãs do *Sex and the city*, foi à porta da HBO fazer um protesto.

Quem são elas
1. **Kristin Davis:** sua personagem Charlotte era a mais certinha de todas e obcecada pela ideia de casamento. Tem uma academia de ioga em Los Angeles, em sociedade com uma amiga.

2. **Cynthia Nixon:** viveu a personagem Miranda, uma executiva *workaholic*. É a mais alta de todas – 1,80 metro – e por isso não usava saltos; também grande amiga pessoal de Sarah Jessica Parker. Depois que o seriado terminou, assumiu sua homossexualidade. Tem dois filhos e foi casada com um fotógrafo.

3. Kim Catrall: a incomparável Samantha Jones virou símbolo de tudo que se refere a sexo, tamanha fascinação da personagem pelo tema. No cinema, já foi mãe de Britney Spears, em *Crossroads*. Depois que o seriado terminou, declarou que não conhece mulher com o apetite sexual de Samantha.

4. Sarah Jessica Parker: incorporou a protagonista Carrie de tal forma que, quando a série acabou, disse que estava difícil se libertar do luto. John F. Kennedy Jr., a quem sua personagem se referia como ideal de homem belo, foi seu namorado antes de ela se casar com o ator Matthew Broderick.

DESPERATE HOUSEWIVES
Essa série americana, transmistida pelo canal ABC a partir de 2004, conta a história de cinco donas de casa modernas e se passa na cidade fictícia de Wisteria Lane. O seriado começa com a morte de uma das protagonistas, Mary Alice Young, que se suicida em condições misteriosas. A partir daí, ela se transforma na narradora dos capítulos, onde cada uma das personagens representa um estereótipo de mulher: a dona de casa perfeita, a insatisfeita, a divorciada devoradora de homens e aquela que abandonou o trabalho para cuidar dos filhos. A série foi vendida para vinte países e, na Argentina, foi negociado o direito de produzir a série com artistas locais, exemplo seguido pelo Brasil, com a RedeTV em 2007.

FRIENDS
A série da Warner estreou em setembro de 1994 (no Brasil, em fevereiro de 1996) e revelou uma das atrizes mais badaladas dos Estados Unidos: Jennifer Aniston. O seriado contava a história de seis amigos que moravam no Village, em Nova York, e foi um dos mais bem-sucedidos na história da televisão mundial. Atribui-se isso ao fato de não haver um personagem central, mas histórias entre os seis protagonistas. Para confrontar esse argumento, outros críticos alegavam que o sucesso da série se dava graças à personalidade forte das três protagonistas mulheres: Rachel Green (Jennifer Aniston), que começa como uma adolescente voluntariosa e se transforma numa mulher madura; Monica Geller (Courteney Cox Arquette), uma chefe de cozinha neurótica por limpeza e dona da verdade; e Phoebe Buffay (Lisa Kudrow), que foi menina de rua e teve muitos subempregos.

REBELDES
Rebeldes way é uma novela argentina produzida pela autora Cris Morena (*Chiquititas* e *Floricienta*) e transmitida pelo Canal 9 e América TV, de 2000

a 2003. Da novela, teve origem o grupo musical Erreway, que ganhou disco de ouro e de platina. O seriado foi vendido para mais de trinta países, tendo especial sucesso em Israel. Em 2004 foi vendido à rede mexicana Televisa, que mudou o elenco e alguns nomes de personagens, para que ficassem mais próximos da realidade do país. Assim como na versão argentina, o Rebeldes mexicano deu origem a uma banda. Esses é que foram trazidos para o Brasil – a banda e a série – e transmitidos pelo SBT a partir de agosto de 2005. A trama é exatamente a mesma: um grupo de adolescentes e as aventuras que vivem no colégio Elite Way School. Aqui no Brasil, foi sucesso absoluto entre as meninas de 9 a 12 anos.

HIGH SCHOOL MUSICAL
High school musical foi produzido e distribuído pelo canal americano Disney Channel, em janeiro de 2006. O filme conta a história de estudantes de uma *high school* (escola de nível médio) americana onde jovens disputam lugar num musical. Tem todos os ingredientes que as meninas gostam: a turma dos esportes, os romances, um pouco de azaração e... claro, muita música, baladinhas pop e melodiosas que viraram febre entre as adolescentes do mundo todo.

> **PROIBIDO PARA MENORES?**
> A atriz Vanessa Hudgens, estrela de *High school musical*, ficou em maus lençóis quando as fotos que fez para o namorado Zac Efron, o Troy do filme, foram parar na internet. Em algumas fotos, ela aparece de *lingerie* e, em outras, totalmente nua. Vanessa, na ocasião com 18 anos, disse que se arrependeu de ter feito as fotos e pediu desculpas aos fãs: "Estou constrangida com esta situação".

Garotas Disney

A partir do ano 2000, o Disney Channel, canal de televisão do grupo Disney, achou uma forma de ganhar muito dinheiro: lançando heroínas que cantam, dançam, aprontam algumas estripulias e encantam as meninas entre 9 e 13 anos, as chamadas pré-adolescentes.

• **Lizzie McGuire** é uma garota de 13 anos, interpretada por Hillary Duff, que vive os conflitos da entrada na adolescência. Seu *alter ego* aparece em forma de uma bonequinha loira, que passeia pelo filme dizendo o que realmente acha das situações, enquanto a personagem real muitas vezes não consegue se livrar das enrascadas. Nos Estados Unidos, *Lizzie McGuire* foi mostrado em uma série de 65 capítulos. No Brasil, o primeiro a chegar foi o filme, baseado no seriado, em que Lizzie viaja com a turma da escola para Roma e lá conhece um cantor pop por quem pensa estar apaixonada.

• **Hannah Montana** é vivida por Miley Cyrus num enorme desafio. Ela faz dois personagens simultaneamente: Hannah, que é uma cantora popstar, e Miley, a garota comum que não quer virar celebridade e se disfarça para que não descubram que ela é a mesma que brilha nos palcos.

• **Operação cupido** (*Parent trap*) foi produzido em 1998, com Lindsay Lohan vivendo duas irmãs gêmeas – Hallie Parker e Annie James – que foram separadas no nascimento e voltaram a se encontrar em um acampamento de férias, quando descobrem que são irmãs. A partir daí, vão fazer de tudo para que os pais vivam juntos outra vez.

MERA COINCIDÊNCIA?

❖ Lindsay Lohan (1986) é cinco anos mais nova que sua musa inspiradora, Britney Spears. Britney apresentava o *Clube do Mickey* na televisão americana e despertava em Lindsay o desejo de tomar seu lugar.

❖ Ao comemorar 21 anos, celebrou a data fugindo da clínica de reabilitação Promises, onde estava internada para tratamento contra drogas, para comprar um iPhone. Meses antes, quem havia passado pela mesma clínica, para o mesmo tratamento, foi sua amiga Britney Spears.

❖ Assim como Britney assumiu que tinha problemas de saúde e comia compulsivamente quando se sentia estressada, Lindsay assumiu publicamente sua bulimia.

❖ Lindsay foi detida após sofrer um acidente automobilístico em Beverly Hills, na Califórnia. O exame toxicológico constatou que seu corpo tinha resíduos de cocaína e que ela havia ingerido o dobro do álcool permitido. Britney Spears também admitiu publicamente seus problemas com consumo exagerado de álcool.

Mulheres detetives

Jennifer Hart, de *Casal 20* (1981)
Stefanie Powers vive a charmosa e apaixonada mulher de Jonathan Hart, interpretado por Robert Wagner. O casal milionário viajava o mundo desvendando mistérios e assassinatos, sempre com ajuda do mordomo Max. Pelo papel, a atriz foi cinco vezes indicada ao Globo de Ouro e quatro vezes ao Emmy. Jamais ganhou. Em compensação, *Casal 20* se celebrizou, passando a ser empregado como sinônimo de casal perfeito e feliz.

Josie, Melody e Valerie, de *Josie e as gatinhas* (1972)
Josie, Melody e Valerie viviam entre mistérios e rock'n'roll. Enquanto excursionavam com a sua banda, as garotas ajudavam a investigar casos não-resolvidos pelo mundo. Josie e Melody começaram a tocar juntas no final dos anos 1960. Elas eram personagens da revista em quadrinhos *Archie*. A dupla Hanna-Barbera levou as duas para os desenhos e assim nasceu a banda *Josie e as gatinhas*. Josie era vocalista e guitarrista. Melody tocava bateria. Quem se juntou a elas foi Valerie, que ficou com o pandeiro – e também com a liderança do grupo. O desenho da trupe fez sucesso na televisão em duas temporadas. O trio tinha um assistente geral, o grandalhão Alan, que era namorado de Josie. Depois de duas temporadas no ar, o estúdio Hanna-Barbera resolveu dar um ar futurista ao desenho. O nome mudou para *Josie e as gatinhas no espaço*. A banda ganhou veículos espaciais e uma nova mascote, Bleep, um estranho ser que parecia um cruzamento de pinguim e ovelha. Em 2001, o desenho chegou ao cinema, com Rachel Leigh Cook (Josie); Tara Reid (Melody) e Rosario Dawson (Valerie).

Judy Hoffs, de *Anjos da lei* (1987)
Holly Robinson Peete fazia parte da turma de detetives adolescentes que se infiltrava em escolas e comunidades jovens para investigar crimes. Holly não apenas inovou interpretando a única detetive mulher, jovem e negra do seriado, como também cantava a música-tema de abertura.

Kate Mahoney, de *A dama de ouro* (1986)
A policial ruiva podia ser durona, mas nunca perdia o charme. Ao longo dos 12 episódios da série *A dama de ouro*, ela combateu o crime com sua Magnum 357 e muito batom vermelho.

Maddie Hayes, de *A gata e o rato* (1986)
A protagonista da série *A gata e o rato* se tornou detetive por acaso. Ela era uma modelo de sucesso, mas tudo mudou quando seu empresário desapareceu com todo o dinheiro. A única coisa deixada por ele foi uma agência de investigação falida. Maddie então decide tocar o negócio com a ajuda do despachado David Addison, com quem vivia brigando. O programa tornou populares os atores Cybill Shepherd e Bruce Willis.

Sabrina, Jill e Kelly, de *As panteras* (1976)
Na televisão ou no cinema, o trio de detetives arrasou os bandidos... e os corações dos fãs. O grupo, vivido por Kate Jackson (Sabrina Duncan), Farrah Fawcett (Jill Munroe na primeira temporada), Cheryl Ladd (Kris Munroe nas outras temporadas), Shelley Hack (Tiffany Welles na quarta temporada) e Tanya Roberts (em substituição a Shelley na última temporada) recebia as coordenadas de seus casos em ligações feitas por seu chefe, o misterioso Charles Towsend, e contava com a ajuda do atrapalhado John Boysley para resolvê-los. As garotas eram realmente muito boas: solucionavam 100% dos mistérios e ficavam mais bonitas a cada episódio. Sabrina, Jill e Kelly integravam a primeira formação de *As panteras* na televisão. Na telona, as atrizes Lucy Liu, Cameron Diaz e Drew Barrymore assumiram o lugar das detetives como Alex, Natalie e Dylan.

Scully, do *Arquivo X* (1993)
A agente trabalhava no departamento do FBI conhecido como Arquivo X, que cuidava de casos sem solução relacionados à paranormalidade. Enquanto seu parceiro Fox Mulder insistia que eram fatos envolvendo extraterrestres, Scully sempre buscava explicações científicas para os acontecimentos. No fim da série, acabou se rendendo às evidências.

Veronica, do *Veronica Mars* (2004)
Kristen Bell vive Veronica, uma menina que era a mais popular da escola até sua melhor amiga, Lilly Kane, ser assassinada. O pai de Veronica, o xerife

de Neptune, Califórnia, acusa Jake Kane, pai de Lilly, de ser o culpado, mas ele é inocentado e a família de Veronica cai em desgraça. A partir daí, a protagonista tem uma vida dupla. Durante o dia é uma aluna como as outras. Depois das aulas, se transforma em espiã e investigadora, com o objetivo de inocentar o pai. O seriado produzido pela CWTelevision Network é exibido no Brasil pelo SBT e pelo canal pago TNT.

Essa loirinha é genial

O astronauta Anthony Nelson está testando um novo foguete, mas a nave apresenta problemas e cai numa ilha deserta do oceano Pacífico (foi filmado na praia de Zuma, na Califórnia). Enquanto aguarda socorro, encontra uma bela garrafa com desenhos orientais e, ao retirar a tampa, liberta a gênia que vivia lá dentro havia 2 mil anos. Ele volta para casa com a garrafa onde vive **Jeannie** e, a partir daí, ela passa a atender a todos os desejos do seu novo amo. Muitas vezes, provocando enormes confusões. *Jeannie é um gênio* foi produzido entre 1965 e 1970 e não fez muito sucesso nos Estados Unidos. No Brasil, ele foi exibido em diferentes épocas e sempre com altos índices de audiência. Conheça 12 curiosidades sobre a história:

1. A série foi criada pelo famoso novelista Sidney Sheldon. Ele próprio escolheu Barbara Eden para o papel de Jeannie.
2. A atriz Barbara Eden foi eleita miss San Francisco em 1951, aos 17 anos.
3. No início da produção da série, a atriz estava grávida. A solução foi esconder sua barriga com um véu e roupas folgadas.
4. Com sete meses de gravidez, ela perdeu o bebê. Seu único filho, Matthew, foi encontrado morto dentro do carro em um subúrbio de Los Angeles, vítima de overdose de heroína.
5. Larry Hagman, ator escolhido para o papel do major Anthony Nelson, tinha apenas 20 dólares no bolso e estava desempregado havia nove meses quando aceitou viver o major Tony Nelson.
6. O ator sofreu um transplante de fígado por problemas causados pela bebida, vício contraído durante a produção da série. Nessa época, ele tam-

bém fumava maconha e tomava LSD, droga que lhe foi apresentada por Peter Fonda.

7. A mãe de Hagman, a atriz Mary Martin, morou durante algum tempo em uma fazenda em Goiás.

8. Na primeira temporada do seriado, Anthony Nelson e Roger Healey eram capitães. Na segunda, os produtores os promoveram a major.

9. No auge da revolução sexual, feministas indignaram-se por Jeannie dirigir-se a um homem como "amo". Mas os produtores argumentaram que era um tratamento mais de carinho do que de submissão.

10. A série ganhou uma versão da Hanna-Barbera em desenho animado, mas era bem diferente da original. Jeannie tinha um aprendiz de gênio chamado Babu e seu amo não era um astronauta, mas um adolescente.

11. A casa de Samantha e James, do seriado *A feiticeira*, era a mesma do dr. Bellows, o chefe do major Nelson.

12. A retomada da série em 1985, com o nome *Jeannie é um gênio 15 anos depois*, não teve Larry Hagman, que achou irrisória a oferta de 5 mil dólares por episódio.

Mudança de hábito

Não é de hoje que as apresentadoras e repórteres de TV desfilam sua beleza na telinha. Algumas delas, no entanto, já mostraram seu, digamos, talento até nas passarelas:

❖ **Angelita Feijó**, ex-apresentadora do *Bola na rede*, da Rede TV!: miss Fernando de Noronha 1986.

❖ **Carla Perez**, ex-apresentadora do *Canta e dança, minha gente*, do SBT: miss Simões Filho (BA) e candidata a miss Bahia 1993.

❖ **Cláudia Cruz**, apresentadora do *Jornal da Record*, ex-apresentadora do *Jornal Hoje* e *RJTV*, da TV Globo: candidata a miss Rio de Janeiro 1985.

❖ **Cristina Franco**, colunista de moda do *Jornal Hoje*, da TV Globo: candidata a senhorita Rio 1967.

❖ **Flávia Cavalcante Rebelo**, âncora da TV Bandeirantes: miss Brasil 1989.

❖ **Luize Altenhofen**, apresentadora do *Rolé*, da SporTV, ex-apresentadora do *Supertécnico*, da TV Bandeirantes: miss Rio Grande do Sul 1998.

❖ **Renata Fan**, apresentadora de programas esportivos na TV Bandeirantes: miss Brasil 1999.

❖ **Renata Vasconcelos**, apresentadora do *Bom dia Brasil*, da TV Globo: modelo de passarela nos anos 1980.

❖ **Rosana Jatobá**, apresentadora do *Globo rural* e do *SPTV*, da TV Globo: candidata a miss Bahia 1989.

❖ **Sônia Lima**, ex-jurada do *Show de calouros*, do SBT: miss Osasco 1978 e 1979 e miss Campinas 1980.

❖ **Xuxa Meneghel**, apresentadora: miss Objetiva do Rio de Janeiro 1980.

Que maravilha de mulher!

A personagem **Mulher Maravilha** foi criada pelo cartunista americano Charles Moulon em 1940. Ganhou dois especiais para TV, um em 1974 e outro em 1975. O público aprovou e ela se transformou num seriado que fez sucesso no Brasil, protagonizado pela atriz Lynda Carter. Diana Prince, a Mulher Maravilha, morava numa ilha perdida, fundada por amazonas que escaparam da dominação masculina das civilizações antigas. Nesta ilha, ela encontrou uma substância mágica chamada "Feminum", com a qual fez um cinturão que lhe dava superpoderes e braceletes que tinham a capacidade de desviar tiros. Durante a Segunda Guerra, o avião do major Steve Trevor caiu na ilha. Os dois se apaixonaram e foram morar nos Estados Unidos. Diana conseguiu um emprego de assistente de Trevor, que não sabia de seus poderes. A Mulher Maravilha passou, então, a combater inimigos nazistas e alguns alienígenas.

Curiosidades:

✪ Num tempo em que ainda não se falava em seios siliconados, a atriz Lynda Carter (1951-) chamava a atenção pelos seus dotes quando se transformava em Mulher Maravilha. A roupa lembrava a bandeira americana e destacava seus 99 cm de busto. Lynda Carter já tinha sido miss Mundo América.

✪ Diana Prince veio de uma ilha onde as mulheres têm a força e a velocidade dos deuses gregos. Aos três anos, ela já arrancava árvores do solo e, aos cinco, ganhava corridas das gazelas.

Elas são o máximo

Batgirl: depois de se formar, Barbara Gordon voltou para Gotham City e arrumou um emprego na Biblioteca Municipal. Decidiu que nas horas vagas ajudaria seu pai, o comissário James Gordon, a combater o crime. Barbara adotou a identidade secreta de Batgirl.

Daphne Blake: criada por Hanna-Barbera, é uma das parceiras de Scooby-Doo na hora de solucionar e desvendar mistérios. Impecável, o cabelo nunca sai do lugar. Foi musa nos cartuns e no cinema.

Jessica Rabbit: essa animação levantou a bilheteria de *Uma cilada para Roger Rabbit* (1988), um filme que misturava desenho e cenas com atores de verdade. As formas voluptuosas e a voz rouca (dublada por Kathleen Turner) tornaram Jessica um ícone.

Judy Jetson: adolescente da família do futuro, *Os Jetsons*, ela se comportava como todas as adolescentes americanas dos anos 1960 e seu figurino era adaptado das meninas que frequentavam as *high schools*.

Moça-Maravilha: a atraente ruivinha Jean Grey foi convocada para fazer parte do *X-Men* por ter poderes telepáticos e telecinéticos (consegue movimentar objetos com a força da mente). A Moça-Maravilha também é conhecida como Garota Marvel.

Mulher-Aranha: Jessica Drew, filha de um cientista, foi picada por uma aranha venenosa. Para salvar a vida dela, o pai usou um soro experimental que acabou lhe dando superpoderes, parecidos com os do Homem-Aranha. Foi assim que surgiu a Mulher-Aranha.

Mulher Biônica: depois de participar de um episódio de *O homem de 6 milhões de dólares*, Lindsay Wagner foi convidada a dar vida à mulher biônica, uma mulher que tinha sofrido um acidente gravíssimo e tido o corpo reconstruído com partes biônicas. Seus superpoderes estavam na superaudição, um braço com força descomunal e pernas capazes de saltos muito altos além de potentes para a corrida. No último episódio da série, "A fuga", a mulher-robô, cansada de ser chamada apenas para salvar o mundo, resolve desistir da missão. Mas, como ela é parte do projeto secreto do governo americano, não consegue se desvencilhar facilmente da tarefa. O seriado nunca chegou a fazer sucesso como aconteceu com a versão masculina.

Penélope Charmosa: para enfeitar a série *Corrida maluca*, ela disputava grandes prêmios, sem descuidar da maquiagem, do cabelo e da produção da roupa. Mais tarde, ela ganhou um desenho próprio. Em *Os apuros de Penélope* ela se vê às voltas com Tião Gavião, um caçador de recompensas de olho em sua fortuna. Para salvá-la ressurgem os personagens da Quadrilha da Morte.

She-Ra: Adora, a irmã gêmea do príncipe Adam (He-Man), foi raptada quando ainda era bebê. Também tem uma força secreta e se transforma em She-Ra. Com a ajuda do cavalo alado Ventania, ela defende o reino de Eternia.

Supermoça: no fim da década de 1950, o Super-Homem descobriu que não era o único sobrevivente da destruição de seu planeta. Sua prima Kara juntou-se a ele e se transformou na Supermoça. Ela usa como identidade secreta o nome de Linda Lee.

Lisa Simpson

O desenho animado *Os Simpsons* retrata o dia a dia de uma típica família de classe média e faz uma crítica ao modo de vida dos americanos. **Lisa Simpson** tem oito anos e é a filha do meio do casal Homer Simpson e Maggie Bouvier (seu nome é homenagem do criador da série Matt Groening à própria irmã, e o sobrenome foi inspirado no da ex-primeira-dama americana Jackeline Bouvier Kennedy Onassis). Ela é mais inteligente do que a média das meninas da sua idade e isso lhe causa crises frequentes. Também é budista, toca saxofone e é vegetariana. Num episódio de 2002, Lisa apoia o irmão Bart na formação de um grupo terrorista. A série, que nasceu como tirinhas de jornal e se transformou em episódios curtos de trinta segundos para a TV, foi exibida pela primeira vez em 1989. Agradou tanto que ganhou mais tempo. O filme de longa-metragem, criado para celebrar os vinte anos da série, foi exibido em meados de 2007.

Meninas Superpoderosas

O desenho *As meninas superpoderosas* nasceu de um trabalho de Craig McCracken para a faculdade de animação do California Institute of Arts. Neste projeto, as personagens se chamavam *The Woopass Girls*.
Em 1995, Craig foi convidado a participar do programa de novos talentos *Estreia mundial de toons*, do Cartoon Network. Criou, para tal, *As meninas superpoderosas* e *O laboratório de Dexter*. Atualmente, as histórias de Lindinha (azul), Florzinha (rosa) e Docinho (verde) detêm uma das maiores audiências da televisão norte-americana.

Primitivas

❖ **Wilma** e **Betty** era a dupla de vizinhas que tinha de aguentar poucas e boas dos maridos Fred e Barney, em *Os Flintstones*.

❖ A família, criada pela dupla William Hanna e Joseph Barbera para a TV norte-americana, se chamaria Flagstone. Mas os estúdios trocaram o nome porque o acharam mais sonoro.

❖ A ideia do desenho era transferir características da vida moderna americana para a Idade da Pedra.

❖ As donas de casa Wilma Flintstone e Beth Rubble têm todo conforto: tocador de discos, máquina de lavar pratos, aspirador de pó e secador de cabelos. Nada é movido a energia elétrica, mas a energia animal, já que são os bichos que fazem os aparelhos funcionar.

❖ Eram as donas de casa mais populares de Bedrock, a cidade de pedras.

❖ Os personagens principais do desenho foram adaptados da série de TV.

❖ Como o desenho se passava nos anos 1960, os colares de pérolas e os coques das personagens eram indispensáveis para retratar donas de casa impecáveis.

❖ Os desenhos foram exibidos ininterruptamente por vinte anos na televisão americana.

> **DÁ-LHE ESPINAFRE!**
> **Olivia Palito** era a eterna pretendente de Popeye, um solteirão convicto. Os autores do desenho, Max Fleisher e Elzie C. Segar, resolveram criar uma Olivia bem magra para deixar ainda mais evidente os músculos do marinheiro, depois de engolir uma lata de espinafre. Mas ela também era elegante e foi desenhada à imagem e semelhança de *mademoiselle* Chanel: saia preta, blusa vermelha, colar e brinco de pérolas.

MAE WEST E COCA-COLA

O design da famosa garrafa de vidro foi criado por Earl Dean em 1915 e começou a ser fabricado no ano seguinte pela Root Glass Company. Por causa de suas curvas, ela foi apelidada de Mae West (1893-1980), nome de uma voluptuosa atriz do cinema.

A atriz exalava tanto *sex-appeal*, que acabou indo parar na prisão durante dez dias em 1927, acusada de apresentar obscenidades no palco. Na época, a dona de uma das línguas mais ferinas de Hollywood protagonizava um espetáculo de sua autoria chamado, justamente, *Sex*.

3

Comigo é simples, eu divido tudo: minhas roupas, meus amigos... Mas o meu palco, esse não divido.

ELIS REGINA
(1945-1982), cantora

Música

Nos anos 1930 e 1940, o rádio foi o responsável por revelar os talentos femininos da música brasileira. Vinte anos mais tarde, talentos como Maysa, Nara Leão, Maria Bethânia e Elis Regina colocaram as mulheres definitivamente no cenário musical do país. Pelo mundo afora, divas como Billie Holiday, Ella Fitzgerald e Sarah Vaughn mostraram o poder das vozes femininas, enquanto Madonna e Barbra Streisand davam um show de interpretação e marketing pessoal.

AS PRECURSORAS

Ela trocou o marido pelo piano

Quando Francisca Edwiges Neves Gonzaga, a **Chiquinha Gonzaga** (1847-1935), se viu obrigada a escolher entre o marido e o piano, não teve dúvidas: "Senhor meu marido, fico com o piano, porque eu não posso viver sem harmonia".
O primeiro sucesso de Chiquinha Gonzaga foi *Atraente*, de 1877. Produziu cerca de duas mil músicas e a mais conhecida é *Ó abre alas*, de 1899; é considerada a nossa primeira marcha carnavalesca.
Alguns biógrafos dizem que Chiquinha Gonzaga teve um romance com o maestro Carlos Gomes.

Você sabia?

• Chiquinha Gonzaga era filha bastarda de um policial. No seu primeiro aniversário, o pai a conheceu e assumiu a paternidade. Foi ele quem custeou seus estudos de piano.
• Seu primeiro piano foi um presente de casamento dado por seu pai.
• Ao contrário das mulheres da sua época, que usavam chapéu, Chiquinha usava um lenço amarrado na cabeça.
• Com o dinheiro de suas músicas, que ela vendia de porta em porta, comprava escravos para, em seguida, alforriá-los.

A mais famosa cantora lírica brasileira

1. Balduína de Oliveira Sayão, a **Bidu Sayão** (1902-1999) descobriu a música por meio do piano, quando ainda era criança.
2. Aos 16 anos, mudou-se para Nice, na França, para estudar canto e, aos 24, integrava a Orquestra Filarmônica de Nova York.
3. Convidada pelo presidente norte-americano Franklin Delano Roosevelt, em 1938 a soprano se apresentou na Casa Branca.
4. Em 1958, a pedido do maestro brasileiro Heitor Villa-Lobos, gravou *A floresta amazônica* no Carnegie Hall, de Nova York.
5. Afastou-se subitamente dos palcos em 1959, sem jamais explicar o que a fez desistir da música.

Guiomar Novaes (1894-1979), considerada uma das maiores instrumentistas brasileiras, começou a tocar piano com apenas quatro anos e com oito era profissional. Ao se apresentar em Nova York com 17 anos, arrancou a declaração de um crítico musical: "Se ela tivesse nascido alguns séculos atrás, teria sido queimada viva como feiticeira. É jovem, bonita e toca como o diabo".

Parabéns a você... e a elas

Em 1875, **Mildred** e **Patricia Hill**, duas professoras primárias de Louisville, no estado americano de Kentucky, criaram a cantiga *Good morning to all*, para as crianças cantarem ao chegar na escola. Em 1924, a editora Celebration Songs queria gravar uma música especial para celebrar os aniversários, e como não tinha nenhuma, tomou "emprestada" a música das irmãs Hill, apenas rebatizando como *Happy birthday to you*. Em 1933, a música foi usada em uma produção da Broadway e se espalhou pelo mundo.

Você sabia?

• Aqui no Brasil, a música chegou no final da década de 1930. A música era cantada em inglês e repetia a mesma frase "happy birthday to you" quatro vezes.
• O cantor Almirante (Henrique Foréis Domingues) não gostava e sugeriu, na rádio Tupi do Rio de Janeiro, um concurso para que se criasse uma letra brasileira para a música.
• Uma das 5 mil cartas que chegaram à rádio veio da cidade paulista de Pindamonhangaba, escrita por Bertha Celeste Homem de Mello (1902-1999).
• Bertha tinha quarenta anos quando escreveu a quadrinha e foi eleita a vencedora. Durante muitos anos ela insistiu para que as pessoas cantassem certo, dizendo: Parabéns a você, nesta data querida, muita felicidade, muitos anos de vida.
• O pique-pique, no final da música, não foi de autoria de Bertha.

ERA DO RÁDIO

Elas arrastaram legiões de fãs para a porta das emissoras.

Dalva de Oliveira (1917-1972) foi registrada Vicentina de Paula Oliveira, em Rio Claro (SP). Jovem, se juntou à dupla Preto e Branco (o branco era Herivelto Martins, com quem se casou), formando o Trio de Ouro. Reconhecida por Villa-Lobos como a maior cantora do Brasil, separou-se do marido e da dupla e seguiu carreira solo. Brilhou nos palcos brasileiros e, casada novamente, chegou a cantar para a rainha da Inglaterra, em 1951. Em 1965, sofreu um acidente de carro que lhe marcou o rosto. Foi considerada a maior representante das rainhas do rádio.

Curiosidades
- Com o segundo marido foi viver na Argentina, o que provocou a ira dos fãs brasileiros.
- Seu último companheiro tinha 19 anos. Ela, 47.
- É mãe do cantor Pery Ribeiro.

Ademilde Fonseca (1921-2012) nasceu em Macaíba (RN) e ainda muito jovem se ligou a um grupo seresteiro. Seu sucesso está ligado à música *Tico-tico no fubá*, gravada pela primeira vez por Zequinha de Abreu, em 1942.

Angela Maria (1928-) trabalhava como *crooner* no Dancing Avenida, no centro do Rio de Janeiro. De lá, foi convidada a cantar na rádio Mayrink Veiga, que a projetou para lançar seu primeiro disco, "Sou feliz", em 1951. Eleita a rainha do rádio em 1954. Seu verdadeiro nome é Abelim Maria da Cunha.

Linda (1919-1988) e **Dircinha Batista** (1922-1999) eram filhas de um ventríloquo de circo. Com apenas seis anos, Dircinha estreou no teatro, gravando seu primeiro disco aos oito. Até 1960 foi campeã de venda de discos no Brasil. Linda passou a acompanhar a irmã no violão quando tinha 12 anos.

Sua interpretação de *Vingança*, de Lupicínio Rodrigues, foi considerada soberba. A chegada da televisão enterrou a carreira das irmãs, que morreram na miséria.

Curiosidade
No auge da glória, as irmãs chegaram a ter 14 carros na garagem.

Emilinha Borba (1923-2005) nasceu no Rio de Janeiro e se apresentou pela primeira vez na rádio Cruzeiro do Sul, aos 14 anos. Com 16, apresentava-se no Cassino da Urca. Em 1947 entrou para o time da rádio Nacional e ficou lá por 27 anos. As marchinhas *Escandalosa* e *Chiquita Bacana* foram seus maiores sucessos. Participou de 34 filmes. Tinha um irmão gêmeo. Sua mãe era camareira de Carmen Miranda.

Vitória Martino Bonaiutti, a **Marlene** (1924-), é paulista e passou a infância num colégio interno, onde trabalhava para bancar os estudos. Começou a cantar com 19 anos na rádio Bandeirantes, quando adotou o nome Marlene, porque gostava muito da atriz Marlene Dietrich. Dois anos mais tarde, foi trabalhar no Cassino Icaraí, no Rio de Janeiro, e uma das músicas que fez maior sucesso na sua voz foi *Lata d'água na cabeça*. Foi considerada a eterna rainha do rádio.

RODA MUSICAL
Elis Regina era fã de **Carmen Miranda**...
que cantava ao lado de **Aracy de Almeida**...
que foi jurada do **Chacrinha**...
que revelou **Wanderléa**...
que fez filme com **Roberto Carlos**...
que gravou com **Ivete Sangalo**...
que é baiana como **Maria Bethânia**...
que cantou com **Nina Simone**...
que também adorava **Tom Jobim**...
que ajudou a revelar **Daniela Mercury**...
que adora mudar de cabelo como **Mariah Carey**...
que já foi chamada de excêntrica como **Björk**...
que foi influenciada pelo trabalho de **Elis Regina**.

Doris Monteiro (1934-) é carioca de Copacabana e desde menina cantava e era aplaudida pela família e pelos amigos. Começou a carreira aos 13 anos, ao vencer um concurso de calouros no programa *Papel carbono*, na rádio Nacional. Com rosto de menina, ela contrastava com as outras cantoras do rádio, que eram exuberantes e sensuais. Usava uma longa trança loira jogada sobre o ombro, que se transformou em marca registrada e era copiada por suas fãs. Seu repertório romântico sempre trazia pitadas de humor durante a apresentação.

Rainhas do rádio

A Associação Brasileira de Rádio criou o concurso Rainha do Rádio para arrecadar fundos para a construção de um hospital. As cédulas de votação vinham dentro da *Revista do rádio*. A primeira premiação, em 1937, foi promovida pelo iate *Laranjas*, barco carnavalesco. O título ficou com **Linda Batista** até 1948, ano em que foi realizada uma nova votação.

1937	Linda Batista
1948	Dircinha Batista
1949 e 1950	Marlene
1951	Dalva de Oliveira
1952	Mary Gonçalves
1953	Emilinha Borba
1954	Ângela Maria
1955	Vera Lúcia
1956	Dóris Monteiro
1958	Julie Joy

A eleição de 1949 marcou para sempre a rivalidade entre as cantoras **Marlene** e **Emilinha Borba**. Marlene foi procurada pela Antarctica, que estava lançando o guaraná caçulinha. Para promover a marca, a empresa deu-lhe um cheque em branco para que ela comprasse quantas revistas (e votos) fossem necessários. Emilinha retirou-se da competição e Marlene somou 529.982 votos. Emilinha era chamada de "a favorita da Marinha" e Marlene, "a favorita da Aeronáutica".

ELAS MARCARAM SUA GERAÇÃO

Pequena notável

Maria del Carmen, ou **Carmen Miranda** (1909-1955), como ficou conhecida na década de 1930, já havia gravado quase trezentos discos e participado de cinco filmes, quando foi descoberta no Cassino da Urca. Sua carreira internacional foi da Broadway para os estúdios de Hollywood e daí para as telas de todo o mundo. Para muitos, foi precursora do tropicalismo e do estilo pop.

Curiosidades

✪ Tinha 1,50 metro de altura, fumava acendendo um cigarro no outro e usava calças compridas quando estava fora do palco.
✪ Diziam que só se apresentava nos shows sem calcinha.
✪ Católica fervorosa, dizia se arrepender de um aborto feito na juventude.
✪ Nascida em Portugal, veio para o Brasil com 18 meses.
✪ Foi para os Estados Unidos levada pelo ator mais bonito de Hollywood, Tyrone Power, que veio ao Brasil e ficou encantado ao ver Carmen num show no Cassino da Urca.
✪ César Ladeira, diretor artístico da rádio Mayrink Veiga, foi quem deu o apelido de "Pequena Notável" a Carmen Miranda.
✪ Fez 15 filmes nos Estados Unidos, mas nunca como a mocinha da história.
✪ Ao retornar ao Brasil em 1940, desfilou em carro aberto, usando um *tailleur* verde-amarelo, mas foi recebida friamente. Em resposta, gravou *Disseram que voltei americanizada*.
✪ Carmen foi parar num sanatório, depois de sofrer um colapso. Para se tratar, levava choques elétricos. Morreu com 46 anos.

Caipira de raiz

Ignez Magdalena Aranha de Lima, a **Inezita Barroso** (1925-), estreou como cantora na rádio Bandeirantes, em São Paulo, sua terra natal, em 1950. Apaixonou-se pela música caipira na infância, quando ia passar férias na fazendo do tio, no interior de São Paulo, e se encantava com a música tocada pelos violeiros. Incentivada a aprender música pelos pais desde cedo, começou a cantar profissionalmente em diversas rádios paulistas. Em 1953 consagrou-se, com a música *Marvada pinga*, de Ochelsis Laureano, que lhe abriu as portas para se apresentar em programas de música folclórica.

Você sabia?

- Em 1954, ela recebeu o prêmio Saci, de melhor atriz.
- O programa *Viola, minha viola* estreou em 1980 e seu primeiro apresentador foi Nonô Basílio. Mas em alguns meses ele desistiu do projeto indicando, para substituí-lo, a entrevistada que havia feito o Ibope subir: Inezita Barroso.
- É autora do livro *Roteiro do violão*.
- Toca violão e viola desde os sete anos.
- Era vizinha do poeta Mário de Andrade, a quem esperava passar todos os dias, sentada na calçada de casa.
- Ultrapassou os cinquenta anos de carreira com oitenta discos gravados.
- Em 2003, foi condecorada pelo governador paulista Geraldo Alckmin com a medalha Ipiranga, pelo título de comendadora da música de raiz.

ELAS SÃO FÃS DE...
- Britney Spears... de Madonna
- Christina Aguilera... de Whitney Houston
- Jennifer Lopez... de Marilyn Monroe
- Shakira... de Gabriel Garcia Márquez
- Nina Simone... de Simone Signoret
- Madonna... de Gwyneth Paltrow
- Diana Ross... de Billie Holiday

Rainhas do samba

Ao longo da sua história, o ritmo teve predomínio de artistas do sexo masculino. Mas algumas mulheres se destacaram.

Alcione (1947-)
A cantora maranhense apresentou-se pela primeira vez aos 12 anos, na Orquestra Jazz Guarani. Um dia, o *crooner* da orquestra perdeu a voz e ela o substituiu, cantando a música *Palma branca*.

Aracy de Almeida (1914-1988)
• Cantava samba, mas gostava muito de música clássica, que tinha o hábito de ouvir toda noite.
• Ao lado de Carmen Miranda, foi considerada a maior cantora de samba dos anos 1930. Foi considerada também a melhor intérprete de Noel Rosa.

Beth Carvalho (1946-)
• Seu primeiro grande sucesso foi a música *Andança*. Depois vieram *Coisinha do pai* e *Vou festejar*, entre outras.
• Foi responsável pela revelação de artistas como Zeca Pagodinho e Bezerra da Silva.
• Gravou o hino do MST (Movimento dos Sem-Terra), que se chama *Ordem e progresso*.

Clara Nunes (1942-1983)
• Viajou muitas vezes para a África, representando o Brasil. Converteu-se ao candomblé.
• Foi uma das cantoras que mais gravou os compositores da escola de samba Portela.

• Após sua morte, sua irmã reuniu várias peças do seu vestuário, adereços e objetos pessoais, e criou o Museu e Instituto Clara Nunes, anexos de uma creche que leva seu nome, em Caetanópolis (MG).

Clementina de Jesus (1901-1987)
• Com 12 anos, desfilava no bloco Moreninhas das Campinas, no Rio de Janeiro. Mais tarde, foi para o Grêmio Recreativo e Escola de Samba Portela. Depois de se casar com Albino Pé Grande, foi morar no morro da Mangueira.
• Tornou-se amiga de grandes personagens da música, como Paulinho da Viola, Gilberto Gil e Beth Carvalho.
• Em 1985, recebeu do governo francês a comenda da Ordem das Artes e Letras.
• A "rainha da ginga" trabalhou muitos anos como empregada doméstica. Iniciou a carreira artística aos 63 anos.

Dona Ivone Lara (1921-)
• Seu pai era mecânico de bicicletas e sua mãe, pastora. Ambos morreram quando Ivone tinha seis anos.
• Passou a infância internada num colégio da Tijuca. Teve como professora de música Lucília Villa-Lobos, esposa do maestro Villa-Lobos. Foi ela quem a indicou para cantar na rádio Tupi.
• Aos 25 anos, casou-se com o filho do presidente da Escola de Samba Prazer da Serrinha e passou a compor os sambas da escola.

Elizeth Cardoso (1920-1990)
• Com apenas cinco anos, apresentou-se na Sociedade Familiar Dançante Kananga do Japão, onde cantou a marchinha *Zizinha*.
• No dia em que completou 16 anos, foi apresentada a alguns amigos dos tios: Pixinguinha, Dilermando Reis e Jacob do Bandolim. Foi Jacob, depois de ouvi-la cantar a pedido do tio, quem a convidou para um teste na rádio Guanabara.
• Trabalhou como "taxi-girl" (garotas pagas para dançar em casas de baile) no Dancing Avenida, do Rio de Janeiro.
• Entre os diversos apelidos que teve, aquele que ficou marcado entre seus fãs foi dado pelo produtor e sambista Haroldo Costa: "A Divina".

- Em 1987, durante uma excursão pelo Oriente, médicos japoneses diagnosticaram um câncer no estômago. A cantora foi operada lá.
- Foi sepultada ao som de um surdo tocado por ritmistas da Portela, no Cemitério Ordem do Carmo, no Caju, Rio de Janeiro.

Elza Soares (1937-)
- Filha de lavadeira e operário, foi criada em um núcleo residencial de Moça Bonita, uma das primeiras favelas do Rio de Janeiro. Desde criança cantava ao ritmo sincopado dos sambistas de morro. Sua voz rouca era sua marca registrada.
- Foi *crooner* de boates em Copacabana e seu primeiro sucesso foi *Se acaso você chegasse*, de Lupicínio Rodrigues e Felisberto Martins, que ela gravou em 1960.
- Recebeu o diploma de Embaixatriz do Samba, do Conselho de Música Popular da Imagem e do Som do Rio de Janeiro, em 1973.
- Foi casada com o bicampeão mundial de futebol Garrincha.

Leci Brandão (1944-)
- Começou a compor aos 19 anos. Em 1972, entrou para a Ala dos Compositores da Mangueira, tendo sido a primeira mulher a fazer parte dessa ala.
- Estudiosa do samba, atuou diversas vezes como comentarista de Carnaval nas transmissões da Rede Globo.
- Em 2004, tomou posse como representante da sociedade civil no Conselho Nacional de Promoção da Igualdade Racial.

E ALÉM DE CANTAR...
- Rita Lee foi apresentadora de rádio
- Inezita Barroso dá aulas de folclore na faculdade
- Leci Brandão integra o Conselho Nacional de Direitos da Mulher

Brotinho de Taubaté

Célia Campelo Gomes Chacon (1942-2003), cujo nome artístico era **Celly Campelo**, nasceu na cidade de Taubaté, no interior de São Paulo. Estudante de piano, violão e balé, era frequentemente convidada para se apresentar na rádio Difusora da sua cidade. Carismática, com apenas 12 anos ganhou um programa próprio e aos 15 viajou para São Paulo, onde estreou na TV Tupi com o programa *Campeões do disco*. Em 1959 gravou a versão brasileira da música *Stupid cupid* (*Estúpido cupido*) e virou a queridinha das adolescentes. Mas a paixão pelo namorado José Eduardo Gomes Chacon falou mais alto e, três anos depois, ela abandonou a carreira para se casar. Tentou retomar a carreira muitos anos mais tarde, mas não foi bem-sucedida. Morreu, vítima de câncer de mama.

Furacão Elis

Elis Regina nasceu em 1945, em Porto Alegre (RS), e com 11 anos começou a cantar no rádio, num programa infantil chamado *O clube do guri*. Em 1959 lançou seu primeiro disco, "Viva a Brotolândia", e em 1964 assinou contrato com a TV Rio. Seu estilo inconfundível foi consagrado nos Festivais de Música Popular Brasileira, com a música *Arrastão*. Tornou-se um marco da música brasileira, lançando compositores como Tim Maia, Milton Nascimento, Gilberto Gil, João Bosco e Renato Teixeira. Morreu em 1982, vítima de uma overdose de álcool e drogas.

Você sabia?

- Quando Elis assinou o primeiro contrato com uma gravadora, em 1961, foi orientada a cantar igual à Celly Campelo, que tinha decidido sair de cena para ser mãe. Elis resmungou e não aceitou.

• Quando se consagrou, vivia criticando outras cantoras por não terem estilo próprio nem personalidade. A exceção era Rita Lee, uma das poucas cantoras com quem ela se dava bem.
• Quando a roqueira Rita Lee foi presa por porte de maconha, em 1976, recebeu na cadeia uma carta de Elis. Depois da prisão, Elis convidou Rita para participar de seu especial de fim de ano na TV Bandeirantes.
• Em 1975, fez mais de trezentas apresentações de "Falso brilhante". O espetáculo ficou 14 meses em cartaz e foi visto por 280 mil pessoas.
• A música Me deixas louca, de Armando Manzanero, foi traduzida por Paulo Coelho com a intenção de que Roberto Carlos a gravasse. Como ele não quis, Elis gravou.
• Em 1978, a música Gracias a la vida, de Violeta Parra, cantada por Elis no disco "Falso brilhante", foi censurada na Argentina. A partir daí, a cantora se recusou a fazer apresentações no país.
• Elis também foi chamada de "Hélice Regina" por causa de sua forma de dançar girando os braços, influência do bailarino Lennie Dale.
• O cantor e compositor Milton Nascimento costuma dizer que durante muito tempo só fazia músicas pensando em Elis Regina. Milton sonhava com Elis todas as noites depois que ela morreu. Segundo ele, ela aparecia numa boa, mas não cantava.
• Muitas cantoras dizem ter sido influenciadas pelo trabalho de Elis Regina. Uma delas é a islandesa Björk.
• Elis Regina Carvalho Costa casou-se duas vezes: com o produtor musical Ronaldo Bôscoli, em 1967, e com o pianista Cesar Camargo Mariano, em 1974. Teve três filhos: João Marcelo Bôscoli, do primeiro casamento, e Pedro Camargo Mariano e **Maria Rita**, do segundo.

A rainha do rock

• **Rita Lee Jones** é filha de Charles Jones, descendente de imigrantes americanos, e Romilda Padula, descendente de italianos. Nasceu em 31 de dezembro de 1947. Ela e suas irmãs receberam o nome Lee numa homenagem ao famoso general Lee, personagem da Guerra Civil americana.

- No Festival de MPB de 1967, Rita cantou e tocou percussão em *Domingo no parque*, de Gilberto Gil.
- Começou a tocar com o músico Roberto de Carvalho em 1979. Ela e Roberto casaram-se em 13 de dezembro de 1996, depois de quase vinte anos de união.
- Em maio de 1997, Rita Lee recebeu, pelo conjunto de sua obra, o prêmio Sharp de personalidade da música brasileira. Foi a primeira mulher a ganhá-lo.

Você sabia?

Rita era tão fanática pelos Beatles que, na sua adolescência, costumava desenhar os rostos dos garotos de Liverpool nos papéis que embrulhavam os pães comprados por seu pai. Em 2001, ela lançou um trabalho chamado *Aqui, ali, em qualquer lugar*, com versões em português para os principais sucessos do grupo.

- Em 2005, Rita Lee estreou o programa *Madame Lee*, no canal pago GNT. Numa espécie de consultório, a cantora recebia convidados para um bate-papo informal ao lado do marido, o músico Roberto de Carvalho. Em uma das primeiras edições do programa, Rita fez uma massagem nos pés da jornalista e atriz Marília Gabriela.
- O fã e músico Henrique Bartsch lançou a biografia *Rita Lee mora ao lado*, contando a história da rainha do rock num misto de ficção e realidade.

A bossa e a fossa

Nara Leão (1942-1989) nasceu em Vitória, no Espírito Santo, mas cresceu no bairro de Copacabana, no Rio de Janeiro. Irmã mais nova da então modelo Danuza Leão, Nara estreou profissionalmente em 1963, ao lado de Vinicius de Moraes e Carlos Lyra, os quais havia conhecido no apartamento de Roberto Menescal ainda menina. Foi lá que o movimento da bossa nova nasceu e ganhou adeptos. A turma – que incluía Tom Jobim e João Gilberto – tocava durante toda a madrugada, e, como só havia Nara como representante feminina do grupo, ela foi eleita a musa do movimento. Ficou nacionalmente conhecida na época dos grandes festivais da música popular brasileira da TV Record. Com a música *A banda*, de Chico Buarque, em 1966, ela ganhou mais projeção e passou a cuidar melhor da escolha de seu repertório. Mas a ditadura do final dos anos 1960 fez com que a cantora se recolhesse. Voltou à cena artística gravando diversos gêneros musicais, fazendo parte, inclusive, do movimento da Tropicália. Com a música *João e Maria*, no começo dos anos 1980, voltou a fazer sucesso ao lado de Chico Buarque. Morreu de câncer cerebral aos 47 anos.

Maysa (1936-1977) nasceu em São Paulo, filha de uma família tradicional do Espírito Santo, os Figueira Monjardim. Aos 18 anos, casou-se com André Matarazzo, porém o casamento não durou dois anos porque o marido se opunha à carreira artística. Maysa deixou o filho Jayme Monjardim, diretor de novelas da Rede Globo, aos cuidados da avó e a convite do produtor Roberto Côrte Real gravou seu primeiro disco. As músicas que ela incluía em seu repertório eram do gênero samba-canção, mas privilegiavam os temas melancólicos, amores mal-resolvidos. Assim, ficou famosa como a "cantora da dor de cotovelo". Compôs 26 canções numa época em que poucas mulheres escreviam músicas. Namorou Ronaldo Bôscoli, casou-se com o advogado espanhol Miguel Azanza e foi morar na Espanha. A mídia sempre explorou sua vida pessoal, reforçando a ideia de que tinha problemas com bebidas. Maysa morreu tragicamente em um acidente de automóvel na ponte Rio-Niterói, com apenas 41 anos.

Ternurinha dos anos 1960

Wanderléa Charlup Boere Salim (1946-), a "Ternurinha" do movimento Jovem Guarda, nasceu em Governador Valadares (MG) e começou a cantar aos nove anos, chegando a ganhar o prêmio de "A mais bela voz infantil". Depois de ganhar o concurso foi contratada pela gravadora CBS e gravou seu primeiro disco em 1962, lançando a música Ternura (versão de *Somehow it got to be tomorrow*), seu primeiro grande sucesso nacional. Isso lhe valeu o apelido de Ternurinha.

- Dona Odete, mãe da "Ternurinha", teve 13 filhos, dos quais apenas sete sobreviveram. Os nomes de todos eles começam com W: Wanderlene, Wanderbill, Wanderley, Wanderbelle, Wanderlô e Wanderte. Wanderléa começou a carreira de *crooner* aos 14 anos.
- Ela era de parar o trânsito, literalmente. Quando tirou carteira de motorista no Detran de São Paulo, ficou uma hora na mesa do diretor distribuindo autógrafos para o pessoal da repartição.
- Perseguida por um fã apaixonado, que a ameaçou de morte depois que ela recusou seu pedido de casamento, Wanderléa só se apresentava escoltada por policiais. O rapaz foi preso e revelou que fumava maconha para esquecer a amada.
- O primeiro filme de Wanderléa foi *Juventude e ternura*. As filmagens começaram em 1967, e um concurso para encontrar uma dublê para as cenas de perigo movimentou a garotada. O fim das gravações passou do previsto. A cantora abusou dos chocolates e ficou com o rosto todo manchado. No filme, ela aparece de minissaia, maiô, e até beija o mocinho na boca. Isso rendeu comentários do tipo "Wanderléa deixou de ser menina, está uma moça".
- *Tremendão e Ternurinha* era o nome do seriado dirigido por Carlos Manga, com textos de Chico Anysio, do qual participaram Erasmo Carlos e Wanderléa. Eram protagonistas Caetano Veloso, como o leiteiro, e Jorge Ben-Jor, o vilão que ataca a mocinha.

BANDAS FEMININAS

FRENÉTICAS
Grande sucesso brasileiro da *disco music*. Sandra, Lidoka, Edir, Dudu, Leiloca e Regina se juntaram em 1976. Todas trabalhavam na danceteria Dancin' Days, fundada pelo compositor e jornalista Nelson Motta. O disco "Frenéticas", com a canção *Perigosa*, vendeu no lançamento 150 mil cópias. Mas seu maior hit foi *Dancin' days* (aquela que diz: "Abra suas asas, solte suas feras..."), de Lulu Santos, que foi usada como tema da novela homônima.

AS MELINDROSAS
A sertaneja Sula Miranda integrou o trio. Ela, sua irmã Iara e a amiga Paula reuniram-se na década de 1970 e ganharam popularidade gravando cantigas

de roda em ritmo de discoteca. Em seus três anos de carreira, As Melindrosas venderam mais de um milhão de discos e chegaram a rodar o filme *É proibido beijar as Melindrosas*. Outra irmã de Sula, a cantora Gretchen, participou do elenco.

MEIA SOQUETE
A banda era formada por quatro adolescentes: Kalu Blancas Zulauf, Débora Calijiuri, Cinthya Ramos, e ninguém menos que a apresentadora Adriane Galisteu. Ficaram juntas por cerca de três anos e lançaram dois LPs. O grande hit das meninas foi a música *Domingueira dançante*.

HARMONY CATS
Trio feminino especializado em gravar *medleys* de hits da era disco. Fez sucesso participando do programa *Qual é a música*, de Silvio Santos, no início dos anos 1980. Uma de suas integrantes, Silvia Marinho, casou-se com o cantor Gilliard. O trio gravou a versão *Margarida*, da música do grupo americano Boney M., e *Terra do faz de conta*, versão da música *Land of make believe*, do grupo Bucks Fizz.

Estrelas da banda

Essas vocalistas criaram suas próprias bandas.

Fernanda Takai, do Pato Fu
Em 1992, ela era guitarrista e convidou os vendedores da loja onde comprava cordas de guitarra para formarem uma banda.

Joelma, da Banda Calipso
Com o marido Chimbinha, ela criou a banda em 1999 para cantar e dançar os ritmos populares da Amazônia.

Paula Toller, do Kid Abelha
Abandonou as aulas de canto lírico para formar uma banda de rock em 1982.

MUSAS ADOLESCENTES

SANDY
• Em 1989, os filhos do cantor Xororó, Sandy e Júnior, com seis e cinco anos, foram ao programa *Bem Brasil*. A pedido de Lima Duarte, e sem ensaiar, cantaram a música *Maria Chiquinha* e foram aplaudidos de pé.
• Quando estavam com oito e sete anos, o pai atendeu ao pedido dos filhos e gravou seu primeiro disco. *O aniversário do tatu* tinha o sucesso *Maria Chiquinha*. Apesar de estreante, a dupla ganhou o disco de ouro por vender 230 mil cópias.
• Sandy usou salto alto pela primeira vez aos 14 anos, na festa de debutante de uma amiga. Foi um salto sete (com 7 centímetros), que ela ainda tem guardado.
• Ela canta o tempo todo. Isso lhe valeu o apelido de "Nosso Radinho".
• Sandy e Júnior foram os únicos brasileiros que puderam gravar a versão de "My heart will go on", música-tema do filme *Titanic*.
• Em março de 2001, a cantora estreou como protagonista da novela *Estrela guia*, da Rede Globo.
• A revista *Capricho* sempre promove eleições entre os leitores. Eles votam nos melhores e nos piores de cada ano. No ano de 2001, Sandy ficou em primeiro lugar na categoria Melhor Cantora e em segundo lugar como Pior Cantora.
• Em 2003, Sandy e Júnior lançaram um filme chamado *Acquaria*. A história se passa no futuro e mostra uma Terra que sofre com a falta de água. A dupla interpreta os personagens Sarah e Kim, e não são irmãos no enredo.
• Em 17 de abril de 2007 a dupla Sandy e Júnior anunciou o fim da parceria.

WANESSA CAMARGO
• Nasceu em Goiânia em 1982 e mudou-se para São Paulo com apenas três anos. O pai, Zezé Di Camargo, estava começando a carreira e quis tentar a sorte na capital paulista.

- Depois de o tio ter sido sequestrado, a família se mudou para os Estados Unidos, onde Wanessa cursou o 2º e 3º anos do ensino médio. Lá, fez parte do Coral Jovem da Flórida.
- Em 2001, ganhou o prêmio Multishow como cantora-revelação, com um disco que levava seu nome e que vendeu 200 mil cópias.
- Em 2007, casou-se com o empresário Marcus Buaiz, dono de boate. Ela declarou à revista *Contigo!* que suas músicas não tocavam na casa noturna dele.
- Durante um programa do Faustão, Sandy e Júnior desistiram de participar ao saberem que Wanessa Camargo estaria lá.
- Wanessa já cantou em dueto com Rita Lee, Zeca Pagodinho, Elba Ramalho, o cantor italiano Eros Ramazzotti e Daniela Mercury.

ANTES DE CANTAR...
- **Alanis Morissette** foi apresentadora de programa infantil
- **Alcione** se formou professora primária
- **Beth Carvalho** dançava balé clássico
- **Billie Holiday** foi prostituta
- **Cássia Eller** foi secretária no Ministério da Agricultura
- **Carmen Miranda** vendia gravatas
- **Clementina de Jesus** era empregada doméstica
- **Clara Nunes** foi tecelã
- **Courtney Love** foi dançarina em clube de *striptease*
- **Dalva de Oliveira** foi faxineira
- **Daniela Mercury** foi professora de balé
- **Elizeth Cardoso** era cabeleireira
- **Elza Soares** foi operária numa fábrica de sabão
- **Jennifer Lopez** competia em ginástica olímpica
- **Leci Brandão** era advogada
- **Paula Toller** estudava desenho industrial

Da Bahia para o mundo

Maria Bethânia Vianna Telles Veloso (1946-) foi chamada assim pelo irmão mais velho, Caetano Veloso. O menino ouvia Nelson Golçalves cantando o retumbante sucesso dos anos 1940, do compositor Capiba, e resolveu dar à irmã o nome da música. Bethânia, que nasceu em Santo Amaro da Purificação (BA), começou a cantar aos 14 anos. Mas foi descoberta por Nara Leão, que precisava de uma substituta para si mesma no show Opinião. Ao ver Bethânia, fez o convite, que foi aceito em 1965.

Você sabia?

• O sonho de menina de Maria Bethânia era ser atriz.
• Em 1972, participou do filme *Quando o Carnaval chegar*, ao lado de Nara Leão, o que a aproximou da obra de Chico Buarque, de quem se tornaria a maior intérprete, segundo ele próprio.
• Seu LP "Álibi", lançado em 1978, foi o primeiro disco de intérprete feminina a vender um milhão de cópias.
• Em 1982 foi condecorada, pela Ordem dos Músicos de Portugal, a mais importante do país.
• O jornal *The New York Times* a comparou a divas como Billie Holiday e Edith Piaf.
• Em 2003, criou seu próprio selo, Quitanda, dentro da gravadora Biscoito Fino.

Maria da Graça Costa Penna Burgos (1945-) nasceu em Salvador e teve uma infância comum. Embora gostasse de cantar e tocar violão, quando se apresentava nas festinhas de família ou da escola, praticamente se escondia atrás do instrumento para não ser vista, porque era muito tímida. Sua primeira música, *Sol negro*, ela gravou no primeiro disco de Maria Bethânia, que já fazia sucesso no cenário musical. Participou de alguns festivais, mas não obteve sucesso. Entretanto, chamou a atenção de João Araújo, diretor artístico da gravadora Philips. No ano seguinte, Maria da Graça mudou seu nome artístico para **Gal Costa** e gravou um disco com Caetano Veloso. Em 1968, o movimento tropicalista ganhou força, e Gal Costa, projeção nacional.

Você sabia?

- O primeiro disco solo de Gal Costa chegou às lojas em 1969, durante o regime militar. Os grandes amigos Caetano Veloso e Gilberto Gil não puderam ir ao lançamento porque estavam presos.
- Em 1972, Gal e Gilberto Gil moraram na Inglaterra e se apresentaram juntos em espetáculos musicais por toda a Europa.
- Na capa do disco "Índia" (1973), Gal aparece com os seios nus. A censura vetou qualquer exposição pública do álbum, em nome da moral e dos bons costumes.
- Com o disco "Gal Tropical", lançado em 1979, excursionou por mais de oitenta cidades brasileiras.
- Com Tom Jobim, cantou a trilha principal do filme *Gabriela*, estrelado no cinema por Marcello Mastroianni.
- O show "Plural", que ela apresentou em 1981, ficou dois meses ininterruptos em cartaz em Buenos Aires.
- De 1988 a 1990 saiu completamente de cena. Ela justificou-se dizendo que precisava pensar na vida.
- Em seu show em 1993, ao terminar de cantar a música *Brasil*, Gal abria completamente a blusa, mostrando os seios nus. A imagem foi estampada nos principais jornais de todo o país.

Rainhas do axé

Daniela Mercuri de Almeida Póvoas nasceu em 1965, em Salvador, mas passou a infância na ilha de Itaparica. Começou a carreira musical fazendo

backing vocal para Gilberto Gil. Seu sonho era ser bailarina – ela deu aula de balé clássico para suas amigas –, mas conseguiu emprego de cantora num bar de Salvador.
• Nos anos 1990, as rádios só tocavam música sertaneja. Com *O canto da cidade*, Daniela Mercury conseguiu colocar a Bahia no cenário musical.
• Como cantava nos bares, depois da meia-noite, as pessoas sempre estavam falando alto, o que a atrapalhava. Então, Daniela passava a cantar cada vez mais baixo, o que fazia o público diminuir o tom de voz para poder ouvi-la.
• Com apenas um ano de carreira, ela gravou com Tom Jobim, Caetano Veloso e Herbert Vianna, para um especial de fim de ano da TV Globo. Ficou conhecida como a "rainha do axé".
• A música *À primeira vista* (de Chico César, interpretada por Daniela), que abria a novela *O rei do gado*, foi a mais vendida da história da TV Globo até 2007. Projetou a cantora para sua carreira internacional.
• Mesmo com todo o sucesso no axé, Daniela Mercury tem um perfil experimental. Já se aventurou na música eletrônica, no samba-reggae e no rock.

TUDO A VER COM FUTEBOL
• Na Copa de 2002, a música *Festa*, de Ivete Sangalo, virou hino e consagrou o Penta da Seleção Brasileira.
• Aracy de Almeida foi casada com o goleiro do José Fontana, que atuou no Vasco e no Bangu entre 1930 e 1940.
• Elizeth Cardoso namorou o craque Leônidas da Silva.
• Em 1962, Elza Soares foi para a Copa do Mundo do Chile, representando o Brasil. Cantou ao lado de Louis Armstrong e conheceu o craque Garrincha, com quem se casou.
• A escola de samba Gaviões da Fiel tem uma mascote de honra: Inezita Barroso, que é corintiana desde menina.
• Maysa não era fã das bonecas. Quando menina, seu passatempo predileto era jogar futebol na rua com os meninos.

Ivete Sangalo (1972-) nasceu em Juazeiro, na Bahia, e fez sua primeira apresentação como cantora num bar de Ondina, em Salvador. Cantava em micaretas no interior de Pernambuco e da Bahia e em 1993 foi convidada para ressuscitar a Banda Eva, onde ela ficou como vocalista por seis anos.
• Por suas apresentações no Bar Siriguela, em Salvador, ganhou o troféu Caymmi, em 1992.
• A primeira música de sua autoria foi *Carro velho*, um dos maiores hits da Banda Eva.
• Os seis discos da Banda Eva com Ivete Sangalo nos vocais venderam 4,5 milhões de cópias.
• A música *Sorte grande* nunca ficou conhecida pelo nome original. Por causa do refrão "poeira, levantou poeira", só é chamada de Poeira.
• Para comemorar dez anos de carreira, Ivete fez um show no estádio Fonte Nova. Reuniu 80 mil pessoas e gravou seu primeiro DVD, o mais vendido na história da música brasileira (até 2007).

CANTORAS DE BUMBUM

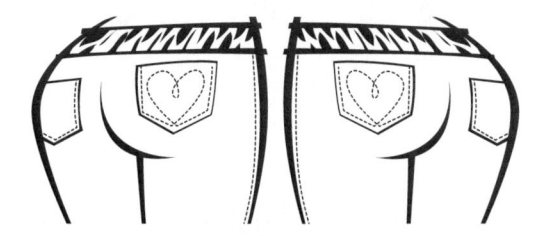

BETH GUZZO
É filha do ator Valentino Guzzo, que interpretava a vovó Mafalda no *Programa do Bozo*. Apesar de ter enveredado para o sertanejo, área na qual se consagrou com a música *Amor e paixão* ("Então eu corro e abro a porta quase seminua, [...] é um velho costume, uma nova ideia, a gente faz amor no caminhão..."), começou exibindo a voz (e o corpo) em hits mais dançantes como *Me dá, me dá* e *Ai moreno*.

GRETCHEN
A rainha do bumbum foi descoberta pelo produtor argentino Mister Sam, no final dos anos 1970. São suas as músicas *Dancin with me*, *Freak le bombom*, *Conga conga Conga* ("Piri piri piri piri piri, conga, la conga..."), entre outras.
É irmã da cantora Sula Miranda.

RITA CADILLAC
Começou como chacrete no programa do Chacrinha e lançou alguns compactos, entre eles o famoso *É bom para o moral* ("É bom pro moral, bom bom, bom, bom..."), versão de uma música da banda caribenha La Companie Creole. Participou do filme *Carandiru* (2003) e foi estrela de um filme pornô.

SHARON
Surgiu com a moda das "cantoras de bumbum", como Gretchen e Rita Cadillac. É seu o hit *Massagem for men*, aquele que diz "vem cá meu bem, fazer uma massage for men, relaxxxxxxxxx...".

PRESAS!

DIANA ROSS
10 de fevereiro de 2004: a cantora foi condenada a dois dias de cadeia por ser pega dirigindo bêbada no dia 30 de dezembro de 2002. A sentença também exigia o pagamento de uma multa e a participação em reuniões dos Alcoólicos Anônimos. Os guardas que a pararam declararam que ela trafegava com o carro na contramão e estava com os olhos vermelhos e turvos.

JANIS JOPLIN
15 de novembro de 1969: acusada de usar linguagem vulgar e indecente, foi detida em Tampa, na Flórida.

ELAS APANHARAM DO MARIDO
- Nina Simone (um policial)
- Tina Turner (produtor Ike Turner)
- Madonna (ator Sean Penn)
- Carmen Miranda (produtor David Sebastian)

Curiosidades sobre cantoras pop

ALANIS MORISSETTE (1974-)
1. É canadense e tem um irmão gêmeo, Wade. Ele é 12 minutos mais velho.
2. Aos seis anos, começou a ter aulas de piano. Aprendeu a tocar violão com 21 anos.
3. Interpretou o papel de Deus no filme *Dogma* (1999). Ao ser questionada se já havia lido a Bíblia, respondeu que sim e que a achou muito patriarcal e sexista.
4. O roqueiro Ozzy Osbourne usou o videoclipe de *Ironic*, uma das canções de Alanis, em um de seus shows. A edição fazia parecer que o músico mostrava à cantora um pênis artificial.
5. Telefonou para madre Teresa de Calcutá um dia antes de ela morrer, em 5 de setembro de 1997, mas a religiosa estava dormindo. Na ocasião, a roqueira queria se oferecer para trabalhar como voluntária nas causas sociais lideradas por madre Teresa.

AVRIL LAVIGNE (1984-)
1. Ela começou a tocar guitarra sozinha, aos 13 anos de idade. A primeira música que aprendeu foi *Flying away*, de Lenny Kravitz.
2. Seu primeiro clipe, da música *Complicated*, custou 1 milhão de dólares. A música *Losing grip* fala sobre um ex-namorado de Avril.
3. A própria cantora monta o figurino das sessões fotográficas. Faz isso desde que começou a cantar e pensava seguir carreira no *country-folk*.
4. Avril abandonou a escola no segundo colegial.
5. A cantora ganhou o prêmio de nova artista no Video Music Award 2002 e de cantora, artista-revelação e estilo no Asia Award, ambos da rede de televisão MTV. Uma entrevista de Avril para a MTV foi tirada do ar porque ela fez um gesto obsceno ao ser perguntada sobre o que achava da forma como era mostrada pela imprensa. Os executivos do canal justificaram a censura dizendo que o gesto "é totalmente inapropriado" para a TV e representa uma "falta de respeito com o público".

BEYONCÉ GISELLE KNOWLES (1981-)

1. Beyoncé começou sua carreira em 1990 com o grupo feminino R&B (rhythm and blues) Destiny's child. Dois anos depois, juntou-se ao grupo a prima de Beyoncé, Kelly Rowland, e, em seguida, LeToya Luckett. O primeiro álbum do grupo foi lançado em 1998 com essa formação. Em 1999, por causa de brigas internas, La Tavia e Le Toya deixaram o grupo.
2. Em 2003, lançou seu primeiro álbum solo, "Dangerously in love"; este disco recebeu cinco Globos de Ouro em 2004.
3. O nome do segundo álbum solo, "B-Day", é uma abreviação de *birthday*, aniversário em inglês. Ele tem esse nome pois seu lançamento mundial aconteceu no dia 4 de setembro de 2006, dia do aniversário da cantora.
4. Beyoncé estreou como atriz em 2001, em um filme feito para a televisão chamado *Carmem: a hip hopera*. Mas o sucesso como atriz veio com o filme *Austin Powers e o membro de ouro*, de 2002.
5. Em 2006, interpretou a cantora Deena Jones no filme *Dreamgirls*. Beyoncé é fã do musical da Brodway que inspirou o filme e para conseguir o papel a cantora usou uma réplica de um vestido do musical e imitou suas coreografias durante a audição. Os produtores não tiveram dúvida, e ela foi escalada para o filme.

PADRINHOS E APELIDOS

• Vinicius de Moraes apelidou Elis Regina de **Pimentinha**, por causa da risada escancarada.
• Getúlio Vargas apelidou Angela Maria de **Sapoti** porque, segundo ele, tinha cor e voz doces como as do sapoti.
• Um amigo pernambucano apelidou Alcione de **Marrom** porque, como dizia, ela cantava para ele músicas que o faziam lembrar-se da esposa, que era mulata.
• Caetano Veloso apelidou sua amiga Maria da Graça de **Gau**. Mas, para o descontentamento dele, ela mudou o apelido para Gal.
• Dono do famoso cabaré Le Gemy's em Paris, Louis Leplée, foi quem apelidou Edith Gassion de **Piaf**, que quer dizer "passarinho". Nascia Edith Piaf.

BRITNEY SPEARS (1981-)

1. Sua primeira apresentação foi aos quatro anos. Ela cantou *What child is this?* para os frequentadores de uma igreja. Aos oito anos, convenceu a família a acompanhá-la até Atlanta. Britney queria fazer testes para uma vaga no Mickey Mouse Club (Clube do Mickey), veiculado pelo Disney Channel. Mas os produtores estavam à procura de pré-adolescentes, então um deles indicou a menina para um agente de Nova York.

2. Quando completou 11 anos, a equipe do Clube do Mickey a chamou para fazer novos testes. Ela fez parte do elenco fixo do programa durante as temporadas de 1993 e 1994. Foi lá que conheceu Justin Timberlake e Joshua Chazes. Os dois pertenciam ao grupo pop N'Sync.

3. O especial da cantora na HBO, transmitido ao vivo de Las Vegas, teve audiência de 5 milhões de pessoas nos Estados Unidos. Esse número só foi superado por Madonna, assistida por 6 milhões de telespectadores. Mas o show de Madonna teve transmissão para toda a América Latina, e o de Britney, não. Em 2003, Britney beijou Madonna na boca durante a apresentação de uma música na entrega do 20º Music Awards (prêmio anual dos melhores videoclipes) da MTV americana, em 2003. Também estava no palco – e foi igualmente beijada por Madonna – a cantora Christina Aguilera.

4. Em 2001, vendeu 37 milhões de discos e garantiu o título de artista adolescente com recorde de vendagem. Em uma votação promovida pela revista americana *Seventeen*, Britney foi eleita a melhor cantora de 2002 e levou para casa o prêmio Teen's Choice Awards.

5. Durante as gravações do filme *Crossroads*, a musa pop tatuou em seu quadril um símbolo japonês que deveria significar "misterioso". Só que, na verdade, a letra feita correspondia à palavra "estranho". Um engano semelhante ocorreu quando a jovem começou a se dedicar ao estudo da Cabala, compêndio religioso e filosófico judaico. Ela marcou a nuca com símbolos hebreus, que, supostamente, diziam "nova era". Porém, os desenhos não têm significado nenhum.

CHRISTINA AGUILERA (1980-)

1. A mãe de Christina Aguilera era violinista e pianista profissional. Com apenas cinco anos, Christina decorou todas as músicas do filme *A noviça rebelde*

e começou a cantar na vizinhança. Sua primeira aparição profissional foi com oito anos, no show "Star search".
2. Foi a gravação de *Reflection*, tema do desenho da Disney *Mulan*, que tornou Christina conhecida no mercado fonográfico.
3. A cantora morre de medo do escuro. Ela costuma dormir com a luz acesa.
4. Durante a apresentação do *MTV Movie Awards* de 2004, escorregou e levou às gargalhadas a atriz Sharon Stone, que também estava anunciando os premiados da noite.
5. Um relatório encontrado pela revista *Times* e divulgado em 14 de junho de 2005 dizia que as músicas de Aguilera eram usadas como forma de tortura na prisão norte-americana na baía de Guantánamo (Cuba). As canções eram colocadas à noite, para impedir que os detentos dormissem.

> A TV FHM realizou uma pesquisa com seus telespectadores em agosto de 2005 e o clipe da música *Dirty*, gravado pela cantora, foi eleito o mais sensual de todos os tempos. Nele, Aguilera aparece dançando em um ringue de boxe.

COURTNEY LOVE (1964-)
1. Ela estudou alguns meses em um internato para meninas, mas foi expulsa porque costumava andar pelada e descalça pela instituição.
2. Aos 16 anos, trabalhou como dançarina no clube de *striptease* mais antigo de Portland (EUA).
3. Deveria interpretar a mulher do roqueiro Sid Vicious no filme biográfico *Sid e Nancy* (1986), mas perdeu o papel para a atriz Chloe Webb. Mesmo assim, fez uma ponta na trama.
4. Para formar a banda Hole, em 1989, colocou um anúncio em um jornal de Los Angeles (EUA) procurando instrumentistas. O grupo se separou em 2002.
5. Namorou Billy Corgan, líder do grupo Smashing Pumpkins. Em 1992, casou-se com Kurt Cobain, o vocalista do Nirvana. O casal teve uma filha, Francis Bean.

Uma vida de escândalos
• Courtney perdeu a guarda da filha duas vezes. A primeira ocorreu em 1993, depois que ela declarou à revista *Vanity Fair* que consumiu heroína durante a gravidez. A custódia da menina foi recuperada poucos meses depois. Na segunda, em 2003, a cantora havia sido presa por porte e abuso de drogas. Os direitos sobre a criança voltaram às mãos da roqueira 15 meses depois.
• Foi presa pela primeira vez em 1978, por roubar uma camiseta da banda Kiss em uma loja. Tinha, na época, 14 anos.
• A roqueira feriu um menino com o pé do microfone durante um show realizado em Nova York (EUA) em março de 2004. Em 10 de fevereiro de 2005, a justiça condenou a ex-mulher de Cobain a três anos sob liberdade condicional e a obrigou a frequentar um programa de reabilitação para se livrar da dependência das drogas. A pena é resultado do processo aberto por Kristin King, que diz ter sido atacada a garrafadas pela estrela na casa do produtor Jim Barber. Barber e Love foram namorados.

JENNIFER LOPEZ (1970-)
1. Sua mãe não aprovava a ideia de ela entrar para o *show business*. Tanto que, com 18 anos, Jennifer Lopez saiu de casa e foi se instalar em Los Angeles, onde prestou seu primeiro teste para um espetáculo chamado "In living color". Foi recusada.
2. Ela lançou seu primeiro CD em 1999, "On the 6", com canções que misturavam pop e ritmos latinos. O nome do álbum é uma referência ao trem que a cantora pegava no seu bairro para ir a Manhattan participar de audições.
3. J. Lo, nome de seu segundo trabalho, é um dos apelidos da cantora. No início de carreira, ela também era conhecida por *La guitarra* (violão, em espanhol) em virtude de possuir cintura fina e bumbum avantajado.
4. Jennifer Lopez foi a primeira atriz a ter no topo das paradas um filme (*O casamento dos meus sonhos*) e um álbum na mesma semana. Também foi a primeira atriz latina a ter um papel maior em um filme hollywoodiano depois de Rita Hayworth.
5. Em 2000, Jennifer Lopez causou furor ao usar um vestido Versace verde bastante decotado. Para que ele não saísse do lugar enquanto a cantora caminhasse, foi usada uma fita dupla face.

AS CIFRAS DE J. LO
- Há rumores de que ela assegurou seu corpo em 1 bilhão de dólares, e seu bumbum, em 300 milhões.
- O site especializado em apostas My Bookie lançou em 24 de junho de 2004 um desafio à cantora: doará 100 mil dólares se ela permanecer casada com o cantor Marc Anthony, seu terceiro marido, por mais de 18 meses. A doação foi feita.
- Foi contratada por 1,5 milhão de dólares para cantar no casamento de Athina Onassis, herdeira do milionário Aristóteles Onassis, e do cavalheiro Doda Miranda em 3 de dezembro de 2005. A cerimônia ocorreu em São Paulo.

JOSS STONE (1987-)

1. Foi backing vocal da popstar Britney Spears. Quando tinha 14 anos, participou de um teste para o show de talentos inglês *Star for a night* (Estrela por uma noite), exibido pela emissora BBC. Ela interpretou *On the radio*, uma canção de Donna Summer, e fez tanto sucesso que garantiu de imediato um contrato com a gravadora S-Curve. Seu primeiro álbum, *The soul sessions*, foi lançado em setembro de 2003. Ele vendeu dois milhões de cópias no mundo todo.

2. Os pais de Stone colocaram o dinheiro faturado pela cantora em um fundo de renda fixa que só pode ser movimentado quando ela completar 25 anos. "Sou mais pobre que minha amiga Emily, que trabalha na rede de *fast-food* Burger King", disse em uma entrevista. Ela também é compositora. Onze das 14 músicas do disco *Mind, body and soul* foram escritas por Joss.

3. Joss costuma se apresentar descalça. Mas a falta de sapatos lhe causou problemas em um show em Washington (EUA), em 2004, no qual estava presente o presidente George W. Bush. Os produtores não queriam deixá-la subir ao palco sem os pisantes de jeito nenhum. No fim, ela fez o espetáculo de meias.

4. Em 2005, a inglesa quase perdeu um grande contrato publicitário porque foi morar com o namorado, o produtor Beau Dozier, em Los Angeles (EUA). Tudo porque, na época, ainda não tinha 18 anos. Na Califórnia, a coabitação com menores dá prisão por falta de idade para tomar decisões sobre sexo e estupro.

5. As revistas *The New York Dog* e *The Hollywood Dog* elegeram Stone "a melhor celebridade dona de cachorros do mundo". Além de ter um *poodle* chamado Dusty Springfield, ela pertence a uma ONG de proteção a animais.

MARIAH CAREY (1970-)

1. Mariah Carey é filha de uma cantora de ópera. Foi descoberta aos quatro anos, quando assinou sua primeira composição. Em 1993, ela se casou com o presidente da Sony Music, Tommy Mottola. O príncipe Charles e a princesa Diana estavam presentes na cerimônia. Ficaram juntos durante seis anos.
2. Durante a década de 1990, a cantora emplacou uma canção por ano nas paradas de sucesso. Foi acusada em 1994 de ter plagiado a canção *All I want for Christmas* (Tudo que quero para o Natal), lançada no álbum *Merry Christmas*.
3. Uma reportagem da revista *Elle* afirmou que ela teria problemas com bebida porque, na ocasião, a cantora ofereceu ao jornalista uma taça de champanhe e não conseguiu encontrar a garrafa. Mariah admitiu depois que a sua equipe a teria escondido ao julgar que a artista estava bêbada demais.
4. Durante sua visita ao Brasil, em 2002, Mariah gravou um *pocket show* para o programa *Fantástico*, da Rede Globo, participou como mestre-de-cerimônias de uma festa e foi entrevistada pela cantora Sandy.
5. A revista *America's Teen Hollywood* publicou uma matéria, em dezembro de 2005, dizendo que a cantora havia alugado um avião exclusivo para seu cão. Segundo o texto, o animal era muito grande para "viajar na classe econômica". Além disso, Mariah tem medo de que, na sua ausência, ele seja mal-alimentado.

PINK (1979-)

1. Alecia Moore ganhou o apelido Pink aos oito anos de idade. Ela estava em um acampamento de verão da Associação Cristã de Moços (ACM) quando um garoto abaixou a sua calça na frente de todo mundo. A menina ficou roxa de vergonha e, por causa disso, acabou sendo chamada assim pelos colegas.
2. Durante a adolescência, a cantora colecionava rãs mortas. Declarou em uma entrevista que, aos 15 anos, divertia-se roubando lojas de departamento.
3. Ela já tingiu o cabelo de várias tons, mas a sua cor preferida é verde. Pink é grande fã de Madonna. Quando criança, ela se vestia, cantava e dançava como a popstar. Sua primeira turnê foi ao lado do grupo pop N'Sync.

4. A cantora gravou uma pequena participação no filme *As panteras 2*. Na sequência, ela participa de uma aventura com motocicletas. Antes de seguir carreira solo, Pink fez parte de dois grupos pop: Basic Instinct e Choice.

5. Em 2004, ela protagonizou, ao lado de Britney Spears e Beyoncé Knowles, um comercial da fábrica de refrigerantes Pepsi em que aparece vestida de gladiadora. No lançamento da campanha em Londres (Inglaterra), Beyoncé apareceu com um casaco de peles. O visual desagradou a cantora, que é ativista contra a matança dos animais.

CANTORAS QUE TIVERAM AJUDA DA FAMÍLIA

- **Alcione:** aprendeu sopro e clarinete com o pai, professor de música e mestre de banda da Polícia Militar de São Luís do Maranhão.
- **Aracy de Almeida:** começou a cantar na igreja Batista onde o irmão era pastor.
- **Aretha Franklin:** o pai era ministro de uma igreja Batista e a mãe, cantora gospel. Ela cantava com ele desde os seis anos.
- **Beth Carvalho:** aos oito anos, cantava acompanhada da avó, que tocava bandolim e violão.
- **Clara Nunes:** teve apoio da irmã, que a criava porque o pai e a mãe tinham morrido quando ela era criança.
- **Clementina de Jesus:** aprendeu a cantar com a mãe, que lhe ensinou jongos e pontos de macumba.
- **Dona Ivone Lara:** o tio a ensinou a tocar cavaquinho e violão de sete cordas. Depois que seu primo fundou a Império Serrano, ela passou a compor e desfilar para a escola carioca.
- **Elizeth Cardoso:** com o pai, que era seresteiro, tocava no morro da Mangueira.
- **Maria Bethânia:** começou a cantar com Gal Costa, Gilberto Gil e com o irmão, Caetano Veloso.
- **Sandy:** junto do irmão, Júnior, abria os shows do pai Xororó, que cantava em dupla com o tio Chitãozinho.
- **Sarah Vaughn:** ao lado dos pais, cantava em igrejas batistas.
- **Wanessa Camargo:** começou a carreira dançando nos shows do pai, Zezé Di Camargo.

SHAKIRA (1977-)
1. A colombiana Shakira é uma menina precoce. Aprendeu a ler e a escrever com três anos e, aos oito, compôs sua primeira canção. Com 13 anos, Shakira assinou contrato com a Sony Music da Colômbia e lançou seu álbum de estreia, "Magia".
2. Apesar de suas aptidões musicais terem se revelado bem cedo, ela nunca conseguiu entrar para o coro de sua escola. Seus colegas diziam que ela parecia um corvo berrando quando cantava.
3. Ela participou em 1994 da telenovela *El oasis*. No ano seguinte, foi convidada a realizar um teste para participar do filme *A máscara do Zorro*, com Antonio Banderas.
4. A tradução de seu nome, em árabe, é "mulher cheia de graça" e, em hindu, "deusa da luz". O lançamento do CD *Dónde están los ladrones?* atrasou em seis meses porque a mala da cantora com todas as canções foi roubada no aeroporto da Colômbia. Sua empresária chegou a jogar bingo com os ladrões que, depois de admitirem o crime, disseram ter jogado fora as composições.
5. Shakira batizou sua primeira grande turnê de *Anfíbio* para fazer uma analogia entre as metamorfoses pelas quais passam os animais e suas transformações visuais.

Deusa morta

- **Janis Joplin** nasceu em Port Arthur, no Texas (EUA), no dia 19 de janeiro de 1943.
- Foi votada em 1963 por uma fraternidade da Universidade do Texas, onde estudou, o "Homem mais feio do *campus*".
- Em 1967, a roqueira foi apresentada a Albert Grossman, empresário de Bob

Dylan e respeitado no meio hippie. Drogada, ela caiu no chão em estado lastimável. Foi contratada no dia seguinte.

- Numa viagem de trem, a cantora Janis Joplin, ídolo da geração "paz e amor", ficou frustrada de ter transado com apenas 65 homens dos 365 que estavam a bordo.
- Janis foi encontrada morta em 4 de outubro de 1970 num quarto de hotel em Hollywood, Los Angeles. Ela havia sofrido uma overdose de heroína e álcool. Suas cinzas foram arremessadas ao lado da costa da Califórnia (EUA).
- Em 16 de fevereiro de 2005, a televisão norte-americana produziu um *reality show* para procurar uma "nova versão" da estrela morta em 1970. A vencedora *Search for the pearl* recebeu como prêmio uma turnê com os ex--músicos de Joplin. Mais do que a voz, eles estavam procurando alguém com os mesmos trejeitos e aparência da cantora.
- Teve início em 2005 a filmagem de um longa sobre a vida da cantora. A atriz Renée Zellwegger assina a produção de *Piece of my heart* (Pedaço do meu coração). Ela também assumiu a responsabilidade de viver a roqueira nas telonas.

A maior entre as francesas

Édith Giovanna Gassion (1915-1963) nasceu no bairro pobre de Belleville, em Paris, filha de mãe cantora de bordel e pai acrobata de rua. Suas melhores amigas de infância eram as prostitutas do bordel onde a mãe se apresentava todas as noites. Aos 12 anos, completamente abandonada pela mãe, juntou-se ao pai para cantar nas ruas e, aos 15, já cantava sozinha. Tentou mostrar seus dons artísticos a diversas gravadoras, mas não era bem recebida. Um dia, conheceu Louis Leplée, dono de um dos mais famosos cabarés franceses. Nascia **Edith Piaf**, que lançaria seu primeiro disco por ocasião do seu 20º aniversário. Com 25 anos, além de cantar, Edith Piaf começou a escrever também as suas canções. Em 1945, à época da ocupação alemã em Paris, ela escreveu sua composição mais célebre: *La vie en rose*. A música a tornou conhecida no mundo todo.

Curiosidades

✪ Sua mãe lhe deu à luz nos degraus da frente da sua casa, sob um poste de luz e com a ajuda de passantes.

✪ A mãe, que vivia na noite, não cuidava de Edith, mas a deixava sob supervisão da avó paterna, que acrescentava vinho à mamadeira da menina.

✪ Teve uma filha com o artista Louis Dupont que, diziam, também era rufião. Ao se separarem, o pai ficou com a guarda da filha, que morreu de meningite aos dois anos de idade.

✪ O ator Maurice Chevalier foi quem a levou para Hollywood, onde ela participou de alguns filmes e operetas.

✪ O presidente Jacques Chirac lhe prestou uma homenagem, inaugurando uma placa comemorativa na casa da rua Belleville, nº 72, onde ela cresceu.

> **ESCÂNDALOS À PARTE**
> Ele era um grande *soulman* e um dos pais do rock'n'roll. Ela, uma talentosa cantora. Após 16 anos de casamento, entre 1958 e 1976, Tina Turner acusaria o ex-marido de todas as atrocidades possíveis cometidas contra ela, de terrorismo psicológico a queimaduras feitas com café e cigarro. Ike visitou o xadrez incontáveis vezes, a maioria delas por conta de sua estreita relação com a cocaína e maus-tratos à cantora.

BANDAS DE MULHERES

AS MENINAS
Em 1997, o produtor musical Cícero Menezes, ex-sócio de Carlinhos Brown no Timbalada, teve a ideia de montar um grupo de axé nos mesmos moldes de seu antigo projeto, mas só com meninas. O primeiro álbum veio em 2000 e chamava-se "Xibom bombom". A música-título fez enorme sucesso no Carnaval daquele ano. A primeira mudança na formação aconteceu em 2003, com a saída da vocalista Carla Cristina, que resolveu tentar a carreira solo, e a entrada de Flaviana Fernandes.

BANANA SPLIT
O Banana Split foi montado nos corredores da emissora de televisão SBT, no final dos anos 1980. Rosane Muniz, Adriana Colin, Mel Nunes e Andréia

Reis faziam parte do elenco de apoio do programa "Veja o Gordo", de Jô Soares. Em 1990 o apresentador Gugu Liberato resolveu apoiar o grupo, e assim nasceu o Banana Split. O Banana Split já teve várias formações, mas nunca acabou oficialmente. A apresentadora Eliana integrou o grupo em 1991.

DESTINY'S CHILD
Beyoncé Knowles e LaTavia Roberson eram amigas desde os nove anos de idade. As meninas gostavam tanto de dançar e cantar que o pai de Beyoncé, Mathew Knowles, resolveu agenciá-las. Em 1992, Mathew conseguiu para as garotas uma aparição no programa *Stars Search*. Mathew convidou sua sobrinha, Kelly Rowland, para fazer parte do grupo. No ano seguinte, foi a vez de LeToya Luckett ser convidada. O primeiro *single* foi lançado em 1997. *Killing time* entrou para a trilha sonora de *Homens de preto* e alavancou a carreira das Destiny's Child.

L7
O grupo foi formado em 1986 por Suzi Gardner e Donita Sparks. Conheceram Jennifer Finch, que havia acabado de se mudar para Los Angeles. As três fundaram o L7 (em inglês é uma gíria para "quadrado" ou antiquado). No início o L7 não tinha um baterista fixo, por isso um amigo, Roy Koutsky, tocava para as garotas. Em 1988, Dee Plakas assumiu as baquetas. O maior sucesso do grupo foi *Pretend we're dead*, do álbum "Bricks are heavy", de 1992. A banda se separou em 2000.

PUSSYCAT DOLLS
Ashley Roberts, Carmit Bachar, Jessica Sutta, Kimberly Wyatt e Melody Thornton eram dançarinas. Em 1995, as garotas conheceram o coreógrafo Robin Antin, que montou o grupo de dança Pussycat Dolls. O grupo chamou a atenção da Interscope Records quando se apresentava em Las Vegas, no hotel Ceasars Palace. O primeiro álbum foi lançado em 2005, e as letras apimentadas foram bem recebidas pelo público, mas nem todo mundo gostou das coreografias. Na Malásia, o grupo foi multado por "executar coreografias sexualmente sugestivas".

ROUGE

O Rouge foi criado no *reality show Popstars*, exibido pelo SBT em 2002. O programa acompanhava o processo de seleção de garotas para a formação de um grupo musical. Aline, Fantine, Kárin, Luciana e Patrícia foram escolhidas entre 30 mil garotas, após passarem por cinco fases eliminatórias. O maior sucesso foi a música *Ragatanga*, do primeiro álbum, lançado em 2002. Luciana deixou o grupo em 2004.

SPICE GIRLS

Em 1993, o produtor musical Simon Fuller colocou um anúncio em um jornal britânico pedindo: "garotas extrovertidas que saibam cantar e dançar". Das centenas de garotas que compareceram aos testes, as cinco escolhidas foram Melanie Brown, Melanie Chisholm, Geri Halliwell, Victoria Adams e Michelle Stephenson. O grupo se chamava "Touch". Poucos meses depois, Michelle saiu, e Emma Bunton ficou em seu lugar. No ano seguinte, elas passaram a se chamar Spice Girls, que significa algo como "garotas apimentadas"; foi um estouro no cenário da música pop da década de 1990. Seu maior sucesso foi a música *Wannabe*, lançada em 1996. Em 1998 Geri deixou o grupo. As Spice ainda gravaram mais um disco como quarteto: "Forever", de 2000, foi o seu terceiro e último álbum. As Spice Girls se separaram oficialmente no final do mesmo ano. Em 2007, anunciaram, também oficialmente, a sua volta.

t.A.t.U.

Em 1999 o psicólogo russo Ivan Shapovalov resolveu entrar para o mundo da música patrocinando uma artista adolescente. Ivan organizou diversas audições e escolheu Lena Katina. Depois que a garota começou a ensaiar as primeiras músicas, o produtor percebeu que funcionaria melhor se fossem duas garotas, e chamou Yulia Volkova, que também havia se saído muito bem nas audições. Em 2000, a dupla lançou seu primeiro single, *Ya Soshla S' Uma*. A música falava sobre uma amizade que havia se transformado em um amor homossexual. A polêmica do tema foi tão grande quanto o sucesso da música. Para piorar (ou melhorar) a situação, o clipe da música mostrava as duas garotas se beijando. Muitos acreditaram que elas eram de fato homossexuais, mas isso só foi desmentido em 2004. O nome t.A.t.U. significa "esta ama aquela".

THE SUPREMES, A MAIOR BANDA FEMININA DE TODOS OS TEMPOS

1. Mary Wilson, Barbara Martin, Florence Ballard e Diana Ross criaram o The Primettes em 1959.
2. No ano seguinte elas assinaram contrato com a gravadora Motown. Em 1961, após a saída de Barbara Martin, e a pedido da gravadora, passaram a se chamar The Supremes.
3. No mesmo ano, Diana Ross, que tinha um relacionamento com um grande figurão da gravadora, Berry Gordy Jr., foi escalada para ser a voz principal no lugar de Florence. O trio passou a se chamar Diana Ross and The Supremes. Florence deixou o grupo e foi substituída por Cindy Birdsong.
4. Os diretores da Motown acreditavam que, por ser gorda, Florence não teria o apelo necessário junto ao público masculino.
5. Florence Ballard morreu em 1976 devido a problemas de saúde relacionados ao alcoolismo e à depressão.
6. Diana Ross deixou o grupo em 1970 para fazer carreira solo. Jean Terrell entrou em seu lugar. A última apresentação do The Supremes foi em 12 de junho de 1977, em Londres.

ESSES PAIS NÃO AJUDARAM MUITO...

- Desinibida e vaidosa, **Elza Soares** foi obrigada pelo pai a se casar aos 12 anos. Aos 13 teve o primeiro filho, aos 14 engravidou novamente e aos 18 ficou viúva.
- A família era tão avessa à ideia de ela se transformar em cantora que Abelim Maria da Cunha usava um nome artístico para não ser descoberta nos programas de calouros. O nome escolhido: **Angela Maria**.
- O pai de **Courtney Love** foi acusado por amigos de dar LSD para a filha aos dois anos de idade.
- Os pais de **Nina Simone** eram pastores de uma igreja Metodista e a proibiam de cantar. Aos vinte anos, ela fugiu para Nova York para seguir carreira.
- **Barbra Streisand** começou a carreira cantando num *night-club*, contrariando a vontade da mãe, que achava a vida artística desprezível e com pouco futuro.
- O padrasto de **Ella Fitzgerald** a maltratava e sua mãe ria quando ela dizia que queria ser cantora.
- O pai de **Chiquinha Gonzaga** não quis recebê-la em seu leito de morte, alegando que seus descaminhos durante a vida teriam sido inaceitáveis, como o fato de abandonar os filhos para cantar pelo Brasil. O fato fez com que a artista entrasse em depressão.

DAS IGREJAS PARA A SOUL MUSIC

Aretha Louise Franklin nasceu em Memphis, a terra da soul music, em 1942. Seus pais viviam brigando e acabaram se separando. Ela mudou-se com o pai para Detroit e lá começou uma carreira de sucesso cantando pelas igrejas da cidade. Aos 14 anos, gravou seu primeiro disco de soul e gospel. Aos 19, assinou contrato com a Columbia, entrando para o elenco de cantoras de soul music da gravadora. Em pouco tempo, seu repertório se expandiu e ela passou a gravar jazz, rock, blues, pop e até ópera.

Você sabia?

- Sua mãe queria que ela fizesse aulas de piano, mas Aretha preferiu aprender a tocar o instrumento sozinha.
- Apesar de viver cercada por ministros da igreja Batista, tinha uma vida liberal. Aos 15 anos teve seu primeiro filho e, aos 17, o segundo.
- Seu pai, Clarence LeVaughn Franklin, foi um dos grandes amigos do líder negro Martin Luther King.
- Foi reconhecida pela revista *Rolling Stones* como a melhor vocalista da história da música.
- É a primeira mulher a fazer parte do Hall da Fama do Rock and Roll (1987) e a segunda em número de prêmios Grammy: vinte no total.

A rainha da soul music

Diana Ross (1944-) interpretou nas telas o filme *Lady sings the blues*. Em 1973, gravou um álbum com o cantor Marvin Gaye, chamado *Marvin and Diana*. Onze anos mais tarde, o assassinato do cantor pelo próprio pai fez Diana entrar em depressão.

A morte de Florence Ballard, ex-The Supremes, após misturar álcool e barbitúricos em 1976, também detonou uma crise de depressão em Diana Ross, que tinha a mesma idade da colega.

Apesar de ela fazer muito sucesso nos palcos, seus dois filmes, *Mahogany* (1974) e *The Wiz* (1978), não foram bem-sucedidos. A música *Endless love*, que ela compôs em parceria com Lionel Richie, em 1981, serviu de trilha sonora para o filme de mesmo nome (*Amor sem fim*), de Franco Zeffirelli. Foi a música mais executada do ano nos Estados Unidos.

Em 1993, ela entrou para o *Guinness*, o livro dos Recordes, como a cantora de maior sucesso de todos os tempos.

Foi indicada para o prêmio Grammy 12 vezes, mas nunca venceu.

Diana foi eleita pela *Billboard Magazine* a personalidade musical mais importante do século XX. A cantora garante jamais ter repetido roupas durante suas turnês.

Música contra o racismo

Eunice Waymon (1933-2003) foi a sexta de uma família de sete filhos, muito pobre, da Carolina do Norte, estado americano onde havia sérios problemas de discriminação racial. Criança-prodígio, com apenas quatro anos tocava piano como se fosse uma artista adulta. Em Nova York adotou o nome artístico de **Nina Simone** e passou a tocar em cabarés. Rapidamente se destacou entre outros cantores e passou a usar a fama para levantar uma bandeira contra o racismo. Nessa ocasião, manteve uma relação de amizade com o pastor e pacifista Martin Luther King, porque se identificava com a luta dele contra a discriminação dos negros. Quando ele foi assassinado, Nina fez questão de cantar durante o enterro. Por causa disso, foi perseguida e ameaçada. Passou, então, a usar a música para defender o fim do racismo.

Curiosidades

⊙ Foi a primeira artista negra a estudar na Julliard School of Music, uma das mais importantes de Nova York.

⊙ Quando quatro crianças negras foram assassinadas numa igreja americana, em 1963, ela compôs Mississippi Goddamn, que se tornou um hino em favor da causa dos negros.

- Esteve no Brasil duas vezes.
- Seu repertório era rico; incluía gospel, jazz, música clássica, ópera, blues, soul e até música de tribos africanas.
- Lamentando o racismo dos americanos, ela se mudou dos Estados Unidos em 1974. Foi viver em Barbados, depois na Libéria, na Suíça, em Paris e na Holanda.
- Em 1998, foi convidada especial para o aniversário de oitenta anos do líder africano Nelson Mandela, de quem havia se tornado amiga.
- Morreu no sul da França. Deixou um pedido para que fosse cremada e suas cinzas jogadas em diferentes países africanos.

13 CURIOSIDADES SOBRE MADONNA

1. Madonna Louise Veronica Ciccone (1958-) possui o mesmo nome de sua mãe, que é descendente de franco-canadenses. Ela herdou o sangue italiano da família de seu pai, Sylvio Ciccone.
2. A biografia não autorizada da cantora, escrita por Andrew Morton, revela que quando ela se mudou para Nova York (EUA), em 1978, foi forçada por um homem a fazer sexo oral.
3. O livro conta também que o romance entre Madonna e John Kennedy Jr. não deu certo porque ele ficava muito nervoso perto dela. Em 16 agosto de 1985, Madonna casou-se com o ator Sean Penn.
4. Lourdes Maria Ciccone Leon, filha de Madonna com Carlos León, seu *personal trainer*, nasceu no dia 14 de outubro de 1996. O casal se conheceu em 1994, quando fazia *cooper* no Central Park, em Nova York. O nome da menina foi uma homenagem à mãe de Madonna, que queria visitar Lourdes, na França. Foi lá que a Virgem Maria (Madonna) apareceu em 1858. No entanto, a mãe da cantora morreu antes de realizar o sonho.
5. Madonna afirmou que havia detestado as mudanças hormonais e físicas pelas quais passou durante a gravidez de sua primeira filha, Lourdes Maria. "A gravidez é uma piada de Deus com as mulheres", declarou.
6. Em 11 de agosto de 2000 nasceu seu segundo filho, Rocco Ritchie. O pai da criança é o cineasta britânico Guy Ritchie. Ela casou-se com Guy em 22 de

dezembro de 2000, na cidade de Dornoch, ao norte da Escócia. Ele vestia um *kilt*, aquela tradicional saia escocesa. A recepção foi no castelo de Skibo.

7. O estilista Jean Paul Gaultier fez o famoso sutiã em forma de cone, lançado em 1990, inspirado na cantora, que o usou na turnê *Blonde ambition* (Ambição loira).

8. A MTV norte-americana realizou uma votação para apontar os cem melhores vídeos do século XX. Quatro clipes de Madonna aparecem na seleção: *Ray of light*, *Frozen*, *Justify my love* e *Like a prayer*.

9. Faz parte de seus hábitos colecionar cupons de desconto de supermercado.

10. Madonna possui uma fortuna estimada em 250 milhões de dólares. Mesmo assim, precisou pedir dinheiro emprestado para pagar um sanduíche. Ela estava em uma lanchonete em Londres, com os dois filhos e o marido Guy Ritchie, quando percebeu que havia esquecido a carteira em casa. As irmãs Mimi e Titi Negussie, que deram à cantora duas libras, foram recompensadas com um cheque e um CD autografado.

11. Uma semana depois de seu lançamento, o *single American life* causou polêmica nos Estados Unidos. A cantora chegou a ser acusada de antiamericana porque falava sobre as repercussões e horrores da guerra no novo trabalho, lançado durante o conflito entre os Estados Unidos e o Iraque ocorrido em 2003.

12. Em 2003, a cantora lançou seu primeiro livro infantil. *As rosas inglesas* aborda o tema da inveja sob o ponto de vista de quatro meninas londrinas de 11 anos. Depois, ela publicou ainda mais dois livros: *Mr. Peabody's apples* (infantil) e *Nobody knows me* (adulto). Esse último contém fotos raras e inéditas da cantora.

13. Madonna e seu marido, Guy Ritchie, se casaram pela segunda vez em 22 de dezembro de 2004. A renovação dos votos ocorreu na Inglaterra e foi presenciada por convidados seletos, entre eles a atriz Gwyneth Paltrow. De acordo com o tabloide *The Sun*, Guy aproveitou a ocasião para dar de presente à esposa um anel de 100 mil libras (510 mil reais).

NA CAMA COM ANTONIO BANDERAS

Boa parte da fama do ator Antonio Banderas se deve a Madonna. No documentário *Na cama com Madonna*, a cantora declarou que Banderas era um dos homens mais desejáveis do mundo. Depois dessa propaganda, ele recebeu convite para fazer *Os reis do mambo* e *Evita*. Só não conseguiu levar adiante a ideia de fazer um filme sobre a vida de Ayrton Senna.

Ela foi considerada a maior de todas

Em 2007, **Barbra Streisand** foi considerada a personalidade musical de maior influência nos Estados Unidos. A revista *Time* a chamou de maior personalidade musical do século.

• Barbra Streisand (1942-) queria ser atriz, e não cantora. Conseguiu emprego num bar gay no Village, em Nova York, onde era chamada apenas Barbra.
• Seu primeiro disco "Barbra Streisand Album", ganhou o Grammy em 1963. Depois dele, gravou mais sessenta.
• Com Paul Newman e Sidney Poitier formou a Primeira Companhia de Produções Artísticas, em 1969.
• Ela foi a primeira grande estrela de Hollywood a dizer, em cena, a palavra *fuck* (fazer sexo). Foi no filme *O corujão e a gatinha*.
• No final dos anos 1970, ela foi considerada a maior cantora da história. Apenas Elvis Presley e The Beatles haviam vendido mais discos do que ela.
• Fez diversos shows durante a campanha do presidente Bill Clinton e foi considerada, por ele, um verdadeiro amuleto da sorte.
• Em 1993 ela fez sua maior turnê mundial. Os ingressos esgotaram na primeira hora.

Você sabia?

Barbra Streisand foi a cantora que mais ganhou dinheiro com a música: 92 milhões de dólares, até 2007.

AS DIVAS DO JAZZ

Eleonora Fagan, verdadeiro nome de **Billie Holiday** (1915-1959), nasceu numa família desestruturada. O pai, um banjista que a abandonou quando ainda era um bebê, tinha 15 anos, e a mãe, 13. Quando tinha dez anos foi violentada e aos 14 transformou-se em prostituta. Precisando de dinheiro, se ofereceu para fazer faxina num bar do Harlem. Quando o dono perguntou se ela sabia cantar, ela disse que sim, e mostrou como. Saiu de lá com um contrato. Depois de três anos cantando profissionalmente, gravou seu primeiro disco e chamou a atenção de Duke Ellington, com quem passou a cantar, bem como outros famosos da época como Teddy Wilson e Count Basie.

Curiosidades
✪ Aos 12 anos, ganhava a vida lavando assoalhos de um prostíbulo em Nova York.
✪ Foi considerada a mais comovente cantora de jazz, por sua voz rouca.
✪ Mesmo fazendo muito sucesso, sucumbiu ao álcool. Pouco antes de morrer, lançou sua biografia, *Lady sings the blues*, que mais tarde lhe rendeu um filme com Diana Ross no papel de Billie.

Ella Fitzgerald (1917-1996) teve uma agenda cheia até os últimos dias da sua vida. Ao contrário de outras estrelas musicais que se envolveram com drogas, seu maior vício eram os doces e sorvetes de chocolate. Gravou 150 discos, superando-se em diversos gêneros como o swing, o beebop, o jazz e o country. Cantou obras de Cole Porter, Duke Ellington e George Gershwin, e também de brasileiros, como Tom Jobim e Milton Nascimento. Sua gravação de *Porgy and bess*, ao lado de Louis Armstrong, em 1957, tornou-se lendária.

O início da carreira
• Foi internada num reformatório por vadiagem. Conseguiu fugir e passou a ganhar a vida cantando nas ruas de Nova York em troca de gorjetas e comida.

- Em seus primeiros testes musicais foi recusada por ser considerada muito feia.
- Começou sua carreira aos 17 anos, num concurso de calouros. Ela entrou para dançar, mas ficou em pânico e soltou a voz. Ganhou o prêmio de 25 mil dólares.

Sarah Vaughn (1924-1990), aos 13 anos, abandonou os estudos e foi se arriscar na música. Venceu um concurso no Apollo Theatre, o que lhe rendeu um convite para cantar com Earl Hines e Billy Eckstine. Anos mais tarde, se lançou em carreira solo e, em 1944, gravou o tema de Dizzy Gillespie, *Night in Tunisia*, transformando-se em rainha do beebop. Contratada pela Columbia Records, tornou-se estrela internacional.

Curiosidades

✪ Foi acompanhada por Miles Davis, um dos maiores trompetistas da história do jazz mundial.
✪ Gravou com Count Basie e Oscar Peterson, e com o brasileiro Milton Nascimento.
✪ Foi considerada uma das maiores improvisadoras de todos os tempos.

CANTORAS LIGADAS AO MUNDO DA MODA
- As lojas da 5ª Avenida, em Nova York, vendiam turbantes e vestidos à Carmen Miranda, onde ela era chamada de "Brazilian bombshell".
- Ivete Sangalo é fã da grife Neon e desfilou para a marca em algumas edições da São Paulo Fashion Week.
- Em 2006, Maria Rita roubou a cena ao cantar no desfile de Fause Haten, na 20ª edição do São Paulo Fashion Week. Na mesma edição, Marina Lima abriu a temporada de desfiles.
- Céline Dion fixou moradia em Las Vegas no final dos anos 1990. A partir de então, seus shows passaram a ser verdadeiros desfiles de moda, nos quais ela troca de roupa cerca de vinte vezes, sempre usando modelos de grifes famosas.

MÚSICAS COM NOME DE MULHER

1. *Ai que saudades da Amélia*, Ataulfo Alves e Mário Lago
2. *Anna Júlia*, Los Hermanos
3. *Bárbara*, Chico Buarque de Holanda e Ruy Guerra
4. *Beatriz*, Chico Buarque de Holanda e Edu Lobo
5. *Bebel*, Tom Jobim
6. *Bela Inês*, Alceu Valença
7. *Bete Balanço*, Cazuza e Roberto Frejat
8. *Carol*, The Beatles
9. *Carolina*, Chico Buarque de Holanda
10. *Conceição*, Jair Amorin e Dunga
11. *Diana*, Paul Anka
12. *Dolly Dager*, Jimmy Hendrix
13. *Dora*, Dorival Caymmi
14. *Elleanor Rigby*, The Beatles
15. *Eu comi a Madonna*, Ana Carolina
16. *Eva*, Banda Eva
17. *Gabriela*, Tom Jobim
18. *Geni e o Zeppellin*, Chico Buarque
19. *Georgia*, Ray Charles
20. *Hey, Jude*, Paul McCartney
21. *Iolanda*, Chico Buarque e Pablo Milanes
22. *Ive Brussel*, Jorge Ben-Jor
23. *Kátia Flavia*, Fausto Fawcet e Carlos Laufer
24. *Lígia*, Tom Jobim
25. *Lisbela*, Caetano Veloso
26. *Lucille*, B. B. King
27. *Lucy in the sky with diamonds*, The Beatles
28. *Luiza*, Tom Jobim
29. *Madalena*, Ivan Lins
30. *Manuela*, Julio Iglesias
31. *Maria*, Ricky Martin
32. *Maria, Maria*, Milton Nascimento
33. *Marina*, Dorival Caymmi
34. *Michelle*, The Beatles
35. *Monalisa*, Jorge Vercilo
36. *Nikita*, Elton John
37. *Oh, Carol!*, Neil Sedaka, Greenfield
38. *Oh, Suzana*, Stephen Foster
39. *Roxane*, The Police
40. *Wake up little Susie*, Paul Simon

MUSAS INSPIRADORAS

A dona do All Star - Nando Reis
A dona do All Star azul que Nando Reis não vê a hora de encontrar é a cantora Cássia Eller. Muito amigo da roqueira, Nando sempre a visitava em seu apartamento, que ficava no 12º andar de um prédio no bairro das Laranjeiras, no Rio de Janeiro (RJ).

Amélia - Ataulfo Alves e Mário Lago
O samba de 1942 diz que "Amélia é que era mulher de verdade". O termo passou a designar toda mulher submissa, que atende pacientemente às exigências do marido, sem reclamar.

Angélica - Chico Buarque e Miltinho
Em 1977, a dupla compôs *Angélica* em homenagem à estilista Zuzu Angel, que morreu vítima de um acidente misterioso no túnel Dois Irmãos, no Rio de Janeiro. Zuzu lutava para ter o direito de enterrar o filho, torturado e morto durante a ditadura militar. Nos dois últimos versos, a letra diz: "queria cantar por meu menino, que ele não pode mais cantar".

Anna Júlia - Los Hermanos
A canção foi escrita por Marcelo Camelo com base na história do produtor da banda, Alex Werner. Quando fazia faculdade, ele paquerava uma colega chamada Anna Júlia Werneck, mas não se aproximava dela porque era muito tímido. Apenas lhe mandava bilhetes pelos amigos. Depois que a música foi composta, Alex tentou uma nova aproximação. Os dois chegaram a ficar. O romance, porém, não deu certo.

Camila, Camila - Nenhum de Nós
Até hoje não se sabe o verdadeiro nome da musa inspiradora da música. O grupo conta que se trata de uma antiga conhecida que costumava ser humilhada em público pelo namorado.

Carla - LS Jack
O cantor da banda, Marcus Menna, fez a canção pensando na esposa, a arquiteta Carla. Ele não tinha a intenção de colocar o nome dela, mas o produtor do grupo insistiu e ele acabou cedendo.

Drão - Gilberto Gil
Sandra Gadelha ganhou o apelido Drão da cantora Maria Bethânia. Mas o nome se popularizou na música que Gilberto Gil fez para ela. Os dois foram casados por 17 anos. Gil escreveu a letra poucos dias depois da separação.

Garota de Ipanema - Tom Jobim e Vinicius de Moraes
A dupla escreveu a canção para Helô Pinheiro quando ela tinha 15 anos e frequentava a praia de Ipanema, no Rio de Janeiro (RJ). Quem primeiro a notou foi Tom, que costumava observar escondido "a garça que é uma graça", como dizia. O maestro contou a Vinicius sobre a namorada platônica e fez o amigo esperar três dias sentado em um bar para ver a menina passar. Impressionados com sua beleza, os dois decidiram compor a melodia, que se tornou uma das canções brasileiras mais executadas no mundo.

Iolanda - Chico Buarque
A música é uma versão da canção escrita pelo cubano Pablo Milanês para sua ex-esposa, Yolanda Benet. Ele a compôs logo após o nascimento de sua primeira filha, época em que precisou se ausentar de casa e deixar a mulher cuidando sozinha do bebê. Durante a viagem, fez a letra e melodia para expressar seu grande amor.

Kátia Flavia - Fausto Fawcett
Na verdade, Kátia Flavia era a personagem de uma das esquetes que o jornalista, autor teatral e roteirista Fausto Fawcett apresentava nas noites do Rio de Janeiro (RJ). A canção foi gravada em seu disco de estreia "Fausto Fawcett e os robôs efêmeros". Ela fez tanto sucesso que chegou a entrar para a trilha sonora do filme *Lua de fel* (1992), de Roman Polanski.

Lucy in the sky with diamonds - John Lennon
Muita gente acha que o nome desta canção é uma referência ao LSD, droga alucinógena bastante popular na década de 1970. Mas, na verdade, quem inspirou a música foi uma colega de escola de Julian, filho de Lennon. Quando

era criança, o garoto fez um desenho da amiguinha Lucy Richardson, que inspirou o ex-Beatle a fazer a obra. Lucy morreu em 2005, aos 47 anos, vítima de câncer.

Lygia - Tom Jobim
Lygia Marina de Moraes, ex-mulher do escritor Fernando Sabino, conheceu Tom Jobim no antigo bar Veloso, em Ipanema, no Rio de Janeiro. Rolou uma paquera no dia em que foram apresentados, mas não passou disso. Na época, Tom era casado. Mesmo assim, a "quase relação" acabou virando canção. O maestro negou durante anos a identidade de sua musa em respeito ao amigo Sabino. A revelação ocorreu em 1994, ano em que o casal se separou.

Madalena - Ronaldo Monteiro de Souza e Ivan Lins
Ronaldo Monteiro estava chateado com o fim do namoro de três anos com Vera Regina. Foi até um bar defronte à praia de Copacabana, no Rio de Janeiro, para afogar as mágoas. Olhando o mar imenso, teve a ideia do verso: "'o mar era uma gota, comparado ao pranto meu". Mas não teve coragem de colocar o nome da ex na canção. Segundo ele, Madalena foi o primeiro nome que lhe ocorreu.

Apenas uma garotinha

A cantora **Cássia Rejane Eller** nasceu no Rio de Janeiro (RJ) em 10 de dezembro de 1962. Seu pai era sargento do Exército. Por isso, ela e a família moraram em diversas cidades do país, entre elas Belo Horizonte (MG), Santarém (PA) e Brasília (DF).
• Estudou canto lírico por seis meses.
• Fez parte do primeiro trio-elétrico de Brasília, o Massa Real.
• Apesar de ser homossexual assumida, teve casos com homens. Um deles foi com o baixista Tavinho Fialho, com quem teve seu único filho, Francisco Ribeiro Eller (Chicão). O menino nasceu em 1993, pouco depois de seu pai morrer em um acidente de carro.
• Teve uma relação de 14 anos com Maria Eugênia Vieira Martins. Ela ficou com a guarda de Chicão após a morte de Cássia.

• Cássia morreu em 29 de dezembro de 2001, após três paradas cardíacas. Em 2005, foi lançada uma biografia sobre a cantora: *Apenas uma garotinha*, dos jornalistas Ana Cláudia Landi e Eduardo Belo.

ÓPERAS FEMININAS

Sevilha, na Espanha do século XIX. **Carmen** é uma cigana que trabalha numa fábrica de tabacos e sua beleza quente seduz os homens, especialmente o inocente soldado don José, que se torna completamente obcecado por ela. Por esse amor, abandona a farda e entra para o bando de contrabandistas, amigos da cigana. Mas Carmen acaba deixando don José para ficar com um famoso toureiro. A crítica da época mostrou-se dividida; a maioria tratou a ópera de Georges Bizet como um espetáculo repugnante e obsceno. "Se fosse possível imaginar Sua Majestade Satânica escrevendo uma ópera, *Carmen* seria o tipo de obra que se esperaria", diria o *Music Trade Review*, de Londres. Mas houve apoio: "Bizet quer pintar homens e mulheres de verdade, alucinados, atormentados pelas paixões, pela loucura", foi a avaliação publicada no *Le National*, de Paris. A originalidade de *Carmen* acabaria triunfando sobre os preconceitos. Mas Bizet não viveu a tempo de assistir a seu próprio triunfo. Exatamente três meses após a polêmica estreia, recolhido a Bougival, uma pequena cidade do interior da França, morreu de um ataque do coração.

• **Lucia di Lammermoor**, de Gaetano Donizetti (1835), conta a história do romance impossível entre Lucia e Edgardo, que pertence a uma família rival. Obrigada a casar-se com Arturo, Lucia o assassina na noite de núpcias e acaba morta (não fica explícito se ela se suicida ou se é condenada). Edgardo, não suportando vê-la morta, apunhala o próprio peito.

• **Aída**, de Giuseppe Verdi (1871), conta o drama de Radamés, guerreiro egípcio convocado para lutar contra os etíopes que, no entanto, se apaixona pela princesa etíope Aída. Vencedor da batalha, Radamés ganha o direito de se casar com Amnéris, a filha do faraó. Mas foge com Aída e é surpreendido pelos sacerdotes, que o condenam à morte por soterramento. Aída, sabendo do destino do amado, decide se soterrar no túmulo, para morrer com ele.

• **La Gioconda**, de Amilcare Ponchielli (1880), se passa na Veneza do século XVII, onde uma senhora cega é acusada de feitiço por prejudicar um dos participantes de uma regata. O homem, que queria trocar a vida da senhora pelo amor da filha dela, Gioconda, vê seu plano falir por intervenção do príncipe de Santaflor, que é amante de Gioconda.

• **Madame Butterfly**, de Giacomo Puccini (1904), é ambientada no Japão, isolado do resto do mundo, em finais dos anos 1870. Chegam ao país oficiais da

Marinha americana que acabam se casando com as japonesas. Uma delas é Cio-Cio-San, a Butterfly. E o casamento leviano tem consequências trágicas.

• **Manon Lescaut**, de Giacomo Puccini (1893), é uma mulher inconstante, incapaz de decidir entre Geronte de Ravoir, um velho endinheirado, e seus desejos íntimos e sexuais, despertos pelo pobre Des Grieux, com quem ela fica no final, morrendo no meio de um deserto.

• **Tosca**, de Giacomo Puccini (1900), é ambientada em Roma, durante as guerras napoleônicas. O pintor Mario Cavaradossi finaliza uma pintura de Maria Madalena, inspirado na imagem da cantora Floria Tosca, por quem é apaixonado.

Voz poderosa

Maria Callas (1923-1977) foi a cantora lírica mais importante do século XX. Filha de gregos, Anna Maria Cecilia Sofia Kalogerópulu nasceu em Nova York, mas foi para a Grécia aos 14 anos, quando seus pais se separaram. Sua estreia foi na Arena de Verona, Itália, em 1947, com *La Gioconda,* e no ano seguinte surpreendeu a crítica e o público ao se apresentar, na mesma semana, em duas óperas completamente diferentes: uma em italiano e outra em alemão. Apresentou-se nas mais importantes casas do mundo como La Scala, Convent Garden e Metropolitan.

Curiosidades

✪ Por diversas vezes subiu ao palco contra recomendações médicas. Numa delas, precisou sair do teatro pela porta dos fundos, depois de um tolerável primeiro ato.

✪ Sofria de transtorno bipolar e, por causa disso, seu humor se alternava com frequência.

✪ Ficou famosa por criar casos e brigar com todos os maestros com quem entrou em cena.

✪ Teve um tórrido caso de amor com o milionário Aristóteles Onassis, que a deixou para se casar com Jackeline Kennedy.

4

A mulher que não usa perfume não tem futuro.

COCO CHANEL
(1883-1971), estilista

Beleza

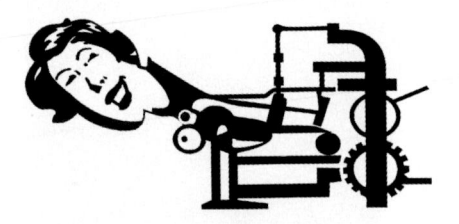

Para ficar mais belas, as mulheres foram capazes de loucuras, como pintar o rosto com veneno e entregas absolutas, como dedicar a vida a descobrir um creme que tornasse a pele mais jovem. Não fosse Helena Rubinstein, as mulheres ainda estariam usando óleos para besuntar a pele.

PERFUME

A palavra "perfume" vem do latim: *per* (através) *fumum* (fumaça). O homem descobriu que queimando arbustos, flores, resinas e incensos conseguia produzir fumaça aromática que despertava sensações.

Um século bem cheiroso

• No **Antigo Egito**: em 2900 a.C., os egípcios eram enterrados com jarros de óleo perfumado. Para perfumar o cadáver, eles colocavam uma massa de gordura perfumada no topo da cabeça ou sobre uma peruca. Durante a noite, a gordura dissolvia-se, cobrindo a peruca, as roupas e o corpo com uma camada oleosa bastante perfumada.

• No **Império Romano**: o perfume também era ingerido – puro ou no vinho – para ocultar o mau hálito.

• **Século IX**: a destilação da água de rosas e outros perfumes foi uma descoberta islâmica.

• **Século XIV**: foi descoberto o álcool como veículo para o perfume.

• **Século XVIII**: perfume era coisa de nobreza. Quando a Inglaterra recebeu uma delegação de embaixadores franceses, dois canhões foram disparados. Um jogou pó aromático. O outro, água perfumada.

• **Século XIX**: até começo dos anos 1800, havia uma linha divisória olfativa entre os sexos. Os aromas de jardins floridos eram considerados frívolos e indicados para as mulheres. Aos homens eram reservados aromas silvestres como o cedro e o pinheiro, porque eram considerados aromas dominantes. O hábito do banho não tinha sido difundido. Para a maioria dos nobres, a lavagem estava restrita às mãos e ao rosto. Para esse fim, usavam água perfumada. Os perfumes eram feitos com uma flor só, até surgir Jicky, de Guerlain, em 1889, que misturava vários aromas sintetizados.

• **Século XX**: as mulheres, que viviam apertadas dentro dos espartilhos, buscavam alívio nos aromas refrescantes das colônias florais no começo de 1900. Na Europa surgiam as primeiras lojas especializadas em perfumes.

• **1910**: Paul Poiret é o primeiro estilista da história a colocar à venda em sua *maison* uma linha própria de perfumes.

• **1920**: no começo dessa década, é lançado Chanel nº 5 (1921), acolhido com paixão principalmente por mulheres com cabelos à *garçonne* que, anos depois, também ficaram conhecidos como cabelos Chanel. Surgem também Arpège, de Lanvin e Shalimar, de Guerlain, e o conceito de perfumaria se amplia. Os produtos passam a ser largamente industrializados e comercializados. Aparece a figura do designer de embalagens de perfume.

• **1930**: Greta Garbo e Katherine Hepburn brilham no cinema enquanto Jean Patou lança Joy, o perfume mais caro do mundo que, nos dias atuais, valeria algo em torno de mil reais. Dizia ser um antídoto para o pessimismo da Primeira Guerra Mundial. Surge também o primeiro perfume unissex: Le Sien, de Jean Patou. Nina Ricci é celebrada como a grande musa da época e aproveita para lançar seu L'Air du Temps, com frasco de cristal criado por René Lalique.

• **1940**: os perfumes femininos eram divididos em categorias olfativas de acordo com os estereótipos da época. Às donzelas inocentes eram reservados os aromas de flores. Às mães e esposas, perfumes com notas adocicadas, que lembravam comida. Já para as sedutoras e prostitutas, apenas os aromas quentes dos condimentos e pimentas. Surgem estrelas voluptuosas como Rita Hayworth e Mae West, inspiradoras do grande sucesso da época, o perfume Femme, de Rochas.

• **1950**: a indústria americana inventa o mito da juventude provocante, por baixo dos *twin sets de banlon* e das meias soquete colegiais. A empresa Estée Lauder lança Youth Dew, que ficou conhecido como o perfume mais sexy do mundo. Na França, Lancôme contra-ataca com Trésor, cujo frasco, em forma de diamante facetado, ganha todos os prêmios de design do ano.

• **1960**: movimento hippie, festival de Woodstock, o homem na Lua. O mundo começa a mudar e surge um novo estilo de perfume, considerado futurista e à frente do seu tempo. Calandre, de Paco Rabanne, vira ícone absoluto. Os frascos deixam de ser rebuscados, com filetes dourados, e ganham linhas mais geométricas, em produções de larga escala.

• **1970**: explodem os movimentos feministas, a mulher começa a conquistar sua independência e os perfumes para elas ficam mais densos e agressivos. Yves Saint Laurent lança Opium e enfeitiça as mulheres, agora dispostas a fazer uma nova conquista: o prazer sexual.

• **1980**: surge a geração *yuppie*, a era do culto ao corpo, a busca desenfreada pela beleza. As ruas de Paris são tomadas pelo cheiro de Poison, de Christian Dior, um chipre almiscarado que grudava na pele. Mesmo assim, as mulheres continuavam em busca do grande amor e Anaïs Anaïs, o floral absoluto de Cacharel, se garante como campeão de vendas.

• **1990**: a irreverência toma conta das passarelas e o figurino das mulheres se masculiniza. A perfumaria segue a tendência andrógena e surgem os perfumes unissex da nova era. CK One, de Calvin Klein, se transforma no cheiro de toda uma geração. O século se encerra trazendo uma nova tendência: os perfumes gustativos, com notas que lembram comida e doces.

• **2000**: a perfumaria mundial retoma os conceitos de masculino e feminino. Com uma diferença no processo de fabricação: as essências deixam de ser extraídas da natureza e passam a ser sintetizadas em laboratório. O novo milênio marca a chegada da tecnologia Living Flower, aromas captados das flores ainda no pé e reproduzidos em tubos de ensaio.

Curiosidades

✪ O médico e filósofo Hipócrates acreditava que os perfumes eram fundamentais nas terapias de cura de doenças nervosas.

✪ Quando os romanos queriam se limpar, passavam por uma sessão de transpiração no *sudatorium*, espécie de sauna. Depois, por um banho quente e outro frio. Por fim, quem tinha mais dinheiro, comprava uma sessão de *unctarium*, massagem com óleos perfumados.

✪ No século I usavam-se fragrâncias não só para fins de atração pessoal, mas também como aromatizantes de ambientes nos banquetes e funerais.

✪ O almíscar, usado em muitos perfumes para dar base oriental, é extraído da glândula sexual do veado macho.

✪ O âmbar nada mais é do que o vômito endurecido da baleia cachalote, depois de comer a carapaça de lulas gigantes que moram nas profundezas dos mares. Seu cheiro é adocicado.

✪ Henrique VIII gostava de rosas. Mas fazia questão de que suas roupas fossem lavadas com alfazema, porque o aroma era mais fresco.

✪ As melhores partes do corpo para perfumar são pescoço, pulsos e dobra atrás dos joelhos. Nessas regiões, as veias têm calibre mais grosso e o sangue flui mais, esquentando a pele e fazendo o aroma recender.

✪ Aquela tira de papelão que as lojas colocam em copinhos junto aos perfumes chama-se *blother*. É feita do mesmo material usado no mata-borrão para absorver o excesso de tinta.

✪ No Brasil, o especialista em cheiros é chamado olfatólogo. Na França, chama-se *nez* (nariz). Para ser aceito no grupo, o candidato a perfumista precisa conhecer, de cara, dez odores sutis e sintéticos. Aceito, deve passar por um treinamento de "cheirador" que leva, no mínimo, dois anos.

Perfume em números

• No século XVIII, Luís XV determinou que se usasse um perfume diferente para cada dia da semana. Já sua amante, a madame Pompadour, teria gasto o equivalente ao preço de um pequeno palácio com perfumes.

🎵 Em 1922, os arqueólogos que abriram o túmulo do faraó Tutankhamon encontraram vasos com óleo conhecido como kiphi. Depois de 3.300 anos, traços do aroma puderam ser detectados.

🎵 Em 1900 foram coletados 1.400 quilos de óleo de almíscar. Para isso, mataram 50 mil animais da família dos veados. Hoje, o comércio mundial de óleo de almíscar é limitado a 300 quilos por ano.

🎵 O óleo de jasmim natural custa cerca de 3 mil dólares o quilo. A mesma quantidade da fragrância artificial custa só três dólares.

🎵 São necessárias 5 toneladas de rosas para produzir 1 quilo de óleo essencial de rosas.

🎵 Para conseguir 1 quilo de essência natural de jasmim, são necessários 600 quilos de flores.

🎵 A essência mais cara é a de rosas; 10 mil dólares o quilo.

🎵 A essência mais barata é a de laranja; 2,20 dólares o quilo.

🎵 Em 2006, a indústria francesa da perfumaria movimentou 20 bilhões de dólares.

🎵 O custo da essência, principal ingrediente de uma fragrância, não chega a 12% do preço pelo qual o produto é vendido na loja. Pelo menos 30% do valor final do perfume é investido em marketing e propaganda.

🎵 Para se fazer 1 quilo de óleo essencial de jasmim são necessários 8 milhões de flores.

🎵 Das marcas famosas, só duas têm perfumistas próprios: Chanel e Guerlain – Jacques Polge e Jean Paul Guerlain, respectivamente. Ambos conseguem identificar cerca de 3 mil odores diferentes.

🌸 O perfume Gabriela Sabatini foi campeão de vendas entre os perfumes importados no Brasil. Foi comercializado 1,5 milhão de unidades em oito anos.

🌸 Em 2007, o perfume Imperial Majesty, da Clive Christian, ganhou o título de mais caro da história. Em frasco de cristal Baccarat com filetes de ouro 18 quilates e um diamante de cinco quilates incrustado na tampa, custava 200 mil dólares. Foram produzidas apenas dez unidades.

🌸 Em 2005, a maison Givenchy usou o termo *Milésime*, empregado para designar champanhes das melhores safras, para catalogar seus perfumes. Os perfumes Amarige tiveram a melhor colheita de mimosas; Very Irrésistible, de rosas da Bulgária; e Organza, a melhor colheita de jasmins.

QUEM FORNECE FLORES PARA FAZER PERFUME?
Rosas existem nos quatro cantos do mundo. Mas as usadas nos perfumes são cultivadas de forma a preservar mais o aroma. Veja onde estas e outras flores são cultivadas para, depois, virarem perfume.

Alfazema	Grasse, na França
Bergamota	Itália
Cereja	China
Coriandro	Rússia
Gengibre	Índia
Jasmim	Marrocos
Laranja	região da Toscana, na Itália
Maracujá	Brasil
Patchouli	Indonésia
Rosa	Bulgária
Rosa de maio	Grasse, na França

POR QUE AS FLORES TÊM PERFUME?
Para garantir a perpetuação da espécie. O aroma da flor, que é produzido por tecidos glandulares chamados osmóforos, fica nas pétalas ou na sépala (parte do cálice exterior). Essas glândulas soltam óleos voláteis que evaporam, liberando o perfume, que serve de chamariz para mariposas, insetos e moscas. Atraídos pelo odor da flor, eles acabam pousando nela. Acontece que a flor é também o órgão reprodutor da planta (chama-se angiosperma), e quando os insetos tocam nas pétalas acabam absorvendo o pólen. Depois, ao pousarem em outra flor, liberam o pólen e promovem a fecundação.

A primeira *eau de cologne* do mundo

Em 1794, um general francês mandou numerar todas as casas da cidade de Colônia, na Alemanha. A que ganhou o número 4.711 era de Wilhelm Mülhens, farmacêutico que havia recebido como presente de casamento do monge Franz Farina a receita secreta de um destilado. O produto era feito com álcool e flores e era tido como tônico milagroso para tratar os males mais diversos: coceira, problemas de alergia, tosse e dores em geral. Mas Napoleão exigiu que todas as fórmulas médicas fossem reveladas e se tornassem públicas. Para escapar de ter de entregar seu segredo, Mülhens declarou que o tônico milagroso não passava de um perfume. E, assim, nasceu a primeira água-de-colônia do mundo, a 4.711. A casa permanece na mesma rua e tem o mesmo número até hoje, embora a empresa já não seja mais familiar.

As primeiras marcas de beleza do Brasil

No Brasil colônia, só uma empresa fabricava perfumes por aqui. Com o tempo, marcas estrangeiras foram chegando e acabaram se misturando à história do país.

No início do século XIX, o perfume era um produto raro, importado da Europa e privilégio da nobreza brasileira. Acreditava-se que, além de cheiro agradável, o perfume fosse benéfico à saúde. Com o tempo, a corte brasileira ganhou o direito de ter um fabricante oficial, a Casa Granado, fundada em 1870, no Rio de Janeiro, que tinha o título de Imperial Drogaria e Pharmacia de Granado & Cia., e trazia o brasão do Império nos seus frascos.

🙢 Quem quisesse um aroma particular poderia encomendá-lo à Botica Ao Veado d'Ouro, que já tinha sido inaugurada em 1858, em São Paulo, pelo alemão Gustav Schaumann. Os perfumes foram ficando acessíveis a todos os bolsos. Em 1924 surge a Phebo (veja história desta marca na p. 217). Com o sucesso do sabonete, lançou seu primeiro perfume, o Seiva de Alfazema.

🙢 Em 1929, o seringalista amazonense Francisco Olympio de Oliveira se mudou para o Rio de Janeiro com a esposa. A pedido dela, Francisco decidiu investir num produto de beleza para a pele da mulher. Surgia o Leite de Rosas, da L.R. Inicialmente o produto era fabricado na casa do casal, no bairro de Laranjeiras, no Rio de Janeiro. Depois, passou a ser produzido na garagem da nova residência, no Jardim Botânico.

🙢 Em 1935, a fabricante francesa Coty introduziu no país a linha de brilhantinas aromatizadas, o empurrão que os homens precisavam para aderir aos perfumes.

🙢 Em 1946, a empresa americana Colgate-Palmolive trouxe para o Brasil os primeiros frascos do perfume Cashmere Bouquet, que já fazia sucesso nos Estados Unidos e na Europa. O perfume vinha num frasco redondinho, com tampa rosa em formato de flor, e virou mania entre as mulheres elegantes.

🙢 Para falar com uma mulher mais ousada e agressiva, a empresa espanhola Dana abriu uma subsidiária no bairro de Santana, em São Paulo, em 1956, passando a fabricar seu perfume de maior sucesso: Tabu.
Três anos depois, a empresa americana Avon chegou ao Brasil, inaugurando um novo sistema de vendas de porta a porta.

Você sabia?

• Em 1886, o americano David McConnell vendia livros de porta em porta, em Nova York, e distribuía frascos de perfume como brinde aos seus clientes. Mas os perfumes faziam mais sucesso do que os livros, e McConnell resolveu mudar de ramo. Abriu a Califórnia Perfume

Company e convidou a amiga Florence Albee para ajudá-lo nas vendas. Otimista com o modelo de venda direta, Albee tinha sempre um sorriso no rosto quando a dona de casa lhe abria a porta e a convidava para experimentar as novidades. Foi a primeira revendedora Avon do mundo.

• Nos Estados Unidos, as mulheres conquistaram o direito de vender Avon antes mesmo do direito ao voto.

• Com a virada do século XXI, a Avon do Brasil comemorou também o número de vendedoras espalhadas pelo país: um milhão de mulheres.

Brasileiras consagradas

Natura

Fundada em 1969, em São Paulo, por Luiz Seabra. Desde essa época, o visionário empreendedor vendia a ideia de que as pessoas precisavam se conhecer melhor para serem mais felizes. E os cosméticos poderiam ajudar. Em 1974, a opção pela venda direta viabilizou o crescimento da empresa. Em 1984, a Natura passou a comercializar o sabonete de erva-doce cremoso. Não havia nada similar no mercado e o sucesso foi imediato. A empresa foi a primeira brasileira a ter cosméticos em refil, numa antecipada preocupação com o meio ambiente. Nos anos 1980, a linha Chronos antissinais se transformou em líder de mercado no tratamento antirrugas. A empresa atua em 4.500 municípios do Brasil, e exporta para Argentina, Chile, Peru e Bolívia.

Curiosidades

○ Em 2005, abriu sua primeira loja em Paris ao mesmo tempo em que foi considerada o maior centro de pesquisas e desenvolvimento cosmético do Brasil.

○ Muitos dos produtos comercializados em Paris não são vendidos no Brasil porque os hábitos de beleza das francesas são diferentes.

O Boticário

Em 1977, Miguel Krigsner abriu uma farmácia de manipulação em Curitiba, projeto conjunto com um colega da faculdade e dois dermatologistas. Construíram um local agradável, onde as pessoas se sentissem confortáveis, em vez de uma loja com jeito de farmácia e repleta de remédios. Nesse clima, Miguel partiu para a produção de produtos cosméticos com a marca O Boticário. O primeiro perfume, Acqua Fresca, foi um marco na perfumaria brasileira. Uma loja inaugurada em 1981 no aeroporto de Curitiba deu projeção à marca, que se lançou no mercado de franquias. No ano seguinte, foi inaugurada uma fábrica de grande porte em São José dos Pinhais, em Curitiba. A primeira loja da marca fora do Brasil foi inaugurada em Portugal. Em 1990, a empresa criou a Fundação Boticário para Preservação da Natureza.

Curiosidade
Os primeiros frascos de Acqua Fresca foram comprados do apresentador Silvio Santos. Ele pensava em lançar perfumes, mas havia desistido da ideia.

Phebo
Os primos Antônio e Mário Santiago, portugueses radicados no Brasil, resolveram fazer sabonetes tão bons quanto os que eram encontrados na França e na Inglaterra nos anos 1930. Os dois perfumistas criaram um sabonete oval, transparente e escuro, inspirado no Pear's Soap (sabonete inglês muito popular). A fábrica ficava em Belém (PA) e, por isso, várias essências da região foram utilizadas, como o pau-rosa, mesmo ingrediente que é usado no perfume Chanel nº 5. O nome Phebo foi escolhido para homenagear o deus Sol da mitologia grega, que irradia calor e energia, e mais tarde foi adotado como nome da empresa. O sabonete viajava de navio para o Rio de Janeiro e São Paulo e era oferecido aos comerciantes em consignação. A princípio, o sabonete não despertou interesse: custava cinco vezes mais que os demais disponíveis no mercado. Mas o Mappin Stores encomendou 25 dúzias e o sabonete caiu no gosto popular.

Curiosidades
✪ Depois de ser vendida para empresas como a multinacional Procter & Gamble e Sara Lee, foi comprada pela Granado Laboratórios.
✪ Foi a Granado quem resgatou o aroma original do sabonete e voltou a fabricá-lo exatamente igual à época de seu lançamento.

MERCADO "VER-O-CHEIRO"
Em Belém do Pará fica um dos maiores e mais bem providos mercados populares: o Ver-o-Peso. Mas ele também ganhou um apelido carinhoso dos seus frequentadores: mercado "ver-o-cheiro". Lá, os perfumes oferecem soluções cheirosas para problemas da vida. Nas mais de oitenta barracas, a céu aberto, existem remédios perfumados com nomes como: Corre Atrás de Mim, Pega-Rapaz, Desatrapalha, Agarra Freguês e Chora nos Meus Pés. As plantas aromáticas que servem como perfume-remédio são:
- Puchuri
- Cumaru
- Preciosa ou canela brasileira
- Pau-rosa
- Açaí

Dez dúvidas perfumadas

1. Por que alguns perfumes duram e outros somem em segundos?
A durabilidade está relacionada à concentração de essências. Quanto maior ela for, mais o perfume vai durar na pele.

2. Por que o cheiro de um perfume nunca fica igual em duas pessoas?
Porque o resultado do cheiro depende da química do perfume com a pele da pessoa. Como cada um tem um tipo de pele, um grau de acidez e uma temperatura diferente, o resultado do cheiro também pode variar.

3. Por que o cheiro de um perfume na loja nunca é igual ao cheiro que ele tem quando a gente usa em casa?
Porque o perfume tem sempre três cheiros diferentes:
a. Na loja: o cheiro que aparece são as *notas de saída*, dissolvidos em uma base que pode ser acetona ou produto semelhante, de volatilização imediata.

b. Depois de 10 minutos: agora aparecem as *notas de corpo*, que usaram álcool para dissolver e, por isso, resistem um pouco mais.

c. Uma hora depois: o álcool evaporou e sobraram apenas as notas diluídas em água, o meio mais duradouro, as chamadas *notas de fundo*.

Ao comprar um perfume, o ideal é borrifar a pele, sair da loja e, se gostar do cheiro depois de uma hora, voltar para efetuar a compra.

4. Por que as lojas de perfume têm potes com grãos de café?
Dizem que é para neutralizar e limpar o olfato. Depois de sentir três aromas diferentes, os receptores olfativos do nariz ficam cansados e começam a confundir as notas. Mas o café não deveria ser usado, porque seu aroma também é marcante para o nariz. O ideal é cheirar a própria pele em uma área que não tenha sido perfumada. É o aroma mais neutro que ajuda a "limpar" o olfato.

5. Por que o perfume não pode ficar no sol nem fora da caixa?
Porque o calor e a luz oxidam a fragrância, alterando os aromas. Por isso é que perfumes antigos têm todos o mesmo cheiro.

6. Por que os cheiros sempre fazem a gente lembrar de alguém?
Porque, diferentemente da visão, do tato, da audição e do paladar, o olfato é o único sentido ligado diretamente ao cérebro. Quando os receptores do nariz captam um aroma, a mensagem vai direto para o cérebro por meio do sistema límbico, o mesmo que aciona a região ligada à memória afetiva.

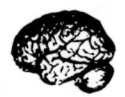

7. Por que os perfumes têm selos holográficos na caixa como os uísques?
Porque, assim como os uísques, os perfumes são os produtos mais falsificados do mundo. O selo holográfico ajuda a evitar a pirataria.

8. Por que os perfumes nacionais não têm fixadores tão bons quanto os importados?
Isso é mito. Não existe um ingrediente chamado fixador. O que determina que o perfume dure mais ou menos é a mistura e a quantidade de essências da sua composição.

9. Por que, depois de aplicar o perfume, é bom esfregar os pulsos?
Isso é o que não se deve fazer. Quando se esfrega a pele depois de colocar o perfume, as moléculas do aroma se rompem, modificando o cheiro do perfu-

me na pele. O certo é borrifar e deixar a pele secar naturalmente. No caso de perfumes sem borrifador, o ideal é aplicar uma gotinha sobre a pele e deixá-la se espalhar sem esfregar.

10. Por que não se deve usar perfume sob o sol?
Porque o álcool, assim como algumas essências, podem ser fotossensibilizantes, reagir em contato com o sol e provocar manchas na pele.

> **LOCAÇÃO CURIOSA**
> No filme *Hannibal*, o personagem principal compra uma loção perfumada e é flagrado pela câmera de segurança. A locação foi feita num lugar espetacular e... real. Na Officina Profumo Farmaceutica di Santa Maria Novella, que existe desde 1221 em Florença, são produzidos alguns dos melhores cosméticos naturais do mundo. Eles eram fabricados por freis dominicanos para uso deles mesmos, mas a fama dos produtos foi tanta que a partir do século XVII passaram a ser vendidos ao público. Em 2006, uma filial da Officina Profumo foi inaugurada em São Paulo.

Anos perfumados

A década de 1980 foi marcante na perfumaria. Dois perfumes não saíam do pescoço das mulheres:
• Lou Lou, de Cacharel, foi inspirado na polêmica personalidade da atriz Louise Brooks, ícone dos anos 1920. Ela viveu Lulu no filme *A caixa de Pandora*, meio menina, meio mulher, que hipnotizava e destruía os homens. Louise foi uma das primeiras atrizes a adotar o cabelo curto e também ficou conhecida como a grande amante de Charles Chaplin. Por todo o mundo, o perfume Lou Lou foi febre entre as adolescentes. Em 1988, no Brasil, chegou a ocupar a liderança na lista dos mais vendidos.
• Poison, de Christian Dior, lançado em 1986, foi dos aromas mais controversos de que se tem notícia na história dos perfumes. Picante, com notas de

cassis e jasmim, vinha num frasco roxo que personificava o próprio veneno (nome do perfume em francês). Aqui no Brasil, chegou no ano seguinte e ficou conhecido como o perfume das amantes. Impossível não perceber sua presença.

IMPORTAÇÃO EXTRAOFICIAL
Nos anos 1970, quem quisesse perfume importado tinha de trazer de fora do país, porque não havia importadores oficiais. O perfume que fazia mais sucesso entre as brasileiras era Avant la Fête, de Vibour. Era vendido a 20 dólares nas lojas Yvone, a mais famosa rede de perfumarias de Buenos Aires.

Um perfume pra chamar de seu

☆ ☆ ☆

Estas celebridades aproveitaram a fama para lançar seus próprios cheiros.

- Antonio Banderas: Mediterraneo, Spirit, Diavolo, Antonio e Hypnotic
- Gabriela Sabatini: Day Light, Gabriela Sabatini, Ocean Sun e Elegance
- David Beckham: Instinct
- Victoria Beckham: Intimately
- Britney Spears: Curious e Fantasy
- Jennifer Lopez: Glow, Live, Miami e Still
- Paris Hilton: Paris Hilton Feminino e Masculino
- Sarah Jessica Parker: Lovely
- Céline Dion: Belong, Notes, Céline Dion
- Donald Trump: The Fragrance
- Hilary Duff: With Love

♪ A família real brasileira, os Orleans e Bragança, foi a primeira a revelar publicamente seus hábitos perfumados. As mulheres usavam fragrâncias Miss France e Prelude, da Atkins, nos anos 1960.

♪ Em 2005, Giovanna Antonelli foi chamada pelo grupo L'Oréal, detentor dos direitos de comercialização da marca Cacharel, para ser a porta-voz do perfume Amor Amor.

🔥 Existem poucos perfumistas consagrados no mundo. Um dos mais famosos é o espanhol Alberto Morillas, que criou sucessos como CK One, de Calvin Klein, 212, de Carolina Herrera, e Blue Pour Femme, de Bvlgari.

🔥 *Mademoiselle* Chanel dizia que uma mulher elegante não saía de casa sem perfume. Ele é invisível, mas, se não estiver lá, fica faltando alguma coisa.

🔥 O seriado de televisão *Desperates housewives* provocou tanta comoção que a empresa Coty decidiu lançar, em 2006, um perfume com a grife. Chama-se Forbidden Fruit, de Desperates Housewives. Tradução: Fruto Proibido, de Donas de Casa Desesperadas.

🔥 Durante quase uma década, Isabella Rossellini foi garota-propaganda de Lancôme. Mas ela já tinha mais de quarenta anos e a empresa achou que associar seus cosméticos e perfumes a ela poderia envelhecer a grife. Então, demitiu-a. Em resposta, Isabella lançou o perfume Manifesto e arrebanhou uma multidão de fãs.

As famílias olfativas

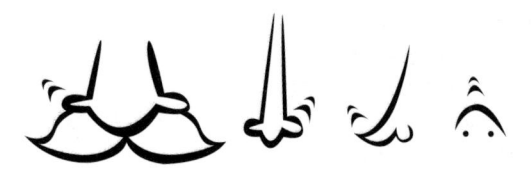

1. Cítrico: sua função na fragrância é a nota de saída, proporcionando expansão e frescor ao perfume. Exemplos: limão, mandarina, laranja e tangerina.
2. Herbal: combina bem com notas masculinas e amadeiradas, responsáveis pelo frescor do aroma. Exemplos: capim, limão, alecrim, manjericão, lavanda.
3. Ozônica: são moléculas sintéticas feitas em laboratório com o objetivo de lembrar a natureza, como o cheiro de mar, de maresia, de cachoeira.
4. Aldeída: sintéticas, são a combinação perfeita com os aromas florais. Dão corpo aos perfumes.
5. Verde: possuem característica de folhas amassadas e de grama recém-cortada. Exemplos: gálbano (extraído da cenoura) e folhas de pitanga.
6. Frutal: essas notas são usadas em quantidades reduzidas e trazem jovialidade e alegria aos perfumes. Exemplos: framboesa, maracujá, maçã, pêssego, abacaxi.

7. Floral: usadas como notas de corpo, agregam riqueza e personalidade à fragrância. Exemplos: muguet, rosa, ylang, tuberosa, jasmim.

8. Especiada: as primeiras notas a saírem produzem um efeito fresco. Mas também dão profundidade ao aroma e são as que despertam sensações vivas como as de quente, picante, ardido. Exemplos: cravo, pimenta-preta, noz-moscada, canela, cardamomo.

9. Amadeirada: notas que transmitem elegância, sofisticação aos perfumes e as que mais garantem durabilidade do aroma. Exemplos: cedro, patchouli, vetiver, sândalo, louro e rosa.

DO QUE É FEITO O CHEIRO?

Um único perfume pode conter mais de mil notas olfativas, das mais diversas origens.

Matéria-prima natural: de origem vegetal, extraída de flores, folhas, madeiras, musgos e raízes; ou de origem animal, retirada das secreções glandulares e da regurgitação das baleias.

Matéria-prima sintética: podem ser aromas naturais isolados, sem destruir a planta, ou naturais idênticos, copiados do aroma original. Mas, se não houver um cheiro para copiar, podem simplesmente ser inventados no laboratório.

Madrinhas de perfume

Ao lançar seus perfumes, estilistas convidam atrizes, rainhas ou damas da sociedade para que deem sua bênção à nova criação. Algumas delas são chamadas para relançar perfumes que já existem, mas adotam novas campanhas de publicidade.

- Hillary Clinton, **Adoration**, de William Owen
- Diana Ross, **Angel**, de Thierry Mugler
- Jacqueline Bisset, **Arpège**, de Jeanne Lanvin
- Oprah Winfrey, **Bijan**, de Bijan
- Barbara Bush, **Calandre**, de Paco Rabanne

- Ivana Trump, **C'est La Vie!**, de Christian Lacroix
- Marilyn Monroe, **Chanel nº 5**, de Chanel
- Vanessa Paradis, **Coco**, de Chanel
- Nancy Reagan, **Estée**, de Estée Lauder
- Mae West, **Femme**, de Rochas
- Farrah Fawcett, **Giorgio**, de Beverly Hills
- Claudia Schiffer, **Guess**, de Georges Marciano
- Madonna, **Jean-Paul Gaultier**, de Gaultier
- Jacqueline Kennedy Onassis, **Her nº 4**, de Jil Sander
- Gloria Swanson, **Joy**, de Jean Patou
- Audrey Hepburn, **L'Interdit**, de Givenchy
- Imelda Marcos, **Mad Moments**, de Madeleine Mono
- Isabella Rossellini, **Magie Noire**, de Lancôme
- Priscilla Presley, **Moments**, de Muelhens
- Rainha Elizabeth II, **Narcise**, de Chloé
- Jerry Hall, **Opium**, de Yves Saint Laurent
- Grace Kelly, **Private Collection**, de Estée Lauder
- Josette Banzet, **Safari**, de Ralph Lauren
- Caroline de Mônaco, **Salvador**, de Salvador Dali
- Meryl Streep, **Shalimar**, de Guerlain
- Vera Wang, **Tiffany**, de Tiffany & Company
- Tina Turner, **V**, de Versace

MADRINHAS CAMPEÃS

- Catherine Deneuve, Lady Di e Elizabeth Taylor disputaram o título das mais cobiçadas madrinhas de perfumes. Mas quem levou o prêmio foi a desconhecida atriz Josette Banzet, que nos anos 1977 fez uma ponta no filme *O outro lado da meia-noite*. Francesa de nascimento, Banzet vivia nos Estados Unidos e mantinha excelente relacionamento com os estilistas de moda.
- A *top model* brasileira Michele Alves foi selecionada, entre mais de cem modelos, para ser a garota-propaganda do perfume Cinéma, de Yves Saint Laurent, em 2004.

Pequenos e grandes frascos

O ditado popular diz: "os melhores perfumes estão nos menores frascos e os piores venenos também". Historiadores dizem que essa frase nasceu na Idade Média. Naquele tempo, era comum encomendar veneno aos alquimistas para liquidar inimigos. Mas sempre havia alguém para questionar: "por que um frasco tão pequeno custava tão caro?". Como também conheciam o poder das flores, os alquimistas se valiam dessa frase para justificar o alto valor que cobravam por sua química.

- Eau de cologne: tem porcentagem mínima de 3% a 5% de fragrâncias. Suas notas são mais efêmeras e costumam durar cerca de uma hora na pele.
- Eau de toilette: sua concentração de notas olfativas varia entre 5% a 10%. Pode durar de quatro a seis horas.
- Eau de parfum: concentra de 10% a 15% das essências. Seu aroma resiste até oito horas na pele.
- Parfum: é o produto mais nobre da linha e possui concentração de essências em torno de 15% a 20%. Duas gotinhas aguentam até 24 horas na pele.

Você sabia?

Os perfumes franceses costumam ter concentrações mais altas de essências. Não é à toa que eles têm fama de ser os melhores.

PERFUMES EXPLOSIVOS

Na época da Primeira Grande Guerra (1939), Pollina Molotov, esposa de Vyacheslav Mikhailovich Molotov, general que deu seu nome à bomba, recebeu a incumbência do Departamento Russo de Assuntos Femininos de criar e ajudar a vender perfumes para milhares de mulheres. Ela batizou suas criações de "A Estrela Vermelha se Levanta" e "Expresso Polar".

Da rainha para as plebeias

O perfumista Francis Kukdjian, que já fez perfumes para Guerlain, Dior e Elizabeth Arden, relançou, em 2007, M. A. Sillage de la Reine, o perfume de Maria Antonieta. Para recriar o cheiro da rainha, ele se baseou em pesquisas históricas. Ela usava rosas, angélicas e flor-de-laranjeira. O perfume, de 25 ml, foi embalado em frasco de cristal Baccarat e o preço nas perfumarias chegava a 400 dólares.

Chanel nº 5, o perfume

O perfume foi criado por Ernest Beautiful, ou Ernest Beaux, a pedido de Gabrielle Chanel, ou Coco, apelido de infância que era usado pelos mais íntimos. Ela disse: "Quero um perfume de mulher com cheiro de mulher". Ele atendeu ao pedido, misturando mais de sessenta notas aldeídas com notas florais.

No meio do caminho: *monsieur* Beaux exagerou nos aldeídos, colocando dez vezes mais do que mandava sua receita original. *Mademoiselle* Chanel amou o resultado.

Por que nº 5?: há três versões, além do fato de que *mademoiselle* achava ridículos e antiquados os nomes de perfumes da época. A primeira conta que 5 era o número da sorte de Coco Chanel. A segunda, que o perfumista apresentou cinco opções de cheiros, numerados por ordem de criação, e ela teria escolhido a quinta opção. E, finalmente, a versão mais provável, que o perfumista já havia apresentado a ela outros quatro perfumes que teriam sido reprovados pela estilista. O nº 5 teria sido sua derradeira chance de criar um sucesso estrondoso.

O vidro: foi Coco Chanel quem desenhou o frasco do Chanel nº 5. Além de detestar vidros rebuscados, ela dizia que o que estava lá dentro era muito mais significante. A embalagem, assim como foi concebida, se mantém praticamente intocável até hoje.

Pitada de Brasil: um dos ingredientes do perfume é o óleo de pau-rosa, extraído no Pará. Nos anos 1980 a árvore entrou em processo de extinção, e a *maison* Chanel foi acusada de contribuir para a devastação das reservas nativas brasileiras. Passaram a sintetizar o aroma em laboratório.

TROCANDO EM NÚMEROS

• O perfume foi mostrado à sociedade no dia 5 de maio de 1921.
• Seu vidro foi o primeiro a ter 100% de transparência.
• Pelo contrato, 70% dos lucros obtidos com a venda do perfume ficavam com o fabricante, a família Wertheimer, e 20% com o lojista ou revendedor. *Mademoiselle* Chanel recebia apenas 10% do valor de venda do perfume que ela ajudou a criar e para o qual deu seu nome.
• Em 1959, Chanel nº 5 foi aceito como peça fixa na coleção do Museu de Arte Moderna de Nova York.
• Ao completar 75 anos da sua criação, o Museu de Arte Moderna de Nova York exibiu quatro versões de embalagens de Chanel nº 5 criadas por Andy Warhol. Cinco desses frascos vieram para o Brasil e foram dados de presente às mais importantes editoras de beleza de revistas femininas do país.
• Em 2005, Nicole Kidman e Rodrigo Santoro protagonizaram um filme publicitário do perfume. A propaganda durava 2 minutos e custou 20 milhões de dólares.
• No filme de Chanel nº 5, Nicole Kidman usa joias que foram desenhadas por *mademoiselle* Chanel em 1932. O colar de ouro branco tem 687 diamantes de 18 quilates e, com o anel e a pulseira do conjunto, valem 30 milhões de dólares.
• O vestido usado por Nicole no filme publicitário levou três meses para ser confeccionado. Foi feito por cinco costureiras com uma única peça de musselina rosa. Tem uma cascata de plumas e 120 metros de tule.
• O perfume Chanel nº 5 nunca saiu da lista dos dez mais vendidos do mundo.

Você sabia?

A marca francesa L'Occitane traz inscrições em braile em todas as suas embalagens porque acredita que o deficiente visual deva ser contemplado com a riqueza olfativa dos seus produtos. Destina o valor arrecadado com a vela perfumada "Clementine" (a mais vendida da rede, no mundo) a uma organização dedicada ao tratamento dos cegos, a Orbis.

CABELOS

Cleópatra, ao contrário do que mostrou o filme protagonizado por Elizabeth Taylor, não tinha franja. Seu cabelo era mais longo e nem tão liso. Para deixá-lo sedoso, ela usava gordura extraída das glândulas de animais. Safo, a poetisa grega, utilizava ferros quentes para ondular os cabelos e seduzir suas amadas da ilha de Lesbos.

Renascimento: as musas foram imortalizadas pelos pintores com cabelos soltos, longos e ondulados. Os tons favoritos eram o loiro e o ruivo.

Contrarreforma: no século XVII, a rigidez prevaleceu sobre a doçura. A igreja Católica e a Protestante impõem a estética conservadora e rígida e as mulheres prendem seus cabelos em coques baixos sempre arrematados por véus. Até os acessórios brilhantes são condenados. Mais adiante, as mulheres tentam ousar um pouco, construindo verdadeiros edifícios capilares, feitos com perucas, evidentemente.

Século XVIII: o penteado transforma o cabelo em peça do vestuário, objeto de arte e de moda. Assim como as modistas, o cabeleireiro entra em cena, tornando-se cúmplice e confidente das mulheres. A mulher mais copiada do século foi Maria Antonieta, que tinha uma cabeleira natural em tom louro acinzentado.

A RAINHA PIOLHENTA
O cabeleireiro Léonard criou o penteado *pouf* para a rainha da França. Ele montava uma estrutura de arame que era recoberta de lã, tecido, crina de cavalo e gaze. Tudo isso era preso à cabeça e depois coberto pelo próprio cabelo dela. Como nem sempre era possível cobrir tudo, usava-se pomada e talco para disfarçar. Os piolhos, claro, adoravam essa moradia.

Século XIX: uma das mulheres mais belas da época, madame Récamier, dama da sociedade francesa, tinha cabelos curtos e cachos rebeldes, presos com uma fita-tiara. Um penteado libertador, diriam as mais modernas e intelectuais como ela. Na Rússia, havia notícia de estudantes que também tinham adotado o corte curto.

1900: a escritora Gabrielle Claudine Colette foi uma das primeiras a cortar o cabelo e deixá-lo curto. A atriz Sarah Bernhardt seguiu seus passos.

1910: Mary Pickford, uma das primeiras estrelas de Hollywood, consagra os cachos louros, criação do maquiador Max Factor para inventar mulheres com cara de anjo. Na Europa, surgiam as *garçonnes*, de cabelos curtos e escuros. Eram mais provocantes. Para as mulheres da sociedade, os coques fofos continuavam em alta.

1920: Louise Brooks consagra o corte à *garçonne*. Com franja, curto, escuro e andrógino. Para seduzir homens e mulheres. René Rambaud inventa o "pega--rapaz", uma mecha de cabelo modelada para escapar pelo chapéu.

Você sabia?

- Em 1929 surgiram as *mise-en-plis*, técnica de encaracolar os cabelos, criada pelo cabeleireiro Karl Nestlé, que fazia ondas nos cabelos muito lisos.
- Os irmãos Ströher, detentores de patentes de aparelhos para permanente e fundadores da sociedade Wella, também fabricavam apliques ou mechas prolongadoras. A concorrente L'Oréal lançou o primeiro creme de tratamento para cabelos com permanente: Biorene. As duas marcas concorrem até hoje.
- Na década de 1920, 25 mil salões de beleza foram abertos na França.

1930: a América vivia uma crise e a Europa, a ascensão do fascismo. As estrelas de Hollywood representavam uma fuga para os contos de fadas. Marlene Dietrich, com sobrancelhas finíssimas e cabelos louros, era o sonho de consumo das mulheres. Mas foi Jean Harlow quem lançou o padrão loura platinada, num filme homônimo, estilo que perdurou por trinta anos. Somem as franjas e a moda é ter cabelos ondulados, polidos com brilhantina.

- Em 1933 foi lançada a primeira revista inteiramente dedicada à beleza. Foi a francesa *Votre Beauté*.

1940: a Europa enfrentava o nazismo, roupas velhas eram recicladas porque não havia tecido para novas. Como a água encanada já não era mais raridade, as mulheres descobriam as delícias de lavar os cabelos com xampus, que também já estavam disponíveis. Os fios voltam a ser mais longos. Lauren Bacall lança a moda dos cabelos frisados com ferro e disciplinados com bobes.

SEXIES **PARA OS SOLDADOS**
- Marlene Dietrich, feroz antinazista, fazia espetáculos para soldados do *front*, balançando os cabelos compridos.
- Max Factor criou maquiagem especial para as mulheres que serviam o Exército.
- Revlon fabricou estojos de primeiros-socorros.
- Helena Rubinstein ganhou incentivo fiscal do governo Roosevelt. Fazer-se bela era um esforço de guerra.
- As *pin-ups* alegravam os soldados em baralhos e calendários. Rita Hayworth, célebre por *Gilda*, transformou-se em lenda e serviu de modelo para o lançamento do primeiro biquíni.

1950: no pós-guerra, os valores conservadores voltam à cena. Os lenços Hermés atados aos cabelos viram moda. O salão Alexandre de Paris tinha entre as suas clientes Helène de Rothschild e Liz Taylor. Grace Kelly torna possível a loira elegante e, em contraponto, Ava Gardner inventa o estilo morena provocante. Era a década da coloração em massa. O número de adeptas passou de 500 mil a 2 milhões. Com cachos calculados e o retorno da franja, Brigitte Bardot inventa a mulher-criança, embora já tivesse 18 anos.

Curiosidades
✪ As irmãs Carita, filhas de imigrantes espanhóis, que tinham aberto um salão na Faubourg Saint-Honoré em 1946, criaram uma escola de estética alguns anos depois e, em seguida, investiram na moda de cortes de cabelos para homens.

◯ Inventa-se o laquê, produto extraído do látex, que ajuda a dar fixação ao cabelo.

1960: surge Vidal Sassoon, com seus cortes de linhas assimétricas, o primeiro a cortar o cabelo com as pontas desfiadas. Alguns anos depois, o cabeleireiro Kenneth inova com o cabelo *swinging hair*, um penteado fofo, no alto da cabeça e com as pontas viradas para fora, que fez sucesso entre as comportadas. As modernas preferiram o corte curto de Twiggy. Cara e jeito de menino.

> **CABELOS À JOÃOZINHO**
> O cabelo das mulheres que o usam à Joãozinho é bem curtinho. A moda, segundo a escritora Danuza Leão, foi invenção de uma vedete conhecida como Joãozinho Boa-Pinta. Ela ficou famosa por ser namorada do ex-presidente Jango Goulart.

1970: *Hair*, filme de 1969, dá liberdade às cabeleiras. Todos os tabus são quebrados e a técnica de *brushing*, feita com escova e secador, vira moda. Os cachos soltos de Farrah Fawcett, da série *As panteras*, vira sonho das mulheres ao redor do mundo. Sua cabeleira é assegurada em 125 mil dólares. Em 1979, Bo Derek lançou a moda das dezenas de trancinhas desde a raiz do cabelo, no filme *Mulher nota 10*.

Curiosidades
◯ Em 1975, Warren Beatty ganha fama internacional vivendo um cabeleireiro que seduz as clientes no filme *Shampoo*.
◯ Os cabelos afro ganham projeção com o movimento "Black is beautiful", uma extensão do movimento *hippie*, que pregava igualdade entre todos. As cabeleiras crespas são assumidas e enfeitadas com flores e presilhas coloridas.
◯ Em 1970, oito em cada dez mulheres faziam algum tipo de permanente para dar volume ao cabelo.

1980: gel e musse mudam a relação das mulheres com os seus cabelos. As mulheres usam muitos produtos para conseguir o visual natural, cabelos esvoaçantes. Aqui no Brasil, a moda dos topetes agradece aos seus criadores: os cantores sertanejos Chitãozinho e Xororó.

Curiosidades
Surgem no Brasil as primeiras musses para modelar e gel de efeito molhado (*wet look*).

1990: a beleza quer ser cada vez mais natural. Mas os cabelos alisados ganham espaço entre as mulheres. Surgem as escovas progressivas, que deixam os fios esticados. Os cortes são irregulares e longos. Os prolongamentos de fios tornam-se naturais.

2000: inaugura-se a década dos três "L": longo, louro e liso. As mulheres do mundo querem cabelos compridos, esticados e com mechas e luzes em vários tons de louro.

TEM MAIS...
• No século XIX, as mechas de cabelo serviam como relíquias: lembrança da mulher amada ou de um filho morto.
• Nos anos 1960, o laquê ajudava a fixar o cabelo. Para retirar completamente o produto, feito com goma elástica semelhante à cola, era preciso deixar o cabelo de molho com água e sabão.
• O *spray* fixador roubou o lugar do laquê, porque bastava escovar o cabelo para ele sair sem deixar os fios duros.
• O primeiro desembaraçante surgiu em 1870, e era feito à base de vaselina. Chamava-se Vaseline Petrolato e era indicado para tratar caspa e irritação do couro cabeludo. Anos mais tarde, o produto daria origem ao Vasenol, creme para as mãos.
• Na década de 1960, nos Estados Unidos, apareceram os desembaraçantes diluídos e mais suaves. Mas só chegaram ao Brasil dez anos depois. Em menos de dois anos, mudaram o nome para creme rinse e, vinte anos mais tarde, evoluíram para condicionador.

O primeiro salão de beleza do mundo...

Em 1635 foi inaugurado em Paris o primeiro salão de cabeleireiros para mulheres. Seu nome era Champagne e oferecia um penteado que ganhou o nome de "à doidivanas": bem curto na frente para fazer cachos volumosos no alto da cabeça.

... e o retrato dos salões de beleza no Brasil

Em 1929, São Paulo tinha 34 salões de beleza para mulheres e 1.159 barbearias. Em 2007, a maior cidade do país tem cerca de 50 mil salões de beleza.

QUEM INVENTOU O GRAMPO DE CABELO?

Um pino comprido, reto e decorativo era utilizado pelas mulheres gregas e romanas para prender seus cabelos. Tanto na forma quanto na função, ele reproduzia exatamente as finas espinhas de animais e espinhos de plantas utilizados pelos homens e mulheres primitivos. Civilizações antigas da Ásia produziram muitos grampos de cabelo de osso, ferro, bronze, prata e ouro. Muitos eram achatados, outros decorados, mas todos eles claramente revelam que a forma do grampo se manteve a mesma por dez mil anos. O prendedor reto acabou se modificando também para a forma de "U". Os prendedores com duas pontas – pequeno, feito de aço e pintado de preto – começaram a ser produzidos em massa no século XIX, tornando os prendedores retos de uma ponta realmente obsoletos.

Punição: cortar o cabelo

- Inês, ou Agnes, se transformou na primeira santa da Igreja Católica. Era uma jovem linda, de cabelos vermelhos, que sofreu várias tentativas de estupro por parte dos homens. Certa vez se defendeu fazendo com que caísse um raio sobre o agressor. No século IV, foi denunciada por bruxaria e levada nua à forca, quando usou os cabelos para proteger o corpo despido dos olhos do povo. Como os grilhões não prendiam seus pulsos finos, acabou decapitada por uma espada. A família, que era muito influente, impediu que seus cabelos ruivos fossem arrancados.
- Joana d'Arc, que era vista como feiticeira, foi tosquiada como uma ovelha. Seus cabelos foram cortados muito curtos porque acreditava-se que a força dela estivesse na cabeleira. Isso aconteceu no século XV, e alguns séculos depois, durante a Segunda Guerra Mundial, a tosquia virou uma forma de castigar as mulheres que fossem suspeitas de "se deitarem" com o inimigo. Cerca de 20 mil mulheres tiveram seus cabelos raspados em praça pública ao serem pegas na cama com soldados rivais.

CABELOS SAGRADOS
Maria Madalena teria enxugado os pés de Cristo na cruz com seus cabelos. Muitos anos mais tarde, já na condição de santa, ela foi representada em quadros e esculturas com uma cabeleira abundante.

O véu e os cabelos

O apóstolo Paulo disse: "Se uma mulher não se cobre com o véu, então, corte o cabelo. Se é vergonhoso ter cabelos cortados, então, que se cubra com o véu".

Em Roma, Tertuliano considerava as toucas e lenços insuficientes. Para ele, o véu era indispensável para velar o corpo da mulher e o seu cabelo, objetos de tentação.

Na religião católica, o véu era visto como hímen. Apenas o marido poderia tirar. Significava oferenda, sacrifício da esposa.

🎧 A partir do século VI, a Igreja Católica impõe o véu às religiosas e aconselha-o às demais mulheres.

🎧 A relação do Islã com os véus é controversa. Num mundo de homens, usar o véu é a única possibilidade de circular em espaços públicos, já que os cabelos são considerados armas com grande poder de sedução.

🎧 No século XIX, mulheres de respeito cobriam a cabeça. A mulher de cabelos soltos era uma figura do povo ou uma prostituta.

🎧 Em países como o Egito, os Emirados Árabes e o Marrocos, mulheres que andam nas ruas com os cabelos soltos são consideradas as mais "disponíveis". As mais conservadoras cobrem não apenas a parte de trás dos cabelos, como também as costeletas, que são muito valorizadas pelos homens.

Como é possível saber quantos fios de cabelo uma pessoa tem?

Essa é uma estimativa feita por amostragem, em uma determinada região do couro cabeludo. Uma pessoa possui de 120 mil a 150 mil fios de cabelo. Após três anos, o fio é substituído por outro, que nasce no mesmo poro.
• O número de fios é maior na parte de trás da cabeça.
• A espessura e a quantidade de fios diminuem com a idade.
• A calvície feminina é mais rara do que a masculina. Para cada cem homens carecas, há apenas uma mulher.

DEPENDE DA COR
A brasileira loira tem 140 mil fios de cabelo contra 105 mil fios da morena e 90 mil fios da ruiva. Mas a cor precisa ser original, e não da tintura...

O CABELO EM NÚMEROS

- 0,3 mm é quanto um fio de cabelo cresce por dia
- 1,5 cm é o limite de crescimento do fio de cabelo por mês
- 1,3 km é a quantidade aproximada de cabelos produzida por mês, se os fios forem alinhados
- 4 mm sob a pele é a profundidade em que se implanta a raiz do cabelo
- 45 mícrons é o diâmetro de um fio de cabelo fino
- 30% é o máximo que um fio de cabelo seco consegue estirar sem quebrar
- 50% é o máximo que um fio de cabelo úmido consegue estirar sem quebrar
- 18 mil a 36 mil fios de cabelo caem por ano, o que é considerado normal. Isso dá uma média de cinquenta a cem fios por dia
- 100 g é o peso médio que um fio de cabelo pode suportar sem quebrar
- 1 cm² de couro cabeludo tem, em média, duzentos fios de cabelo

Você sabia?

Um fio de cabelo é quase uma tabela periódica: tem 45% de carbono, 28% de oxigênio, 15% de nitrogênio, 7% de hidrogênio, 5% de enxofre, além de cálcio, cádmio, cromo, cobre, mercúrio, chumbo, ferro, arsênico, silício e zinco.

Fio de cabelo, do nascimento à morte

Cada fio de cabelo é independente do outro, cresce e cai sem se ligar aos seus vizinhos. O ciclo de vida de cada fio obedece a três fases:

1. Anágena: as células são produzidas e o cabelo cresce. Dura de dois a três anos.

2. Catágena: tempo de pausa ou transição. O cabelo fica inativo e o folículo, ao qual ele está preso, regride. Dura de duas a cinco semanas.

3. Telógena: o cabelo cai, abrindo espaço para um novo fio que nasce em seguida. A fase dura entre 3 e 4 meses.

Como elas lavavam a cabeça?

A palavra xampu vem de *chhamna*, que no idioma indiano significa apertar, amassar, fazer massagem.

• No final do século XIX, beleza e higiene eram dois conceitos distantes. Para cuidar dos cabelos, as mulheres molhavam o pente em água e óleo perfumado.
• As mulheres com maior poder aquisitivo tinham cabeleireiros particulares. Eles higienizavam os cabelos delas com uma mistura de sabão derretido em água quente e bicarbonato de sódio. Colocavam ainda alguma erva para deixar um cheiro bom na cabeça.
• Os primeiros xampus surgiram na Alemanha, em 1890. Eles eram fabricados à base de sabão escuro fervido e cristais de soda. O problema é que deixavam crostas duras sobre o cabelo. Não se sabe se lavavam ou sujavam mais.
• A partir de 1904, os xampus passaram a ter sabão de potássio, óleo de copra e óleo de oliva para amaciar o cabelo. Apesar de deixarem o cabelo um pouco duro, foram a base para os xampus que vieram depois.

O primeiro xampu brasileiro

Aqui no Brasil, o primeiro xampu a ser vendido nas farmácias foi da marca Vinólia, em 1962, importado pela Gessy Lever. Eles já tinham muito prestígio na Alemanha, Holanda, Áustria e Inglaterra, mas aqui não foram sensação de imediato. Motivo do fracasso: a embalagem de vidro caía no chão com frequência, causando muito transtorno durante o banho. Em 1966, o produto passou a ser fabricado no Rio de Janeiro e envasado em frasco plástico. Motivo do sucesso: o produto já podia ser encontrado também nos supermercados.

> **QUANDO ELAS LAVAM**
>
> 34%.............. cinco vezes por semana
> 52%.............. duas ou três vezes por semana
> 10%.............. apenas uma vez por semana
> 4%............... uma vez a cada 15 dias
> Fonte: L'Oréal / 2007.

A primeira tintura de cabelo

A tintura de cabelo foi inventada em 1908, mas provocou muita irritação na cabeça das mulheres. A primeira tentativa bem-sucedida aconteceu no ano seguinte, 1909, um feito do químico francês Eugène Schueller. Ele baseou sua fórmula num novo componente químico, a *paraphenylenediamine*, e graças ao sucesso do produto fundou a Sociedade Francesa das Tinturas Inofensivas. Um ano depois, Schueller escolheu um nome mais glamoroso para sua empresa: L'Oréal. Sua tintura mais famosa, Imédia, apareceu em 1927 e existe até hoje.

TOM SOBRE TOM
Além da tintura, há maneiras sutis de modificar a cor dos cabelos:
• *Balayage*: descoloração de algumas mechas concentradas de cabelo, de maneira desigual entre a raiz e as pontas.
• Luzes: poucos fios na parte da frente e superior da cabeça são descoloridos ou tingidos em um ou vários tons que se aproximem do tom original do cabelo. Cria a ilusão de um cabelo clareado pelo sol.
• Mechas: chumaços mais espessos de cabelo são tingidos em um tom diferente do tom do cabelo.
• Reflexos: muitos fios são tingidos em vários tons diferentes, que se aproximem do tom original do cabelo. São luzes mais intensificadas por toda a cabeça.

Na Idade Média, as mulheres usavam sulfureto de arsênico e enxofre para clarear os cabelos. Para conseguir mechas mais claras, preservando o tom pálido do rosto, as italianas passavam dias inteiros sob o sol, envoltas em véus. Usavam chapéus sem copa, de onde saíam cabelos umedecidos em açafrão com suco de limão.

Você sabia?

Três mil reais é quanto custava um mega-hair de 30 cm em 2007, dez vezes o preço de uma peruca feita de fios naturais. Os primeiros cabelos artificiais foram implantados no final dos anos 1990, por meio do método inglês Great Lenghts. Quem inventou a técnica foi o químico David Gold, o mesmo que desenvolveu tecnologia para tingir as meias-calças.

Por que as pessoas não nascem com cabelos nas cores azul, rosa e verde?
A Mãe Natureza não nos deu muitas opções. A cor dos cabelos é definida por um pigmento chamado melanina. Essa substância fica nos melanócitos, células localizadas no folículo capilar (poro onde nasce o fio), e pode ser encontrada em três versões: a eumelanina, que dá cor aos cabelos escuros; a feomelanina, que torna os fios louros; e a eritromelanina, presente nos ruivos. Grande parte das pessoas possui uma mistura deles. Essa combinação de cores segue a receita dada pelos genes de cada um. À medida que as pessoas envelhecem, a produção de melanina diminui e os fios ficam brancos.

Clareie as dúvidas sobre cabelo branco

1. Com que idade aparecem os primeiros cabelos brancos?
Isso é muito variável, mas a média é de 34 anos para os ocidentais, 40 para os asiáticos e 45 para os africanos.

2. Por que aparece o cabelo branco?
Por causa da genética. Ela determina em que fase da vida vai acontecer a

apoptose ou morte das células responsáveis por produzir melanina, o pigmento que dá cor à pele, aos pelos e aos cabelos.

3. Estresse pode branquear o cabelo?
Não. O estresse pode enfraquecer os fios, aumentar a queda e até deixar o corpo mais vulnerável a doenças capilares, o que pode fazer com que os próximos fios nasçam brancos.

4. Por que tem gente com cabelo branco aos vinte anos?
É comum que os primeiros fios apareçam entre trinta e quarenta anos. Pelo menos metade da população com mais de cinquenta anos já tem cabelo branco. Mas não existe uma idade certa para ter cabelo branco e os primeiros fios podem aparecer aos vinte anos ou até menos.

5. Por que o fio branco é áspero e grosso?
O pigmento que dá cor ao fio desaparece e dá lugar a bolhas de ar assim que o cabelo embranquece. Por isso, ele fica mais grosso e áspero. Com o tempo, a espessura volta ao normal.

6. Para cada fio branco que se arranca nascem dois?
Não. Nasce outro, tão branco quanto o primeiro.

7. Dá para retardar o aparecimento do cabelo branco?
Não. O processo é genético.

8. Por que os fumantes ficam com o cabelo amarelado?
Porque a nicotina penetra no fio, que é poroso, amarelando-o.

PELOS

As glândulas sudoríparas, que eliminam suor, ajudam a resfriar o corpo, e as glândulas sebáceas, que produzem gordura, evitam a evaporação da água. Mas são os pelos que servem de isolante térmico quando a temperatura do ambiente varia.

Para que servem os cílios?

Cada cílio está ligado a um nervo. Se alguma coisa tocar em um único pelo, o nervo envia um sinal de emergência ao cérebro, que aciona o reflexo de piscar. Isso evita o contato do olho com corpos estranhos, que poderiam machucá-lo.

Você sabia?

- As mulheres têm cerca de 100 a 150 fios de cílios que nascem alinhados na borda da pálpebra.
- Na pálpebra inferior, que não pisca, há menos: 75 cílios. Eles se concentram mais no meio da pálpebra.

Cosmético para repor os cílios

Durante a Segunda Guerra Mundial, uma jovem médica, Danielle Roches, se ocupava de tratar feridos com cremes antibactericidas feitos de plantas. Em seus experimentos, ela percebeu que alguns deles aceleravam o crescimento dos cílios e das sobrancelhas. Em 1948 ela fundou a Talika, empresa que se especializou em cosméticos reparadores para os olhos.

Sobrancelhas para todo gosto

Assim como os cabelos, as sobrancelhas também marcaram época:

Anos 1910: o cinema mudo conta com as sobrancelhas para poder se expressar. As atrizes depilavam-nas completamente e depois as pintavam, conforme exigia o papel. Se fosse uma mulher mais ingênua, pintava sobrancelhas curtas. Se fosse mais sensual, mais longas e arqueadas. Ícone: Theda Bara.

Anos 1920: a moda era ter sobrancelhas retas, depiladas no centro para afastar os olhos, criando um *look* entre inocente e andrógino. Ícone: Louise Brooks.

Anos 1930: ainda finas, ganharam um desenho mais arqueado. O cinema estava na moda e o olhar lânguido fazia sucesso. Ícone: Greta Garbo.

Anos 1940: na década da feminilidade, a moda era deixar as sobrancelhas ligeiramente mais grossas no começo e mais finas no final. Ícone: Rita Hayworth.

Anos 1950: a novidade era maquiar as sobrancelhas com sombra para que ela assumisse tons inusitados e sexies. Ícone: Marilyn Monroe.

Anos 1960: movimentos de liberação da mulher tomam conta do mundo. Raspar a sobrancelha vira moda. No lugar, as mulheres desenham arcos bem finos com lápis. Ícone: Twiggy.

Anos 1970: tudo ao contrário, os *hippies* tomam conta do mundo e as sobrancelhas voltam a ser grossas, quase selvagens. Nada de depilar. Ícone: Sonia Braga.

Anos 1980: grossas e expressivas, elas assumem o importante papel de melhorar o desenho dos olhos. Ícone: Malu Mader.

Anos 1990: ainda espessas, elas voltam a respeitar o desenho original. Quanto menos depilar, melhor. Ícone: Ana Paula Arósio.

É VERDADE QUE, DEPOIS DE ARRANCAR MUITO, OS PELOS DA SOBRANCELHA NÃO CRESCEM MAIS?

O ciclo do pelo da sobrancelha se repete por, no máximo, vinte vezes. Parece que continua crescendo, mas não é o mesmo que foi arrancado, e sim um outro, que fica muito próximo. A região das sobrancelhas tem centenas de folículos muito próximos.

Quem inventou a depilação?

- As mulheres gregas chegavam a arrancar os pelos pubianos ou queimá-los com cinzas quentes.
- As mulheres árabes preparavam um xarope espesso, feito de partes iguais de açúcar e de suco de limão com água. Depois que a mistura secasse sobre a pele, bastava arrancar, levando junto os pelos.
- A depilação com cera é invenção de Peronet, em 1742, na cidade de Paris.

• A pinça é uma das ferramentas mais antigas do homem. As primeiras pinças surgiram há 2 milhões de anos. Nossos ancestrais usavam conchas para essa finalidade.

> **VOCÊ LEMBRA?**
> Como a mascarada Tiazinha, a modelo Suzana Alves começou sua carreira na televisão no final de 1998 num ritual sadomasoquista. Durante o programa *H*, de Luciano Huck, ela costumava depilar os garotos que cometessem erros na gincana. Quem reclamasse, ainda levava uma chicotada. De brincadeirinha... Fez sucesso até 2000, quando saiu do ar.

Cera, mel e própolis

As primeiras ceras depilatórias surgiram no Egito, mas não foram invenção de Cleópatra.

Médicos egípcios usavam mel e própolis para limpar a pele e acelerar o processo de cicatrização. Perceberam que, ao arrancar a massa endurecida, os pelos saíam junto. Mas a pele permanecia intacta e lisa, porque o mel tem poder suavizante, e o própolis é anti-inflamatório.

DO QUE É FEITO O PRÓPOLIS?
• 50% de resina com bálsamo
• 30% de cera
• 10% de pólen
• 10% de óleos, além de gorduras, vitaminas e enzimas

Depilação à brasileira

Jonice, Jocely, Janea, Jussara, Judicéa, Juracy e Joyce. Ou simplesmente J. Sisters. Do Espírito Santo, as sete irmãs foram para Nova York, onde abriram um salão de beleza que oferecia "depilação à brasileira". Esse tipo de depilação deixa um triângulo bem pequeno de pelos púbicos milimetricamente desenhados e virou febre nos anos 1990. Arrebanharam clientes como Naomi Campbell, Gwyneth Paltrow e Sarah Jessica Parker. Recentemente, lançaram sua própria linha de cosméticos e esmaltes.

Existem "mulheres barbadas"?

As mulheres que têm mais pelos que as outras possuem uma taxa mais elevada de testosterona, o hormônio masculino responsável pelo engrossamento da voz, o pomo de adão e outras mudanças no corpo dos meninos, entre elas o aparecimento de pelos na genitália e também no rosto. Acontece que, quando as mulheres têm os hormônios desequilibrados, a testosterona pode "atacar" de vez e fazer com que elas também tenham barba. No final do século XIX e início do século XX, as "mulheres barbadas" eram famosas nos chamados *freak shows* (circo de aberrações), que tinham entre suas atrações pessoas com vários tipos de deformidades, e faziam turnês pelos Estados Unidos. Um dos casos mais famosos foi o da mexicana Julia Pastrana, nascida em 1834 com hipertricose terminal, uma doença que faz com que os pelos do corpo inteiro cresçam mais que o normal, deixando a pessoa com a aparência de um macaco. Ela morreu enquanto dava à luz sua filha, que nasceu com a mesma doença e morreu três dias depois.

PERGUNTA CURIOSA
Por que os pelos pubianos são mais grossos?
São mais grossos e mais resistentes porque têm a função de proteger a entrada da vagina, evitando que micro-organismos do ânus migrem para lá. A mulher que depila completamente os pelos pubianos fica mais vulnerável a infecções.

PELE

A pele é o maior e o mais pesado órgão do corpo humano. Cobre entre 1,5 e 2 metros quadrados e representa 1/6 do peso total do corpo. É também o maior órgão respiratório e maior órgão sensorial do corpo humano.

Que tipo de pele você tem?

Helena Rubinstein foi a primeira a classificar a pele em três tipos: seca, normal e oleosa. Essa classificação foi usada até 2005, quando a dermatologista americana Leslie Baumann lançou o livro *The skin type solution*. Nele, ela mostra cruzamentos de características da pele e mostra que ela pode ser classificada em 16 tipos: seca com tendência a envelhecimento, manchada com tendência à acne, entre outras.

No Brasil, cerca de 70% da população apresenta problemas com a oleosidade, o que confirma os dados de um estudo feito em 2006 pela Sociedade Brasileira de Dermatologia. A acne é o motivo que mais leva brasileiros a consultórios dermatológicos.

Da cor da neve

No Egito, as mulheres deviam ter pele clara, enquanto os homens de alta estirpe deveriam ter a pele morena de sol. Com o tempo, as coisas foram mudando.

• Conta a lenda que Psyché foi buscar no inferno o segredo da pele branca da deusa Vênus, trazendo alvaiade (pigmento branco) para compor suas fórmulas mágicas.
• Na época da Renascença, o mesmo alvaiade era usado pelas mulheres italianas nobres. Como o produto também irritava a pele, à noite elas cobriam o rosto com emplastros de vitelo cru umedecido em leite para diminuir a vermelhidão.
• O *Kama sutra*, escrito entre os séculos I e IV, define a mulher ideal como Padmini, aquela que tem "a pele fina, macia e clara como o lótus amarelo...".
• No Japão, do século IX ao XII, a pele branca era muito valorizada. Para conseguir o tom alvo, as mulheres usavam um pó feito de farinha de arroz, chamado *oshiroi*. Daí o nome pó de arroz.

• A loção hidratante Dramatically Different Moisturizing Lotion, da Clinique, foi o produto mais vendido do mundo em 1983. Um frasco era vendido a cada 4 segundos em algum lugar do mundo.
• A primeira latinha do creme Nívea foi lançada em 1911 e sua decoração tinha motivos *art nouveau*. Em 1935, a empresa direcionou as campanhas de publicidade à mulher e os anúncios mostravam uma dona de casa protegendo toda a família com o cosmético. Foi nessa época que o produto passou a ser

embalado na clássica latinha azul. Desde então, mais de 10 trilhões de latas de creme Nívea foram vendidas a 150 países do mundo.

• Max Factor deixou a Rússia para fazer fortuna na América. Lá, abriu uma loja de maquiagem para teatro e inventou a primeira base que resistia ao calor das luzes e das câmeras. Maquiador das primeiras estrelas de Hollywood, foi o inventor do primeiro gloss para lábios e da primeira base em pó compacto, que deixava a pele uniforme e sem manchas.

• A Bourjois foi fundada em 1863 no bairro dos teatros de Paris, na França, por Alexander Napoléon Bourjois. Ele se inspirou nas atrizes para criar produtos de maquiagem cênica. Em 1890, seu então jovem fundador criou a "Fabrique spéciale pour la beauté des dames", introduzindo no mercado o primeiro pó compacto, denominado Manon Lescot, em homenagem à famosa atriz. Em seguida, Bourjois lançou o primeiro blush em pó, cuja pequena embalagem redonda característica permanece até hoje como emblema da marca.

DE ONDE VÊM AS PINTAS?
A pinta é uma concentração maior de melanócitos (células de melanina, pigmento que dá cor à pele). Podem surgir na infância, durante o crescimento ou na fase adulta, em decorrência da exposição solar ou, na mulher, por causa da gravidez e de pílulas anticoncepcionais. Embora na maioria dos casos as pintas não representem riscos, elas devem ser acompanhadas por um dermatologista.

Que pinta é essa?
No século XVII, o hábito de desenhar pintas no rosto era muito forte e tinha um código de significados:

• Pinta sob a sobrancelha: para demonstrar paixão.
• Pinta no nariz: usada pelas prostitutas.
• Pinta no canto da boca: quando queriam se insinuar para o beijo.
• Em qualquer lugar do rosto: para disfarçar espinhas.

Creme milionário

O Crème Cellulair Radiance, da marca suíça La Prairie, é feito com extrato de caviar retirado das ovas dos esturjões que nadam no mar Cáspio. Como eles são raros e só nadam durante um breve período do ano, e nem sempre se reproduzem, suas ovas são raríssimas. Outro ingrediente é o néctar da *knifolia*, que só floresce dois meses por ano na Europa. Por causa disso tudo, esse foi considerado o creme mais caro do mundo em 2007.

Você sabia?

Só 24% das mulheres brasileiras usam creme anti-idade. Delas, a maioria começa antes dos trinta anos.

PERGUNTA CURIOSA
Por que as mulheres abrem a boca quando passam algum creme no rosto?
O toque na região do maxilar relaxa a musculatura do rosto, gerando em muitas pessoas o ato reflexo de abrir a boca.

> **MARCA REGISTRADA**
> Em 1954, a garotinha Coppertone, chamada de Little Miss, apareceu pela primeira vez na área de Miami com seu companheiro inseparável, o cachorrinho preto da raça *cocker spaniel*, e o *slogan*: "Don't be a paleface" (Não seja um cara-pálida). Diz a lenda que foi inspirada em uma foto da atriz Jodie Foster quando tinha apenas três anos. Em 1955, o *slogan* foi: "Bronzeie-se, não se queime... Use Coppertone". (Tan, Don't Burn... Use Coppertone). A imagem da garotinha com seu cãozinho marcam uma época e é até hoje a marca registrada de Coppertone.

Cobras e insetos

Gwyneth Paltrow (1973-) é uma dessas atrizes que têm pavor de envelhecer. Ela procurou um jeito diferente de manter-se jovem: descobriu um creme, vendido no Beverly Hills Sonya Dakar Skin Clinic, que é feito à base de veneno de cobra. O produto tem efeito similar ao Botox, impedindo que a movimentação facial acentue os vincos das rugas. Já a atriz Angelina Jolie (1975-) segue um cardápio inusitado para manter a flora intestinal saudável e, por consequência, a pele bonita: come duas colheres de pequenos besouros vivos todos os dias no café da manhã.

Revolucionários no tratamento da pele

• **Ácido glicólico**: até o seu surgimento, num produto desenvolvido pela Avon, os cremes apenas nutriam superficialmente a pele. Com esse derivado da cana-de-açúcar, a pele ganhava força para renovar aquilo que realmente lhe dá sustentação: a camada de colágeno.

• **Ácido retinoico**: esse derivado de vitamina A, desenvolvido na década de 1980, inovou os tratamentos antirrugas. Os mais modernos melhoram as rugas em até 90%. Porém, ainda é preciso ficar longe do sol, porque senão ele pode manchar a pele.

• **Filtro solar**: até os anos 1970, as mulheres usavam Coca-Cola misturada a óleo de bebê para besuntar a pele antes de ir para a praia. Era moda descamar. Então, relacionou-se a agressão solar aos casos de câncer de pele. Surgiam os filtros solares contra radiação ultravioleta B e, mais tarde, contra os UVAs. Embora não impeçam o surgimento do câncer de pele, são aliados contra o problema e principalmente contra o envelhecimento precoce da pele.

• **Isotretinoína**: para os adolescentes, o mundo pode ser dividido em antes e depois do princípio ativo. Isso porque esse derivado da vitamina A conseguiu resolver realmente o problema da acne, que atinge 60% de todos os adolescentes do mundo em maior ou menor grau.

• **Laser**: as aplicações de laser começaram a ser feitas nos anos 1980, mas foi uma década depois que eles ficaram mais populares no tratamento anti-envelhecimento e para eliminar as marcas provocadas pela acne. Conseguem resultado de cirurgia plástica, sem bisturi. O senão: o médico precisa ser habilitado porque os erros de aplicação causam danos muito sérios.

• **Nanotecnologia**: o estudo das estruturas microscópicas permitiu à indústria cosmética incluir princípios ativos em partículas mínimas, capazes de atingir as camadas mais profundas da pele.

PERGUNTA CURIOSA
Por que a pele fica enrugada quando ficamos muito tempo na água?
Porque a camada córnea, que é bastante permeável, fica encharcada. Isso dura apenas alguns minutos, tempo suficiente para que a água que entrou na pele consiga sair.

UNHAS

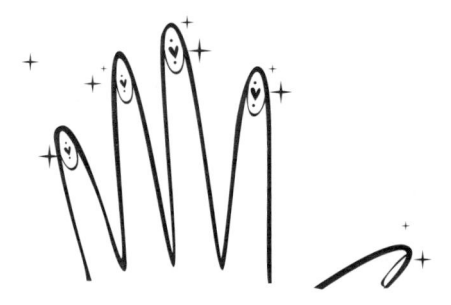

Os primeiros esmaltes eram feitos de goma-arábica, clara de ovo e cera de abelha, no século III a.C.
O costume de pintar as unhas nasceu na China, no século III a.C. As cores indicavam a classe social do indivíduo. Os vermelhos mais puros eram usados pelos mais ricos e o preto para os reis, que depois o substituíram por dourado nas ocasiões festivas e prateado para o dia a dia. Os tons rosados ficavam reservados aos nobres. Aliás, nessa época, quem pintava as unhas não eram as mulheres, e sim os homens. Séculos mais tarde, em 1908, ano em que inventaram a tintura para cabelos, surgiu um líquido transparente para dar brilho às unhas. Ele era aplicado com pincel de pelo de animais como foca ou visom. Depois de secas, as unhas eram lustradas com pele de camurça.

Será que você deve...

Levar seu kit de manicure ao salão de beleza?
Sim. Isso evita micoses transmitidas por fungos através de lixas e material não esterilizado.

Usar esmalte para fortalecer as unhas?
Não necessariamente. Para fortalecer as unhas, é importante manter uma dieta equilibrada e evitar produtos abrasivos como os detergentes. Hidratantes à base de ureia também ajudam a manter as unhas mais saudáveis.

Usar luvas para lavar a louça ou mexer em produtos químicos?
Sempre. O tipo de substância contida nesses produtos pode provocar dermatites de contato.

Tirar a cutícula?
Nunca. Ela serve para preservar a matriz da unha e impedir a entrada de fungos e bactérias. O ideal é empurrar, mas não cortar as cutículas com alicate.

Usar esmalte vermelho para dar uma força na unha?
Bobagem. Isso é um mito que nasceu do fato de que, quando usam esmalte vermelho, as mulheres cuidam mais das mãos.

Lixar a unha quadrada?
Sim. Cutucar os cantinhos favorece infecções e o aparecimento de unhas encravadas à medida que crescem.

Deixar as unhas descansarem do esmalte?
É sempre bom. Permite que elas refaçam a camada superior antes de uma nova aplicação.

Usar unhas postiças?
Depende. Algumas colas podem manter as unhas úmidas e isso aumenta as chances de proliferação de fungos e bactérias. Unhas compridas também sujam com mais facilidade. A higiene, nesse caso, é imprescindível.

MAQUIAGEM

No começo do século XX, o batom era coisa de dançarinas de cabaré e prostitutas. Menos de dez anos depois do seu surgimento, já era usado por mulheres de toda a sociedade.

A história do batom

Pintar a boca era um hábito cultivado no Egito. A rainha egípcia Nefertiti, cujo busto está no Museu de Berlim, mostra que as mulheres já gostavam de pintar os lábios mil anos antes de Cleópatra. Para isso, recorriam aos produtos naturais como a púrpura de Tyr. Já na Grécia, elas costumavam aplicar polderos, uma raiz vermelha que era misturada à cera de abelha para deixar a boca mais úmida e brilhante.

No século XIII, um monge de Pisa, na Itália, descobriu o carmim de Cochinella, pigmento vermelho insolúvel em água que era usado pelas mulheres para deixar os lábios mais sedutores. Tudo em segredo, porque a Igreja Católica recriminava esses hábitos. Em 1915, os primeiros batons, fixados numa base de metal dourado e protegidos por uma tampa, surgiram nos salões de beleza dos Estados Unidos. Mas o batom, como o conhecemos hoje, começou a ser comercializado em 1921, em Paris. O batom Guerlain ganhou o nome *Ne M'Oubliez Pas* (não me esqueça). O sucesso foi tanto que, rapidamente, o cartucho ganhou rosca e passou a ser vendido também em outros lugares do mundo.

TEM MAIS...
• Os primeiros batons franceses eram chamados de *bàton serviteur*, ou bastão servidor. Seu reclame: "o bastão que serve para embelezar a mulher".
• Nas festas, o batom servia para diferenciar as senhoras provenientes da sociedade das camponesas e mulheres mais modestas.
• Em 1921, a revista *Vogue* anunciava o batom como produto exclusivo para as mulheres de classe. Alertava: deve ser usado com comedimento, sem exagero.
• As revistas femininas foram, aliás, as grandes responsáveis pela divulgação do batom.
• Na década de 1930, os batons eram pálidos e translúcidos, passando a tons escuros com a proximidade dos anos 1940.
• Apenas as atrizes do cinema mudo utilizavam batons marrons e pretos, para criar contraste nos filmes, que eram feitos em preto e branco.
• As prostitutas dos anos 1940 foram as primeiras a usar batom vermelho.
• Na época da Segunda Guerra, alguns fabricantes apenas recarregavam as embalagens de batom, já que o metal estava sendo utilizado na indústria bélica.
• A partir dos anos 1950, o batom se popularizou, passando a ser usado pelas mulheres de todas as classes sociais.

• De todas as maquiagens, o batom foi o que menos sofreu transformações químicas. Desde que surgiu, até hoje, continua sendo uma massa gordurosa feita da cera de abelha, misturada a pigmentos coloridos.

Era crime...

... usar maquiagem para seduzir. Foi o que determinou o Parlamento inglês em 1776, que penalizava "mulheres artificiais" com as mesmas sanções de crime de feitiçaria. Eram proibidos cosméticos, perfumes, dentes e cabelos artificiais. Tem mais: o marido que tivesse casado com uma mulher maquiada ficava desobrigado de suas responsabilidades. Adivinha o que aconteceu? A lei virou letra morta, ou seja, nunca foi levada a sério.

Bochechas envenenadas

Durante o reinado de Luís XIV a moda era pintar o rosto branco de alvaiade e marcar as bochechas com ruge, feito com cloreto de mercúrio. Os dois produtos corroíam a pele aos poucos, mas as mulheres não se incomodavam. O importante era estar na moda. Esse padrão durou até o século XVIII e uma de suas melhores representantes foi justamente a amante do rei, madame de Pompadour.

Curiosidades

○ Pigmentos vermelhos já eram aplicados na face em 5000 a.C. Alguns potes de óxido de ferro vermelho foram encontrados nos túmulos egípcios.

○ Os pós faciais, que surgiram em 4000 a.C. na antiga Grécia, eram muito perigosos porque tinham grande quantidade de chumbo na composição e, por isso, chegaram a causar várias mortes.

✪ O ruge grego era um pouco mais seguro: era feito com amoras e algas marinhas, substâncias naturais, mas também com cinabre (sulfeto de mercúrio), um mineral vermelho. O mesmo ruge era usado nos lábios, como batom, onde era mais facilmente ingerido, o que acabava causando envenenamento.

✪ Na Idade Média, o açafrão era usado para colorir os lábios, e a fuligem, para pintar os cílios. Como não havia creme dental, a sálvia era usada como branqueador. Já a clara de ovo, o limão e o vinagre eram usados para refinar e esticar a pele. Embora nenhum desses princípios fossem venenos potenciais, o cheiro e o gosto provocavam náuseas e enjoos.

✪ Elizabeth I, que morreu sem se casar e, por causa disso, entrou para a história como a rainha virgem, cobria as faces de branco e, por cima, aplicava círculos vermelhos. Queria parecer jovem até o final dos seus dias.

Olhos pintados

• Em 1372, quando a rainha Nefertiti se casou com o faraó Amenófis IV, a mulher egípcia tinha o hábito do banho diário e matinal. Depois, antes que qualquer pessoa a visse publicamente, inclusive o marido, maquiava os olhos. Começava passando pó de kajal na parte inferior dos olhos, para protegê-los das agressões do vento e da areia.

• Nos potes de kajal havia inscrições sobre as datas de fabricação e de validade, o que faz pensar que continham ervas medicinais preventivas de doenças dos olhos.

• As pálpebras superiores da rainha egípcia Nefertiti eram sombreadas sempre com cores fortes. O verde profundo do *moszimit*, malaquita triturada que era trazida da Síria, era mais usado durante o dia. Já o pó de turquesa se prestava às ocasiões festivas. Mas as argilas vermelhas, castanha ou violeta, em seus tons originais ou misturadas com dióxido de cobre ou de ferro para obter novas nuanças, eram ainda muito apreciadas.

• Usar kajal não era um privilégio da realeza. Os escravos também tinham o hábito de pintar os olhos. Os egípcios consideravam a maquiagem dos olhos uma premissa básica para poder adorar o deus Sol, chamado por eles de Rá.

• Na Ásia, os fugitivos tinham suas pálpebras tatuadas com dois traços paralelos para não serem confundidos com cidadãos comuns.

Pinte o sete

Pincel chato e fino: serve para espalhar corretivo nas olheiras.
Pincel grande e gorducho: é o maior da coleção. Serve para pó-de-arroz ou pó facial.
Pincel médio e gordinho: igual ao pincel para pó, mas com escala reduzida. Serve para blush.
Pincel chato e largo: com pontas cortadas, serve para corrigir e retirar excesso de blush.
Pincel miúdo com ponta fina: delicado, funciona como aplicador para o delineador. Um versão um pouco mais cheia serve também para aplicar batom.
Pincel-esponja: aplica e esfumaça a sombra. Mais indicado para os tons claros, porque borra com facilidade.
Pincel chato e magrinho: miniatura do pincel de blush, é o mais indicado para esfumaçar sombras escuras.

Dica boa
Os maquiadores profissionais garantem que passar batom com pincel dá melhor cobertura e faz a cor durar o dobro do tempo.

Curiosidades

○ Os pincéis de maquiagem podem ser feitos com fios artificiais ou com pelos de bichos como o visom, a chinchila e o gambá.

○ Um pincel de blush tem cerca de 10 mil fios. Se fossem unidos, seriam suficientes para tecer uma camiseta de mangas curtas.

○ O pincel mais caro do mercado é da grife Acqua di Parma. Mas não é para maquiagem, e sim para fazer barba. Custa 1.200 reais e é feito com cabo de madeira nobre e pelos naturais.

RANKING DO CONSUMO
Em 2006, o Brasil alcançou o posto de terceiro maior consumidor de cosméticos do mundo. Em primeiro lugar estão os Estados Unidos e, em segundo lugar, o Japão.

A favorita dos maquiadores

Make-up Art Cosmetics, a MAC, é a favorita dos maquiadores de moda por todo o mundo. A marca foi criada em 1985 no Canadá numa parceria entre o maquiador Frank Toskan e o fotógrafo Frank Angelo. Eles se ressentiam das maquiagens disponíveis no mercado, que não resistiam intactas por longos períodos, uma exigência das sessões de fotos e dos desfiles de moda. Mas a popularidade da marca cresceu mesmo quando caiu nas graças de mulheres famosas como Madonna, Janet Jackson e a modelo Linda Evangelista. Até David Beckham declarou ter usado os produtos da grife. O segredo da MAC é a imensa gama de cores em maquiagens de longa duração, que resistem ao calor dos refletores usados nos estúdios fotográficos e nas passarelas.

BANHO

Para falar aos deuses, os povos da Antiguidade precisavam se banhar em água pura. Lavavam o rosto e as mãos antes de oferecer preces a Ísis, a deusa-mãe do Egito. Os egípcios se lavavam pelo menos três vezes ao dia. Como não havia rede de água encanada, servos se revezavam despejando água fresca com jarros. Na Grécia, alternava-se água quente e fria, sempre em locais públicos dedicados ao banho. Mas foram os romanos que mais se dedicaram à arte do banho. Os banheiros privados eram locais de festa, e pela primeira vez na história criaram-se ambientes com abastecimento contínuo de água. E havia também os banhos públicos, com decoração aristocrática, mas onde se misturavam homens, mulheres, prostitutas, escravos e imperadores. Os banhos eram locais de reunião e debate, onde os políticos testavam sua popularidade.

• Por volta do ano **60 d.C.**, Nero tentou colocar ordem na bagunça que eram os banhos públicos, construindo entradas separadas para homens e mulheres. Não deu certo.

- Só em **117** o imperador Adriano resolveu o impasse, alternando o horário dos banhos para homens e mulheres. Mas o povo reclamava do dinheiro gasto com os banhos públicos e também se indignava com a libertinagem que corria solta, já que todos se banhavam nus.
- No começo da Era Cristã, o banho passou a ser alvo de todo tipo de crítica. Em **320**, o Concílio de Laodiceia proibiu o acesso das mulheres às termas e passou a difamar a "alegria" da água como o mal que perturbava a ordem.
- No final do **século IV**, São João Crisóstomo, patriarca de Constantinopla, condenou o banho de vez.
- Entre os **séculos V e X**, lavar as mãos e o rosto substituiu o banho de corpo inteiro, que era realizado poucas vezes ao ano. Nessas ocasiões, a família toda usava a mesma tina e a mesma água, cabendo o primeiro banho ao homem da casa e o último às crianças.

A volta da banheira

- A partir do século XI, os cavaleiros medievais redescobriram o banho. Dentro dos palácios, banheiras eram construídas em diversos formatos. Era nelas que os lutadores se refestelavam, com suas criadas, ao voltarem das batalhas.
- No século XII, em Baden-Baden, onde havia banhos privados, as mulheres usavam camisolões. Os homens ficavam nas galerias acima dos tanques e atiravam moedas às mais bonitas. Quando se abaixavam, molhadas, para recolher o presente, exibiam tudo que eles queriam ver.
- No século XIII, em Paris, pregoeiros saíam às ruas oferecendo água quente. Um banho a vapor custava o equivalente a quatro pães, que alimentavam uma família de seis pessoas por uma semana.
- Em 1347, a primeira onda da peste negra abateu a Europa, dizimando um terço da população. O banho saiu da moda.
- No final do século XIV, as mulheres andavam nas ruas com uma bola de âmbar ou um maço de flores, para disfarçar os próprios odores ou os dos outros. Mas as mulheres fugiam dos banhos, que também eram acusados da gravidez enigmática (teriam sido impregnadas por espermas perdidos na água).

> **DÁ PARA ACREDITAR QUE...**
> ... no Palácio de Versalhes, a enorme banheira de mármore rosa de Luís XV foi transformada em jardim para enfeitar a casa de sua amante, madame de Pompadour?

• No século XVIII, com a morte de Luís XIV, os banhos voltaram a ser aceitos a partir de 1750. Os espaços públicos foram reabertos. Barcos com cabines de banho e água bombeada do rio Sena viraram moda em 1761.
• Em 1885 foi inaugurada a primeira piscina pública de Paris. Dentro das casas surgiram as banheiras portáteis, que eram colocadas no meio da sala na hora do banho. Ao final, criados a carregavam cheia para despejar a água pela janela ou pela porta, no meio da rua.

COMO ELES SE LAVAVAM?
Na falta de água era necessário criar outros rituais de limpeza. A higiene era feita com produtos secos, e as banheiras dos palácios e castelos viraram tanques de peixes.

Decoração luxuosa

Os banheiros do começo do século XIX eram ambientes femininos. As paredes eram revestidas de tecido, e havia muitas cortinas e sofás para descansar depois do banho. A água corrente era um luxo para milionários. As casas de banho captavam água do mar pelas ferrovias.

Você sabia?

• Os bidês surgiram no fim do século XVIII. Mas tinham má fama, porque foram usados primeiro por damas de reputação suspeita.
• O primeiro rolo de papel higiênico foi lançado pela empresa americana Scott Paper, em 1890. Ela se recusou a colocar sua marca no produto, porque achava a função dele pouco digna.
• Nos Estados Unidos, o uso da banheira era proibido por lei em muitos estados.
• Um livro, lançado no começo do século XIX, revelava os melhores banhos de Paris. Quase todos ficavam em barcos com pomares e jar-

dins, onde o cliente podia ser banhado com a ajuda de camareiras e embelezado com cosméticos vindos da Ásia e das Américas.

- Em 1910, aulas de asseio foram incluídas no currículo do curso primário. Só nessa época é que as escolas ganharam banheiros com chuveiros e pias.

A privada e a rainha

Elizabeth I tinha muitos afilhados. Um deles, John Harrington (1561-1612), gostava de escrever, mas seus poemas eram eróticos e sofridos, fato que fez com que a rainha o afastasse do convívio do castelo. Ele viajou pela Europa, casou-se e teve 15 filhos. Incomodado com os dejetos da família, começou a desenhar um objeto que ajudasse a eliminá-los. Em poucos dias desenvolveu o primeiro vaso sanitário, que batizou de "ajax". Ao saber, a rainha mandou chamá-lo de volta, para conhecer a invenção do afilhado que, junto com a privada, apresentou novos versos jocosos sobre o hábito de defecar. Foi afastado e nunca mais voltou a pisar no palácio.

Banhos curiosos

A fé islâmica manda lavar, perfumar e purificar o corpo antes da prece. Depois de fazer sexo, o banho também é recomendado para higienizar a alma. Nas comunidades menores, onde ainda existem banhos públicos, o administrador do estabelecimento sabe da vida sexual da clientela de acordo com a assiduidade dos seus banhos.

No Japão, as casas tradicionais construíam suas banheiras de ofurô separadas da construção principal. Na área de banho, sempre deveria haver um jardim e a banheira de madeira. O hábito do banho é reservado para depois do jantar. As *yunas* (mulheres que ajudavam os frequentadores dos banhos públicos) foram responsáveis pela origem da palavra ofurô. Enquanto lavavam as costas dos clientes, elas assopravam (*fu*) a espinha deles (*ro*). Nessas casas também se ofereciam serviços sexuais.

❀ Na Índia, as datas ideais para o *Kumbhayog*, banho purificador, são calculadas pelos astrólogos. Semanas antes do evento, andarilhos começam a se deslocar em direção ao rio Ganges.

❀ *Mikvá*, o banho ritual judaico, evoca o momento em que Moisés pediu aos seus seguidores que se lavassem para receber a Torah, Tábuas da Lei. Esse ritual chegou a ser mais importante do que as próprias sinagogas e, até hoje, o banho é exigência para a conversão. As mulheres sempre foram mais frequentadoras desses banhos do que os homens porque a religião exigia que se purificassem após o período menstrual.

O sabonete das estrelas

O sabão de limpeza, feito com óleo animal ou vegetal e soda, surgiu no fim do século XIX. Mas, em 1884, William Lever, que era vendedor de sabão, decidiu inovar. Em vez dos sabões oferecidos em barras enormes e cortados à vista do freguês, ele resolveu embrulhá-los um a um e dar-lhes o nome de Sunlight.

Em 1886, insatisfeito com o aroma desagradável dos sabões, Lever resolveu fabricá-los com óleo de baleia. Como a matéria-prima era abundante, desenvolveu a fórmula dos sabões em flocos, que foram batizados de Flocos Lux. Eram perfumados e serviam para lavar roupas delicadas.

Enquanto isso, aqui no Brasil, o ex-sapateiro veneziano, José Milani, que fabricava o sabão Minerva, desenvolvia a fórmula de um sabonete cor-de-rosa para o banho. Um dia, seu filho Adolfo encontrou um amigo, cuja noiva era muito bela e se chamava Gessy. Impressionado, Adolfo contou a história ao pai, que foi pedir permissão à moça para batizar o primeiro sabonete brasileiro com seu nome. Em 1930, Lever inaugurou uma fábrica de sabões no Brasil e foi concorrente da família Milani por trinta anos, quando então a Irmãos Lever comprou a Companhia Gessy Industrial.

Curiosidades

✪ Quando trouxe seu sabonete para o Brasil, William Lever não pôde adotar o nome Lux. Aqui, a marca pertencia às Indústrias Reunidas Matarazzo. Foram necessários trinta anos para que a Lever readquirisse o nome Lux.

✪ Milani achava vergonhoso fazer anúncios do seu sabonete Gessy. Só depois de muita insistência dos filhos é que aceitou investir 60 contos de réis em propaganda na frente dos bondes. Enquanto isso, Lever anunciava em rádio. Há quem sustente que ela foi a grande responsável pelo crescimento do rádio como veículo de propaganda.

✪ Martha Rocha foi a primeira garota-propaganda dos sabonetes Gessy e Marilyn Monroe foi a primeira a anunciar Lux nos Estados Unidos.

✪ Tônia Carrero, Regina Duarte, Vera Fischer, Sonia Braga, Ana Paula Arósio e Carolina Dieckmann foram garotas-propaganda dos sabonetes Lux, que usava o *slogan* de sabonete das estrelas. Mas foi Malu Mader a preferida das consumidoras. Representou a marca em cinco campanhas seguidas e foi a campeã entre estrelas nacionais e internacionais.

✪ Gisele Bündchen também foi garota-propaganda de Lux, com o *slogan*: "Revele a estrela que existe em você".

✪ Nos Estados Unidos, atrizes como Bette Davis, Brigitte Bardot, Michelle Pfeiffer e Sarah Jessica Parker representaram Lux.

E para completar o banho?
O primeiro desodorante antitranspiração, como conhecemos hoje em dia, foi criado nos Estados Unidos em 1888. Seu nome era Mum.

A pílula antissuor

Em 2003, a médica carioca Odilza Vital desenvolveu a fórmula da cápsula do perfume. Ela partiu do conceito de que, quando as pessoas comem alho ou *curry*, exalam o cheiro desses alimentos através da pele. Então, poderia fazer o mesmo com óleos essenciais perfumados como a lavanda. O produto começou a ser comercializado nos Estados Unidos no mesmo ano. No primeiro mês, 25 mil embalagens foram vendidas.

MULHERES DA BELEZA

Seus nomes estão associados a maquiagem, perfumes e cremes antienvelhecimento.

Helena Rubinstein (1870-1965)
Ela nasceu no dia de Natal, na Polônia. Quando completou 18 anos, foi morar em Melbourne, na Austrália, para trabalhar com um boticário. Levou consigo a fórmula secreta de um creme suavizante desenvolvido por um polonês amigo da família. A partir dessa receita, descobriu outras fórmulas e unguentos, que passou a vender por correspondência. Nessa época, passava madrugadas desenvolvendo seu creme Valaze, para peles maltratadas pelo sol. Ao lançar o produto, Helena Rubinstein ganhou muito dinheiro e abriu seu primeiro instituto de beleza em Melbourne. Seu *slogan* era: "Toda mulher pode ser bonita. Bastam 15 minutos diários e 5 dólares ao ano em creme facial". A fórmula de Valaze chegou a ser considerada milagrosa. Com a boa fama, ela conseguiu abrir um instituto de beleza em Paris, em 1906; outro em Londres, em 1908; e outro em Nova York, em 1915.

✪ Os primeiros produtos Helena Rubinstein chegaram ao Brasil em 1932. Em 2006, eles deixaram de ser importados.
✪ O creme Valaze era uma mistura de ervas.
✪ Foi a inventora do pó facial – o pó de arroz em forma compacta.
✪ Costumava dizer que cuidar da beleza não era futilidade, mas uma forma de a mulher se emancipar.
✪ Helena Rubinstein era dona de um acervo de arte que incluía obras de Matisse, Dali e Picasso, que ficavam expostas numa galeria de arte da sua cobertura, em Nova York.

Elizabeth Arden (1884-1966)
O verdadeiro nome dessa canadense, filha de um caminhoneiro, era Florence Nightingale Graham, e ela ficou órfã aos seis anos de idade. Formada em enfermagem, resolveu criar leites e tônicos para tratar as queimaduras. Com o passar do tempo, ficou obcecada pela ideia de inventar o creme perfeito. Como a família não a apoiava, ao fazer trinta anos foi para Nova York, onde conheceu Harriett Hubbard Ayer, a quem se associou. Como a parceira só pensava em dinheiro, separou-se dela para trabalhar num salão de beleza onde aprendeu a fazer massagem facial. Em 1910 abriu o próprio salão, na 5ª Avenida, em Nova York, e lançou seu primeiro creme, Amoretta. Para chamar a atenção das clientes, instalou uma porta vermelha luminosa na entrada.

Em 1930, sua linha de cosméticos tinha mais de trezentos produtos, mas o mais célebre foi o Crème de Huit Heures (Creme de Oito Horas). Foi considerada uma das mulheres mais importantes do século XX.

✪ Usava a cozinha da sua casa como laboratório para produzir novas receitas de creme.
✪ O cheiro que vinha da cozinha da casa dos Graham quando Florence fazia suas alquimias era tão forte que incomodava os vizinhos. Eles achavam que a família passava necessidades e, por isso, era obrigada a consumir ovos podres.
✪ Tinha uma sócia, que a ajudou a abrir o salão de beleza, Elizabeth Hubbard. Depois que se desligou da sócia, adotou o primeiro nome dela.
✪ Era rival não declarada de Helena Rubinstein, dizendo que seus cremes não valiam nada.
✪ Quando começou a Segunda Guerra, Elizabeth Arden lançou um batom vermelho – o Montezuma Red – para ser usado pelas mulheres das Forças Armadas e dar mais vida aos uniformes escuros.
✪ Foi responsável por desmitificar a ideia de que maquiagem era só para artistas e prostitutas. Ensinou as mulheres a se maquiar com classe.
✪ Era apaixonada por corridas de cavalo, mas até para assisti-las não dispensava *tailleurs* cor-de-rosa.
✪ O termo "circuito Elizabeth Arden", no mundo diplomático, designa as Embaixadas de lugares desenvolvidos em cidades importantes como Roma, Paris, Londres e Nova York.

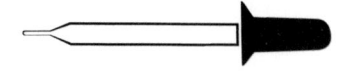

Nadine Georgine Payot (1887-1966)
A ucraniana Nadia Gregoria Payot estudou medicina, especializou-se em dermatologia na Suíça, casou-se com um engenheiro francês e foi morar na Argentina. Em 1917, foi chamada para tratar a bailarina russa Ana Pawlova que, segundo constatou, tinha um corpo escultural e um rosto de velha. Contou mais tarde que esse teria sido o deflagrador da nova carreira. Voltou aos Estados Unidos para estudar massagem, e lá ficou conhecida pela técnica que desenvolveu de ginástica facial antienvelhecimento. Em 1927, fundou um laboratório na França, onde químicos formulavam cosméticos sob a sua supervisão. Depois de abrir seu primeiro instituto de beleza, fundou uma escola para esteticistas onde ensinava os três pilares da pele bonita: limpar, hidratar e nutrir.

✪ Inaugurou seu primeiro instituto de beleza na mansão particular da condessa de Castiglione. Fez do quarto da cortesã o consultório onde recebia clientes célebres.
✪ A fórmula do seu produto mais famoso, a Lotion Bleue, permaneceu inalterada até os anos 1990.
✪ Morreu aos 89 anos, num hospital suíço onde, ela acreditava, estavam os melhores médicos do mundo.
✪ Depois da sua morte, foi divulgado que madame Payot e seu filho mantinham um instituto pedagógico para crianças com dificuldade de aprendizagem.
✪ Detestava ser chamada de Nadia. Adotou o nome Nadine depois de adquirir a cidadania francesa, porque acreditava que o nome era mais comercial e a ajudaria a vender mais produtos de beleza.

Anna Pegova (1896-1986)
Nascida na Rússia, fugiu para a França durante a Revolução. Ainda bem jovem, conheceu Helena Rubinstein, de quem se tornou amiga. Estudou cosmetologia na França e descobriu matérias-primas que nunca haviam sido usadas para fazer produtos de beleza. Ganhou fama e renome internacional ao inventar o *peeling* vegetal, um processo de esfoliação da pele que conseguia retirar manchas de sol e de acne.

A cantora francesa
✪ Edith Piaf era assídua frequentadora do Instituto Anna Pegova, na avenue Matignon, em Paris.
✪ Depois da morte de Anna Pegova, foi o filho que ficou responsável pela marca.
✪ O Brasil é o país que mais concentra franquias da grife no mundo.

Germaine Monteil (1898-1965)
Era uma costureira francesa que atendia às mulheres da sociedade e fazia muitas críticas aos tons de maquiagem disponíveis no mercado nos anos 1940. Cansada de não encontrar sombras de pálpebras ou batons que harmonizassem com seus trajes, decidiu lançar-se na fabricação de cosméticos. A empreitada deu tão certo que ela simplesmente abandonou a costura para se envolver com a indústria da beleza.

⚙ Os produtos Germaine Monteil estiveram no Brasil em duas ocasiões. Hoje em dia são encontrados apenas na Europa e nos Estados Unidos.

Germaine Emilie Krebs (1903-1993)
Ainda menina, a francesa Germaine sonhava ser bailarina ou escultora. Mas se transformou em modista. Seus vestidos eram aclamados pela nobreza e os preferidos da duquesa de Windsor. Em 1942, passou a usar o nome Grès, associação dos nomes dela e do marido. Utilizava o escritório dele para trabalhar. A partir dos anos 1950, madame Grès, que tinha como marca registrada os turbantes que usava na cabeça, passou a se interessar pelos aromas do Oriente e, em 1959, lançou Cabochard, um dos maiores clássicos da perfumaria feminina.

Curiosidades
⚙ Greta Garbo e Marlène Dietrich disputavam exclusividade de madame Grès.
⚙ Sua musa inspiradora era a dançarina Isadora Duncan.
⚙ Em 1980 foi eleita a mulher mais elegante do mundo.
⚙ O perfume Aramis foi uma seleção particular de notas aromáticas feitas por madame Grès. Ela achava que faltava um toque feminino nos perfumes masculinos.
⚙ Sua morte só foi publicada pelos jornais franceses um ano depois. Sua filha se recusava a revelar o fato.

Estée Lauder (1908-2004)
Josephine Esther Mentzer nasceu em Queens, em Nova York, filha de imigrantes judeus e pobres. Vendia cremes fabricados por seu tio, um químico vienense, na cozinha da sua casa. Quando percebeu que o negócio podia render dinheiro, passou a fabricar, ela mesma, os cremes. Casou-se com Joseph Lauter, que foi seu grande parceiro nos negócios. Em 1944 abriram a primeira loja e, em 1948, conseguiu colocar seus cosméticos na rede de lojas Sak's. Doze anos mais tarde, se internacionalizou, levando seus produtos para a Harrod's, de Londres, e foi reconhecida como uma das dez mulheres de sucesso nos negócios nos Estados Unidos. Em 1968 criou a marca Clinique, a primeira a oferecer aconselhamento dermatológico.

✪ Nos anos 1940, a Europa vivia um sombrio período de pós-guerra, quando faltava quase tudo. As meias foram abolidas e as mulheres saíam às ruas com as pernas nuas. Para disfarçar, Elizabeth Arden criou Fin 200, uma loção que dava aparência de meia, não manchava os vestidos e resistia à água.

✪ Em 1946, inaugurou a casa das loiras platinadas e, como talentosa relações-públicas que sempre foi, aplicava a técnica do *talk and touch* (falar e tocar). Ficou conhecida como a Garbo dos negócios (em referência ao sucesso de Greta Garbo no cinema).

✪ Ao criar a marca Clinique, Estée Lauder inspirou-se em si própria. Como tinha problemas de alergia de pele, a nova marca era testada para evitar sensibilidade no rosto.

✪ Foi a primeira marca a criar uma linha de cosméticos exclusivamente dedicada aos homens, em 1978.

✪ Em seguida, criou Origins, a primeira empresa de cosméticos a usar apelo naturalista.

✪ Além de talento para criar produtos de beleza, tinha muito tino para comercializar os cremes. Foi a primeira empresa de beleza a distribuir amostras grátis dos cremes e perfumes.

✪ Morreu em 2004, aos 97 anos. Dizia que a fórmula de sua saúde era o cuidado com a pele.

✪ A marca Estée Lauder promoveu a iluminação com luzes cor-de-rosa de marcos históricos como o Empire State, em Nova York; a Torre de Pisa, na Itália; e a Torre de Tóquio, no Japão.

✪ Em 1998 foi chamada pelo jornal *The Times* o gênio do negócio mais influente do século.

✪ A empresa Estée Lauder acumula hoje mais de 12 bilhões de francos e continua pertencendo à família.

Hélène Rochas (1926-2011)

Em 1931, o francês Marcel Rochas abriu sua primeira butique de roupas em Paris. Sua clientela era composta de estrelas de Hollywood, como Marlene Dietrich e Mae West, ícones absolutos de beleza e feminilidade, que inspiraram o estilista a criar seu primeiro perfume, Femme. Em 1955, Marcel morreu, aos 53 anos, e sua esposa Hélène decidiu assumir a presidência da empresa. Abriu mão das roupas, preferindo continuar com um mundo que ela julgava muito mais glamoroso: o da perfumaria. Esteve à frente dos negócios até 1971.

✪ Depois da morte do marido, Hollywood tentou seduzir Hélène Rochas a se transformar em diva do cinema. Ela recusou, preferindo investir na carreira de empresária.

✪ Madame Rochas foi a mais jovem presidente de empresa da França.

✪ A primeira criação em que ela interferiu diretamente recebeu o nome de Madame Rochas e foi envasada num vidro de cristal Baccarat, cópia de uma peça do século XVIII, encontrada por ela num antiquário.

Anita Roddick (1942-2007)
Nasceu em Littlehampton, cidade distante duas horas de Londres, filha de imigrantes judeus italianos. Durante a juventude, trabalhava na cafeteria da família e adorava ler. Seus grandes ídolos eram Martin Luther King e Mahatma Gandhi. Em 1976, quando tinha 34 anos, criou a Body Shop, com o marido Gordon Roddick, que se tornou seu sócio. Ela reciclava alimentos que tinha na geladeira de casa, usava as receitas de beleza da mãe e colocava os preparados em potes plásticos, que vendia para os vizinhos. Seus 25 itens de beleza eram perfumados, coloridos e não levavam aditivos químicos. Com o sucesso da marca, montou uma loja que era informal e adotava um estilo *hippie*. No auge da grife, a Body Shop chegou a ter 2.100 lojas espalhadas por 55 países. Em 2007, Anita teve um derrame e morreu.

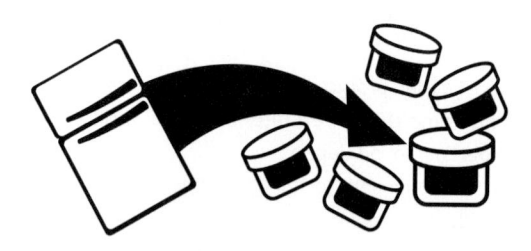

✪ Em 2006, Anita recebeu uma proposta de compra de sua empresa pela L'Oréal, o maior grupo de cosméticos do mundo. Vendeu a Body Shop por 1,1 bilhão de dólares.

✪ Sempre proibiu que se fizessem testes em animais para desenvolver cosméticos. Foi considerada a pioneira das causas éticas, ecológicas e politicamente corretas no mundo da beleza.

✪ Uma das suas receitas mais famosas misturava alface cozida com abacate para hidratar o rosto.

○ Era radicalmente contra cirurgia plástica e achava que nenhuma mulher precisava gastar mais de 50 dólares por mês para se manter bela.
○ Muitos de seus produtos usavam como ingrediente as castanhas cultivadas por índios caiapós brasileiros.

Annick Goutal (1946-1999)

Nascida em Aix en Provence, a região do mundo onde mais se planta flores usadas na perfumaria, Annick foi concertista de piano e reconhecida *top model*. Mas tinha um nariz privilegiado. Identificava notas, harmonias olfativas, sabia com quais flores a casa estava perfumada sem olhar os vasos. E tinha o hábito de associar momentos da sua vida com os aromas, anotando tudo em um caderno perfumado. Criou seu perfume, Folavril, e logo em seguida, em 1981, o consagrado Eau d'Hadrien. Usando o aroma de cartão de visitas, abriu sua butique em Sain Germain de Près, em Paris, e ela mesma apresentava as criações aos clientes. Seu olfato foi reconhecido com o Prix de L'Excellence Europeenne. Resistente à ideia de se ligar aos estilistas franceses, supervisionava pessoalmente suas criações. Morreu com 53 anos, vítima de câncer.

○ A filha, Camille, cuida do negócio exatamente como a mãe.
○ Os produtos da grife são vendidos em butiques exclusivas e nas lojas de cristais Baccarat.
○ A marca tem apenas oito butiques pelo mundo: seis em Paris, uma em Roterdã e uma em Bruxelas. Não quer ultrapassar as dez lojas.
○ Como Annick foi pianista, os perfumes da grife sempre foram comparados a músicas. Ela não só harmonizava notas olfativas, como fazia associações no piano com as notas musicais. Se combinassem, ela seguia adiante com a fórmula.

A HISTÓRIA DOS CONCURSOS DE MISS

O primeiro concurso de miss foi realizado em 1921 nos Estados Unidos. Mas não acontecia anualmente. Apenas a partir de 1951 é que o multimilionário britânico Eric Mosley passou a promover o concurso Miss Mundo, mostrando as candidatas (que eram todas americanas) de biquíni, a grande novidade da época. No ano seguinte, a empresa Pacific Mills criou um concurso para divulgar sua nova coleção de trajes de banho e, numa absoluta falta de modéstia, chamou o concurso de Miss Universo. Como eram muitas candidatas e todas com trajes sumários, a divulgação feita pelos veículos de comunicação do mundo todo foi maciça. Assim, vários países despertaram para os concursos de beleza e passaram a organizar seus próprios eventos. As vencedoras eram, então, encaminhadas para disputar o concurso da Pacific Mills. Aqui no Brasil, o maior patrocinador dos célebres concursos de miss nas décadas de 1950, 1960 e 1970 foi a marca de maiôs Catalina, que ficou conhecida por vender o maiô de miss.

1. O casamento, em 1930, da miss francesa Yvette Labrousse com o príncipe Aga Khan alimentaria o mito das misses. Os concursos permitiam um alpinismo social sem precedentes.

2. Vera Fischer foi miss Brasil em 1969, quando tinha 17 anos, um a menos do que exigia o regulamento.

3. Apenas duas brasileiras foram miss universo: Ieda Maria Vargas (1963) e Martha Vasconcelos (1968).

4. Violeta Castro, conhecida como Bebê Lima Castro, foi a primeira a vencer um concurso de beleza no Brasil, em 1900.

5. O concurso oficial de Miss Universo começou em 1952, em Long Beach, para promover uma marca de maiôs. No mesmo ano, surgiu o Miss Venezuela.

6. Até 1980, a TV Tupi realizava os concursos de miss no Quitandinha, em Petrópolis (RJ), no Pavilhão São Cristóvão e no Ginásio Presidente Médici, em Brasília. Mas seu auge foi entre 1958 e 1972, quando o concurso era feito no Maracanãzinho, onde se reuniam 30 mil pessoas.

7. A partir de 1981, o SBT passa a organizar e transmitir os concursos de miss. O mestre-de-cerimônias, claro, era Silvio Santos.

8. Em 2002, a eleita miss Brasil foi Joseane Oliveira. Mas ela teve de ser destituída do título, porque revelou, ao participar do Big Brother Brasil, que era casada.

9. O nome "miss Brasil!" nunca pôde ser registrado, porque tem uma palavra em inglês ao lado do nome do país.

10. Por causa do ciúme do namorado, a mineira Stael Abelha quase desistiu do título de miss Brasil em 1961.

11. A primeira miss negra foi Vera Lúcia Couto, que ficou em segundo lugar no Miss Brasil 1964, depois de ter sido eleita miss Guanabara. Foi a inspiradora da marchinha de carnaval *Mulata bossa nova*.

12. A estudante de medicina Lúcia Peterlle só se inscreveu no concurso de miss para ganhar um carro. Chegou ao título de Miss Mundo em 1971 e ainda foi convidada pela rainha Elizabeth II para um chá da tarde.

13. Vida Samadzai, miss Afeganistão, levou uma reprimenda pública por mostrar o corpo durante o concurso de Miss Universo, em 2003.

14. Em 2007, a miss Brasil Natália Guimarães ficou em segundo lugar no concurso de Miss Universo. A campeã foi a japonesa Ryio Mori. Para justificar a perda, "missólogos" disseram que isso aconteceu porque dois dos patrocinadores do concurso eram japoneses: o fornecedor da coroa, a joalheria Mikimoto, e o guarda-roupa da miss, a grife Tadashi.

15. O concurso de Miss Universo é propriedade de Donald Trump. Os países que quiserem enviar candidatas precisam pagar 60 mil dólares ao milionário.

Fábrica de misses

O país do mundo que mais investe na "fabricação" de misses é a Venezuela. A organização do concurso nacional contrata mais de cem olheiros que se espalham pelo país em busca de moças que tenham boas possibilidades. Ao longo de um ano inteiro, a miss é construída: o concurso paga tratamentos dentários, cirurgias plásticas, aulas de canto, dança e etiqueta, e até cursos de idioma.

Concursos de beleza inusitados

MISS NUCLEAR
Os russos votaram pela internet para escolher a mais bela funcionária das empresas ou instituto de pesquisa nuclear. O concurso acontece desde 2004. A coroação da vencedora ocorre em Moscou.

MISS DA PESADA
Para atacar a magreza das misses, a Rússia também escolhe a sua miss cheinha.

MISS RUGAS
A Islândia promoveu um concurso de beleza diferente, em abril de 2007. As candidatas tinham de apresentar rugas, seios caídos e outras imperfeições naturais. Seios siliconados e operações plásticas desqualificam imediatamente as candidatas. A organizadora do evento foi a feminista Matthhildur Helgadottir.

Miss plástica

Em 2004, a China promoveu um concurso de miss diferente: só para mulheres que haviam feito plástica. A ideia surgiu depois que Yang Yuan, de 18 anos, foi desclassificada do Miss China porque havia feito 11 operações estéticas.

Campeã de plásticas

Por aqui, Juliana Borges, miss Brasil 2001, fez 19 intervenções cirúrgicas para melhorar o visual. Aumentou os seios com silicone para chegar aos 90 cm, fez algumas lipos na barriga e nas costas para atingir 60 cm de cintura, corrigiu as orelhas de abano, colocou preenchimento para mudar o contorno do maxilar e eliminou pintas do rosto, pescoço e abdome. Na época, suas medidas eram 1,80 metro e 58 quilos.

Quase de fora

• Em 2003, a Venezuela quase ficou fora dos concursos de miss, porque Hugo Chaves, arqui-inimigo de Gustavo Cisneros, o dono do concurso, não quis patrocinar a viagem da moça. Faltando apenas alguns dias para o evento, Cisneros a enviou, pagando as despesas do próprio bolso.

• Em 2007, Trinidad e Tobago não enviou representante para concorrer ao Miss Universo por falta de verbas. A Suécia também não enviou, mas o motivo foi outro: chegaram à conclusão de que julgar uma mulher por sua beleza é uma aberração.

DUBLÊ DE MISS
Em 1966, as gêmeas Ana Cristina e Elizabeth Ridzi disputaram o Miss Guanabara. A primeira venceu, mas as duas viajaram juntas para disputar o Miss Universo.

A miss mais famosa de todas

Em 1954, a baiana Martha Rocha, de ascendência portuguesa e dinamarquesa, ganhou o título de Miss Brasil, mas perdeu o de Miss Universo para a americana Mirian Stevenson. Alegaram que seus quadris (38 polegadas) estava duas polegadas (cerca de 5 cm) acima da medida ideal e este teria sido o motivo da derrota. Em sua biografia, Martha Rocha garante que nunca soube se essa história foi ou não verdadeira. Cinquenta anos mais tarde surgiu a versão de que teria sido invenção de um jornalista brasileiro presente à premiação e inconformado com o resultado.

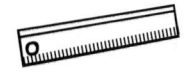

Curiosidades

✪ Depois de ficar com o vice-campeonato, Martha assinou contrato com a empresa Gessy Lever para anunciar produtos de beleza por um cachê de 30 mil dólares.

✪ Antes de se casar, Martha Rocha gravou dois discos com Emilinha Borba.

✪ Depois do casamento, a miss foi viver em Buenos Aires. Era vizinha da família Peron.

✪ Ficou viúva aos 23 anos do primeiro marido, que morreu em um desastre aéreo. Seu segundo casamento, com Ronaldo Xavier, foi na igreja da Candelária (RJ). A polícia foi chamada para conter o assédio dos fãs. O casamento durou 13 anos e, depois da separação, os três filhos foram viver com o pai.

Padrões de beleza

Por definição, engloba pelo menos 50% da população. Mas os padrões de beleza nunca atingiram 0,5% da população. Por isso, sempre foram perseguidos como verdadeiros ideais.

• Em **1539**, Augusto Nifo dedica a Joana de Aragão a obra *Sobre a beleza e o amor*, na qual define critérios rígidos de beleza: o comprimento do nariz deve ser igual ao dos lábios. A soma das duas orelhas ocupará a mesma superfície da boca aberta, e a altura do corpo conterá oito vezes a da cabeça. Nenhum osso deve marcar o largo peito e os seios devem ter forma de pera invertida. A mulher ideal é alta sem ajuda de saltos, tem ombros largos, cintura fina, quadris amplos e redondos, mãos rechonchudas, mas dedos afilados. Deve ter pernas roliças e pés pequenos.

- No **século XVII**, Rubens pinta a tela *As três graças*, onde três jovens brincam nuas exibindo suas barrigas proeminentes e bumbuns roliços. Pintores como Fragonard e Tiepolo também retrataram padrões de beleza no século XIX. Suas mulheres são rechonchudas, risonhas, cheias de covinhas e dobrinhas macias. Mas as mulheres já têm consciência de que podem modificar a imagem através da maquiagem e dos recursos dos penteados.

- No início do **século XX**, o peso excessivo deixa de ser sinônimo de prosperidade. As atrizes de cinema criam o estilo mulher fatal: são sérias e enigmáticas.

- Nos anos **1940**, o padrão de mulher bonita é definido por meio de um corpo curvilíneo e de um rosto maquiado. São os anos da valorização máxima da beleza, conceito que dura até hoje. Qualidades estéticas passam a ser sinônimo de sucesso e de felicidade.

- Nos anos **1960**, as mulheres estão menos vestidas. O padrão de beleza ainda está muito ligado às características de feminilidade e de delicadeza. Mas a magreza excessiva deixa de ser sinal de fraqueza para se tornar objeto de desejo das mulheres.

- Nos anos **1980**, a geração *yuppie* vai às academias e as mulheres descobrem que podem mudar de corpo com muita ou pouca ginástica. Os contornos ficam mais duros e definidos.

- No século **XXI**, o padrão de beleza se internacionaliza. As mulheres querem ser magras e recorrem às clínicas de estética para retardar o envelhecimento.

COMO ERA... COMO FICOU
Os padrões de beleza mudaram muito nos últimos cinquenta anos.

ANO	1950	1960	1970	1980	1990	2000
altura	1,70 m	1,71 m	1,72 m	1,72 m	1,72 m	1.80 m
peso	60 kg	55 kg	58 kg	57 kg	53 kg	52 kg
busto	91 cm	84 cm	90 cm	90 cm	84 cm	86 cm
cintura	58 cm	60 cm	61 cm	61 cm	63 cm	59 cm
quadris	98 cm	90 cm	90 cm	92 cm	88 cm	85 cm
ícone	Martha Rocha	Helô Pinheiro	Vera Fischer	Luíza Brunet	Carolina Ferraz	Gisele Bündchen

TRÊS ANOS PARA SE EMBELEZAR

Uma pesquisa realizada por uma marca de produtos de beleza analisou o comportamento de 3 mil inglesas e concluiu que as mulheres gastam em média três anos de suas vidas se embelezando, enquanto os homens gastam apenas 3 meses. Para sair à noite, a mulher gasta em média 1 hora e 12 minutos para ficar pronta (22 minutos no banho, 7 passando cremes e loções, 23 arrumando os cabelos, 14 caprichando na maquiagem e 6 se vestindo – claro que a roupa já foi pensada com bastante antecedência). A pesquisa leva em conta uma saída por semana. Se sair duas vezes por semana, a mulher deve acrescentar 5 dias ao ano e, portanto, 10 meses no decorrer da vida. Um outro momento que toma muito o tempo das mulheres é o período da manhã. Segundo a pesquisa, elas gastam 40 minutos para se preparar todos os dias, ou seja, dez dias completos a cada ano e cerca de dois anos no total da vida.

5

Calcinha e sutiã me dão falta de ar.

SONIA BRAGA
(1951-), atriz

Moda e estilo

Tão importante quanto as manifestações políticas, a moda se inspirou nas ruas e refletiu o comportamento de muitas gerações. Com Chanel, as mulheres descobriram o valor de um colar de pérolas e a importância de uma bainha bem costurada (por dentro e por fora). Mas foi com Mary Quant que chegaram à conclusão de que mostrar as pernas não era pecado; era bonito.

EVOLUÇÃO DA MODA

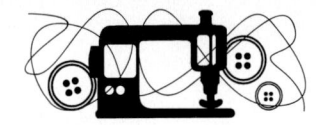

Um dos maiores precursores da moda foi Paul Poiret, costureiro francês do começo do século XX, responsável por liberar as mulheres das anquinhas e dos espartilhos. Criador de vestidos lânguidos, com estampas rebuscadas, ele produziu modelos que deixavam ver melhor o corpo das mulheres. Baixou as cinturas, libertou o colo e pronunciou os decotes. Um verdadeiro "mártir da independência da imagem feminina".

✤ A popularização da moda aconteceu em 1892, com o lançamento da revista *Vogue*. Nos seus primeiros números, personalidades como a milionária Gertrude Vanderbilt Whitney vestiam suas próprias roupas.

✤ A invenção do raiom (seda artificial) em 1910, e mais tarde do acetato, deram nova perspectiva à moda da época.

✤ A moda dos anos 1920 usou a dança como inspiração. O Charleston exigia braços para cima e pernas em livre movimento. Por isso, os vestidos não tinham mangas e vinham com franjas na barra, o que simulava um balanço ainda mais frenético.

✣ Até os anos 1920, as meias eram esbranquiçadas para esconder as pernas. A partir daí, surgiram as meias cor de pele, para que a mulher fingisse não estar usando nada.

Anos loucos

Em 1927, o figurinista Jacques Doucet sobe as saias ao ponto de mostrar as ligas rendadas das mulheres. Um verdadeiro escândalo. As roupas de noite têm capas bordadas e os vestidos ganham plumas e canutilhos. As mulheres se vestem de melindrosas, estilo popularizado pelo charleston.

✣ A década de 1920 foi de Chanel com seus cortes retos, capas, blazers, cardigãs, colares compridos, boinas e cabelos curtos. Durante toda a década, Chanel lança uma nova moda após a outra, sempre com sucesso.

✣ O estilista francês Jean Patou se destaca nos anos 1920 com suas linhas *sportswear*. Foi o primeiro a desenhar roupas de tênis para usar dentro e fora das quadras.

✣ Os anos 1930 usam o esporte como tema de moda. Para fazer exercícios na praia, as mulheres passam a usar saiotes mais curtos, camisetas com cavas mais pronunciadas e decotes nas costas. O short surge a partir do uso da bicicleta. Aparecem os primeiros produtos em série assinados pelas grandes *maisons*. Nasce o *prêt-à-porter* (pronto para usar).

✣ Com a aproximação da Segunda Guerra Mundial, em 1939, as roupas passam a apresentar uma linha militar.

✣ Com o começo da guerra na Europa, a Alemanha ainda tenta destruir a indústria francesa de costura, levando as *maisons* parisienses para Berlim e Viena, mas não teve êxito. Durante a guerra, 92 ateliês continuam abertos em Paris, embora a escassez de tecidos tenha feito com que se adotasse a prática de reformar roupas. A simplicidade à qual a moda estava submetida desperta o interesse pelos chapéus, que eram muito criativos.

✣ Durante a Segunda Guerra, o *ready-to-wear* (pronto para usar), que é a forma de produzir roupas de qualidade em grande escala, se desenvolve. Usam-se catálogos para venda por correspondência e os pedidos eram entregues pelo correio.

Anos de guerra

✣ Paris fica isolada. Os Estados Unidos aproveitam para evoluir a moda, criando modelos intercambiáveis de saias, blusas e calças. O cinema também interfere nas criações de moda. Para a noite, surgem os modelos colados ao corpo, com rabo de sereia.

✣ Com a libertação de Paris, em 1944, a alegria invade as ruas, assim como as meias de náilon americanas trazidas pelos soldados, que levaram de volta para suas mulheres o perfume Chanel nº 5.

✣ A primeira coleção do francês Christian Dior foi lançada em 1947 e surpreende a todos. As saias eram rodadas e compridas, e todos os *looks* traziam luvas e sapatos de salto alto. Como a época da guerra havia imposto um estilo minimalista e econômico, a nova coleção de Dior é chamada de volta ao luxo e sofisticação. O estilista não precisa de um segundo desfile para ficar consagrado e adentra os anos 1950 como a grande promessa de moda da década.

✣ Os anos 1950 são o apogeu da alta-costura. Surgem nomes importantes como Cristóbal Balenciaga, Hubert de Givenchy, Pierre Balmain e Nina Ricci.

Você sabia?

Quando Christian Dior marcou a apresentação da sua coleção Corolla, em 1947, os termômetros em Paris marcavam -13 ºC. Carmel Snow, editora da revista *Harper's Bazaar*, disse que a apresentação tinha de ser muito boa para compensar uma saída numa tarde tão fria. Ao final do desfile, ela saiu encantada e disse a Dior que sua nova coleção era uma revolução e que seus vestidos tinham um verdadeiro *new look*. A partir daí, nunca mais esse termo deixou de ser usado na moda.

Anos hollywoodianos

Com o final da guerra, o cinema continua servindo como válvula de escape para as mulheres sonharem.

✣ Em 1954, *mademoiselle* Chanel reabre sua *maison* em Paris, que permanecera fechada durante a guerra. Aos setenta anos, ela cria algumas peças que se tornariam inconfundíveis, como o famoso *tailleur* com guarnições trançadas, a bolsa a tiracolo em matelassê e o escarpim bege com ponta escura.

✣ Em 1955, as revistas *Elle* e *Vogue* dedicam várias páginas de suas publicações às coleções de *prêt-à-porter*. Alguns itens se tornam símbolos do que havia de mais chique, como o lenço de seda Hermès, que Audrey Hepburn usava.

✣ A ficção científica e todos os temas espaciais passam a ser associados à modernidade e são muito usados.

✣ Em meados dos anos 1950, a juventude americana começa a buscar seu próprio estilo. Surge a moda colegial. Além das saias rodadas, havia calças cigarrete até os tornozelos, sapatos baixos, suéter e jeans.

Anos dourados

As mulheres que tanto trabalharam no período da guerra voltam para casa. Surge a figura da rainha do lar, a dona de casa perfeita. As mulheres adotam as cintas que espremem o corpo, os sutiãs com enchimento e a cintura de vespa. As saias são rodadas, com muitas anáguas por baixo.

✣ Yves Saint Laurent é o primeiro estilista a desenhar um *smoking* para mulheres, em 1966.

✣ Emilio Pucci se consagra com suas estampas exuberantes, e André Courrèges lança a moda futurista.

Você sabia?

Foi nos anos 1960 que surgiram os primeiros *baby-look*, vestidos muito curtos que deixavam ver a calcinha. Para completar o visual, as mulheres usavam cílios postiços e perucas. Os mineiros conservadores não gostaram. O Tribunal de Justiça de Minas Gerais proibiu, em 1967, que as mulheres usassem minissaias, e os homens, cabelos compridos.

• O final dos anos 1960 e o começo dos 1970 marcam uma revolução no comportamento feminino. O movimento *hippie* protesta contra a Guerra do Vietnã (1964-1975), se expressando em túnicas indianas, batas coloridas, caftans e sapatos plataforma.

• Em meados dos anos 1970, Courrèges lança o *palazzo*, pijama psicodélico, um tipo de macacão com barra larga e estampas multicoloridas.

Anos rebeldes

Pela primeira vez, os estilos masculino e feminino se misturam na moda. Homens e mulheres vestem as mesmas camisas e calças coloridas bem justas no corpo.

✢ A década de 1980 foi marcada pelo exagero. Madonna, Cindy Lauper, Boy George surgem no cenário internacional influenciando a moda definitivamente.

✢ As calças *baggy* vestem as mulheres com conforto e extrema deselegância.

✢ Surgem os grandes estilistas japoneses como Yoji Yamamoto e Rei Kawakubo, num estilo de moda anticonvencional.

Anos grifados

Vive-se a era da ostentação e não basta mais usar uma grife. É preciso mostrar a logomarca. Nunca os dois "C" entrelaçados de Chanel foram tão exibidos, abrindo caminho para uma centena de outras marcas se expandirem.

✣ Nos anos 1990, a moda fica *clean* e minimalista. Saem as ombreiras dos anos 1980 e entram as camisetas justas que marcam as formas.

✣ A cintura das calças desce para a altura dos quadris e as temporadas de moda ganham espaço em todo o mundo, inclusive no Brasil, com o surgimento do Phytoervas Fashion, que depois ganharia o nome de Morumbi Fashion e, mais tarde, São Paulo Fashion Week.

Anos de culto ao corpo

Com o *boom* da aeróbica nos anos 1980, as mulheres começam a dar importância aos músculos e buscar corpos mais torneados e magros. Em 1992, o movimento *heroin-chic* toma conta do mundo, numa espécie de perversão da moda, cultuando o estilo magro e doente das modelos que usavam drogas.

Século XXI

O novo milênio inaugura a era do conforto, tecidos desenvolvidos com tecnologia avançada e moda fragmentada, para contemplar vários estilos. O visual *fake* envolve definitivamente as mulheres, que adotam o silicone para modelar o corpo. Elas deixaram de ser escravas do espartilho para serem escravas da boa forma e da magreza. Não importa mais a roupa que se use, mas o recheio que vai exibir a roupa.

CURIOSIDADES DA MODA ATRAVÉS DOS TEMPOS
✣ Nas décadas de 1930 e 1940, o arquipélago das Bermudas, no Caribe, era um balneário muito popular. As leis locais não permitiam que as mulheres mostrassem as pernas. Lá surgiu a moda dos shorts, que driblavam o calor, mas eram bem-comportados e chegavam até os joelhos.

✣ Indigo *blue* é a forte cor azulada que o jeans apresenta antes da lavagem. Foi popular nos anos 1980, perdeu um pouco da fama na década seguinte e voltou com força total em 2006.

✧ Jeans, o tecido que já completou quatro séculos, foi inventado na França. Tinha cor marrom e era usado pelos funcionários das minas. Foi popularizado no século XIX quando o alemão Lévi-Strauss deixou a Baviera rumo aos Estados Unidos. Na época da "corrida do ouro", ele foi para a Califórnia e transformou rolos de lona em macacões e calças para os garimpeiros. Era dado, aí, o pontapé inicial da Levi's.

✧ Osso e metal são alguns dos materiais dos quais eram feitos os botões das roupas, quando o homem deixou de vestir-se com túnicas e saiu das cavernas.

✧ Quando morreu, a princesa Diana virou um mito. Mesmo três anos após sua morte, suas peças particulares e roupas foram leiloadas e atingiram cifras milionárias: em 2000, o catálogo da casa inglesa Cristhie's com os vestidos dela foi comprado por 83 mil dólares, tornando-se o livro impresso mais caro do século XX.

✧ Ralph Lauren, Versace, Gucci e Dolce & Gabbana são algumas das grifes para as quais a modelo brasileira Gisele Bündchen já desfilou. Em 2001, chegou a receber 80 mil reais em um desfile. Nascida em Horizontina (RS), ela é gêmea de Patrícia e tem outras quatro irmãs.

✧ Sandálias egípcias de 5 mil anos são as peças mais antigas que o homem criou para proteger seus pés. Ao longo dos séculos, vieram os sapatos. Mas só em meados de 1850 começou a haver uma distinção visível entre os pés direito e esquerdo.

✧ Unissex é o estilo de roupas que pode ser usado por homens e mulheres. Teve seu auge nos anos 1960, quando o costureiro Yves Saint Laurent criou o *smoking* feminino. A primeira mulher a aparecer publicamente de calças foi a atriz alemã Marlene Dietrich, nos anos 1920.

✧ Valentino, costureiro italiano nascido em 1932, teve muitas clientes famosas ao longo da vida. Entre elas, Rita Hayworth e Elizabeth Taylor. Ele foi um dos primeiros estilistas a presenteá-las com suas criações. Para Jackie Kennedy, ex-primeira dama dos Estados Unidos, ele dedicou uma coleção inteira.

✣ Xuxa Meneghel foi capa de diversas revistas de moda, como a *Desfile*, em outubro de 1984. Sua grande "rival" era Luíza Brunet. No Morumbi Fashion de 2000, Xuxa matou a saudade das passarelas ao desfilar para o costureiro pernambucano Lino Vilaventura. Luíza Brunet abandonou as passarelas para ser mãe. Quinze anos mais tarde, voltou a desfilar, ao lado da filha Yasmin Brunet.

✣ Yves Saint Laurent, estilista francês nascido na Argélia, foi assistente de Christian Dior e, com a morte do primeiro em 1957, assumiu a direção da grife. Sua primeira coleção, no ano seguinte, foi revolucionária, já que apresentou os vestidos trapézio.

✣ Zíper, uma invenção de 1891 do americano Whitcomb L. Judson, só foi aperfeiçoado para valer em 1923, quando a B. F. Goodrich produziu um tipo de bota de borracha com o novo fecho. O nome foi dado por um executivo da empresa: vem de *zip'er up* e *zip'er down* (zipar para cima e para baixo).

✣ Giorgio Armani, italiano de Piacenza, causou impacto em 1982 ao lançar saias-calças curtíssimas. E provocou o mundo da moda lançando paletós para mulheres.

Quando o cinto apertou

A euforia dos anos 1920 acabou em 29 de outubro de 1929, quando a Bolsa de Valores de Nova York registrou a maior baixa da história. Os investidores perderam tudo, e os anos seguintes ficaram conhecidos como a Grande Depressão.
Para levantar o astral, os estilistas redescobriram as formas do corpo da mulher.

✢ As saias ficaram longas e os cabelos cresceram.

✢ Como havia crise, materiais mais baratos passaram a ser usados em vestidos de noite, como o algodão e a casimira.

✢ As costas femininas viraram novo foco de atenção.

✢ As cinturas, que eram soltas nos anos 1910, voltaram para o lugar, ficando bem ajustadas.

Qual era a última moda aqui no Brasil?

1950: saias plissadas, maiôs de helanca, decote tomara que caia, óculos gatinho, calças jeans, jaqueta de couro.

1960: casaquinhos de *ban-lon*, saias de tergal, calças Saint Tropez, minissaia, maxivestidos, sapato boneca, pantalonas, tecidos psicodélicos.

1970: bata, calça boca de sino, veludo cotelê, cacharrel, tanga, short e bota de cano alto, sapato mocassim, camiseta de lurex, poncho.

Você sabia?

O *baby-look* surgiu pela primeira vez quando as mulheres usavam três comprimentos básicos: míni, midi e maxi. O preferido era o míni.

1980: começo do movimento punk, calça *baggy*, tudo com os anjinhos da Fiorucci, moletom, blazer de linho, vestido balonê, coturnos, meia-calça preta opaca, sapato *docksider*, calça *fuseau*.

AO TRABALHO
Houve uma grande entrada de mulheres no mercado de trabalho. O uniforme preferido eram os blazers com ombreiras, mais parecidos com o terno masculino.

1990: movimento *heroin-chic*, jeans customizados, camisetas com mensagens, camiseta branca, bolsa de fuxico, camisas de microfibra, *cotton-lycra*, pretinho básico e bota estilo coturno.

2000: sandálias plataforma, *mule*, malha fria, tencel, tactel, quimonos, sapatênis, calça com cintura baixa, sandália rasteirinha, moda retrô (relançando tudo o que se usou nas últimas cinco décadas de moda).

> **É MELHOR ESQUECER QUE VOCÊ USOU...**
> ... poncho e conga (décadas de 1960 e 1970)
> ... calça *baggy* (década de 1970)
> ... polainas (década de 1980)
> ... saia balonê e manga-morcego (anos 1980)
> ... sutiã com alça de silicone e *pochette* (anos 2000)

Mulheres torturadas

Os espartilhos apertavam tanto, que muitas mulheres precisavam cheirar amoníaco para não desmaiar no meio do salão. Veja a seguir este e outros itens do vestuário que também incomodavam bastante.

- **Anquinha**: entre 1870 e 1880, as mulheres usavam essa peça de arame trançado para dar volume por baixo dos vestidos. Era presa à cintura por um cinto atado a uma forte fivela e podia ser comprada nas lojas de moda em quatro modelos: *row* (dois gomos), *florence* (três gomos desiguais), *paris* (três gomos iguais) e *myra* (volume único em formato redondo). Com o tempo, a anquinha foi substituída por uma pequena almofada acolchoada, que era recheada com penas. Para sentar-se, a mulher precisava puxar todo o volume para cima, para que o arame não espetasse suas coxas e nádegas. Por volta dos anos 1895 caiu em desuso, porque os vestidos passaram a ser mais lânguidos e fluidos.

- **Crinolina**: armação feita de arcos de aço que produzia saias extraordinariamente rodadas. Fez grande sucesso em 1850 e perdeu volume por volta de 1865. Para sentar-se, a mulher precisava suspender o vestido ligeiramente atrás, para que ele não levantasse na frente.

- **Espartilho**: peça de *lingerie* que causava problemas seriíssimos para as mulheres dos séculos XV ao XIX, época em que foi popular. Consistia de um corpete que cobria todo o tórax e a região dos seios. Sua estrutura era feita com ossos de baleia – os mais resistentes – e forrada com tecido fino, para que a mulher sentisse a pressão e não curvasse o corpo para a frente. Uma criada ou auxiliar de guarda-roupa apertava os cordões da peça na parte de trás, porque a mulher não conseguia vesti-lo sozinha. O resultado era uma cintura muito fina, que muitas vezes provocava falta de ar e desmaios.

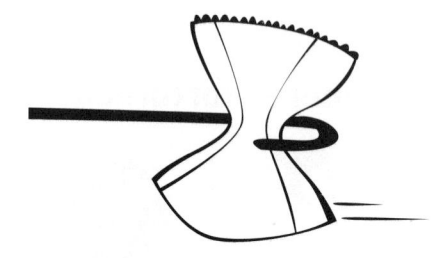

Quando Paul Poiret decretou o fim dos espartilhos no começo do século XX, as mulheres disseram que ele era louco. "O que iria modelar o corpo?", elas se perguntavam. Em protesto, Poiret arrancou uma cortina e a transformou em vestido para mostrar que, em moda, tudo é possível e nem só de vestidos apertados sobreviveria a elegância feminina. Essa atitude teria inspirado a personagem de Vivian Leigh no filme ... *E o vento levou* a tomar a mesma atitude.

- **Anágua**: originalmente era uma peça para usar sob a camisa masculina. Na Idade Média virou peça feminina e alongou-se até virar um saiote de baixo, amarrado diretamente na cintura, para servir de forro para saias e vestidos. Foram usadas no Brasil até os anos 1970, para evitar que o vestido colasse no corpo.

- **Cinta-liga**: esse acessório foi muito usado nos anos 1920 para prender as meias. Era uma espécie de cinto elástico com tiras penduradas que desciam em direção às coxas. Nas pontas, presilhas esticavam as meias, evitando que elas escorregassem para baixo. Quando as mulheres dançavam charleston, os vestidos subiam e as ligas ficavam aparentes. Essa foi a origem das ligas rendadas.

- **Meia-calça**: foi invenção de Mary Quant, a estilista que divide com Courrèges a autoria da criação da minissaia no começo dos anos 1960. Enquanto o costureiro criou versões curtas de alta-costura, Mary Quant as inventou para uso no dia-a-dia. Para que não ficassem indecentes, criou também a meia-calça colorida, que combinava com as minissaias. Aqui no Brasil, elas eram usadas só no inverno e a marca que fez mais sucesso entre as jovens foi a Lolypop. Nos anos 1980, surgiu a moda da meia-calça preta, sem transparência nem brilho.

Você sabia?

O náilon, primeira fibra sintética, foi criado em 1935. Um dos objetivos de seus inventores era encontrar um substituto para a seda natural. As meias finas de náilon foram lançadas em 15 de maio de 1940 e eram usadas presas a uma cinta-liga que, por sua vez, era presa na cintura. Apenas nos anos 1960 é que as meias finas de náilon passaram a ser incorporadas num short, se transformando em meias-calças. Por volta de 1965, também surgiram na versão 3/4 para serem usadas com calças compridas. Quando chegou a Segunda Guerra Mundial, a produção de náilon foi requisitada para fins militares, como a fabricação de paraquedas e tendas de campanha. Não havia material para confeccionar meias.
Quando, numa pesquisa, perguntaram a sessenta mulheres americanas do que mais sentiam falta por causa da guerra, quarenta responderam: do náilon. As outras vinte citaram maridos ou namorados.
Assim, quando as meias de náilon voltaram ao mercado, em 1946, foram recebidas por longas filas nas portas das lojas. A explicação da origem de seu nome é a de que une as siglas de Nova York (NY) e Londres (Lon).

• **Quimono**: surgiu no século VIII, em Kyoto, quando o imperador do Japão se estabeleceu na cidade. Muitos imigrantes, querendo permanecer na cidade, usavam a serigrafia como modo de vida. Os tecidos pintados reproduziam cenas da natureza e serviam de vestimenta para as mulheres. O auge da moda do quimono aconteceu no século XVII, por influência do teatro. Os quimonos mais complicados eram os das gueixas, porque exigiam várias camadas de roupas por baixo para que nenhum pedacinho do corpo ficasse à mostra. Por cima, o obi, ou faixa, era amarrado em três voltas, o que era impossível fazer sozinha. Os quimonos tradicionais ainda são fabricados em Kyoto. O traje completo pesa cerca de 5 quilos e o lado esquerdo deve ser amarrado sobre o direito. O contrário se faz apenas em dias fúnebres.

A MODA E O CINEMA

A sétima arte influenciou a moda e foi influenciada por ela. Entre todas as estrelas de cinema, a que mais esteve ligada à moda foi Audrey Hepburn. Como era muito magra e seus vestidos não cabiam em mais ninguém, ela era presenteada com todos os modelos usados em cena para uso próprio.

✣ Barbarella foi o personagem que Jane Fonda interpretou no filme homônimo, dirigido por Roger Vadin, em 1968. Ela vivia uma heroína futurista e os figurinos eram assinados por Paco Rabanne.

✣ O filme *Cinderela em Paris* (1957), com Audrey Hepburn, foi inspirado em Diana Vreeland, editora de moda das revistas *Harper's Bazaar* e *Vogue*, americanas.

✣ No filme *Modelos* (1944) há uma cena muito atual. Mil modelos passam por um *casting* para uma capa de revista. Nenhuma agrada ao diretor da publicação que, no fim do dia, declara: "Quero uma garota com uma história em seu olhar".

✣ Em *O diabo veste Prada* (2006), nem todos os modelos são Prada. Muitas grifes se negaram a emprestar modelos para o filme, com medo de irem para a geladeira da moda, graças ao poder da diretora da revista *Vogue*, Anna Wintour, a personagem retratada no filme.

Oscar de melhor figurino

Nos anos 1920, Hollywood percebeu que o visual de suas divas era parte do marketing para promover um filme. Mas só na década de 1950 a academia instituiu o prêmio de melhor figurino na cerimônia do Oscar. Alguns desses prêmios são comentados até hoje: além de marcarem época, levaram milhares de mulheres ao cinema para conferir o que as atrizes estavam usando. O enredo? Pouco importava.

• **1952 - *Moulin Rouge***: o filme conta a história do pintor francês Toulouse Lautrec, que vivia às voltas com bebida, arte e mulheres. A grande estrela foi Zsa Zsa Gabor, no papel de cortesã, exibindo decotes espetaculares.

• **1953 - *Como agarrar um milionário***: três mulheres loucas para casar fazem peripécias para arranjar um marido rico. Marilyn Monroe faz uma míope deslumbrante, apesar dos óculos de lentes grossas. Durante o filme, Marilyn usou mais de 1.950 modelos, em vantagem às outras protagonistas, que trocaram de roupa metade das vezes.

• **1954 - *Sabrina***: Audrey Hepburn usava vestidos de Givenchy para viver a filha do motorista que se apaixona pelo patrão. Mas quem definia o modelo final era a poderosa figurinista Edith Head, que o aperfeiçoava para esconder o que ela julgava defeitos de Audrey: o pescoço comprido, os seios pequenos, o quadril estreito e os pés grandes. Levou o prêmio por melhor figurino de filme preto e branco.

Você sabia?

Audrey Hepburn nasceu na Bélgica em 1929, e ao se tornar modelo transformou-se num dos maiores ícones da moda internacional. Amiga de Hupert de Givenchy, inspirou muitas criações do costureiro, como a calça corsário, as sapatilhas baixas, os óculos escuros Holly e o pretinho básico, usado em *Bonequinha de luxo*. Teve dificuldade de impor seu estilo porque nos anos 1950 eram as curvas de Marilyn Monroe que faziam sucesso, enquanto Audrey era o oposto. Mais tarde, Givenchy diria sobre ela: "Ao conhecê-la fiquei muito decepcionado. Parecia um animalzinho frágil. Os olhos eram maravilhosos, mas ela era magra, magra. E não usava qualquer maquiagem... que charme!". O decote do vestido de Audrey Hepburn no filme *Sabrina* ficou conhecido como decote-sabrina por causa do corte canoa e dos dois lacinhos laterais. Mas nada foi por acaso. A figurinista Edith Head, assim como a própria atriz, detestava os ossos salientes no ombro. E insistiu para que Givenchy aplicasse algum detalhe que disfarçasse a imperfeição.

• **1964 – *Molly Brown*:** Debbie Reynolds, vibrante nos vestidos coloridos de Molly, tirou o Oscar de melhor figurino de *My fair lady*, protagonizado por Audrey Hepburn, uma das mais elegantes atrizes de todos os tempos. Quem também concorreu foi *Mary Poppins*, que tinha Julie Andrews como a babá mais elegante do planeta. Ela usava bolsas que são copiadas até hoje.

• **1967 – *Quem tem medo de Virginia Woolf*:** graças ao magnetismo de Elizabeth Taylor, ao lado de Richard Burton, o filme também levou o prêmio de melhor figurino preto e branco. Foi uma surpresa porque as roupas eram, em sua maioria, sóbrias demais. Além disso, Elizabeth Taylor estava muito acima do peso, o que não valorizava nada os modelos que usava. A justificativa para o prêmio foi que os modelos acrescentaram carga dramática ao filme.

• **1968 – *Romeu e Julieta*:** o filme de época ganhou o prêmio pelo primor do acabamento nas vestimentas e também pela cena em que Olivia Hussey, a Julieta, tira uma delas, fazendo um célebre *topless* na telona. Para essa tomada, o diretor Franco Zefirelli precisou de autorização especial dos censores italianos.

Curiosidade
Romeu e Julieta foi o primeiro filme de época a interferir na moda atual. As *hippies* dos anos 1960/1970 adotaram os vestidos presos embaixo do busto, como os que Julieta usava.

• **1975 – *O grande Gatsby***: Mia Farrow e Robert Redford deram vida ao extravagante casal Jay e Daisy Gatsby, que fez os anos 1920 parecerem os mais glamorosos de todos os tempos. Destaque para as produções de roupas de festa, vestidos em tons pastel, cintura baixa e meias claras. Os sapatos foram feitos sob encomenda, para calçar melhor os pés de Mia Farrow, considerados magros e compridos demais. Apesar do Oscar e do sucesso de bilheteria, depois desse filme a Paramount demitiu o diretor Francis Ford Coppola.

• **1995 – *Priscila, a rainha do deserto***: três travestis cruzam o deserto australiano a bordo de um ônibus rosa, num dos melhores filmes da década. O figurino foi todo inspirado nos shows dos travestis franceses. Não faltaram paetês nos corselês e *bodies* usados pelos atores. Mas os destaques ficaram com os sapatos plataforma e os arranjos de cabeça multicoloridos, inovando no uso de materiais como borracha injetável. Para usar todos os apetrechos, os atores passaram dois meses ensaiando com as roupas da filmagem.

• **1998 – *Shakespeare apaixonado***: ambientado em 1593, teve como estandarte dos seus vestidões a atriz Gwyneth Paltrow, na pele de Lady Viola, uma adolescente que sonha ser atriz. Embora os vestidos de Gwyneth remontassem às vestimentas dos nobres do século XVI, os figurinistas Humberto Cornejo e Sandy Powell fizeram questão de agregar elementos mais atuais, como as joias de linhas mais modernas e os tecidos tingidos em nuanças específicas para valorizar o tom de pele da atriz. Os mesmos tecidos foram usados para forrar os calçados, criando uma sintonia que chamou a atenção dos jurados da academia.

- **2001 - *102 Dálmatas*:** depois de amargar alguns anos de cadeia, a personagem Cruela Devil, interpretada por Glenn Close, volta a cair em tentação e continua perseguindo os dálmatas para conseguir um casaco de pele exclusivo. Ao longo da fita, Glenn Close desfila cerca de dez casacos de pele diferentes, todos eles feitos em material sintético. Os estúdios Disney alertaram para que a produção fosse politicamente correta e distribuiu comunicado à imprensa informando sobre o figurino vencedor.

Curiosidade
A moda de transformar animais em casacos é do século XIX. Os vestidos de baile eram decotados e muito arejados para enfrentar o inverno europeu. Para cobrir os ombros, senhoras da sociedade passaram a usar peles macias de animais como raposas, martas (*minks*), lebres, chinchilas e visons. Elas eram reluzentes e combinavam com os tecidos nobres usados para confeccionar os trajes de baile. O hábito se consagrou ao longo do século XX. Nos anos 1980 surgiram os movimentos em defesa dos animais e a indústria das peles virou alvo de ataque.

Você sabia?

Para fazer um casaco de pele 7/8 (até os joelhos), são necessários:

24 raposas	44 raposas vermelhas	40 coelhos
65 visons	400 esquilos	130 a 200 chinchilas
10 focas	30 lontras	40 a 60 martas

Tem mais...
Cada pele de bebê foca é vendida no mercado pelo equivalente a 100 reais.

- **2002 - *Moulin Rouge*:** nessa nova versão, um jovem poeta se apaixona pela mais famosa cortesã de Paris, vivida por Nicole Kidman. O filme recebeu o prêmio de melhor figurino, mas os críticos garantiram que a responsabilidade da premiação foi de Nicole Kidman, magra e de postura irretocável. O figurino, em parceria com o cenário, consumiu cerca de 30 milhões de dólares. Apenas para os atores protagonistas, os figurinistas Catherine Martin e Angus Strathie produziram cerca de quatrocentas roupas. Para as dançarinas coadjuvantes, foram criadas mais de duzentas peças íntimas. Os figurinos foram confeccionados na Austrália e bordados na Índia.

Curiosidade
Por causa de um sapato de salto alto e fino que usava numa cena de dança, Nicole Kidman escorregou, caindo de joelhos no chão. O tombo lhe valeu um rompimento no menisco que não pôde ser operado, porque o diretor se recusou a interromper as filmagens. A atriz terminou o filme, de salto alto, à custa de muitos analgésicos.

• **2003 - *Chicago*:** com pouca roupa e muita perna à mostra, Renée Zellweger e Catherine Zeta-Jones, que vivem duas cantoras-dançarinas encarceradas, ajudaram na conquista do Oscar. Para Renée, os vestidos foram concebidos em tons escuros de preto e vermelho, para contrastar com o cabelo loiro. Para Catherine, os tons foram prata, areia e branco.

• Para exibir o corpo nos figurinos exíguos que o filme exigia, as protagonistas se submeteram a uma dieta. Renée se manteve magra, mas Catherine foi supervisionada ao longo das filmagens para que os vestidos não parecessem apertados demais.

• **2006 - *Memórias de uma gueixa*:** quimonos magníficos foram tão importantes no filme quanto a interpretação da atriz Zhang Ziyi, que vive Sayuri, uma menina japonesa que é vendida pelo pai e acaba numa escola de gueixas. Os motivos para estampar os quimonos foram criados por artistas japoneses residentes nos Estados Unidos, seguindo os preceitos das escolas de gueixas que ainda existem no Oriente. Em seguida, os desenhos foram enviados para o Japão, onde os tecidos foram confeccionados em seda e xantungue. Todas as etapas de produção dos figurinos foram observadas por consultores japoneses.

• O filme mostra o quanto era demorado e necessitava de ajuda o ritual de vestir o quimono.

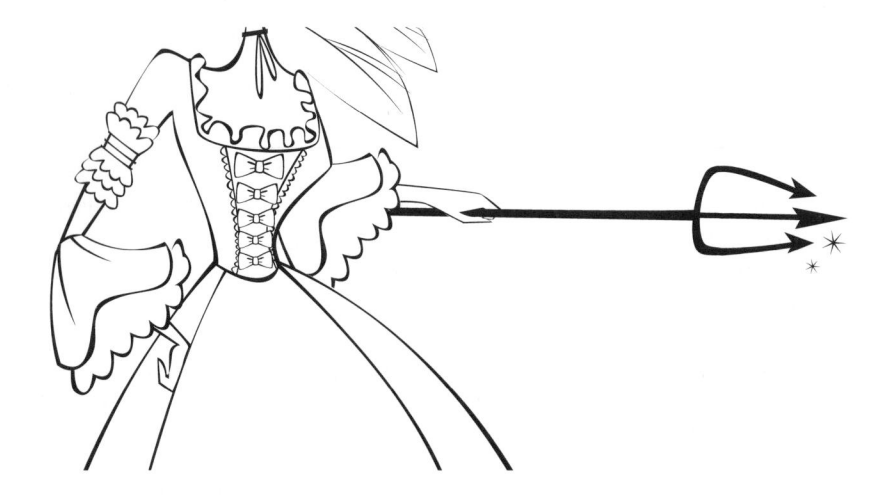

- **2007 – Maria Antonieta**: numa disputa acirrada, a fita de Sofia Coppola levou a melhor sobre um filme que falava e mostrava tudo sobre o mundo da moda: *O diabo veste Prada*. Maria Antonieta teve o mérito de transformar a rainha em um personagem ainda mais interessante. Muito mais pelas roupas do que pela guilhotina, garantiram os críticos. Nos figurinos de Milena Canonero, Maria Antonieta aparece várias vezes com modelos tomara-que-caia, coisa que não se usava na época da Revolução Francesa.

- Os vestidos foram mostrados num editorial de moda da revista *Vogue* francesa, que apostava na vitória do filme na categoria melhor figurino do Oscar. A atriz Kirsten Dunst, que viveu Maria Antonieta, serviu de modelo da produção.

O DIABO VESTE PRADA

Apesar da atuação de Meryl Streep, o que lhe valeu uma indicação ao Oscar de melhor atriz em 2007, o luxuoso figurino de Patrícia Field (responsável pela série *Sex and the City*) chegou a receber críticas negativas. Para alguns críticos de moda, era um festival de clichês. Levando em conta a fogueira das vaidades que cerca o mundo da moda, Patrícia Field não ligou para os comentários.

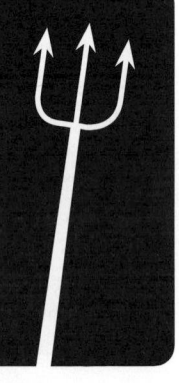

MULHERES QUE CRIARAM MODA

Num universo em que tantos homens se destacaram – Dior, Saint Laurent, Givenchy –, essas mulheres fizeram a diferença.

Gabrielle Chanel, a **Coco Chanel** (1883-1971), nasceu em Saumur, na França, e aos 12 anos, quando ficou órfã de mãe, foi internada num orfanato em Corrèze. Lá era obrigada a usar um uniforme de não pagante e costumava interpretar uma peça de teatro na qual contava a história de um cachorro perdido, chamado Coco. Daí seu apelido. Aos 18 foi cantar num cabaré, onde conheceu vários homens que a protegiam e de quem ela era amante. Um deles a ajudou a abrir uma lojinha na rue Cambon, em Paris, para vender os chapéus que ela confeccionava. Partiu, então, para a confecção de vestidos e foi a primeira a usar um tecido que todos desprezavam: o jérsei. Em 1926, criou o pretinho básico e se consagrou como estilista. A guerra atrapalhou seus negócios – ela chegou a ser acusada de colaborar com os nazistas –, mas *mademoiselle* Chanel deu a volta por cima. Em 1955 criou o *tailleur*, que é referência de elegância até hoje. Sempre foi contra a minissaia, por considerar o joelho a parte mais feia da anatomia feminina. Morreu aos 87 anos, na suíte em que vivia, no Hotel Ritz, em Paris.

• Em 1936, ela adotou a lã *tweed*, utilizada nos trajes masculinos de caça da Inglaterra, para confeccionar um *tailleur*.

Você sabia?

Com a lã de uma única ovelha é possível fazer 14 malhas. Cada malha pesa, em média, 250 gramas. Uma ovelha fornece cerca de 5 quilos de lã por ano, mas somente 3,5 quilos são aproveitados, pois o restante é muito sujo.

Elsa Schiaparelli (1890-1973) nasceu em Roma, numa família de intelectuais. Viveu nos Estados Unidos e depois de se separar foi para Paris. Como buscava independência financeira, começou a fazer peças de tricô que tinham estilo vanguardista e ousado. Era desafeto e rival de *mademoiselle* Chanel, que se recusava a dizer o nome dela. Referia-se a Elsa como Schia... qualquer coisa ou, simplesmente, "a italiana". Os modelos de Elsa Schiaparelli eram inusitados, espalhafatosos e agradavam às mulheres que buscavam um estilo provocante.

✪ Foi uma das primeiras a usar o zíper nas roupas femininas, o que despertou ódio em outros costureiros, pela ousadia.
✪ Ficou conhecida por ter escolhido o rosa choque como sua cor favorita.
✪ Pierre Cardin e Givenchy foram aprendizes em seu ateliê.

Mary Quant (1934-) nasceu em Londres, Inglaterra, e durante muitos anos da sua vida trabalhou como assistente de chapeleiro, abandonando o emprego para abrir a loja Bazaar. Começou vendendo roupas de várias marcas, mas em pouco tempo passou a criar ela própria seus modelos. Seu forte eram as peças simples, bem coordenadas e jovens. Foi a primeira estilista a transformar a minissaia em roupa para o dia a dia, e não só modelo de passarela. Também estimulava o uso das meias-calças, dos tops de crochê e das roupas emborrachadas. Os anos 1960 foram marcados pelas criações de Mary Quant.

✪ Criou diversas coleções para grandes lojas de departamento como a J. C. Penney.
✪ Chegava a criar até quatro coleções por ano, quando as outras casas criavam apenas duas.
✪ Em 2000, a marca que leva seu nome foi vendida para uma incorporação japonesa e Mary Quant recusou-se a permanecer na direção da grife.

Carolina Herrera (1939-) nasceu em Caracas, na Venezuela, mas radicou-se nos Estados Unidos, onde começou sua carreira como relações-públicas da grife Pucci. O casamento, desaconselhado por toda a família, não deu certo. Separada do marido, com apenas 25 anos e duas filhas para criar, decidiu investir no mundo da moda. Em 1980, julgou que já estava preparada para ter sua própria grife e abriu sua primeira loja nos Estados Unidos. No ano seguinte, desfilou sua coleção *prêt-à-porter* e ganhou clientes de peso como

Jackeline Kennedy Onassis. Jackie não apenas usou roupas de Carolina, como encomendava seus modelos para a filha.

✪ Em 1988, entrou também para o mundo da perfumaria com uma fragrância que leva seu nome.
✪ Na virada do século XXI, inaugurou a CH, loja de acessórios que é dirigida por sua filha, Carolina Jr.
✪ É conhecida como uma das mulheres mais elegantes dos Estados Unidos.

Vivienne Isabel Swire, a **Vivienne Westwood** (1941-), nasceu em Derbyshire, na Inglaterra, e é considerada a mãe do *punk*. Começou como vendedora de rádios antigos nos anos 1970 numa garagem de King's Road, em Londres. Como seus compradores eram músicos e gente ligada aos movimentos musicais, isso inspirou Vivienne a criar seus primeiros modelos. Foi ela a primeira a fazer sapatos com solados altos de borracha, corseletes de tecido sintético e apostar numa moda que misturava feminilidade com sexualidade. Declarou que gosta, especialmente, de atender os *voyeurs* e as prostitutas em suas coleções.

✪ Nos anos 1970, manteve relação próxima com o grupo pop MacLaren (que depois se tornariam os Sex Pistols) e garante que foram grandes inspiradores de suas criações.
✪ Em todas as suas coleções jamais deixou de apresentar modelos com detalhes fetichistas. Foi considerada a mais anárquica estilista do século XX.

Donna Faske, a **Donna Karan** (1948-), nasceu no bairro do Queens, em Nova York, é filha de um alfaiate e de uma ex-modelo e adotou o sobrenome Karan do primeiro marido. Começou posando para desenhistas de moda e pensava em seguir a carreira de desenhista, mas não tinha o traço bom. Foi estagiar com Anne Klein, a quem substituiu depois da sua morte, e só criou sua marca própria em 1984, ao fazer 36 anos. Queria vestir as mulheres profissionais e, para isso, criou malhas colantes, uma moda que ficou conhecida por ser versátil e chique. Sua linha mais acessível é a DKNY, que foi vendida para o grupo Louis Vuitton-Moët Hennessy-LVMH, em 2001, por 600 milhões de dólares.

- Foi ela a primeira a dizer que toda mulher quer ser alta e magra. Por isso, suas roupas são criadas com o objetivo de alongar e afinar a silhueta feminina.
- Suas coleções são desenhadas por uma funcionária e apenas supervisionadas por ela.

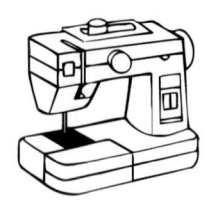

Maria Bianchi, a **Miuccia Prada** (1949-), nasceu em Milão, na Itália, e é neta de Mario Prada, o homem que fundou a grife Prada, em 1913. No início dos anos 1970, Miuccia revitalizou a marca colocando-a no *hall* das grandes grifes do mundo moderno. Foi uma das responsáveis pelo império dos pretos e marrons no guarda-roupa feminino. Sua atuação no grupo é ampla e ela interfere tanto na área de criação quanto no departamento comercial. É também a responsável pela grife Miu Miu, uma abreviatura de seu próprio nome, destinada a um público mais jovem e com menor poder aquisitivo.

- É formada em ciências políticas e ex-membro do Partido Comunista.
- Deixou a indústria da moda escandalizada em 1997 ao declarar: "Faço roupas. É idiota, mas é o meu negócio".

Donatella Versace (1955-) nasceu em Reggia di Calabria, na Itália, e desde a mais tenra infância foi a musa inspiradora de Gianni Versace. Junto de Gianni e do outro irmão, Santo, formavam uma trinca poderosa na moda: Gianni criava, Donatella inspirava e Santo administrava. Quando Gianni foi assassinado em frente à sua mansão em South Miami Beach, em 1997, Donatella ficou em seu lugar. Ela se envolveu com drogas, mas conseguiu se recuperar.

- Sua filha Allegra foi escolhida por Gianni a herdeira de todos os seus bens, e ao completar 18 anos nomeou dois representantes para a diretoria da marca, tirando parte do poder da mãe.

✪ Já fez inúmeras plásticas no rosto e lipoaspirações no corpo. Declarou que tem vontade de mudar alguma coisa toda vez que se olha no espelho.

Stella McCartney (1972-) nasceu em Londres, filha de um casal que vivia sob os holofotes: o beatle Paul McCartney e a fotógrafa Linda Eastman. Estudou em escola pública nos arredores de Londres e vivia uma vida normal com seus irmãos até que decidiu estudar artes e *design* em St. Martins. Em 1995 arrasou no desfile de formatura, colocando suas amigas Kate Moss e Naomi Campbell para desfilar. Trabalhou para Lacroix e, com 25 anos, assumiu o lugar de Karl Lagerfeld na *maison* Chloé. Assinou contrato para criar as coleções *fashion* da Adidas e é ativista do Peta (People for the Ethical Treatment of Animals), em defesa dos animais.

✪ Tem uma linha de perfumes que é criada sob a sua supervisão. Em 2006, lançou também cremes corporais que não levam aditivos nem conservantes.
✪ Seus desfiles são muito disputados. Menos pelas roupas e mais pela profusão de celebridades que fazem parte da roda de amigos da estilista.

O pai do tomara que caia

Valentino atravessou gerações e imortalizou o modelo tomara que caia usado nos anos 1950 por Ava Gardner, nos 1960 por Audrey Hepburn e no século XXI por Jennifer Aniston. Valentino é o único remanescente do tempo em que os estilistas montavam ateliês para vestir a sociedade. Ele é autor da frase: "Uma mulher vestida de vermelho está sempre magnífica".

Um clássico vestido tomara que caia da grife Valentino:
- exige 34 horas de trabalho manual
- gasta 9 m de tule plissado e 3 m de cetim
- precisa de 7 m de organza para o forro
- custa 6 mil euros

QUANTOS ANIMAIS SÃO USADOS PARA A FABRICAÇÃO DE UMA BOLSA?
1 a 2 novilhos
2 jacarés
8 a 12 cobras
1 avestruz
2 a 4 cabras
2 a 4 camurças
3 focas

PERGUNTAS CURIOSAS

De onde veio o nome "grife"?
Griffe é uma ferramenta em forma de garra usada para marcar o lugar dos pontos por onde vai passar a costura durante a fabricação das bolsas e sapatos. Primeiro o artesão vinca o couro com a grife. Depois faz os pequenos buraquinhos. Finalmente, passa o fio para costurar.

Por que as mulheres dizem aos balconistas das lojas "Volto mais tarde", mesmo sabendo que não vão fazê-lo?
Em inglês, existe até uma expressão para esse tipo de "mentirinha" – são as *white lies* (literalmente, mentiras brancas), que definem as desculpas bobas e inofensivas. O psiquiatra José Ângelo Gaiarsa, de São Paulo, conta que o hábito das mentiras para não frustrar, não decepcionar nem desiludir os outros vem de casa. "Em família aprendemos a nunca expressar claramente o desconforto, a raiva, a irritação – é como se isso só fosse permitido em crises de fúria", observa. Para ele, trata-se da "compulsão da gentileza social", que ensina as crianças a mentir desde cedo, para passar por bons meninos e boas meninas.

Acessórios que valem muito

Uma bela caneta na bolsa faz diferença na vida de quem busca elegância. Carl Josef Lamy era um representante de vendas das canetas Parker na Alemanha, e com o dinheiro que ganhou comprou uma pequena empresa concorrente, a Orthos, e decidiu fabricar canetas-tinteiro usando plástico sintético, uma novidade para os anos 1930. Mas apenas vinte anos depois lançou a primeira linha Lamy, com modelos para concorrer com as canetas Montblanc. Desde então, a caneta vem sendo produzida com poucas modificações no modelo original. Nos anos 1980, virou moda entre as estilistas e *designers*.

Pirataria antiga

Na década de 1930, por causa da recessão nos Estados Unidos e da lei Seca, surgiram muitos falsificadores de bebidas. Mas não era fácil falsificar uísques. Então, esses mesmos piratas começaram a falsificar roupas. Vendiam por 15 ou 16 dólares peças que custavam 350 dólares no mercado oficial. Mas não eram perseguidos pela lei; ao contrário, eram procuradíssimos pelas mulheres trabalhadoras que não podiam se dar ao luxo de usar roupas de grife, mas que já gostavam de exibir logomarcas.

AS MAIS FALSIFICADAS
- Em 2005, a Diesel, uma das marcas mais pirateadas do mundo, transformou o problema em piada. Na sua festa anual usou uma falsa Lisa Minelli para receber os convidados e colocou drinques falsos sobre as mesas como motivo de decoração.
- Junto com relógios, bolsas e canetas, as calças jeans são os itens mais falsificados na China. As marcas mais copiadas são Calvin Klein, Guess e Levi's.
- Em Nova York, na Canal Street, é possível encontrar bolsas Louis Vuitton por 20 dólares, Marc Jacobs ou Chanel por 12, sem contar as camisas polo

da Lacoste, que saem por 12 dólares, relógios da Bulgari por 35 ou caneta Montblanc Meisterstruck por 10 dólares. Os mesmos produtos podem ser encontrados em Venice Beach, na Califórnia, onde são vendidos a céu aberto.

• Jennifer Lopez, garota-propaganda da marca, comprou a primeira bolsa Vuitton desenhada por Murakami, que se esgotou assim que foi lançada no ano passado, apesar de custar 3.950 dólares. Em menos de um mês, cópias de 35 dólares inundaram o mercado.

• Em 2005, a Polícia Civil do Distrito Federal realizou a "Operação Louis Vuitton", responsável por uma das maiores apreensões de bolsas falsificadas de todos os tempos. Cada bolsa era vendida na Feira dos Importados, em Brasília, por uma média de 150 reais, o que representa um quinto do valor real.

Por que os estilistas inventam roupas que ninguém vai usar?

O objetivo dos desfiles de moda não é mostrar as roupas que serão usadas nas ruas diariamente, mas os conceitos da moda em determinado período ou estação. É possível perceber nos desfiles as tendências de cores, texturas, combinações e formas, que, por sua vez, servem de base para a moda urbana, esta sim utilizada no dia-a-dia. As roupas de passarela são quase um show; para serem vendidas ao consumidor final passam por adaptações inevitáveis.

PERSONAGENS DO MUNDO *FASHION*

Estilistas, consultoras de moda, editoras de revistas... essas mulheres fizeram o mundo da moda ter mais encanto.

Madame Rosita (1904-1991): era uruguaia e veio para o Brasil em 1935, onde abriu uma loja de casacos de pele. Sua loja ficou famosa porque tinha uma câmara frigorífica para armazenar as peles das clientes durante o verão e tapetes persas em todos os cômodos para dar um ar mais suntuoso à *maison*.

Diana Vreeland (1906-1989): foi a mais importante editora de moda do século XX. Trabalhou na revista *Harper's Bazaar* por 25 anos e depois na concorrente *Vogue*. Serviu de inspiração para filmes que falavam sobre o mundo da moda, e após abandonar o trabalho como editora se transformou em curadora de exposições de moda do Costume Institute do Metropolitan Museum of Art, de Nova York.

Mena Fiala (1908-2001): nasceu e cresceu em Petrópolis. Com apenas vinte anos, abriu seu primeiro ateliê de chapéus no Rio de Janeiro e poucos anos depois já vestia a alta sociedade carioca. Convidada a dirigir a Casa Canadá, famosa pelas peles dos anos 1930, introduziu os primeiros desfiles de moda no Brasil. Treinava pessoalmente as modelos e fazia prévias para a imprensa. Desenvolveu técnicas de bordado com fios de ouro e pedrarias, empregadas até hoje nos vestidos de noiva. É conhecida como a Chanel brasileira.

Christine Youfon (1920-): é chinesa e veio para o Brasil em 1951 para fugir do comunismo. Aqui se transformou numa das mais famosas modelos dos anos 1960. Quando abandonou as passarelas, inaugurou uma escola de modelos que se transformou em referência em matéria de etiqueta e boas maneiras na década de 1970.

Zuzu Angel (1921-1976): começou a vida como costureira e, em 1957, abriu seu primeiro ateliê, transformando panos de colchão, fitas de gorgorão, rendas do Norte e pedras mineiras em motivos das suas roupas. O anjo era logomarca da sua confecção e representava a liberdade com que ela criava, buscando fugir dos padrões internacionais. Quando o filho Stuart Angel Jones foi preso pelo Regime Militar e desapareceu, Zuzu denunciou a tortura, a morte e a ocultação do cadáver do filho. Usou a moda para mostrar à imprensa internacional o que se passava nos porões da ditadura. Foi a primeira brasileira a fazer moda política na história do país. Foi morta em 1976, à saída do túnel Dois Irmãos, no Rio de Janeiro, em circunstâncias até hoje não esclarecidas. Houve testemunhas que admitiram ter visto um jipe do exército na saída do túnel.

Marilia Valls (1930-1997): foi uma das responsáveis pelo estilo de vestir das cariocas. Foi dona da butique Blu-Blu, marco do Rio de Janeiro dos anos 1970. Foi a primeira a trazer um grande estilista – Pierre Cardin – para o Brasil.

Marie Rucki: é diretora do Studio Berçot, em Paris, desde os anos 1970. Essa escola formou importantes nomes da moda brasileira, como Gloria Coelho e Reinaldo Lourenço.

Regina Guerreiro: começou profissionalmente como secretária na Editora Abril, em 1964, e logo em seguida passou a assinar uma coluna na revista *Manequim*. Foi editora de moda nas revistas *Claudia*, *Ilusão* e *Contigo!* e a primeira jornalista brasileira a fazer cobertura dos desfiles internacionais. Foi consultora de moda da Rhodia, DuPont e Santista, editou o *Jornal da Moda*, da Vogue Brasil, e foi diretora da revista *Elle*, até 1997, de onde saiu para comentar desfiles na revista *Caras*. Seu estilo ácido e sem meias-palavras a transformou em mito no mundo da moda.

Costanza Pascolato (1940-): é italiana de Siena, mas chegou ao Brasil em 1946. Seus pais abriram a fábrica de tecidos Santa Constancia, em São Paulo. Editou reportagens sobre decoração e moda na revista *Claudia* e, com o editor de moda, o português Fernando de Barros, editou a revista *Claudia Moda*. Escreveu sobre moda para grandes veículos de comunicação ao mesmo tempo em que cuidava da tecelagem da família. É considerada sinônimo de elegância e vista como a mais importante consultora de moda no Brasil.

Você sabia?

Costanza Pascolato era filha de um ministro do ditador italiano Mussolini. Brincava na infância com o futuro rei da Espanha, Juan Carlos.

Anna Wintour (1949-): é inglesa e ficou conhecida quando se transformou em editora de moda da revista *Harper's Bazaar*. Em 1988 se tornou diretora geral da *Vogue* americana, promovendo vendas de um milhão de exemplares por mês. Respeitada no mundo da moda, é responsável pelo sucesso ou pelo fracasso de estilistas renomados. Em 2003, sua assistente pessoal Laura Weisberger publicou o livro *O diabo veste Prada*, falando sobre o mundo da moda e sobre a temida chefe. Em 2005, Jeff Oppenheimer lançou uma biografia não autorizada dela.

Gloria Kalil (1949-): trabalhou em quase todos os setores da moda. No começo dos anos 1970, dirigiu a tecelagem Scala D'Oro e, em 1976, época em que a importação de produtos era proibida, ela conseguiu trazer a marca italiana Fiorucci para o Brasil. Os dois anjinhos das calças jeans marcaram época. Foi concessionária da marca durante 15 anos e também foi esposa de Arnaldo Jabor. Nos anos 1990 partiu para a carreira de escritora e palestrante de moda. Em 1997 lançou o livro *Chic* e depois o *Chic Homem*. Juntos, venderam 160 mil exemplares. É a pioneira no jornalismo de moda pela internet.

Quem é quem no mundo da moda

Estilista/figurinista: desenha os modelos e acompanha as etapas de produção, dá modelagem aos acabamentos da costura. Planeja toda a coleção e tem no desfile a coroação desse trabalho. O estilista também pode ser chefe de compras de lojas de moda e consultor para revistas e veículos de comunicação. Se o trabalho for feito para uma obra de ficção, ele passa a ser chamado figurinista.

Stylist: define que estilo vai ter a pessoa que ele vai vestir. Hoje é bastante comum a profissão de *personal-stylist*, que cuida de montar o visual de um artista ou celebridade.

Produtora: vai às lojas buscar roupas, sapatos e acessórios para aparecer em comerciais de tevê e fotos de publicidade. É base para o trabalho do *stylist*.

Camareira: fica nos bastidores e cuida das trocas de roupas das modelos. É responsável por todas as peças antes da entrada na passarela. Em sessões de fotos, cuida dos acervos dos estúdios.

Booker: trabalha em agências de modelos. Separa as fotografias, encaminha-as para os clientes e cuida pessoalmente das modelos, muitas vezes até providenciando para que elas cheguem no horário aos trabalhos.

Fotógrafa de moda

Marielle Hadengue nasceu em 1940, na Inglaterra. Filha de pais franceses, sempre se interessou pelo mundo da moda. Mas como não havia fotógrafas que retratassem as modelos ou as passarelas, Marielle decidiu aprender sozinha as técnicas que a ajudariam a realizar seu sonho. Nos anos em que trabalhou como modelo, fez diversos experimentos até que, em meados da década de 1960, foi contratada pela *maison* Cacharel para fotografar sua campanha publicitária. Decidiu mudar de nome e assinar seus trabalhos com o pseudônimo **Sarah Moon**. Fez tanto sucesso que passou a clicar mulheres para as revistas *Marie Claire*, *Vogue*, *Harper's Bazaar* e *Elle*. As modelos de Sarah Moon são suaves, delicadas e misteriosas. Ela dá preferência à luz difusa e ao rebaixamento dos tons. Seu trabalho virou referência para grandes fotógrafos de moda.

NO DICIONÁRIO DOS FASHIONISTAS...
Bofe é o homem lindo que entra na passarela e não é gay.
Derrubada é a modelo depois de um desfile.
Montada é a mulher bem produzida, bem-arrumada.
Piti é chilique que alguém tem porque um imprevisto aconteceu.
Tá podendo se diz de alguém que está muito confiante no visual.
Tô bege! é a expressão que se usa para dizer que ficou passado, sem graça com alguma coisa.
Tuuuudo! é o termo que define um visual superbem-montado.

AS TRIBOS DA MODA

As cocotas dos anos 1970 eram meninas de classe média alta que usavam roupas de grife. Não tinham nada a ver com as dos anos 1920, que eram prostitutas.

Hippie: jovens californianos que, nos anos 1960, faziam movimento contra a Guerra do Vietnã. O lema deles era "paz e amor" e deram origem ao movimento *flower power* como referência de moda. Usavam batas, caftans, cabelos crespos e longos, túnicas com estampas orientais e muito perfume de patchuli.

Cocotas: surgiram nos anos 1970, na zona sul do Rio de Janeiro. Eram as chamadas "bem-nascidas", que usavam jeans de cintura baixa, camiseta Hang Ten, tênis argentino Pampeiro e fivelinhas no cabelo.

Clubber: turma da música eletrônica do final dos anos 1980. Adoravam calças de náilon, sapatos com solados altos, personagens dos mangás (histórias em quadrinhos japonesas), Hello Kitty e todos os itens de moda de Alexandre Herchcovitch.

Punk: transgressores da sociedade burguesa, cujo ícone maior de moda é a estilista inglesa Vivienne Westwood. O visual é chamativo, mas a base é sempre preta: cintos com tachas, correntes, alfinetes, *piercings* e cabelos coloridos.

Grunge: significa "sujo". Nos anos 1990, identificava bandas como Nirvana. Usavam gorros de lã, camisas de flanela xadrez, calças enormes e calcinha ou cueca aparecendo.

Patricinhas: moças burguesas do começo dos anos 1990. A inspiração teria vindo da socialite Patrícia Leal Mayrink Veiga, casada com Antonio, filho de Carmem Mayrink Veiga. O termo serviu para traduzir o filme *Clueless*, em que a atriz Alicia Silverstone protagonizava uma mocinha bem-comportada com o hábito de combinar minuciosamente todas as peças do guarda-roupa. Aqui no Brasil, o filme foi chamado *As patricinhas de Beverly Hills*.

Hippie-chic: a turma que resgatou o movimento *hippie* em 1999, mas usando peças de grife como as da Gucci.

Indie: aqueles que são independentes, que não se apegam às tendências de moda.

> **E DAÍ?**
> "Hipado" é uma livre adaptação do termo *hype*, que quer dizer qualquer pessoa, lugar ou roupa que esteja em plena moda ou em total evidência.

Por que azul é a cor associada aos meninos e rosa, às meninas?

Antigamente, acreditava-se que espíritos demoníacos grudassem nos recém-nascidos e azul era a cor mais poderosa para afastar o demônio, possivelmente por sua associação com a cor do céu. Como os homens eram tidos como mais valiosos para os pais que as meninas, a cor foi adotada para eles. E, aparentemente, as meninas não tinham esse problema com os espíritos nefastos. Até um século mais tarde, os bebês do sexo feminino não tinham cor para identificá-los. A associação das meninas com a cor rosa vem de uma lenda europeia, que dizia que as meninas nasciam dentro de rosas cor-de-rosa. A lenda europeia dizia, ainda, que os meninos nasciam de repolhos azuis.

GRIFES QUE VIRARAM MANIA E MARCARAM ÉPOCA

ADIDAS

Adolph e Rudolf Dassler começaram o pequeno negócio de malas e calçados para sustentar a família e o nome veio das iniciais deles Adi (apelido de Adolph) e Das (do sobrenome). Mas Adolph era apaixonado por futebol e começou a desenvolver calçados de alto desempenho para o esporte em 1920. Em 1948, os irmãos se separaram. Adolph ficou com a Adidas e Rudolf fundou a Puma. Em 1954, a Alemanha venceu a Copa do Mundo e a marca ganhou projeção. Mais de dez anos depois, a grife lançou uma linha de roupas e as três listas caíram no gosto das adolescentes.

BENETTON

Em 1965, Giuliana Benetton resolveu tecer uma blusa colorida para o inverno. Os vizinhos adoraram e o irmão Luciano tratou de pegar encomendas. A empresa, gerida por quatro irmãos, deu origem à United Collors of Benetton. Consagrou-se pelos comerciais polêmicos, criados pelo fotógrafo Oliviero Toscani. Em 1993, no Dia Mundial de Combate à Aids, vestiram o obelisco da Place de La Concorde, em Paris, com um preservativo gigante.

C&A

A família Brenninkmeyer era comerciante de tecidos no século XVII. Em 1841, os irmãos Clemens e August (daí o nome) deixaram a Alemanha e abriram um armazém de roupas na Holanda. Vendiam barato para vender muito, e rapidamente a marca virou uma cadeia de lojas. Chegou ao Brasil em 1972, com o *slogan* "Abuse e Use C&A", e fez sucesso com uma campanha que trazia o bailarino Sebastian como garoto-propaganda. Quase vinte anos depois se consagrou, tendo como musa de seus comerciais a modelo Gisele Bündchen.

CHILLI BEANS

Em 1986, o brasileiro Caito Maia abriu um estande na feira Mercado Mundo Mix, uma feira de moda alternativa que começou em São Paulo, voltada para o público jovem e também para o público gay. Vendia óculos baratos, mas com *design* de moda e a preços acessíveis. A escolha do nome – que significa "pimenta" – foi feita para atrair o público, passando a ideia de um produto ousado e moderno. Em um ano, abriu a primeira loja e mais vinte no ano seguinte. O grande sucesso se deve ao fato de que os óculos ficam disponíveis num balcão *self-service* onde o cliente pode experimentar todos os modelos. As coleções, todas de marca própria, mudam quatro vezes ao ano. Em 2006, inaugurou lojas em Portugal e Estados Unidos.

CK

Calvin Klein nasceu em 1942, no bairro pobre do Bronx, em Nova York. Seu talento lhe garantiu lugar de aprendiz em diversas confecções, até que ele conseguiu costurar seus primeiros casacos. A coleção fez sucesso, e na década de 1970 ele lança sua primeira coleção de jeans feminino. A marca chegou ao Brasil em 1990 com o perfume Obsession.

D&G

Domenico Dolce e Stefano Gabbana abriram sua primeira loja em Milão em 1982, e cinco anos depois começaram a exportar suas calças e peças íntimas para o Japão. No começo dos anos 1990, Madonna declarou que D&G era sua grife favorita de roupas. Foi o bastante para virar febre no mundo todo.

DKNY

Sabe o pretinho básico? Sempre foi o favorito de Donna Karan, que começou como assistente de Anne Klein. Em 1989, quando abriu a grife que levava seu nome, resolveu fazer roupas para as mulheres modernas de Nova York, cidade onde sempre viveu. Tudo clássico, simples e com o objetivo de deixar as mulheres mais magras e elegantes. A DKNY foi a marca mais popular criada pela estilista, mas não pertence mais a ela.

FENDI

Em 1925, o jovem casal Edoardo e Adele Fendi abriu uma loja de bolsas e artigos de couro. A classe média estava se reerguendo da Primeira Guerra e a grife fez muito sucesso. Sempre esteve nas mãos da família até que, em 1965, um jovem estilista, Karl Lagerfeld, foi contratado para renovar a marca. Fez enorme sucesso e as peças chamaram a atenção do presidente da Bloomingdale's, uma das maiores lojas de departamento dos Estados Unidos. A partir daí, lançaram gravatas, perfumes e outros itens do vestuário que representaram a elegância dos italianos.

GAP

Em 1969, o casal Donald e Doris Fisher criou a marca The Gap para atender à demanda do adolescente, o chamado "público gap" (*group avant première*; em francês, grupo à frente do seu tempo), que se projetou na era *hippie*. Vendiam calças Levi's, mas em 1982 resolveram investir em roupas de confecção própria. No ano seguinte compraram a marca Banana Republic e depois lançaram a Gap Kids e a Baby Gap. Estão lançando a marca Forth & Towne, para mulheres com mais de 35 anos, um público que não é contemplado pela marca. A história de que Gap quer dizer "gay and proud" (gay com orgulho) não passa de lenda.

GUESS

Em 1977, os três irmãos, Paul, Maurice e Armand Marciano, vieram do Sul da França para os Estados Unidos com o objetivo de investir em produção de roupas. Não propunham nenhuma tendência própria, mas uma roupa mais sexy, que no começo era vista com desconfiança. A loja Bloomingdale's foi a primeira a aceitar vender duas dúzias de calças jeans da marca, que tiveram a venda esgotada nas primeiras horas. O sucesso não parou mais. Em 1989, Claudia Schiffer, que era uma das modelos mais importantes da época, virou garota-propaganda da marca. A partir de então, só foram contratadas modelos sensuais, provocantes, no melhor estilo Brigitte Bardot.

HARD ROCK

O primeiro Hard Rock Café foi aberto em 1971 em Londres para atender aos amantes de música. Junto com drinques, num ambiente onde tudo remetia a bandas de rock, vendiam algumas camisetas. Fez sucesso e 11 anos depois a marca se expandiu para outros lugares do mundo, cuidando para que cada roupa de sua grife trouxesse estampado, embaixo do nome Hard Rock, o local de origem. Do café surgiu uma rede de hotéis e cassinos, e em todos eles são vendidas peças de vestuário como camisetas, camisas, calças e acessórios.

HAVAIANAS

As sandálias japonesas Zori inspiraram a criação dos chinelos Havaiana em 1962. Feitas de borracha – Chico Anysio anunciava "não tem cheiro, não deformam e não soltam as tiras" –, foram concebidas para ser um calçado popular e passavam atestado de pobreza. Mas, no final dos anos 1980 (as vendas tinham despencado de 88 para 65 milhões de pares ao ano), a empresa começou a fazer um trabalho de marketing. Melhoraram as embalagens, criaram novas cores, trocaram Chico Anysio por Malu Mader e as Havaianas caíram no gosto dos mais modernos.

Você sabia?

- Um segundo é o tempo que leva para fabricar cinco pares de Havaianas.
- 2,2 bilhões é o número de Havaianas vendidas desde 1962.
- Duas em cada três brasileiras compram um par de Havaianas por ano.
- A Alpargatas exporta seus chinelos Havaianas para 52 países.
- No Oscar de 2003, todos os concorrentes receberam Havaianas enfeitadas com cristais, vendidas a 130 dólares nos Estados Unidos.
- Um par de Havaianas em Paris custa dez vezes mais do que no Brasil.
- Gisele Bündchen não tirava as suas dos pés antes de virar modelo da concorrente Grendene.
- De 1994 até hoje, foram lançados duzentos modelos diferentes.

HERMÈS

Em 1837, o francês Thierry Hermès, que fabricava selas para montaria, decidiu abrir uma pequena loja em Paris para vender produtos muito utilizados pelos viajantes, como baús, malas, luvas e porta-joias. Quase um século mais tarde, seu neto resolveu diversificar o negócio fabricando também roupas. Como o couro de boi era muito duro, usava couro de veado. Com a sobra das peças, ele fabricava pequenas carteiras e bolsas. Em 1922, confeccionou o primeiro modelo com zíper, que foi uma revolução. Seus artigos sempre adotavam os motivos equestres que tinham consagrado a marca. Em 1930, lançou uma espécie de saco duplo fechado nas extremidades, modelo copiado dos alforjes usados em cavalgadas. Prático, ele foi adotado por Grace Kelly vinte anos depois, e em sua homenagem o modelo ganhou o nome de bolsa Kelly.

Você sabia?

Grace Kelly adotou a bolsa que ganhou seu nome para disfarçar a barriga de grávida em 1956.

KEDS

Em 1892, nove fábricas de borracha se uniram para compor a U. S. Rubber Company, primeira empresa a licenciar a vulcanização de borracha, patenteada por Charles Goodyear. Uma das divisões dessa empresa fabricava calçados, e para reduzir impostos decidiu usar um nome diferente da empresa-mãe. Inicialmente o nome escolhido foi Peds, que quer dizer "pé" em latim. Mas o nome já estava registrado e fizeram a alteração para Keds, porque o som da letra K era forte e marcante. O Keds foi o primeiro calçado de sola de borracha a ser produzido em larga escala. Foi chamado Sneaker, porque a sola não produzia barulho. Em 1958, ao usar um palhaço em seus comerciais, a marca virou a favorita das crianças.

KIPLING

A marca que nasceu na cidade de Antuérpia, na Bélgica, em 1987, produzia mochilas e bolsas com um toque de aventura. O nome Kipling foi tirado do sobrenome de Joseph Rudyard Kipling, autor de *O livro da selva*, de onde saiu o personagem Mogli. Foi também desse livro que saiu o macaco de pelúcia, a mascote da marca, que virou mania entre as adolescentes do mundo todo. Na Bélgica, onde está a sede da empresa, existem mais bolsas Kipling do que habitantes.

LACOSTE

O tenista René Lacoste foi o principal responsável pela primeira vitória francesa na Taça Davis e ganhou vários títulos em Roland Garros e Wimblendon. Seu apelido era *alligator* (jacaré, em inglês), dado pela agência de notícias Associated Press, depois de uma aposta com o capitão da equipe. O técnico prometeu uma mala de crocodilo se Lacoste ganhasse uma partida. Ganhou e seu amigo Robert George desenhou um crocodilo, que foi bordado na jaqueta que ele usava antes dos jogos. Dois anos depois, por causa de uma tuberculose, René Lacoste abandonou as quadras e se dedicou aos negócios da marca. Em 1933, passou a produzir camisas para tênis, golfe e iatismo. A primeira camisa polo, branca, com gola canelada, virou uniforme dos jogadores de tênis e mania entre homens e mulheres do mundo todo. A marca tem 73 pontos-de-venda próprios no mundo.

LOUIS VUITTON

Em 1851, Napoleão viajava por toda a Europa e, a cada viagem, o suíço Louis Vuitton, um jovem aprendiz de cofreiro, era chamado para embalar a bagagem da imperatriz Eugénie. Os baús que ele confeccionava facilitavam a arrumação nos porões dos navios e o empilhamento das bagagens nos trens. Assinava cada baú com suas iniciais: LV. As aristocratas da época, querendo os mesmos privilégios da imperatriz, encomendavam caixas para seus chapéus e sapatos, todas feitas sob encomenda. O sucesso chamou a atenção dos copiadores, que tentavam imitar as caixas de Louis Vuitton, estampando monogramas. Em 1896, George, filho de Louis, estampou flores entre as iniciais do nome do pai para identificar suas malas. O prédio Louis Vuitton Building foi inaugurado em 1914, na Champs-Elysées, em Paris, como a loja para quem faz viagens ao redor do mundo. Em 1987, Bernard Arnault comprou a grife, fundou o grupo LVMH (Louis Vuitton Moët Henessy, o maior conglomerado de marcas de luxo do planeta) e recrutou estilistas famosos para modernizar a marca e torná-la mais acessível ao maior número de pessoas possível.

> **BOLSAS CONSAGRADAS**
> Nos desfiles de uma grife famosa, o que aparece são as roupas. Mas, no balanço anual das empresas, o que faz a diferença são os acessórios.

MELISSA

A marca foi lançada pela Grendene em 1971, empresa que fabricava embalagens plásticas para garrafões de vinho no Rio Grande do Sul. Inspirada na sandália Fisherman, usada pelos pescadores da Riviera Francesa, os irmãos Alexandre e Pedro Grendene resolveram lançar a primeira sandália Melissa. Venderam 25 milhões de unidades no primeiro ano. Em 1983, teve modelos criados por Gaultier e Thierry Mügler. A partir dos anos 1990, assumiram versões mais *fashion*, para combinar com as tendências da moda. Foram anunciadas por modelos famosas como Claudia Schiffer.

PROFISSÃO: MODELO

Em 1923, o ator John Robert Powers fundou a New York City Modeling Agency, a primeira agência de modelos. Agenciou nomes como Lauren Bacall, Ava Gardner, Grace Kelly, além de homens famosos como Henry Fonda e Cary Grant.

Nas décadas de 1920 e 1930, modelos serviam para enfeitar corridas de cavalos, exposições de automóveis e animar festas. Nesses ambientes, frequentemente eram descobertas por "olheiros", que as convidavam para pequenos papéis no cinema.

Mas as primeiras modelos de passarela não tinham nada a ver com isso. Eram moças que serviam de "cabides luxuosos" para os estilistas da época. Elas eram chamadas de *sosies* e foram inventadas por Charles Worth, o primeiro costureiro a apresentar suas roupas em manequins de verdade que desfilavam lentamente em cima de um tablado. Nos anos 1950, as modelos passaram a ser chamadas de cabines, porque mostravam as roupas dentro das próprias *maisons*, em desfiles exclusivos.

DEZ CURIOSIDADES SOBRE A VIDA DE MODELO

1. Anita Colby (1914-1992) foi a primeira *top model* americana. Na década de 1930, foi capa de 15 revistas no mesmo mês. Em 1944 tornou-se relações-públicas da Columbia Pictures, mas sempre encontrava um tempo para vestir divas como Rita Hayworth.

2. A primeira modelo brasileira a desfilar foi Nilza Vieira, seguida por outras como Maria Della Costa e Ilka Soares (que viraram atrizes), e Adalgisa Colombo (que foi miss).

3. Carmem Dell'Orefice (1937-) foi considerada, em 2007, a modelo mais antiga das passarelas.

4. Twiggy, modelo inglesa que começou na carreira em 1967, aos 16 anos permitiu que o cabeleireiro Leonard lhe cortasse os cabelos com máquina quatro e os pintasse de louro. Com menos de 1,60 m de altura, virou referência de moda no uso da minissaia.

5. Nos anos 1980, a *top model* canadense Linda Evangelista declarou que não se levantava da cama por menos de 10 mil dólares. Atualmente, o contrato de Claudia Schiffer com a L'Oréal é estimado em 10 milhões de dólares por ano.

6. Com a polêmica das modelos supermagras, em 2006, a Espanha proibiu-as de subir à passarela em sua semana de moda. O estilista Jean Paul Gaultier provocou espanto ao colocar a modelo Velvet, de 39 anos e 132 quilos, para desfilar um de seus modelos de *lingerie*.

7. Gisele Bündchen, que deu origem ao termo *ubermodel* (algo acima da megamodelo), também sofreu as agruras da vida dessa profissão. No final dos anos 1980, foi recusada para um editorial da revista *Elle*, por ter sido considerada nariguda.

8. Modelos e drogas são dois temas que se misturam com frequência. Naomi Campbell e Kate Moss são as mais citadas.

9. No Brasil, o site www.criaturagg.com.br foi a primeira revista eletrônica para gordinhos. E se transformou em agência que contrata modelos acima do manequim 44.

10. Em 2007, as modelos convidadas a desfilar no São Paulo Fashion Week se manifestaram contra celebridades como Ivete Sangalo e Camila Pitanga, que também fizeram papel de modelo nas passarelas. Segundo as *top models*, atrizes e cantoras são "gordas" e não sabem desfilar.

Quem foi a primeira modelo brasileira a fazer sucesso em Paris?

Foi **Danuza Leão**. Com 15 anos, ela frequentava a casa de Di Cavalcanti, de quem foi modelo (mais tarde, precisou vender o retrato que ele fez dela, porque estava sem dinheiro). Com 18, viajou para Paris para desfilar coleções internacionais. Casou aos vinte anos com um homem que tinha o dobro da sua idade – o jornalista Samuel Weiner – e teve três filhos com ele. Então se separou para viver com o escritor Antonio Maria. Seu terceiro marido foi o também jornalista Renato Machado. Bisavó, Danuza é hoje colunista do jornal *Folha de S.Paulo* e da revista *Claudia*. Dois segredos que ela revelou a respeito de si no livro *Quase tudo*: jamais usa guarda-chuva e chegou a falsificar um passaporte para não ter de revelar a idade. Ela nasceu em 1934.

O que é um "olheiro"?

Também chamado de *scouter*, é a pessoa contratada pela agência de modelo para descobrir novos talentos. Precisa ter capacidade de enxergar atributos profissionais onde as outras pessoas veem apenas beleza. Eles viajam pelo país todo, andam pelas praias, escolas e faculdades. Estão sempre "infiltrados" entre os jovens, buscando a oportunidade de encontrar um novo expoente, os chamados *new faces*, para as passarelas.

Como e onde elas foram descobertas?

- Alessandra Ambrósio: quando fotografava para um comercial de balas na cidade de Erechim (RS).
- Ana Bela: em uma favela, em São Paulo.
- Ana Paula Arósio: num supermercado.
- Gisele Bündchen: quando passeava num shopping.
- Kate Moss: andando na rua, em Londres.

Dez curiosidades sobre Gisele Bündchen

1. Sua fortuna pessoal é estimada em 320 milhões de dólares.
2. Ela foi mostrada pela revista *Forbes* como a celebridade mais cara do mundo.
3. Entrou para o *Guinness Book* como a modelo mais rica do mundo.
4. Se recusou a participar do filme *As panteras*, no papel que, mais tarde, foi dado a Lucy Liu.
5. O jornal *The New York Times* disse que ela era uma das 123 razões para amar Nova York.
6. Ela sabia que sua empresária e amiga Mônica Monteiro seria demitida pela agência, mas não a avisou.
7. Já foi capa de mais de 7 mil revistas pelo mundo, perdendo só para a princesa Diana.
8. Nunca revela as doações que faz às instituições de caridade.
9. O site www.models.com, o mais importante dos Estados Unidos, faz *rankings* das modelos mais bem pagas e mais famosas. Gisele fica fora, porque foi considerada *hors-concours*.
10. Todos os anos desfila para a grife Colcci porque é amiga pessoal da dona da marca, a primeira a lhe dar oportunidade de subir na passarela.

Distúrbio que pode matar

Esses distúrbios de comportamento afetam a maneira como as pessoas se alimentam. E podem ser fatais:

Anorexia: distúrbio da imagem que afeta diretamente o comportamento alimentar e atinge principalmente meninas entre 11 e 20 anos. Os sintomas:
• Acha que está gorda mesmo quando está com o peso normal ou abaixo dele.
• Só pensa em dietas.
• Exagera nos exercícios físicos.
• Tem problemas de ausência de menstruação.
• Se sente mal (física e emocionalmente) quando come.
• Inventa desculpas para não comer.
• Não toca na comida mesmo quando gosta do prato.

Bulimia: distúrbio da imagem que também afeta a maneira como a pessoa se alimenta. É comum nas meninas e em jovens mulheres; acometeu a princesa Diana. Os sintomas:
• Comer em exagero e provocar vômito.
• Tomar laxantes para eliminar os excessos da alimentação.
• Comer pouco quando está acompanhado e comer compulsivamente quando está sozinho.
• Esconder comida no quarto e na bolsa.
• Fazer jejum prolongado depois de comer exageradamente.

Vigorexia: essa obsessão pelo desenvolvimento dos músculos é mais comum nos homens, mas vem atingindo um número cada vez maior de mulheres no Brasil. Ficou conhecido no mundo como *overtraining*. Os sintomas:
• Nunca achar que a musculatura está desenvolvida.
• Abandonar atividades habituais para ter mais tempo de fazer exercícios físicos.
• Comparar-se fisicamente com os outros.
• Ter vergonha de mostrar o corpo na praia e no vestiário da academia.

Ortorexia: esse distúrbio alimentar é pouco conhecido. É um tipo de obsessão por consumir alimentos saudáveis e naturais, que pode gerar prejuízos físicos ou psíquicos. Os sintomas:
• Não gosta de se alimentar fora de casa.
• Quando sai para comer fora, questiona o garçom sobre como foi preparada a comida.
• Lê obsessivamente os rótulos dos produtos que consome.
• Fica obcecada pela leitura de artigos sobre alimentação.
• Quando deixa de cumprir seus objetivos, sofre com o sentimento de culpa.

> **VÍTIMA DA BELEZA**
> Jane Fonda foi a garota-propaganda dos exercícios aeróbicos nos anos 1970 e 1980. Gravou dezenas de programas que eram vendidos por telemarketing. Vinte anos mais tarde, admitiu ter sido vítima de anorexia. O excesso de exercícios de alto impacto lhe causaram danos irreversíveis na coluna, o que faz com que a atriz, ao ter de percorrer longas distâncias, tenha de se locomover em cadeira de rodas.

GUARDA-ROUPA FEMININO

BIQUÍNI

A criação do estilista francês Louis Réard (1897-1984) foi tão explosiva quanto os testes nucleares realizados pelos Estados Unidos nas ilhas Bikini, no Pacífico, em 1946. Seu conjunto de duas peças era tão ousado, que modelos profissionais se recusaram a usá-lo na época do lançamento. Réard teve de apelar para Micheline Bernardini, uma bailarina que ganhava a vida como *stripper* do Cassino de Paris e que não teve nenhum problema em aparecer semidespida para a plateia. O traje se popularizou na França em 1950, mas nos Estados Unidos só foi aceito 15 anos depois.

Você sabia?

• No Brasil, algumas mulheres foram expulsas com banho de areia ao exibirem seus biquínis na praia de Copacabana, na década de 1950.
• Os jornais cariocas descreviam os biquínis, em 1950, como quatro triângulos de nada.
• Em 1956, Brigitte Bardot usou um biquíni xadrez Vichy no filme *E Deus criou a mulher*, tornando-se a primeira lançadora de moda do traje de banho.
• Ursula Andress, a primeira garota de James Bond, também apareceu no primeiro filme da série usando um biquíni. Foi em 1962.
• Na praia de Ipanema, nos anos 1970, a atriz Leila Diniz usou biquíni mesmo durante a gravidez, o que causou enorme escândalo.
• Rose Di Primo foi a primeira modelo a lançar biquínis considerados muito ousados. Foi em 1971.
• Nos anos 1980, a modelo Monique Evans foi a primeira a abandonar a parte de cima do biquíni e fazer *topless* em público no Brasil.
• A criação do biquíni é autoria de um francês, mas foi o Brasil quem ganhou fama de criar os mais diversos modelos: asa-delta, tanga, enroladinho, de lacinho e fio-dental.

Biquínis do Brasil

1950: duas-peças, calcinha cobrindo o umbigo e parte das coxas com o modelo shortinho.
1960: calcinha com laterais de quatro dedos. O modelo engana-papai, com uma faixa frontal unindo o sutiã e a calcinha, também foi moda.

1970: tanga e tomara que caia invadiram as praias. Surgiram os primeiros biquínis de crochê e os sutiãs modelo cortininha.
1980: década das invenções. Os enroladinhos surgem primeiro, seguidos pelo asa-delta e o fio dental. Aparecem os primeiros biquínis amarrados com lacinho na lateral da calcinha.
1990: acessórios deixam a peça mais chique. Argolas de madeira e de metal unem a parte da frente e de trás das calcinhas e elas voltam a ficar um pouco maiores e mais baixas.
2000: era da tecnologia em tecidos que modelam melhor, secam mais rápido e impedem a proliferação das bactérias. Todos os modelos das últimas cinco décadas são resgatados, à exceção do asa-delta e da tanga.

CAMISETA

As camisetas de algodão em forma de T – mangas curtas e justas no corpo – eram usadas sob a farda dos soldados durante a Primeira Guerra Mundial para proteger a roupa das manchas de suor e também para manter o corpo aquecido nos dias mais frios. Depois disso, foi adotada pelos operários da construção civil e carregadores que precisavam de uma roupa confortável e arejada para trabalhar. Desde a década de 1960, ficaram muito populares no Ocidente pela facilidade de imprimir mensagens em seu tecido.

Curiosidades
○ Os romanos usavam uma túnica dupla, chamada *camisia*. Era sempre branca, feita de linho e usada por baixo para proteger da transpiração.
○ Em 1516, Michelangelo termina a estátua *O escravo moribundo*, que retrata um homem vestido apenas com uma peça de roupa, bem diferente das usadas na época: uma camiseta regata. Apesar da ousadia, a moda não pegou.
○ Hering é sinônimo de camiseta. A empresa foi fundada em Blumenau (SC) pelos irmãos alemães Hermann e Bruno, em 1879. Hering, em alemão, quer dizer arenque, a mesma espécie dos dois peixinhos que representam a marca.

✪ Em 1935, Coco Chanel instituiu a camiseta listrada no estilo marinheiro, com calça de corte masculino, como roupa elegante e confortável para as mulheres. Foi vista com estranheza pelas mais conservadoras.

✪ Na época da Guerra do Vietnã, as camisetas foram as responsáveis pela disseminação do *slogan*: "Faça amor, não faça a guerra". Homens e mulheres usavam-nas com a mesma frequência.

✪ Em 1971, Yves Saint Laurent criou o *slogan*: "Tudo que uma garota de vinte precisa para estar bem é uma camiseta e uma calça jeans".

✪ Fim do século XX e começo do século XXI, a palavra de ordem para as camisetas é customização. Elas são usadas como convites para festas, servem de passaporte para desfiles de trios elétricos e até como peças promocionais de políticos em época de campanha.

SUTIÃ

Os primeiros sutiãs surgiram na ilha grega de Creta, em 2500 a.C. Não tinham a finalidade de hoje. Eram armações sem forro, que apenas levantavam os seios. A moda era mostrá-los.

✢ Em 1889, a francesa Herminie Cadolle rasgou um espartilho ao meio, reduzindo-o àquilo que foi chamado *soutien-gorge*, apenas a parte de cima, que dava sustentação aos seios.

✢ O primeiro sutiã, com a finalidade que eles têm hoje, foi feito em 1900. Eram dois lenços estreitos que contornavam o tronco, mantendo os seios no lugar. O modelo foi patenteado em 1914 por Mary Phelps Jacob.

✢ Até 1920, os sutiãs não tinham barbatanas e sua função era achatar e empurrar os seios para trás, para que não atrapalhassem na hora de as modistas criarem figurinos sob medida.

✢ Por volta de 1925, ganharam alças ajustáveis e uma divisão entre os seios.

✢ Em 1929, a Kestos Company of America fabricou o primeiro sutiã feito com dois pedaços triangulares de tecido, presos a um elástico que passava sobre os ombros e cruzava nas costas. Era abotoado na frente.

✣ Na década de 1930, os fabricantes de espartilho produziram sutiãs com barbatanas, em diversos tamanhos, para se adequar aos vários tipos físicos das mulheres.

✣ O enchimento de espuma virou febre nos sutiãs da década de 1940 e ficaram ainda mais exagerados e bicudos nos anos 1950, quando também surgiram os primeiros sutiãs tomara-que-caia.

✣ Só em 1960 é que surgiram os sutiãs para adolescentes. A revista *O Cruzeiro* anunciava assim: "Soutiens Vivian, a beleza invisível que se nota". Os modelos "Cinderela" eram indicados para a então chamada menina-moça.

✣ Nos anos 1970 e 1980, os modelos e os tecidos se modernizaram. Surgiram sutiãs com numeração dupla: tamanho de seios e circunferência de tronco. Também apareceram modelos de renda, de tecidos mais leves e com melhor modelagem.

✣ Com a moda do silicone, os sutiãs Wonderbra viraram mania nos anos 1990. Com ajuste entre os seios e enchimento natural, avolumavam o busto com naturalidade.

✣ Em finais dos anos 1990, surgem tecidos que permitem inserir nanocápsulas de hidratante e de perfume, para que a pele fique macia e cheirosa ao longo do dia.

NINGUÉM ESQUECEU

Nos anos 1980, a agência W/Brasil, de Washington Olivetto, criou a campanha "O primeiro sutiã a gente não esquece" para os sutiãs Valisère. A adolescente Patricia Lucchesi interpretava a menina que ganha seu primeiro sutiã. Uma década depois, em plena ascensão do silicone e da moda dos seios volumosos, a empresa Wonderbra, fabricante dos sutiãs que levantam os seios, emendou: "O primeiro sutiã a gente... ih, esqueci".

"Diga adeus aos seus pés."

Slogan da marca de sutiãs Wonderbra
ao ser lançado nos anos 1970, nos Estados Unidos

FOGUEIRA DE SUTIÃS
Em finais dos anos 1960, o feminismo estava a todo vapor, num movimento que ganhou o nome de Women's Lib. Mas a grande fogueira teve um motivo: um concurso de miss. Em 1968, lideradas pela escritora Betty Friedan, feministas foram até Atlantic City e, diante do local onde era realizado o concurso de Miss América, fizeram uma montanha de sutiãs, perucas, unhas e cílios postiços e atearam fogo. O protesto deixava claro que elas eram contra a ditadura da beleza, contra a imagem da mulher-objeto e que lutavam pelo fim dos privilégios masculinos.
• Aqui no Brasil, falar em queimar sutiãs era uma maneira de as mulheres dizerem: não vamos nos calar. Mas não há notícia de fogueira de *lingeries* por aqui.
• Alguns anos mais tarde, atribuiu-se a queima de sutiãs às lésbicas, que também lutavam pelo direito de serem reconhecidas pela sociedade.

OS SUTIÃS MAIS FAMOSOS DO MUNDO
Roy Raymond era um americano que se sentia desconfortável ao comprar *lingeries* para sua mulher. Então, em 1977, decidiu abrir uma loja de *lingeries*, que teve o nome inspirado na rainha Victoria, Victoria's Secret. O ambiente acolhedor das lojas, evocando privacidade, fez grande sucesso, já que as mulheres não se sentiam expostas como nas lojas de departamento. Ao final do primeiro ano, a loja havia faturado quinhentos mil dólares. Em 1982, a grife foi comprada pelo grupo Intimate Brands, que passou a fazer catálogos para mostrar as peças. Num deles, Gisele Bündchen aparece como anjo vestido com *lingeries*. Seu fundador, Roy Raymond, cometeu suicídio em 1983, dizem que de arrependimento por ter vendido a marca.

> **OS BOTÕES DA BLUSA QUE VOCÊ USAVA...**
> Tradicionalmente, as camisas masculinas têm botões do lado direito porque a maioria dos homens é destra. Já nas camisas femininas, os botões ficam do lado esquerdo, porque antigamente as mulheres eram vestidas por empregadas e, dessa forma, facilitava na hora de abotoar.

CALCINHA

Até o final do século XIX, as mulheres não usavam calcinhas, e sim uma espécie de culote largo, preso nos pés, que era vestido por baixo das saias. A partir do começo do século XX, os culotes foram lentamente substituídos por outros mais curtos ou eram simplesmente dispensados. As mulheres usavam apenas um suporte de toalhinhas higiênicas quando estavam menstruadas. Nos outros dias, nada. Já as mais sofisticadas se davam ao luxo de costurar as próprias calças, ou mandá-las fazer sob encomenda, em tecidos como a seda ou o algodão, com elástico apenas na cintura. Com o passar dos anos, a peça entrou em processo de fabricação industrial. Mas foi só nos anos 1960, com a invenção dos fios sintéticos, que a calcinha ganhou forma semelhante à que tem hoje.

Você sabia?

Foi Catarina de Médicis, em meados do século XVI, que introduziu o hábito de usar calcinhas. É que, naquela época, as nobres damas da corte francesa não tinham o hábito de usar roupas íntimas. Mas Catarina era uma apaixonada por montarias e, para não ficar machucada, protegia a região genital usando *lingeries*.

SEM CALCINHA

Calvin Klein, apelidado de "O Conquistador" pelo jornal *Women's Wear Daily*, foi responsável pelo estrelato da atriz Brooke Shields. Na campanha das calças CK, ela vestia apenas o jeans. O texto dizia: *"Nothing comes between me and my Calvins"* (não há nada entre mim e meu jeans Calvin). Para bom entendedor: estou sem calcinha. Foi a primeira das centenas de sem-calcinha que vieram depois...

VALISÈRE & CIA.

• A empresa Triumph International foi fundada na Alemanha em 1886 pelas famílias Spiesshofer & Braun para produzir *lingeries*. Mas a marca Triumph só foi oficializada em 1902.

- A Valisère chegou ao Brasil em 1935. À época fazia parte do grupo Rhodia. O primeiro produto da Valisère brasileira foi a *"lingerie* de jérsei indesmalhável", lançada na inauguração. No primeiro ano foram produzidas 20 mil peças. Em 1986, a Valisère foi vendida para o Grupo Rosset, que era uma das únicas empresas que fabricava tecidos de malharia com *lycra* na América do Sul. A Valisère produz hoje cerca de 1 milhão de peças por mês.
- Nos Estados Unidos não se encontra a marca Triumph, porque lá o braço internacional da empresa produz para a Victoria's Secret.

CALCINHAS DE ALTA-COSTURA

A marca La Perla nasceu em Bologna, Itália, em 1954, criada por Ada Masotti, que confeccionava espartilhos em tecidos refinados, sempre com muitas rendas. Naquela época as mulheres não usavam mais a peça no dia a dia. Ela era utilizada, como ainda é hoje, como um acessório de sedução. Mas o toque final da grife era a embalagem: um estojo de veludo forrado de vermelho, semelhante a um porta-joias. Com os anos, a grife se diversificou e passou a produzir calcinhas, sempre com cortes e modelagens que enaltecessem as curvas do bumbum feminino. A modelo Elle Macpherson e a atriz Meg Ryan são clientes da marca.

DATA DE FETICHE

Dia 9 de agosto foi decretado o Dia Mundial da Lingerie, iniciativa de uma empresa americana chamada Freshpair. As comemorações foram no Times Square, em Nova York, com desfiles de moda. No Brasil, 6 mil empresas produzem cerca de 700 milhões de peças por ano.

SAPATOS

São os acessórios mais procurados pelas mulheres.

- **Boneca**: versão da sapatilha, com pulseirinha sobre o dorso do pé. Usado com ou sem salto.

- **Botas**: calçado fechado, com cano de couro ao redor da perna. Variam conforme o comprimento e a largura do cano, altura do salto e presença ou ausência de zíper.

- **Chanel**: o modelo clássico é bicolor (bege e preto ou preto e branco), com bico fino e pulseira atrás, deixando o tornozelo à mostra.

- **Escarpim**: sapato de bico afinado, fechado na frente e atrás.

- **Mule**: sua origem são os chinelos marroquinos. Ganharam salto alto.

- **Peep toe**: criado nos anos 1940, era o calçado das estrelas de cinema. Fechado atrás com uma abertura na frente, na parte dos dedos.

- **Rasteira**: chinelos de dedo sem salto.

- **Sandália**: é o mais antigo dos calçados. Com tiras fixadas à sola, deixam o pé e os dedos à mostra. Existem incontáveis variações de modelos.

- **Sapatilha**: sapato baixo, de bico fino ou arredondado, que lembra o calçado das bailarinas.

Sapatos de salto alto

A corte real francesa do século XVII foi a primeira a popularizar o salto alto na Europa. O salto mantinha o pé relativamente a salvo da lama; além disso, criava uma elevação física correspondente à elevação social dos nobres e exagerava seu andar afetado. Justamente por ser tão precário, o salto indicava que a pessoa não tinha medo de cair no chão. Na verdade, no século XVII os que usavam salto alto, tanto homens como mulheres, com frequência tinham de ser transportados em cadeirinhas carregadas por criados, pois não conseguiam caminhar no calçamento de pedras. Naquela época, o salto às vezes era uma grande plataforma inteiriça, e para caminhar era necessário o apoio constante de dois criados, que seguravam o aristocrata pelos braços, um de cada lado.

Salto Anabela: começa alto no calcanhar e vai diminuindo progressivamente até a ponta dos dedos.

Salto carrapeta: usado pelos caubóis americanos e montadores de rodeio; ganhou esse nome porque é chanfrado para dentro e lembra o peão carrapeta, que roda entre os dedos.

Salto Luís XV: grosso na base e no alto, com uma "cinturinha" fina no meio.

Salto plataforma: inteiriço e plano ou levemente arqueado no meio. Também pode ser um *mix* de salto alto atrás e uma plataforma na frente.

Salto Sabrina: baixinho e fino, inspirado na personagem de Audrey Hepburn no filme Sabrina.

Salto stiletto: alto – 13 ou 15 cm – e fino, com haste de metal no meio para dar sustentação, que pode ou não ser revestida. Foi criado por Roger Vivier em 1954 e era tão alto e fino, que lembrava a lâmina de um estilete. Aqui no Brasil também é conhecido como salto agulha.

Você sabia?

- O espanhol Manolo Blahnik é considerado o estilista que faz os sapatos mais caros do mundo. Um par de sandálias com salto *stiletto* custa cerca de 400 dólares e um par de botas de verniz chega a mil libras.
- Depois da Primeira Guerra Mundial, o couro para sapatos ficou escasso. A partir de então, o solado e o salto dos calçados passaram a ser feitos de madeira.
- Ruy Castro conta no livro *A vida de Carmen Miranda, a brasileira mais famosa do século* que, em 1938, o Brasil recebeu a visita da atriz francesa Suzanne Georgette Charpentier. Annabella, como era conhecida, veio ao país encontrar seu namorado, o galã Tyrone Power. Muito baixinha, ela compensava a baixa estatura usando um sapato com solado inteiriço alto. O modelo se tornou popular entre as cariocas, que passaram a chamá-lo pelo apelido da francesa.

JOIAS

Marilyn Monroe disse que os diamantes eram os melhores amigos de uma garota. Em 2007, uma pesquisa mostrou que elas trocariam um colar de brilhantes por brinquedos de última geração como laptops, iPods e televisão de plasma. Será?

BAUME & MERCIER

A marca Baume nasceu em 1542, numa pequena manufatura de relógios, na região do Jura, na Suíça. Em 1912, um dos netos do fundador conheceu Paul Mercier e, com ele, deu início à grife.
- A marca de relógios é a mais consumida pelas grandes fortunas do mundo.
- Em 1994, criaram o relógio Hampton (em homenagem aos ricos de Nova York que frequentam as praias de Hampton), com caixa retangular. Virou febre no mundo.

CARTIER

Em 1847, Louis François Cartier assumiu a pequena oficina de joias do tio, que ficava no centro de Paris. O negócio foi tocado inicialmente por Louis, depois por seus filhos, netos e primos. Tanto que chegou a se chamar Cartier e *fils* (filhos) e Cartier e *fréres* (irmãos). Mas nenhuma mulher da família participava do negócio. O primeiro relógio da grife a ficar famoso foi o Santos, lançado em 1911, nos moldes de um relógio que havia sido presenteado a Alberto Santos Dumont. No século XX, a grife se consagrou graças às diversas joias – tiaras, diademas, braceletes e até coroas – encomendadas pelas famílias reais europeias.
- O anel de três argolas entrelaçadas, feitas em ouro branco, ouro vermelho e ouro amarelo, chama-se Trinity e foi lançado em 1924 nos Estados Unidos.
- É considerada a maior joalheria do mundo, mas vende também perfumes e acessórios. Entretanto, 75% de sua renda é proveniente das joias.
- Em 1969, a Cartier comprou um diamante de 69,42 quilates e o batizou com seu nome. No dia seguinte, Richard Burton comprou a pedra para Elizabeth Taylor por uma soma jamais revelada e rebatizou-a: Taylor-Burton. Ela usou o diamante pela primeira vez num baile de caridade em Mônaco. Em 1978, vendeu a joia para construir um hospital em Botsuana. Foi vendido por 3 milhões de dólares.

CHAUMET
- Criou as primeiras espadas incrustadas com pedras preciosas de Napoleão Bonaparte, que hoje fazem parte do tesouro francês.
- Desenvolveu as pulseiras ABC (com ametistas, esmeraldas e diamantes) a pedido de Napoleão para serem presenteadas a Josefina. Em 2007, reeditaram a joia na comemoração dos duzentos anos de coroação do imperador.

PIAGET

Foi fundada pela família Piaget em 1874 na cidade suíça La Côte-Aux Fées. O mestre relojoeiro Georges Piaget era auxiliado por seus 14 filhos.

VAN CLEEF & ARPELS

Nasceu em 1896, do casamento de Estelle Arpels e Alfred Van Cleef, filhos de grandes negociantes de pedras preciosas na Holanda.

Curiosidades

✪ A loja da Place Vendôme, em Paris, está instalada no mesmo local desde 1906.

✪ Marlene Dietrich, Maria Callas, Romy Schneider, Elizabeth Taylor, Jackeline Kennedy, Sofia Loren e Ava Gardner foram compradoras habituais da loja.

✪ A marca foi fornecedora oficial de joias para o principado de Mônaco, depois que desenvolveu as peças usadas por Grace Kelly em seu casamento, em 1956. Faziam parte da coleção um conjunto de diamantes e pérolas, encomendado pelo príncipe Rainier, e um bracelete de brilhantes criado a pedido do Conselho Nacional e Municipal do Principado.

E O ANEL DE BRILHANTES?

O diamante só se transformou em joia a partir do século XV, quando Mary de Burgundy recebeu um colar de diamantes como símbolo de noivado com o arqueduque Maximilian da Áustria, em agosto de 1477. No século XX, o estilo "chuveiro" (várias garras com pequenos diamantes na ponta) virou moda. Mais tarde, o anel fieira. Surgiu, então, o solitário, o estilo mais usado atualmente.

Diamantes são eternos

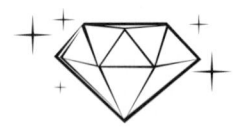

Na Antiguidade, os diamantes eram chamados de Pedra de Vênus por causa do brilho forte, que rivalizava com o brilho de Vênus. E como também Vênus era a deusa do amor, os diamantes se transformaram em símbolo dos apaixonados.

✣ A palavra diamante, de origem grega – *adamas* –, quer dizer eterno ou imutável.

✣ O diamante é a parte mais jovem da rocha vulcânica.

✣ Em estado bruto, a pedra é chamada diamante. Depois de lapidada e incrustada em uma joia, passa a ser chamada de brilhante.

✣ A importância de um diamante no mercado tem a ver com sua lapidação: redonda, oval, coração, navete, em gota, corte esmeralda, *princess* e radiantes. Qualquer que seja a lapidação, os ângulos precisam ser exatos, simétricos e perfeitamente polidos para refletir a luz.

✣ As pedras que têm menor aproveitamento depois de lapidadas são as que custam mais caro. Mas não é só isso que define o preço final de um diamante. Ele é estabelecido também de acordo com o peso exato da pedra e o número de facetas lapidadas. A cor também influencia no custo. Os profissionais catalogam as pedras em uma escala que vai de D (incolor) a Z (amarela). Quanto mais claro, mais valioso.

✣ As cores nas letras X, Y e Z são bastante raras e chamadas de *fancy colors* (azul, vermelho, verde e rosa). Esses atingem preços exorbitantes.

✣ Cada diamante é único, como uma impressão digital.

✣ Um dos diamantes mais raros do mundo é o Amsterdã, totalmente negro. Encontrado na África do Sul (o local exato se mantém em segredo), pesava 55,58 quilates em estado bruto. Depois de lapidado, tinha 145 faces e 33,74 quilates.

✣ Um dos diamantes mais famosos é o Hope, 44 quilates de uma pedra azul enorme que causou tragédia durante sua extração e também trouxe desgraças para a família real francesa. Foi roubada depois da revolução e, mais tarde, reencontrada. Um sultão turco a deu para sua esposa e, meses depois, ambos perderam o trono. A pedra não deu sorte.

✣ Dois ingleses disputavam o monopólio dos diamantes no mundo. Cecil Rhodes levou a melhor e se tornou o dono das minas De Beer. Atualmente, esta empresa controla a produção e o preço das cinco toneladas de diamantes extraídas por ano no mundo.

✢ Para ser usado em uma joia, um diamante custa cerca de mil dólares o quilate. Na produção industrial, o preço cai para quatro dólares o quilate.

Madame Swarovski

Em 1895, o austríaco Daniel Swarovski fundou uma empresa para fabricar bichinhos em miniatura feitos de um vidro de alta qualidade, produzido na cidade de Wattens, na região do Tirol. Nos anos 1930 e 1940, a marca ganhou projeção no mundo da moda, quando Manfred Swarovski passou a produzir os pequenos *strass* (nome patenteado por ele) para enfeitar os modelos de Coco Chanel e Christian Dior. Mas a moda caiu no esquecimento. Em 1995, Nadja Swarovski, tataraneta do fundador da empresa, resolveu resgatar o glamour, dando ênfase ao nome da empresa, que virou sinônimo de cristal bem lapidado.

Curiosidades
✪ Enfeitaram os sapatinhos vermelhos que Judy Garland usou no filme *O mágico de Oz*.
✪ Foram usados para acrescentar brilho ao vestido que Marilyn Monroe usou para cantar "Parabéns a você" ao presidente John Kennedy.
✪ Contratou o estilista Alexander McQueen para criar novos modelos.
✪ Enfeitaram calçados brasileiros, como as sandálias Melissa.
✪ Estão sempre presentes nas coleções de moda de Givenchy e Ungaro. Aqui no Brasil, enfeitam as coleções de Walter Rodrigues e Lino Villaventura.
✪ A marca italiana Edra forrou um sofá com cristais Swarovski. Preço final da peça: 85 mil dólares.
✪ São pedras lapidadas em 50 mil variações de cor e formato.

Pérola perfeita

Ela não requer lapidação ou polimento. Em 3500 a.C., no Oriente Médio e na Ásia, já era valorizada como símbolo de pureza e de charme feminino. Na tradição japonesa, as pérolas sempre foram usadas para confortar o coração e acreditava-se, até, no seu poder medicinal, como interromper os efeitos de um veneno mortal.

✣ Acredita-se que tribos antigas, que viviam da pesca no sul da Índia, já utilizavam as pérolas; as ostras eram abertas para a alimentação.

✣ O livro sagrado da Índia faz referência às pérolas. Uma das lendas é a de que o deus hindu Krishna descobriu as pérolas. Com a primeira delas, presenteou sua filha Pandaia no dia de seu casamento.

✣ Os romanos e os egípcios valorizavam as pérolas mais do que qualquer outra gema. Para convencer Roma de que o Egito possuía herança e prosperidade acima de qualquer conquista, Cleópatra apostou com Marco Antônio que ela poderia dar o jantar mais caro da história. Assim, apareceu com um prato vazio e um jarro de vinho ou vinagre. Ela esmagou uma grande pérola, dissolveu no líquido e tomou. Atônito, Marco Antônio admitiu que ela havia ganho.

✣ Existem registros de que, no apogeu do Império Romano, o general Vitellius financiou um exército militar vendendo apenas um dos brincos de pérola de sua mãe.

TIPOS DE PÉROLAS

A origem das pérolas começa quando um grão vai para dentro do corpo da ostra e causa irritação. A ostra então, como defesa, libera uma substância, chamada nácar, que se deposita ao redor do grão. As camadas de nácar depositadas no grão formam uma substância lisa e compacta. Após muitos meses ou anos deste processo, a pérola é formada.

• As pérolas de água doce são achadas nos moluscos de lagos e lagoas, com tecido de manto suave, o que explica suas formas irregulares. As pérolas Mabé são essencialmente pérolas "bolhas", que crescem agarradas ao interior da concha do molusco. Também são produzidas no Japão, China e Estados Unidos. Entre elas, as brancas são as mais comuns, seguidas das rosas, podendo haver azuladas, esverdeadas e salmão.

• As pérolas dos Mares do Sul são as maiores e mais raras do mundo. Cultivadas nas costas de corais da Austrália, de Myanmar (Burma), do Taiti e das Filipinas, estas magníficas pérolas podem ser brancas, negras ou douradas. A ostra que produz esse tipo de pérola pode ser encontrada nas ilhas Cook, Fiji, Tonga, Samoa, Nova Caledônia, Filipinas, Panamá e Golfo do México.

• As pérolas negras são chamadas de "pérolas do Taiti" e podem ter um tom cinza-claro ou um arco-íris de cores. A água morna e o tamanho grande da ostra-mãe fazem aumentar o crescimento do nácar produzindo pérolas grandes, que podem atingir o tamanho de uma cereja.

• As pérolas cultivadas representam, hoje em dia, 90% das do comércio total. O inventor desta técnica foi Kokichi Mikimoto, no início do século XX. Muitas pessoas ainda acreditam, erroneamente, que as pérolas cultivadas são imitações ou pérolas falsas. Na verdade, a pérola cultivada é natural e recebe ajuda do homem para começar a se formar.

• As clássicas pérolas cultivadas de água salgada, que vêm do molusco japonês (*Akoya*), podem medir de 2 mm a 10 mm de tamanho e têm uma variedade de formas e cores, incluindo o branco rosado, o dourado e o cinza azulado.

A MELHOR GRIFE DE PÉROLAS DO MUNDO
Desde sua fundação, em 1837, a Tiffany & Co. é internacionalmente reconhecida por vender pérolas da mais alta qualidade. O fundador Charles Lewis Tiffany incumbiu o mais famoso gemólogo da Tiffany, George Frederic Kunz, de adquirir as mais exuberantes pérolas para a seleta clientela da loja.

• Em 1908, Kunz escreveu o livro *The book of pearls* (O livro das pérolas), que ainda hoje é lembrado como uma referência sobre o tema. A descoberta de fontes americanas de pérolas contribuiu para a popularidade da gema orgânica na joalheria.

• Em 1857, uma pérola de água doce foi descoberta nas águas de Paterson, Nova Jersey, pesando 1/4 de onça (cerca de 7 gramas), e foi comprada por Charles Tiffany, que a vendeu para a imperatriz Eugénie, da França. A pérola ficou conhecida como "The Tiffany Queen Pearl".

• Entre outras pérolas famosas da Tiffany estão braceletes, brincos, colares e broches dados pelo presidente Abraham Lincoln para sua esposa, Mary Todd Lincoln, por ocasião de sua posse. O conjunto de pérolas se encontra hoje na Biblioteca do Congresso em Washington, D.C.

• A medalha de ouro da Tiffany, obtida na Exposição de Paris de 1889, incluiu o broche Hupa, de Farnham, feito com pérolas do rio Miami, de Ohio, e inspirado na arte da cestaria dos índios do Alasca; o broche Florida Palm com pérolas rosa, diamantes e uma safira de Montana; os broches Aranha, finamente detalhados com pérolas e diamante.

• Por muito tempo na história da Tiffany os colares de pérolas eram as joias mais valiosas de sua coleção. Em 1893, na Feira Mundial Colombiana, em Chicago, a Tiffany expôs um magnífico colar de uma volta com 38 pérolas naturais, que teve oferta de 200 mil dólares – duas vezes o preço do Diamante Tiffany.

SETE CUIDADOS COM AS PÉROLAS

As pérolas são frágeis e precisam de cuidados especiais para não perderem suas características.

1. Guarde as joias de pérolas em saquinhos de tecido para evitar riscos.

2. As pérolas absorvem a acidez da pele e podem acabar descamando, diminuindo muito de tamanho, além de perder o brilho. Para evitar o problema, limpe as pérolas com um pano macio após usá-las.

3. As pérolas são muito sensíveis a produtos químicos. Evite o contato principalmente com produtos à base de amônia.

4. O calor e o ar seco também podem estragar as pérolas, tornando-as mais escuras, secas e quebradiças.

5. Não utilize escova de dentes ou de polimento e nenhum material abrasivo para limpá-las.

6. Tire as suas pérolas quando utilizar cosméticos, perfume, produtos para os cabelos e quando for tomar banho ou nadar.

7. Ao fazer exames de ultrassom ou se expor à radiação, retire suas pérolas.

• No final do século XIX, a Tiffany estava vendendo uma profusão de voltas de pérolas, que iam até a cintura, para as mulheres *fashion* da América. Um colar Tiffany montado para uma socialite de Nova York, a senhora George Gould, foi avaliado em mais de 1 milhão de dólares.

• No início do século XX, George Kunz descobriu uma abundância de pérolas de água doce no vale do rio Mississippi. De forma alongada e com variações de delicadas matizes, essas pérolas *dogtooth* formaram as pétalas do broche Tiffany's Chrysanthemum. Este *design* extraordinário, que brilha com as folhas de diamantes e os galhos em ouro e platina, foi apresentado em 1904 para Lillian Russell, uma estrela da ópera.

Curiosidades preciosas

✢ A **água-marinha** era utilizada para a confecção de armação de óculos, que provocava nas pessoas um efeito tranquilizador.

✢ No Tibete, o **âmbar** está associado à busca da perfeição e do equilíbrio interior.

✢ No século XV, acreditava-se que a **ametista** tinha o poder de controlar pensamentos maléficos.

✢ A **azurita** foi utilizada por sacerdotes e sacerdotisas do antigo Egito para aumentar a consciência espiritual.

✢ No Egito, a **cornalina** representava o sangue, a virtude e o poder mágico da deusa Ísis.

✢ As **esmeraldas** eram empregadas como antídoto para venenos e feridas, assim como contra possessões demoníacas.

✢ Diz-se que Cleópatra possuía um capacete cerimonial totalmente coberto de **hematitas** e que o usava com frequência na convicção de que ajudaria a manter-se eternamente jovem.

✢ Os noivos chineses costumavam presentear as noivas com borboletas de **jade** como símbolo de amor.

✣ Galeno recomendava amarrar **jaspe** na coxa das mulheres para facilitar o parto.

✣ O **lápis-lazúli** era triturado e misturado com pigmento, e nessa forma foi usado por séculos como maquiagem cara e luxuosa, bem como tinta para artistas renomados.

✣ Cleópatra utilizava pó de **malaquita** como cosmético. Na Itália, era utilizado contra mau-olhado e considerado um talismã particularmente apropriado para crianças. Amarrar uma dessas pedras a um berço fazia com que todos os maus espíritos se afastassem.

✣ Dizia-se, também, que moças loiras valorizavam acima de tudo colares de **opala**, pois quando usavam esses ornamentos seus cabelos guardavam sua linda cor avermelhada.

✣ O costume de passar **ouro** no terçol vem desde 79 d.C. e ainda hoje é utilizado com sucesso.

✣ Os antigos, em diversas culturas, reverenciavam a **prata** como o metal da deusa Lua. A prata ainda é apreciada em ritos de passagem: batismos, casamentos, aniversários e celebrações.

✣ Segundo a lenda hindu, o **rubi** foi criado a partir do diamante incolor de uma Maharani (rainha) quando esta foi assassinada por um cortesão ciumento. Seu sangue manchou a pedra e todas as outras iguais a ela.

✣ A **safira** é uma pedra digna de reis e confirma que os monarcas a usavam ao redor do pescoço como uma defesa poderosa contra quaisquer males. Dizia-se que ela preservava seu usuário da inveja e também atraía a presença divina.

✣ O **topázio** azul é conhecido como a "gema da verdade", pois tem conexão com o chacra da garganta e dava forças para exprimir até o que fosse mais difícil.

✣ No passado, a **turmalina** era a pedra da sorte para escritores, atores e artistas.

✢ A cor da **turquesa** é facilmente alterada por calor, luz solar, umidade, transpiração ou água. Com isso, dizia-se que a mudança de cor da turquesa, para os árabes, alertava contra a aproximação do perigo.

> **DO LADO DE FORA DO PROVADOR**
> Quanto tempo o homem espera uma mulher quando ela vai fazer compras? Uma pesquisa realizada na Inglaterra chegou a uma média de 1 hora e 2 minutos fora dos provadores que, somados, geram um dia inteiro em um ano, isso se as compras forem feitas apenas a cada quinze dias. Só que há um risco nisso, alertou a pesquisa. Um em cada cinco homens passa esse tempo olhando as outras mulheres na loja. Os homens parecem cansados de esperar, pois três entre cinco ficam bravos e um entre cada dez acaba por abandonar a parceira. Não na loja, mas algum tempo depois.

6

O que engorda não é o que se come entre o Natal e o Ano-Novo, mas o que se come entre o Ano-Novo e o Natal.

HEBE CAMARGO
(1929-2012), apresentadora de TV

Estética e dietas

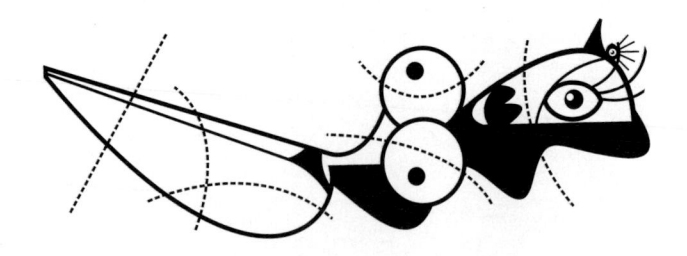

CIRURGIA PLÁSTICA

O Brasil é o segundo país do mundo no *ranking* de cirurgias plásticas estéticas. Perde apenas para os Estados Unidos.

Como se forma um cirurgião plástico?
Deve cursar a faculdade de medicina (seis anos), fazer residência em cirurgia geral (dois anos), fazer residência em cirurgia plástica (três anos) = 11 anos. A partir desse período, estará apto a fazer a prova para se integrar à Sociedade Brasileira de Cirurgia Plástica como membro associado. Seu título de especialista será homologado pelo Conselho Federal de Medicina. Para se tornar titular da Sociedade, é preciso apresentar trabalhos e fazer uma prova.

Lipoaspiração serve para emagrecer e diminuir a celulite?
Não. Lipoaspiração serve para redefinir o contorno do corpo. A Sociedade Brasileira de Cirurgia Plástica recomenda que se aspire, no máximo, 5% do peso corporal. Se a pessoa pesa 70 quilos, o médico não deve retirar mais do que 3,5 litros de gordura.

Que exame a paciente precisa fazer antes de uma plástica?
Hemograma, coagulograma, glicemia e ureia + creatinina. Depois dos quarenta anos, os médicos devem solicitar também exames específicos como eletrocardiograma, sódio e potássio.

A partir de que idade é possível fazer uma plástica?
Os médicos são controversos a esse respeito. Mas concordam que o corpo da

menina deve estar desenvolvido, para ela se submeter a uma cirurgia plástica estética, o que não acontece antes dos 16 anos.

É melhor operar no hospital ou na clínica?
Nos hospitais, geralmente o aparelhamento é mais completo e o paciente fica mais seguro caso haja alguma intercorrência. Já nas clínicas, os índices de infecção podem ser menores, porém o atendimento pós-operatório é mais dirigido. As questões devem ser discutidas com o médico.

Depois da lipo, a gordura volta no mesmo lugar?
Não, mas as células de gordura vizinhas à região lipoaspirada podem inflar, caso a pessoa engorde. E isso pode dar origem a imperfeições e ondulações na pele.

Dá para evitar cicatrizes depois de uma cirurgia plástica?
O que dá para fazer é diminuir os riscos, ficando longe do sol até que a pele cicatrize completamente e seguindo os cuidados pós-operatórios indicados pelo médico. Mas existe o risco de queloide, aquela cicatriz espessa.

É verdade que dá para ser operada num dia e voltar ao trabalho no dia seguinte?
Depende do porte da cirurgia. Mas é importante tomar cuidado com as falsas facilidades propagandeadas por revistas e pelas clínicas de estética, que têm como maior objetivo vender a ideia da cirurgia plástica.

Quanto tempo é preciso esperar entre uma lipoaspiração e outra?
Três meses, no mínimo.

O que é o choque anafilático?
É uma reação alérgica intensa contra determinada substância ou medicamento ingeridos, injetados ou aplicados. Não é possível fazer um teste para saber se vai haver choque anafilático, porque há muitas substâncias possíveis de causar a reação. A incidência de reação anafilática é de uma em cada 5 mil anestesias. Dessas, a morte acontece em 6% dos casos; 70% das reações anafiláticas são provocadas por bloqueadores musculares; 20% são reações ao látex e o restante a outras substâncias.

CINCO ANESTESIAS
1. **Hipnóticos** são drogas que fazem a paciente dormir no caso da anestesia geral.
2. **Opioides** cortam a mensagem de dor que os nervos emitem para que não chegue ao cérebro.
3. **Prolongadoras** são substâncias mais suaves que servem para estender o efeito de medicamentos anestésicos.
4. **Bloqueadores** relaxam os músculos, facilitando a intervenção do cirurgião.
5. **Revertores** são os medicamentos que anulam o efeito de outros quando surge alguma intercorrência na operação.

Os *realities shows* de beleza

• ***Extreme Makeover***, da Sony: foi o primeiro do gênero e mostra não apenas cirurgias plásticas, mas cirurgias odontológicas e mudanças radicais de corte e tintura de cabelos, além de tratamentos estéticos de pele. As cirurgias são mostradas em detalhes.

• ***Cirurgia plástica, antes e depois***, da Discovery Home & Health: a série narrada por médicos tem enfoque de saúde, relatando como as pessoas mudaram suas vidas depois de terem se transformado fisicamente.

• ***I want a famous face***, da MTV EUA: anônimos que fazem tudo para ficar parecidos com seus ídolos.

• ***Garota silicone***, da Discovery Home & Health: três mulheres contam por que decidiram colocar silicone e usam referência de celebridades para cativar o público.

• ***The Swan***, do Warner Channel: espécie de gincana que reúne um grupo de mulheres que, durante três meses, pode escolher passar por diversos tipos de cirurgias. Ao final, a melhor transformação vence.

• ***Nip/Tuck***, da Fox: entre todos, é o único ficcional que se baseia em fatos reais. Mas os personagens são atores que interpretam médicos e pacientes.

Curiosidade
Cirurgia plástica não é moda recente. Em 1988, o número de intervenções aumentou 63%. O motivo foi uma nova modalidade que acabara de ser inventada: a lipoaspiração.

Brasileiro *made in* USA

O médico brasileiro Robert Rey é o personagem principal do seriado *Dr. 90210*, da E! Entertainment Television. Pobre e malcuidado pelos pais, ele foi adotado por uma família americana. Estudou em Harvard e se tornou um dos cirurgiões plásticos mais importantes dos Estados Unidos. No programa, ele aparece nos bastidores de sua clínica de cirurgia plástica em Beverly Hills, por onde já passaram muitas celebridades, transformando o visual das mulheres. O médico tenta encontrar o equilíbrio entre sua bem-sucedida carreira, que lhe garante cerca de 100 mil dólares por dia, e a vida familiar. Além das cirurgias realizadas em sua clínica, o cirurgião também viaja a Caracas para participar do concurso Miss Venezuela e realizar cirurgias reparadoras em pacientes carentes.

Mitos e verdades sobre o silicone

1. A prótese de silicone pode migrar para outra região?
Mito. Pode se movimentar ligeiramente, mas é imperceptível.

2. Se a pessoa sofrer um impacto forte, a prótese pode se romper?
Pouco provável. As próteses de seios e nádegas são feitas de gel coeso e podem ser cortadas como uma gelatina. Mesmo assim, o conteúdo não escorre.

3. Prótese de silicone nos seios dificulta o diagnóstico de câncer de mama?
É possível. No autoexame é mais provável acontecer, bem como no exame clínico. O médico e a paciente sempre devem informar ao laboratório a presença de prótese nos seios.

4. A paciente pode pedir ao médico o tamanho de prótese que ela quiser?
Verdade. Mas cabe a ele avaliar as proporções físicas para saber se o resultado final vai ser satisfatório ou não. Para isso, é preciso observar o tamanho do tronco, a circunferência das costas, a distância entre o pescoço e os seios e a compleição física da paciente.

5. A mulher só deve colocar silicone depois que tiver amamentado?
Na teoria é melhor que seja assim, porque depois da amamentação os seios podem murchar. Mas nada impede que ela coloque antes, caso se sinta muito incomodada com seios muito pequenos ou caídos. É bom lembrar que, tecnicamente, a prótese de silicone não interfere na amamentação. Isso só acontecerá se, durante a cirurgia, houver algum erro e o ducto por onde passa o leite for rompido.

6. Depois de colocar silicone, a mulher perde a sensibilidade nos seios?
Isso pode acontecer, mas deve ser temporário. É comum ter a sensibilidade alterada, principalmente na região dos mamilos, depois da cirurgia e nos três meses seguintes. Mas, gradualmente, a paciente deve recuperar a sensibilidade.

7. A prótese de silicone nos seios precisa ser trocada a cada dez anos?
Não necessariamente. Ela deve ser examinada com frequência e, caso tenha se mantido intacta, não há necessidade de trocar.

8. É mais fácil tirar do que colocar as próteses de silicone?
Mito. Se foram implantadas há mais de um ano, é possível que a pele já tenha estirado. Nesse caso, é preciso, depois de retirar, também reposicionar a pele e a musculatura.

9. Meninas não devem colocar silicone nos seios?
Verdade. As mamas só se desenvolvem completamente por volta dos 16 ou 17 anos. Antes disso, a decisão de aumentar os seios é muito precoce.

10. Tatuagens ficam deformadas depois de colocar silicone nos seios?
Verdade. Podem ficar distorcidas porque a pele sofre um estiramento.

11. O homem percebe quando a mulher tem silicone nos seios?
Pode ser que sim. O toque e muitas vezes o visual dos seios com silicone podem ser completamente diferentes dos seios naturais.

12. Próteses de silicone muito grandes podem provocar estrias?
Verdade, porque causam estiramento excessivo da pele.

> **PERGUNTA CURIOSA**
> **A prótese de silicone pode explodir num mergulho ou dentro de um avião?**
> Não. Elas resistem a uma pressão de 123 atmosferas. Ao nível do mar, nosso corpo está submetido a 1 atmosfera. Num mergulho, a cada 10 m de profundidade, acrescente-se 1 atmosfera. Portanto, para explodir, seria necessário mergulhar a 1.220 metros, sem nenhuma proteção, o que é impensável. No avião, o risco é ainda menor, porque a pressão fica abaixo de 1 atmosfera. E tem mais: as próteses têm 400% de elasticidade, ou seja, podem ser esticadas em até quatro vezes o seu tamanho sem rasgar.

Tipos de próteses

- Existem próteses de silicone liso ou texturizado (as mais usadas no Brasil).
- Os tamanhos vão de 125 a 460 ml. Outros tamanhos só sob encomenda.
- As formas também são diversas: redonda, formato de gota, perfil alto ou perfil baixo.
- As próteses mais escolhidas no Brasil são as redondas, de 225 ml e perfil baixo.

Você sabia?

- As primeiras tentativas de aumentar os seios aconteceram em 1903, por meio de injeções de parafina.
- Na década de 1950, os aumentos eram feitos com silicone líquido injetável, o que provocou muitas mortes.
- As primeiras cirurgias para implante de próteses de silicone foram realizadas em 1962. Vários médicos disputam o pioneirismo.
- Em 1992, as próteses de silicone foram proibidas nos Estados Unidos, sob a alegação de que vazavam e poderiam provocar câncer.

Mulheres de peito

Veja a quantidade de silicone, em mililitros, que algumas brasileiras famosas declararam ter colocado nos seios:

Cristina Mortágua	365	Ludmila Dayer	200
Virna	350	Sheila Mello	200
Syang	300	Caroline Bittencourt	200
Luma de Oliveira	270	Rita Cadillac	200
Penélope Nova	260	Natália Rodrigues	195
Viviane Victorette	255	Gretchen	190
Carina Beduschi	250	Luíza Brunet	190
Dany Bananinha	250	Suzana Alves	190
Danielle Winits	235	Andréia Sorvetão	180
Débora Secco	235	Hortência	180
Vera Fischer	225	Patrícia Silveira	175
Carla Perez	220	Scheilla Carvalho	170
Joana Prado (Feiticeira)	220	Leila	150
Daniela Freitas	215	Xuxa	150
Elza Soares	215	Suzana Alves (Tiazinha)	120
Alessandra Scatena	210	Nana Gouvêa	115
Kelly Key	200	Ângela Vieira	100

Em 2006, a capixaba Sheyla de Almeida entrou para o *Guinness Book Brasil* como a mulher com a maior prótese de silicone: 1,8 litro em cada seio.

Abaixo o silicone!

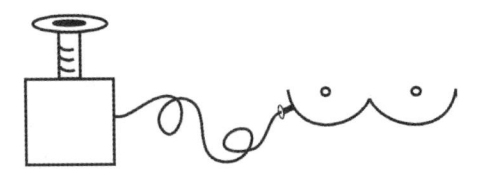

A cada ano, o número de cirurgias para colocar silicone cresce 20% no Brasil. Mas existem muitas mulheres que querem ter seios maiores e morrem de medo de bisturi. Para elas, o médico norte-americano Roger Khouri criou o Brava, um sutiã com dois dispositivos de sucção que estimulam as células a produzir tecido mamário. O sistema funciona por meio de pressão a vácuo. Para ser eficaz, é preciso utilizá-lo durante dez horas, todos os dias. Seguindo essa regra direitinho, as consumidoras podem esperar um aumento de um número no tamanho de seus sutiãs habituais. A FDA (agência reguladora de alimentos e remédios dos Estados Unidos) já aprovou o produto.

O que é erro médico?

Essa classificação é feita pelo Conselho Regional de Medicina, que também é responsável por punir o profissional, caso fique comprovado que o médico errou. Para esses casos, há cinco sanções possíveis: advertência confidencial, censura confidencial, censura pública, trinta dias de suspensão e cassação.

CLARA NUNES

A cantora Clara Nunes sofreu um choque anafilático durante uma anestesia geral aplicada para a realização de cirurgia de remoção de varizes. Ela passou 28 dias hospitalizada, mas não resistiu e morreu em abril de 1983, aos 39 anos.

QUE PARTE DO ROSTO ENVELHECE MAIS?

- O nariz nunca para de crescer. Conforme cresce, a tendência é a ponta cair, porque as cartilagens ficam mais frouxas e isso envelhece o rosto.
- Com o passar dos anos, os lábios tendem a perder gordura e colágeno. Por isso, ficam mais finos.
- As laterais do rosto perdem a definição dos contornos a partir dos quarenta anos.

OS SEGREDOS DA PLÁSTICA REJUVENESCEDORA

1. Os médicos estudam traços de pintores renascentistas e usam esses parâmetros para definir o rosto harmonioso.

2. Dividem o rosto em três partes iguais: terço superior (testa), terço médio (olhos e nariz) e terço inferior (lábios e queixo). Se as rugas da testa invadem o terço médio, ou a ponta do nariz ultrapassa o terço inferior, o rosto fica em desarmonia.

3. Mulheres com mais de 1,60 m de altura não ficam bem com nariz pequeno.

4. Bocas carnudas e testa alta não combinam com nariz pequeno.

5. Os médicos também estudam os ossos da face para equilibrar a feição.

6. A ponta afilada do nariz não deve ficar mais do que 1 ou 2 mm acima do dorso (a linha do osso).

Você sabia?

O nariz caucasiano, com dorso alto e reto, é o campeão de pedidos nos consultórios de cirurgia plástica. Mas não combina com mulheres de traços orientais nem com as negras.

Quatro tipos de cirurgia do estômago

A cirurgia bariátrica, também conhecida como operação para reduzir o tamanho do estômago, tem variações. Cada uma tem suas vantagens e desvantagens:

1. Balão: um balão de silicone é colocado no estômago através de um tubo que entra pela boca. Lá dentro, ele é inflado com 500 ml de líquido, ocupando até a metade do espaço do estômago. Isso faz com que a pessoa sinta-se sempre satisfeita e com menos fome. A vantagem é que esta cirurgia é menos invasiva. Por outro lado, o balão pode provocar enjoo e precisa ser retirado ou trocado a cada seis meses.

2. Anel: uma parte do estômago é grampeada, ficando isolada do resto do órgão. O médico também implanta um anel de silicone na entrada do estômago para restringir a passagem do alimento. É uma cirurgia invasiva e de pós-operatório lento. Além disso, o paciente precisa mastigar muito lentamente os alimentos para não haver perda de nutrientes. Mas o método apresenta emagrecimento rápido.

3. Atalho: além de extrair uma parte do estômago, o médico cria um atalho a partir do intestino delgado, diminuindo a absorção de gorduras. A desvantagem é que, com isso, passa-se a absorver menos nutrientes também e, assim, é preciso fazer um acompanhamento nutricional.

4. Transposição: essa é a técnica mais utilizada no Brasil. Ela associa as técnicas do atalho e do anel, aumentando ainda mais a sensação de saciedade. A perda de peso é bastante rápida e, por isso mesmo, é preciso ficar muito atento para não haver perda nutricional.

ESTÉTICA

O Brasil é o terceiro maior mercado consumidor de cosméticos do mundo. Em primeiro estão os Estados Unidos, e, em segundo, o Japão.

O ABC dos tratamentos estéticos

Depilação a laser: aplicação de luz pulsada para reduzir a quantidade de pelos de áreas como virilha, axilas e buço. Reduz até 80% dos pelos.

Eletroestimulação: há dezenas de aparelhos que estimulam a circulação (vasos e capilares) por meio de movimentação ou de calor. O objetivo é promover a dilatação, melhorando a circulação para que a celulite e a gordura localizada melhorem.

Intradermoterapia: aplicação de substâncias variadas feita com agulhas. Boa parte visa a estimular a camada intermediária da pele, para que ela se regenere, melhorando das rugas à celulite.

Laser: em diversos comprimentos de ondas, visam a atingir e estimular a camada de colágeno, com o objetivo de melhorar a elasticidade da pele.

Peeling: descamação da pele por meio de substâncias abrasivas, muitas delas derivadas de ácidos, ou por meios mecânicos, através de lixamento.

Preenchimentos: aplicação de substâncias com o ácido hialurônico para preencher as rugas. Os preenchedores se dividem em duas categorias: definitivos e não definitivos.

> **O QUE É "EFEITO CINDERELA"?**
> O DMAE, ou dimetilaminoetanol, extraído de peixes como o salmão e a sardinha, é capaz de ativar as substâncias que dão sustentação à pele, provocando um efeito tensor que dura cerca de 12 horas. Por causa desse embelezamento efêmero, ele é chamado cosmético que proporciona o efeito Cinderela.

A história do Botox

Em 1980, oftalmologistas americanos testaram a ação da toxina botulínica, a mesma que provoca botulismo, para corrigir estrabismo (provocado pela contração exagerada dos músculos) e blefaroespasmo (que faz a pessoa piscar muito). Tiveram excelente resultado. Em 1987, a oftalmologista canadense Alastair Carruthers sugeriu a seu marido, o dermatologista Jean Carruthers, que testasse a substância para diminuir a ação dos músculos da face, que provocavam o surgimento das rugas. Assim, surgiu o Botox com finalidade estética.

Além das rugas, para que mais serve o Botox?

- Combater o excesso de suor
- Aumentar os lábios
- Levantar a ponta do nariz
- Tratar enxaqueca
- Atenuar a rinite

Todos os efeitos são conseguidos da mesma forma: bloqueando temporariamente a ação do feixe de neurotransmissores que comanda a ação dos músculos.

Você sabia?

Em 2007, o Instituto Butantã, em São Paulo, anunciou o início da produção do Botox brasileiro. A prioridade de venda é para hospitais que façam uso da substância com finalidade terapêutica.

BOTOX OU PREENCHIMENTO?

Ambos são usados para exterminar as rugas, mas em casos diferentes:

Rugas profundas: preenchimento, porque a pele já perdeu a elasticidade.

Pés de galinha: Botox, porque elas surgem por causa da movimentação muscular.

Bigode chinês: para essas rugas que contornam a boca, o preenchimento tem melhor resultado.

Rugas na testa: Botox, porque são rugas vincadas pela expressão.

Bochechas sem volume: preenchimento, porque o problema não é causado por excesso de movimentação, mas por esvaziamento da camada de colágeno.

Curiosidades
- O Botox é feito em uma única sessão e seu efeito dura de 6 a 8 meses.
- Os preenchedores são aplicados em duas ou três sessões e o efeito pode durar até um ano, se forem utilizadas substâncias temporárias.
- A maioria dos dermatologistas prefere preenchedores temporários porque "envelhecem" com a mulher.

Acne em quatro tempos

Quando as glândulas sebáceas produzem gordura em excesso, o sebo pode obstruir os poros e deixar o ambiente propício para a proliferação de bactérias. Inflamadas, elas provocam o aparecimento de espinhas:

Grau 1: cravos escuros ou brancos
Grau 2: espinhas com inflamação
Grau 3: espinhas, cravos e cistos
Grau 4: espinhas, nódulos e cicatrizes

A acne pode ser provocada por fatores hereditários, hormonais e também pelo uso incorreto de cosméticos.

Você sabia?

A isotretinoína, um dos mais eficazes tratamentos contra a acne, é teratogênica. Isso significa que pode provocar malformação fetal. Por isso, deve ser suspensa pelo menos um ano antes de a mulher engravidar.

O QUE É ALOE VERA?

Parece, mas não tem nada a ver com nome de mulher. Traduzindo para o bom português, é a babosa. Ela tem alto poder de hidratação e de cicatrização da pele.

Vamos tomar banho de lama?

Muitos lugares do mundo oferecem banhos de lama vulcânica ou lama enriquecida com algas. A mais tradicional é a lama do mar Morto, que não é um mar, mas um lago que deságua no rio Jordão, entre Israel e a Jordânia. A lama extraída dessas águas é rica em minerais como o sódio e o magnésio, que ajudam a amaciar a pele.

LAMA NEGRA DE PERUÍBE
A cidade litorânea paulista ficou famosa nos anos 1940 quando se descobriu que as areias da margem esquerda do rio Preto eram muito benéficas para a pele e para a saúde. Entre outras coisas, ela prometia melhorar artrite, psoríase, dermatites, mialgias e acne. O que ela tem de mágico? Uma rica composição geológica (argila, quartzo, feldspato, moscovita, estaurolita, magnetita, biotita, cianita, turmalina, epidoto zarcão, granada, monazita, augita, clorita e diatomáceas) e química (silício, alumínio, cálcio, potássio, carbono, enxofre, ferro, magnésio, manganês, sódio, titânio, boro, bubídio, bário, estrôncio, bromo e iodo).

Verdades sobre as estrias

- São basicamente de dois tipos: avermelhadas (mais recentes) ou brancas (mais antigas). A diferença da cor é causada pela vascularização. A estria nova ainda tem irrigação e a mais antiga não.

- As peles que têm mais tendência às estrias são ressecadas e com pouca elasticidade.

- Não há tratamento cosmético para estrias. Cremes melhoram a hidratação, mas, como a estria representa um rompimento das fibras, o creme é incapaz de mudar essa condição da pele.

• Fazer muita musculação pode, sim, provocar o aparecimento de estrias, porque estira demais a pele. Por outro lado, atividades físicas de nível médio ajudam a musculatura a dar sustentação à pele, evitando o aparecimento de estrias.

• Calça justa não dá estria nem celulite. Pode piorar a circulação sanguínea, mas não pode ser responsabilizada pela origem do problema.

• Próteses de silicone muito grandes também podem provocar estrias, porque fazem a pele esticar demais.

• A melhor forma de prevenir estrias na gravidez é comer carne vermelha, que tem proteínas que ajudam a dar elasticidade à pele.

• Óleo não previne estrias. Ele lubrifica a pele e a amacia superficialmente, mas não impede o rompimento das fibras de colágeno, que ficam num nível mais profundo, incapaz de ser atingido pelo óleo.

• Coçar a barriga quando se está grávida pode representar um trauma que agrava estrias que estejam surgindo.

• Os tratamentos mais eficazes contra as estrias são feitos com laser, que deve ser aplicado por dermatologista.

Cinco perguntas sobre celulite

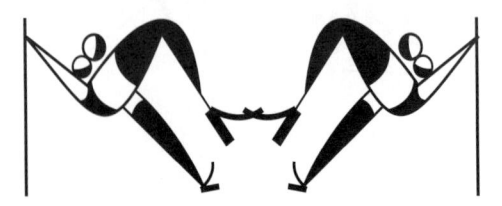

1. Toda mulher tem celulite?
Cerca de 90% das mulheres em todo o mundo são vítimas da celulite, e apesar de o problema também aparecer em alguns homens, pode ser considerado essencialmente feminino, já que o seu surgimento está ligado a fatores hormonais. Os alvos preferidos da celulite costumam ser as pernas, o bumbum e todas as regiões do corpo que concentram grande quantidade de gordura.

2. Por que a celulite aparece?

A pele é composta de células conjuntivas (que produzem fibras), células adiposas (que produzem gordura) e substância fundamental (um tipo de gel composto de sais minerais que agrupa as células). É nessa substância fundamental que nasce a celulite. Com o acúmulo de toxinas e a má circulação, esse gel endurece, dificultando a troca de vitaminas, aminoácidos e oxigênio entre os vasos e as células. As regiões atingidas pela celulite são a derme (camada intermediária da pele, composta de fibras do tecido conjuntivo, vasos sanguíneos, vasos linfáticos, glândulas sebáceas e sudoríparas) e a hipoderme (camada mais profunda, com alta concentração de tecido gorduroso, que serve como isolante térmico para o corpo).

3. Calça apertada e refrigerante provocam celulite?

Não. O folclore em torno da celulite é grande e itens como refrigerante, calça jeans apertada e estresse são frequentemente apontados como os vilões da história.

4. Quem são os culpados pela celulite?

São três:

a. Desequilíbrio hormonal: a cada mudança de fase da vida – puberdade, menstruação, gravidez e menopausa – o corpo vive oscilações hormonais capazes de intensificar ou atenuar a celulite. Cistos ovarianos ou miomas também podem desequilibrar a produção hormonal, agravando o estado da celulite. Uma maneira de compensar esse desequilíbrio é praticar exercícios e seguir uma dieta pobre em gorduras. No momento de optar por um método anticoncepcional, converse com o ginecologista sobre as dosagens hormonais da pílula. É importante ficar de olho nos medicamentos que trazem hormônios na composição.

b. Hereditariedade: é difícil lutar contra a herança genética, entretanto, quando a mãe tem celulite, a filha precisa ficar de olho na pele. Quanto mais cedo começar a fazer os tratamentos, maiores serão as chances de reverter esse processo.

c. Má oxigenação do sangue: se a circulação está deficiente, o sangue, que leva nutrientes para o organismo, oxigena mal as células. Além disso, os vasos se rompem com mais facilidade e o gel que envolve as células fica espesso e endurecido. É o começo do surgimento dos nódulos de celulite. Em seguida, as células aumentam de tamanho e número, o espaço entre elas diminui e a pele ganha aspecto acolchoado. Para evitar que isso aconteça, deve-se manter o peso estável e fazer atividades físicas.

5. O que fazer para tratar a celulite?

Não existe um tratamento que seja 100% eficaz, porque a celulite tem diversas causas. O melhor caminho é atacar o problema por várias frentes: adotando uma alimentação equilibrada, praticando atividade física, fazendo tratamentos estéticos e usando cosméticos que ajudem a melhorar o aspecto da pele.

A celulite tem 4 graus

Grau 1 - Leve
- A celulite é interna, não dá para ver nem sentir.
- Os vasos estão mais permeáveis e as toxinas começam a se instalar.
- Se a pele for comprimida, aparecem furos.
- Se for tratada neste estágio, pode sumir.

Grau 2 - Visível
- A pele tem um aspecto acolchoado.
- O sistema linfático está comprometido.
- Se a pele for pressionada, fica amarelada, porque há acúmulo de líquidos.
- Surgem edemas e vasos arroxeados na região, por causa do vazamento de líquidos.
- Não é preciso comprimir a pele para ver os furinhos. Com tratamento, a chance de melhora é de até 80%.

Grau 3 - Intensa
- A superfície da pele tem aspecto de gomos. Os nódulos podem ser sentidos.
- A pele está mal nutrida e a textura é áspera com poros dilatados. Podem surgir microvarizes.
- O inchaço é evidente e a celulite pode doer. Com a circulação comprometida, sente-se a pele mais fria.
- Com tratamento, pode melhorar no máximo 60%.

Grau 4 - Grave
- A celulite fica evidente sob as roupas.
- As células de gordura estão agrupadas de maneira desorganizada, o que prejudica a circulação.
- Os nervos são comprimidos, o que provoca dor.
- Mesmo com tratamento intenso, as chances de melhora são de até 40%.

Que massagem é essa?

Elas servem para relaxar e aliviar a tensão, mas com técnicas diferentes.

Ayurvédica: feita em todo o corpo com ajuda de óleos essenciais para liberar toxinas presas aos músculos e tecidos.

Do-in: massagem feita apenas em determinados pontos do corpo (meridianos) para atingir órgãos específicos.

Drenagem linfática: manobras superficiais para melhorar a circulação, feitas em direção das glândulas da virilha, dos joelhos e das axilas.

Quiropraxia: massagem para aliviar pontos de tensão.

Reiki: aplicada nos chacras, ou nos pontos de canalização de energia do corpo.

Reflexologia: massagem em pontos dos pés que têm relação com pontos da coluna e outras partes do corpo.

Watsu: mistura de *water* (água) com *shiatsu* (massagem feita com pressão). A técnica é aplicada na água.

Shiatsu: com a ponta dos dedos, o massagista pressiona os meridianos profundamente.

Sueca: feita superficialmente, com óleo ou cremes.

Tailandesa: originalmente feita por mulheres com seus órgãos sexuais para estimular o parceiro, foi adaptada para manobras feitas com as mãos.

Tui-na: serve para aliviar o cansaço e dissipar a dor.

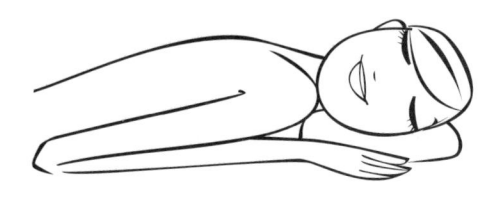

QUEM FOI SHANTALA?

A shantala, técnica de massagem nos bebês, foi trazida da Índia pelo obstetra francês Fréderick Leboyer, em meados dos anos 1970. No Oriente, ela é ensinada num ritual de mãe para filha, mas não ganhou nenhum nome específico. No Ocidente, a técnica foi batizada de *shantala* por Leboyer, em homenagem à mulher indiana que lhe ensinou os movimentos. Shantala não só mostrou ao médico como se aplicava a massagem, mas também serviu de modelo para as fotos do primeiro livro do obstetra sobre o assunto. Durante alguns anos acreditou-se que a massagem *shantala* deveria ser aplicada apenas pela mãe no bebê, com o intuito de acalmá-lo e apaziguar as cólicas. A partir dos anos 1990, passou-se a admitir que pais e outras pessoas muito próximas à criança também a massageassem.

DIETAS

Depois de décadas de restrição alimentar, os médicos e nutricionistas chegaram à conclusão de que quanto mais o corpo passa fome, maior é a sua tendência para o ganho de peso. Ou seja: a longo prazo, fazer dieta engorda.

Cronologia das curvas

Século XVII: as mulheres retratadas pelos pintores eram rechonchudas e barrigudas. O padrão de beleza determinava que tivessem queixo arredondado, pescoço com volume, braços roliços e bochechas salientes. Nas pinturas de Peter Paul Rubens, sua mulher Hélène Fourment foi retratada em diversos ângulos. Em todos eles aparece com os seios volumosos à mostra.

Século XIX: ligeiramente mais finas, as mulheres começam a se preocupar com a esbelteza. Nas pinturas de Renoir, os braços nus são mais longos e bem definidos. São dessa época as bailarinas de Edgar Degas.

Anos 1900: as mulheres começam a buscar formas mais definidas e se espremem dentro de espartilhos para delimitar a cintura. Mas não há notícia de dietas ou preocupação alimentar com o objetivo de emagrecer.

Anos 1920: com o surgimento dos primeiros trajes de banho, aparecem as primeiras inquietações femininas quanto ao formato do corpo. A partir dessa época, as mulheres começam a comparar seu corpo com os de outras mulheres, o que, até então, não era comum.

Anos 1950: os vestidos mais curtos e os decotes liberados vestem melhor os corpos curvilíneos. As divas do cinema marcam época com suas coxas grossas e seios robustos, em contraponto com as cinturas de vespa. No Brasil, Stanislaw Ponte Preta, pseudônimo do escritor Sérgio Porto, cria a lista das "certinhas do Lalau" para eleger as elegantes da época.

Anos 1960: a revolução sexual e os primeiros passos do feminismo começam a igualar homens e mulheres, inclusive nas formas. Elas querem se libertar da imagem de mulher-objeto e rechaçam completamente a silhueta das carnes opulentas. A modelo magérrima Twiggy vira ícone.

Anos 1970: a explosão da ginástica aeróbica tem em Jane Fonda sua musa. As mulheres vão para as academias em busca de um corpo mais magro, mas ainda sem músculos. Surgem as primeiras dietas milagrosas.

Anos 1980: é o início da geração passarela, mas as mulheres que fazem mais sucesso ainda têm quadris largos, cintura fina e seios menores.

Anos 1990: nasce o conceito de geração saúde que descamba para os excessos nas dietas. De um lado, há uma corrida às academias de ginástica em busca de corpos mais musculosos. De outro, privações alimentares para atingir o novo padrão de magreza mostrado nas passarelas.

Século XXI: a doença do começo do século chama-se anorexia, provocada pela obsessão por corpos esquálidos.

> **MAGRELAS E GORDINHAS**
> Em países desenvolvidos, como Bélgica, Canadá, Noruega e Estados Unidos, quanto mais alto o *status*, menor o peso. Já em países em desenvolvimento e com escassez de alimentos, as mulheres de *status* superior são mais gordas e consideradas mais bonitas.

O que fazer para não engordar?

- Mastigar bem a comida durante uma refeição que leva 20 minutos consome 84 calorias.
- Uma barra de chocolate de 200 g tem cerca de mil calorias, metade do que um adulto deve consumir por dia.
- Reduzir o consumo de calorias em 30% por dia em qualquer fase da vida adulta pode adiar e até eliminar os riscos de doenças cardíacas na maturidade.
- Quem vai a restaurante por quilo consome, em média, 42% de gordura no prato. O recomendado é entre 25% a 30%.

> **POR CAUSA DA IMAGEM...**
> ... 52% das mulheres se atrasam para seus compromissos, tentando melhorar a aparência
> ... 80% ficam deprimidas quando se olham no espelho
> ... 86% têm medo de engordar

Para calcular as calorias de um alimento

Caloria é uma unidade de calor que mede a energia dos alimentos ingeridos, convertida para o organismo. Uma caloria equivale a 1/100 do calor necessário para elevar a temperatura de 1 g de água, numa escala de 0 a 100 ºC. Para fazer o cálculo da caloria de um alimento, é preciso somar as calorias produzidas pelos diferentes nutrientes que entram na composição, como gorduras, proteínas e carboidratos. Em testes de laboratório, ficou provado que 1 g de gordura queimada produz aproximadamente nove calorias. Para a mesma quantidade de proteínas ou carboidratos, esse número cai para quatro calorias.

Quantas calorias correspondem a 1 quilo?

Para engordar um quilo, você tem de comer 7 mil calorias a mais do que queima. Se você está acostumada a comer 2 mil calorias por dia e durante cinco dias come 3.500 calorias, ao final do período vai ter engordado um quilo.

Você sabia?

• Para cada quilo que você emagrece precisa de um mês de vigília? Se perder dez, vão ser necessários dez meses de cuidado com a alimentação para que seu corpo se habitue ao novo peso.
• Perder peso no inverno é mais fácil. O corpo usa parte da energia armazenada para se aquecer e esse processo provoca queima de calorias.

Tabela do peso ideal

35% das brasileiras estão acima do peso e, entre elas, 12% são obesas. Segundo o IBGE, 44% das gordas brasileiras vivem no Rio de Janeiro.

Até os anos 1980, acreditava-se que o ideal era pesar dez dígitos a menos do que a altura. Se você tinha 1,60 metro de altura, deveria pesar 50 quilos. Hoje, a tabela ideal oferece um cálculo de índice de massa corporal (IMC), que é mais flexível.

Para calcular
Divida seu peso (em quilos) pela sua altura ao quadrado (em metros)
Exemplo: se você mede 1,60 metro e pesa 55 quilos, a conta é

$$\frac{55}{1{,}60 \times 1{,}60} = 21{,}484$$

Confira a tabela

IDADE	ABAIXO DO PESO	PESO NORMAL	ACIMA DO PESO
12-14	menos de 15,5	de 15,5 a 23,4	acima de 23,5
15-18	menos de 16,5	de 16,5 a 24,9	acima de 25
mais de 18	menos de 18,5	de 19 a 24,9	acima de 25

QUEM ENTREGA É A CIRCUNFERÊNCIA DA CINTURA
Há aumento de risco para a saúde quando a circunferência da cintura exceder 94 cm no homem e 80 cm na mulher

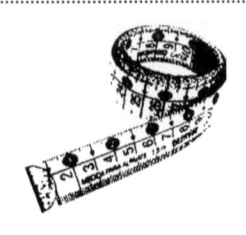

TRÊS TIPOS DE OBESIDADE

1. Distribuída: é uma obesidade generalizada, associada a problemas de saúde como dores nas costas, falta de disposição, problemas de colesterol e diabetes.

2. Maçã: é a obesidade concentrada na região do tronco. Está associada com maior deposição de gordura visceral e se relaciona intensamente com alto risco de doenças metabólicas e cardiovasculares.

3. Pera: a gordura fica acumulada no quadril. Está associada a um risco maior de artrose e varizes.

PERGUNTA CURIOSA
Qual é a diferença entre sobrepeso e obesidade?
O melhor jeito de avaliar o peso corporal em adultos é o IMC recomendado até mesmo pela Organização Mundial da Saúde. O valor obtido estabelece o diagnóstico da obesidade e caracteriza também os riscos associados conforme apresentado a seguir:

IMC (kg/m²)	Grau de risco	Tipo de obesidade
18 a 24,9	Peso saudável	Ausente
25 a 29,9	Moderado	Sobrepeso (Pré-obesidade)
30 a 34,9	Alto	Obesidade grau I
35 a 39,9	Muito alto	Obesidade grau II
40 ou mais	Extrema	Obesidade grau III ("mórbida")

O risco dos exageros

Anemia: falta de carne e de proteína pode baixar o nível de ferro no sangue.

Problemas hormonais: dietas restritivas e com baixo teor calórico podem desregular a produção de hormônios.

Osteoporose precoce: a escassez de cálcio pode desencadear problemas nos ossos e nos dentes.

Paradas cardíacas: provocar vômito ou usar laxantes pode diminuir o potássio no organismo, o que desregula o funcionamento dos músculos, inclusive do coração.

Baixa imunidade: organismos debilitados por dietas muito restritivas permitem que infecções se instalem mais facilmente.

Dietas que funcionam...

Os endocrinologistas concordam que essas quatro dietas oferecem uma boa variedade de alimentos, o que facilita o cardápio do dia a dia e a reeducação alimentar. Manter o peso, com elas, também é possível.

Dieta da pirâmide alimentar: foi criada pelo Departamento de Agricultura dos Estados Unidos em 1992 e permite ingestão de todos os alimentos.
Por que funciona: porque não há restrição, apenas uma orientação na escolha do tipo e da quantidade dos alimentos.

Dieta dos pontos: criada pelo endocrinologista brasileiro Alfredo Halpern, propõe uma tabela de pontos para os alimentos. A base da dieta é consumir determinada quantidade de pontos de cada grupo alimentar.

Por que funciona: porque a pessoa escolhe o que quer comer e como deseja fazer as substituições.

Dieta do bom humor: criada pela nutricionista brasileira Sonia Tucunduva Philippi, propõe alimentos que, quimicamente, ajudam a manter o bem-estar, além de atitudes que estimulam a qualidade de vida.
Por que funciona: porque, embora privilegie alguns alimentos, não restringe nenhum outro.

Dieta definitiva: criada pela nutricionista inglesa Gillian McKeith, ela propõe mudanças simples na alimentação e no estilo de vida.
Por que funciona: lentamente, a pessoa percebe os benefícios que o programa acarreta em sua vida.

... e a dieta ao contrário

Dieta demais engorda. Pessoas que passam a vida fazendo dieta emagrecem num primeiro momento – cerca de 5% a 10% do seu peso. Mas é só parar a dieta para recuperar tudo e mais um pouquinho. Isso acontece porque o corpo "aprende" a viver em estado de penúria e faz como qualquer um faria se estivesse com a despensa vazia: economizaria o máximo possível. Assim o corpo faz com a gordura: armazena, para poder usar em caso de necessidade.

Clube da balança

Meta Real, Peso Ideal, Cyber Diet... todos eles propõem dietas e emagrecimento através de grupos de apoio. Mas os Vigilantes do Peso são os recordistas em associados: 160 mil pessoas em todo o Brasil; 80% são mulheres.

Quick Start: programa adotado pelos Vigilantes, de 1975 a 1990. Era preciso pesar todas as porções de alimentos.

Super Start: evolução do programa anterior que durou até 1998. A vantagem era permitir porções maiores.

1,2,3 Sucesso: programa que foi instituído até 2001, decretando o fim da era da balança. A novidade foi a tabela de cores: verde para alimentos liberados, amarelo para os permitidos com restrição e vermelho para os proibidos.

Pontos Ativos: programa atual, onde cada alimento recebe uma pontuação e cada pessoa tem uma pontuação máxima de consumo.

INVENTORA DOS VIGILANTES DO PESO

A nova-iorquina Jean Nidetch (1923-) sofria com os quilos a mais cada vez que subia na balança. Ela até sabia o principal motivo: o vício por *cookies*. Jean já havia tentado todo tipo de dieta, inclusive com remédios, mas nada funcionava. Sua obsessão pela comida sempre a fazia recuperar todos os quilos perdidos. Em 1961, Jean experimentou um novo regime e conseguiu perder nove quilos. Antes que tudo voltasse em forma de *cookies*, ela resolveu montar um grupo de apoio, só de mulheres, onde uma pudesse vigiar e apoiar a outra. O grupo ficou conhecido como *Weight Watchers* – em português, "Vigilantes do Peso". Elas se reuniam em uma sala que ficava, ironia do destino, em cima de uma pizzaria. No primeiro mês, quarenta mulheres se juntaram ao grupo. Dois anos depois, Jean achou melhor padronizar a dieta, já que grupos das Vigilantes do Peso estavam começando a aparecer em diversos lugares dos Estados Unidos. Para isso, ela desenvolveu o sistema de pontos. Nessa dieta cada alimento é classificado com uma pontuação que equivale a suas propriedades calóricas. Para segui-la, é preciso não ultrapassar um limite de pontos de calorias. Em 1978, a organização foi vendida para a empresa H. J. Heinz, famosa por seu catchup.

ELAS X BALANÇA

Confira alguns artistas que fizeram regime para emagrecer e engordar, tudo em nome de seus personagens:

Camila Morgado

Para viver Olga Benario, esposa do militante Luiz Carlos Prestes, Camila teve de perder ao longo das filmagens 7 quilos. A dieta dos pontos a ajudou na empreitada, que, segundo ela, foi mais difícil que raspar os cabelos.

Charlize Theron
A ganhadora do Oscar engordou 15 quilos para interpretar a *serial killer* do filme *Monster*. Além disso, ela remodelou o rosto com silicone.

Deborah Secco
A atriz deu duro para alcançar os 51 quilos exigidos pela personagem Darlene, da novela *Celebridade*. Cortou doces e baixou um decreto em casa: nenhum empregado podia lhe oferecer comida se ela acordasse acima do peso.

Fernanda Souza
A atriz engordou 7 quilos para viver a "fofinha" rejeitada da novela *O profeta*. Como não foi suficiente, ela ainda teve de usar enchimentos.

Kate Beckinsale
O papel de Ava Gardner em *O aviador*, de Martin Scorsese, obrigou a atriz a engordar 9 quilos.

Renée Zellweger
Para viver a protagonista de *O diário de Bridget Jones* (2001), a atriz engordou 10 quilos. Depois, perdeu tudo. Big Mac com batatas, *milk-shake* e *donuts* com pasta de amendoim garantiram que ela ganhasse os 14 quilos necessários para viver novamente a personagem no segundo filme. O cachê de 15 milhões de libras compensou o sacrifício. Além disso, a empresa de produtos dietéticos Weightwatchers ofereceu 32 milhões de dólares para transformá-la em sua garota-propaganda e mais 300 mil extra por quilo perdido.

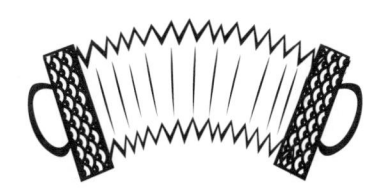

Os sete tipos de SPA

A Associação Internacional de SPAs recomenda que os estabelecimentos sejam divididos por categorias, para facilitar a escolha do cliente:
1. Day Spa: spas urbanos para tratamentos de beleza.
2. Medical Spa: onde se oferecem tratamentos médicos, como aplicação a laser.

3. Spa Termal: aqueles que ficam em estações de águas termais, usadas nos tratamentos.
4. Spa de Emagrecimento: especializado em redução de peso.
5. Spa de Destino: mescla tratamentos de beleza, relaxamento e turismo.
6. Spa Holístico: oferece terapias alternativas.
7. Spa de Aventura: oferece atividades ligadas à natureza, como rapel e trilhas.

Bombas perigosas

Os suplementos nutricionais viraram moda no Brasil a partir do final dos anos 1990. Quarenta e cinco por cento das pessoas que o consomem não consultam o médico, nem o *personal trainer*. Nas mulheres, os anabolizantes e suplementos nutricionais são um risco para a saúde. Eles podem:
• aumentar a quantidade de pelos;
• diminuir o tamanho das mamas;
• provocar queda nos níveis do bom colesterol, o HDL;
• provocar câncer de fígado;
• provocar câncer de rim;
• causar problemas cardiovasculares;
• provocar aumento do clitóris;
• alterar o ciclo menstrual;
• diminuir a libido;
• acentuar a acne;
• causar esterilidade;
• engrossar a voz.

Queimando a gordura

Praticar exercícios três vezes por semana faz o metabolismo ficar 30% mais eficiente. Veja quantas calorias seu corpo consome fazendo atividades esportivas e do dia a dia (tabela referente a meia hora de atividades para uma pessoa com peso médio entre 60 e 65 quilos).

Alongamento	90
Amamentar	54
Andar a cavalo	81
Andar acelerado	276
Andar de patins	196
Andar de bicicleta	126
Andar na esteira elétrica	156
Andar em areia dura	160
Andar em areia fofa	190
Andar na areia molhada, que afunda	195
Andar no mar com água nas canelas	140
Andar rápido na esteira elétrica	270
Arrumar a cama	66
Arrumar a mala	60
Arrumar o armário	80
Assistir à televisão	41
Aula de circuito	339
Bater as teclas do computador	48
Bater palmas	50
Bater papo ao telefone	55
Beber água	40
Beijar	30
Bicicleta ergométrica	250
Body combat	300
Body pump	190
Cantar	55
Carregar um bebê (4 kg) no colo	70
Compras no supermercado	70
Correr a 12 km/h	445
Correr em terreno irregular	330
Correr em areia fofa	370
Correr em terreno plano	310
Correr na subida	400
Cozinhar	90
Cuidar de plantas	100
Dançar	200
Depilar as pernas	50
Desenhar	60
Dirigir o carro	80
Dirigir a moto	95
Dormir	30
Empurrar um carrinho de bebê	80
Escalar montanha	290
Escalar paredão	245
Escovar os dentes	40
Esgrima	240
Esquiar na água	310
Esquiar na neve	290
Fazer massagem em alguém	110
Fazer sauna seca	100
Fazer *transport*	300
Ginástica aeróbica	200
Ginástica localizada	130
Ginástica olímpica	210
Hidroginástica	150
Ioga	50

Atividade	kcal	Atividade	kcal
Jogar basquete	280	Musculação	240
Jogar frescobol	190	Nadar borboleta	280
Jogar *frisbee*	120	Nadar *crawl*	255
Jogar futebol	330	Nadar de costas	250
Jogar futevôlei	200	Nadar peito	260
Jogar handebol	300	Passar aspirador de pó	175
Jogar peteca	125	Praticar mergulho	115
Jogar *squash*	315	Praticar *snorkel*	90
Jogar tamborel	100	Pular corda	220
Jogar tênis simples	240	Pular de paraquedas	135
Jogar tênis dupla	130	Pular de paraglider	145
Jogar polo aquático	320	Remar	280
Jogar videogame	50	Saltar em altura	295
Jogar vôlei de praia	150	Saltar em extensão	290
Jogar vôlei de quadra	105	Sexo	280
Ler	50	*Spinning*	400
Levar o cachorro para passear	150	*Step*	315
Lutar boxe	300	Subir escadas	310
Lutar capoeira	270	Tocar bateria	115
Lutar caratê	290	Tocar flauta	70
Lutar jiu-jítsu	280	Tocar guitarra e baixo	80
Lutar judô	285	Tocar piano	70
Lutar *kung fu*	290	Tocar violão	75
Lutar *tae kwon do*	280	Tomar banho de chuveiro	60
Meditar	20	Tomar sol	35
		Tirar o pó dos móveis	100

O que quer dizer aeróbica?
Ginástica que requer maior consumo de oxigênio pelo organismo, exigindo que o coração trabalhe mais.

Toda atividade aeróbica deve ser praticada por, no mínimo, meia hora, para trazer benefício para o coração. Veja o que acontece nesse período:

De 3 a 5 minutos: 70% da energia consumida vem do carboidrato acumulado pela alimentação recente. Os outros 30% vêm da queima de gordura.

Entre 6 e 20 minutos: o cérebro aumenta a produção de betaendorfina, substância que promove bem-estar no corpo. Por causa dela, você se anima para continuar se exercitando.

De 21 a 30 minutos: nessa fase, o corpo passa a usar a gordura como fonte de energia. É a partir dessa meia hora de trabalho que o exercício ajuda a emagrecer e traz benefícios para o coração.

Iogurte para mulheres

Uma pesquisa feita por cientistas da Universidade de Pittsburg, Estados Unidos, com 531 mulheres mostrou que aquelas que ingeriam iogurte regularmente mantinham reservas de bactérias benéficas no intestino, as mesmas que "repovoam" a vagina quando ela precisa de defesas. Além disso, estudos feitos na Finlândia e no Japão mostraram que tomar iogurte tem eficácia contra o fungo *Candida albicans*, que produz ardor, coceira e corrimentos. Os *lactobacillus acidophilus* do iogurte criam um ambiente hostil à *Escherichia coli*, bactéria do trato intestinal, que provoca a maioria das infecções urinárias.

O que são os *vegans*?

São pessoas que não comem alimentos de origem animal (carne vermelha ou branca, ovos, queijo, leite etc.). Também não usam roupas e objetos derivados de bichos, como casacos de pele, sapatos de couro ou bijuterias de chifre ou ossos. Para elas, é questão de princípio: condenam qualquer tipo de crueldade com animais e rejeitam todo produto oriundo desse gesto.

> O termo *vegan* (pronuncia-se "vígan"), uma corruptela de vegetariano, foi usado pela primeira vez por volta de 1940 e sua autoria é atribuída a uma sociedade vegetariana inglesa.

Por que as mulheres amam chocolate?

O chocolate promove a produção de metilxantina, estimulante do sistema nervoso central, e de serotonina, neurotransmissor que regula o humor. Nas mulheres, a serotonina é sintetizada 30% mais devagar do que nos homens. Além disso, elas têm metade da capacidade dos homens de armazenar a substância. Assim, precisam consumir chocolate em maior quantidade.

O QUE O CHOCOLATE FAZ PELAS MULHERES?
- Proporciona a mesma sensação de quando se está apaixonada.
- Devolve a calma em momentos de ansiedade.
- Fortalece o corpo e previne contra a anemia.
- É rico em vitaminas do complexo B e, por isso, melhora a aparência do cabelo e das unhas.

Problema: em excesso... engorda!

Você sabia?

Um dos mitos mais disseminados é o de que chocolate provoca espinha. Não há estudos científicos que comprovem essa ligação. Por outro lado, cientistas da Universidade da Califórnia (EUA) descobriram que o chocolate amargo pode fazer bem à saúde. Isso porque ele é rico em flavonoide, uma substância que ajuda a combater os radicais livres, que contribuem para o entupimento das artérias. Os flavonoides seriam uma espécie de filtros do sangue, porque diminuem a formação das placas de gordura, transformando o mau colesterol (LDL) em substâncias que ajudam o coração a funcionar melhor.

POR QUE NÃO EXISTE *SUSHIWOMAN*?
Antigamente dizia-se que as mulheres não podiam preparar sushis porque a oscilação da temperatura das mãos delas, por causa do ciclo menstrual, poderia alterar o sabor do peixe, que é servido cru. Embora o tabu ainda persista, já se sabe que essa história não passa de mito.

Bolinho das filhas de santo

O acarajé é considerado o bolinho do amor, segundo o candomblé. Era a comida oferecida a Xangô por suas duas esposas, Iansã e Oxum, que inventavam variações na receita. Por isso é que, segundo as tradições baianas, só as filhas de Iansã e de Oxum é que deveriam preparar e vender acarajés. Entretanto, como o bolinho se tornou muito popular na Bahia, acabou se transformando em um quitute preparado por muita gente.

Essas delícias
(que acabam com qualquer dieta)
têm nome de mulher

Doces, salgados e até uma bebida homenagearam algumas mulheres.

Carolina
Doce de massa fofa e redondinhos que lembram a textura de minibombas. Seu nome, porém, não homenageia nenhuma jovem chamada Carolina. Vem de Karòly Ferencsarosz, um doceiro austro-húngaro que viveu no século XVIII e vendia sua criação em Viena, com recheio de creme ou chocolate.
Sem recheio, cada carolina tem 29 calorias.

Charlote
Invenção inglesa para a rainha Charlotte, mulher do rei George III, que adorava biscoitos no chá da tarde. O grande *chef* Marie-Antoine Carême (1783-1833) teve a feliz ideia de fazer um doce usando biscoitos champanhe, recheio de cremes diversos e musses.
Uma fatia de 4 cm de charlote tem 400 calorias.

Crepe Suzette
Panquecas doces, flambadas, já existiam desde o século V. Eram preparadas pelos romanos na celebração da Virgem Maria, todo dia 2 de fevereiro. Mas o crepe Suzette foi assim batizado no verão de 1896, em Mônaco. Eduardo VII, o príncipe de Gales, então com 56 anos, estava numa festa. O banqueteiro francês Henri Charpentier exagerou no licor curaçau ao preparar suas panquecas doces e, em vez de flambá-las, ele simplesmente as incendiou. Ágil, Charpentier impediu um acidente maior ao apagar as chamas com rapidez. Sua habilidade impressionou o príncipe, que quis saber o nome da iguaria. *"Crêpes princesse"*, foi a resposta de Charpentier. Eduardo corrigiu: "De hoje em diante, ela se chamará crepe Suzette". Suzette era uma namorada do solteirão Eduardo desde o ano anterior. O romance foi fugaz, mas a sobremesa ficou.
Um crepe Suzette tem 350 calorias.

Madeleine
Por volta de 1750, uma moça chamada Madeleine, que fazia os doces da corte

francesa, criou o bolinho macio e recheado que leva seu nome.
Uma madeleine tem 145 calorias.

Margarita
O nome do drinque é uma homenagem a sua criadora, a americana Margarita Sames, que preparou a mistura de tequila, Cointreau, gelo e suco de limão em 1918.
Uma taça de margarita tem 120 calorias.

Margherita
A pizza margherita leva esse nome por ser a primeira a ser servida para a rainha da Itália, Margherita. Ela era enfeitada com as cores da bandeira italiana: queijo (branco), manjericão (verde) e tomate (vermelho).
Uma fatia de pizza margherita tem 175 calorias.

Pavlova
O merengue coberto de frutas é uma invenção australiana. É uma homenagem à bailarina russa Anna Pavlova (veja página 513).
Uma taça de merengue tem 335 calorias.

Pera Belle Hélène
Tratam-se de peras descascadas e cozidas em vinho, servidas com calda de baunilha. Na França, a receita ganhou esse nome em homenagem à sensual Helena de Troia e é servida nos cafés de Paris desde o século XIX.
Uma pera servida com uma colher de creme tem 140 calorias.

Pêssego Melba
O chef Auguste Escoffier (1846-1935) trabalhava no hotel Savoy, em Londres. Em 1892, ele assistiu a uma apresentação da soprano australiana Nellie Melba (1861-1931), estrela da ópera Lohengrin, de Richard Wagner. Ela estava hospedada no mesmo hotel Savoy e, após a apresentação, foi homenageada com um banquete oferecido pelo duque de Orléans. Escoffier ficou tão deslumbrado com a voz da diva que, ao voltar ao Savoy, resolveu preparar pessoalmente a ceia dela. O momento mais marcante do jantar foi a sobremesa: sobre um cisne esculpido em gelo e servido numa taça de prata, ele colocou sorvete de baunilha e fatias carameladas de pêssego (só mais tarde o purê de framboesa entraria na receita). "Qual é o nome dessa sobremesa?",

perguntou a cantora. Depois de pensar alguns segundos, Escoffier respondeu: "Pêssego Melba, madame".

Uma taça de pêssego Melba tem 330 calorias.

Docinhos muito femininos

Barriga de freira: a partir do século XVII, Portugal era o maior produtor de ovos da Europa. As claras eram usadas para confeccionar hóstias e também para engomar roupas. Como muitas freiras desempenhavam a função de preparar as hóstias e manter em ordem as vestes dos sacerdotes, não sabiam o que fazer com tantas gemas. Passaram, então, a misturá-las com açúcar para preparar doces. Só que na hora de despejar o doce da panela no prato, elas acabavam respingando a mistura no avental. Daí o nome barriga de freira.

Teta de nega: quando a imperatriz Tereza Cristina deu à luz, não conseguia amamentar por causa do calor que fazia no Brasil. Assim, uma escrava foi incumbida da tarefa. Aos 11 meses, a princesa mamava com vigor e, para conseguir separá-la dos seios da escrava, um capelão sugeriu à família que mandasse costurar uma bolsa de couro marrom, que simulasse as mamas escuras. Ao descobrir o segredo imperial, os plebeus inventaram um docinho feito com geleia de frutas e coberto com chocolate, que foi apelidado de teta de nega. Hoje em dia, ele é feito com maria-mole e coberto com chocolate.

Baba de moça: quando o Brasil era colônia de Portugal, o doce de ovos moles da região de Aveiro chegavam aqui com frequência e faziam muito sucesso entre as meninas. Mas como a temperatura no Brasil era mais alta do que na Europa, elas adicionavam leite de coco, para deixar o doce mais fácil de engolir. Bem diluído, escorria pela boca das moças na hora de comer. Daí o nome.

QUANTA COMIDA CABE NO ESTÔMAGO?
Normalmente 600 ml de comida. Entretanto, nem tudo fica parado ali ao mesmo tempo, porque o estômago é um órgão de passagem: digere a comida e manda embora. Líquidos e pastas, por exemplo, levam menos de meia hora para serem digeridos. Já as carnes demoram 90 minutos para sair de lá. Mas o estômago nunca fica vazio. Quando dormimos, 50 ml de saliva e ácidos digestivos ficam atuando no estômago.

ÍCONES DA ALIMENTAÇÃO

A moça dos palitos Gina

Giacomo e Antonieta Quilicci Rela deixaram a Itália e vieram tentar a sorte no Brasil. Giacomo era marceneiro. Outro casal de italianos, Vicente e Giacomina Carreri Del Nero, fez o mesmo percurso. Vicente trabalhava como alfaiate. Eles se instalaram em Itatiba, no interior de São Paulo. Quis o destino que os filhos dos dois — Alfredo Rela e Rosa Del Nero — se conhecessem e se casassem em 1919. Em 24 de julho de 1947, três dos cinco filhos de Alfredo e Rosa montaram uma oficina mecânica para conserto de máquinas. Chamava-se A. Rela & Cia. Nos anos 1950, montaram uma torrefação e passaram a vender máquinas e motores. A fabricação de palitos de madeira começou no final dos anos 1950, inicialmente com palitos para sorvete. Depois vieram os palitos de dente, roliços, de duas pontas, com 2,5 milímetros de diâmetro. A marca ganhou o nome de "Gina", que era o apelido de Rosa, por iniciativa do filho Giácomo.

Em 1963, a A. Rela já possuía em seu catálogo sete produtos: palitos e pazinhas para sorvetes, palitos para pirulitos, palitos roliços para dentes, palitos retangulares para dentes, abaixadores de língua e garfinhos para festas. A partir de 1973, o produto teve um grande salto com o desenvolvimento da embalagem--

-paliteiro, que substituiu os maços de celofane transparente. A figura de uma mulher sorridente na embalagem apareceu em 1976, numa criação da agência Diagrama, de Roberto Muylaert. Foi chamada Zofia Burk, uma polonesa que na época era uma das modelos mais requisitadas do país. A modelo aceitou, fez a foto e seu rosto até hoje é associado a esse trabalho. Quando fez a foto para a embalagem, Burk precisou de maquiagem para parecer mais velha. Numa entrevista, Zofia Burk afirmou que não palita os dentes. Usa fio dental.

O café de dona Melitta

O inventor do café expresso foi o italiano Luigi Bezzera, em 1901. Mas foi a alemã Melitta Bentz que facilitou a vida das mulheres ao inventar o coador de papel, em 1908. Tudo aconteceu porque, ocasionalmente, a senhora Bentz recebia queixas de seu marido de que o gosto do café variava muito e às vezes tinha até sabor de mofo. Analisando o problema, ela chegou à conclusão de que o causador deveria ser o coador de pano, que deixava passar partículas de pó e resíduos dos cafés já feitos anteriormente, o que alterava o sabor da bebida.

Com a visão lógica de uma dona de casa, a senhora Melitta partiu para a solução. No fundo de uma caneca de latão fez vários furos, recortou um pedaço redondo de mata-borrão e usou-o como forro. O resultado foi o primeiro filtro Melitta do mundo.

QUEM É A SENHORA QUE APARECE NO SAQUINHO DA CASA DO PÃO DE QUEIJO?

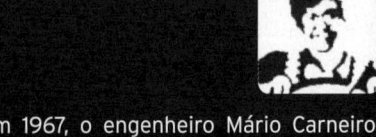

Em 1967, o engenheiro Mário Carneiro resolveu abrir uma lojinha no centro da cidade de São Paulo para vender aos paulistanos um quitute que era hábito dos mineiros: o pão de queijo. A receita usada era uma exclusividade da mãe dele, dona Arthêmia. Em homenagem a ela, o filho estampou sua foto em todos os saquinhos da Casa do Pão de Queijo.

7

Para manter a forma, sigo uma dica de minha avó: tomo café da manhã como rainha, almoço como princesa e janto como mendiga.

ROSAMARIA MURTINHO
(1935-), atriz

♀

Sexo e saúde

HISTÓRIAS DA VIRGINDADE

❁ Embora alguns médicos garantam que o hímen serve para proteger a vagina durante a infância, ainda não há um consenso sobre sua finalidade fisiológica. Assim como as mulheres, outras espécies animais também têm hímen: é o caso dos golfinhos, das baleias, das hienas e dos porquinhos-da-índia.

❁ Na Grécia Antiga, as meninas perdiam a virgindade sentando no falo de Príapo, o deus da fertilidade, representado sempre com o membro ereto.

❁ Foi em Roma que nasceu o hábito de o pai mostrar o lençol da noite de núpcias manchado de sangue, como prova de que a filha tinha se casado virgem.

❁ A descoberta do hímen aconteceu no século XVIII, quando começaram a estudar anatomia com mais profundidade.

❁ O mesmo hábito de mostrar o lençol ensanguentado chegou ao Brasil no século XIX. Quando uma moça era, digamos, mais assanhada, diziam: "Essa não mostra os panos".

❁ Na Idade Média, as moças pobres de um feudo tinham de passar a primeira noite com o rei ou o nobre dono da propriedade. Com o marido ela ficava depois de ter perdido a virgindade.

Para cada 96 homens brasileiros existem 100 mulheres.

◉ Em algumas tribos da Austrália, as meninas tinham o hímen rompido por uma mulher idosa ou por homens que não fossem da tribo, usando um perfurador de madeira.

◉ Na Malásia, a ruptura do hímen era feita pelo pai da noiva antes do casamento.

◉ Em algumas regiões da Índia, a mulher recém-casada tirava sua própria virgindade com uma língua de madeira.

◉ Em alguns países do Oriente Médio, como o Egito, o Azerbaijão e o Afeganistão, quando se descobre que uma noiva não é virgem, a lei admite que ela seja assassinada pelos irmãos, pais, tios ou avós.

Operação para reconstituir o hímen

Ela virou febre em alguns países muçulmanos, evitando que 80% das noivas fossem assassinadas na noite de núpcias pelo fato de não serem mais virgens. O médico, além de recompor a membrana, pode colocar uma cápsula gelatinosa com substância vermelha para provocar um falso sangramento na hora da penetração.

LEILÃO DE VIRGEM
A inglesa Rosie Reid promoveu um leilão na internet em março de 2004, colocando à venda sua virgindade. Quem comprou foi um engenheiro de 44 anos, que pagou 8,4 mil libras (cerca de 45 mil reais).

MEMÓRIA DE UMA PEQUENA VÍTIMA
Em 2000, o dia 18 de maio foi promulgado o Dia Nacional de Combate ao Abuso e à Exploração Sexual de Crianças e Adolescentes. A data foi escolhida porque nesse dia, em 1973, a menina **Aracelli Cabrera Sanches**, de oito anos, foi raptada, drogada, violentada, morta e carbonizada por jovens de classe média alta de Vitória (ES). Apesar da natureza hedionda, o crime prescreveu e os culpados não foram punidos. Para que esse caso nunca fosse esquecido, a deputada **Rita Camata** (PMDB/ES) elaborou um projeto de lei que virou a Lei Federal nº 9.970.

OS MISTÉRIOS DO SEXO

No exato minuto em que você começa a ler este texto, ao redor do mundo estão acontecendo 79.166 relações sexuais. No fim do dia isso significará 114 milhões de transas consumadas por, no mínimo, 228 milhões de pessoas – ou 3,8% da população mundial.

Eles são diferentes

❋ Cientistas da Universidade de Rutgers, em Nova Jersey (EUA), explicaram que o cérebro masculino associa a paixão ao sexo. Já as mulherres associam à atenção, à recompensa e ao amor.

❋ Os homens ainda fazem distinção entre mulheres para namorar e para casar. Em pleno século XXI, um em cada três brasileiros ainda acham que existe a mulher "mais fácil", aquela que vai para a cama rapidamente e a "mais difícil", que cede menos. A segunda categoria, segundo eles, é das mulheres para casar.

❋ Enquanto a maioria das mulheres pensa em sexo uma vez por dia, 80% dos homens admitem que pensam no assunto mais do que dez vezes por dia.

❋ 40% dos brasileiros admitem que não transam se a mulher estiver menstruada.

❋ 65% dos rapazes com mais de 16 anos dizem que, na hora do sexo, a maior curiosidade é saber se a mulher está tendo orgasmo.

SURPRESA!
54% dos homens brasileiros dizem que os seios são a primeira coisa que eles olham quando a mulher tira a roupa. Apenas 22% disseram olhar para o bumbum, enquanto 15% garantiram olhar diretamente para a vagina.

MEDOS FEMININOS NA HORA DO SEXO
45%: não satisfazer o parceiro
44%: pegar uma doença
42%: engravidar
32%: não ter orgasmo
14%: não saber fazer algo que ele pede
11%: sentir vergonha do parceiro

O sexo na terceira idade

1. As mulheres não perdem sua habilidade sexual com a idade, mas o sexo torna-se uma atividade menos necessária.
2. O interesse sexual não tem a ver com a idade.
3. A ideia de que a menopausa diminui o desejo sexual é um mito. Nessa fase, a mulher apenas deixa de ser fértil.
4. Com a menopausa, acontece a diminuição da lubrificação vaginal, podendo dificultar a penetração. O problema pode ser facilmente solucionado com cremes vaginais lubrificantes.
5. A fase orgástica da mulher idosa apresenta contrações rítmicas da vagina em menor número.
6. Como a maior parte das funções do corpo, a resposta sexual se torna mais lenta com o envelhecimento.

CLITÓRIS

O nome do órgão que fica na junção dos pequenos lábios, na parte de cima da vulva, próximo à entrada da vagina, vem de uma palavra grega que significa "chave". Independentemente da raça, o clitóris é sempre cor-de-rosa. Ele é o único órgão do corpo feminino que não tem nenhuma outra função a não ser proporcionar prazer. Quando estimulado, se enche de fluxo extra de sangue e pode crescer até três vezes. Volta ao tamanho normal dez minutos depois do orgasmo.

O mecanismo do prazer feminino

1ª fase: desejo
É a resposta sexual inicial, a vontade de ter proximidade física.
2ª fase: excitação
O corpo sofre modificações, a vagina fica lubrificada e os seios, endurecidos.
3ª fase: orgasmo
É o ápice do prazer, quando o corpo descarrega a energia acumulada em forma de prazer.
4ª fase: relaxamento
O corpo fica amolecido e os músculos, sem força pelo desgaste anterior.

Qual orgasmo é melhor: do homem ou da mulher?

Em números: as mulheres não precisam de intervalo entre um orgasmo e outro. Eles podem acontecer em sequência, um imediatamente após o outro, sem interrupção. Já os homens precisam de cerca de quatro ou cinco minutos para descansar depois de ejacular.

Na velocidade: elas precisam ser mais estimuladas, enquanto eles ficam excitados mais rapidamente. Em compensação, um em cada três homens ejaculam em menos de um minuto após atingir a excitação máxima.

Na duração: os homens ejaculam assim que chegam ao orgasmo, o que faz com que o prazer seja mais efêmero. Já as mulheres têm contrações que duram mais do que nos homens.

Nas zonas erógenas: elas ganham em quantidade de pontos sensíveis. Enquanto o prazer do homem está concentrado majoritariamente no pênis, nas mulheres pode se dividir entre os seios, o pescoço e o clitóris.

Sexo das brasileiras

❉ 70% das brasileiras entre 15 e 16 anos já tiveram alguma experiência sexual.

❉ A idade média da primeira relação sexual das meninas é 16 anos, e dos meninos, 15.

❉ Das meninas entre 12 e 18 anos, 64% já se masturbaram, 40% já fizeram sexo oral e 19%, sexo anal.

❉ Três é o número médio de parceiros que a brasileira tem antes de se casar.

❉ As mulheres têm cerca de oitenta relações por ano, o que dá uma média de uma a cada quatro ou cinco dias.

Você sabia?

A posição preferida da brasileira para fazer sexo é a mulher por cima e o homem por baixo.

As sem-clitóris

Estima-se que três milhões de meninas sejam mutiladas a cada ano na África, com o único objetivo de impedir que as mulheres sintam prazer no ato sexual. A tradição diz que a ablação clitoriana garante *status* e honra à mulher, mas o fato é que pode desfigurar, causar danos psicológicos e, às vezes, matar.

A prática, também conhecida como circuncisão feminina, extirpa o clitóris e outras partes da genitália. Ao contrário do que normalmente se imagina, a prática não é prescrita pela religião muçulmana. O livro de Hadiths, ou citações do profeta Maomé, nada cita a respeito da mutilação genital feminina. Ao redor do mundo, muitos países do Oriente Médio já proibiram a prática, assim como nações onde há grandes comunidades de imigrantes da África – Austrália, Canadá, Nova Zelândia, Estados Unidos e vários da Europa Ocidental. O mais recente foi a Eritreia, onde 90% das mulheres eram mutiladas. A decisão de proibir a prática foi dada pelo governo em 31 de março de 2007.

Entretanto, ainda há países, como o Egito e a Guiné, que mutilam as meninas cada vez mais precocemente, por volta dos nove ou dez anos, com a anuência das autoridades de saúde. O procedimento é feito em hospitais e clínicas.

Afrodisíacos funcionam?

A palavra "afrodisíaco" vem do nome Afrodite, a deusa grega do amor.

Diz-se que os afrodisíacos são substâncias às quais se atribui o poder de aumentar o desejo e melhorar o desempenho sexual. Mas não há comprovação científica a respeito. O maior afrodisíaco está no fato de manter uma relação com alguém que provoque excitação. Além disso, o ambiente sensual e os rituais contribuem para o clima.

Saiba quem tem fama de afrodisíaco:

Álcool
Consumidas em quantidade moderada, as bebidas alcoólicas estimulam o sistema nervoso deixando a pessoa eufórica. Mas o excesso provoca a inibição da libido.

Alho e cebola
Esses alimentos possuem substâncias que ajudam a dilatar os vasos sanguíneos. A boa circulação é importante para o funcionamento dos órgãos sexuais.

Amendoim
É rico em vitamina E, que estimula a produção de hormônios sexuais.

Catuaba
Melhora a disposição.

Chocolate
A cafeína contida nele pode fazer mal, pois contrai as veias. Mas o chocolate contém o aminoácido triptofano, que aumenta a produção de serotonina (responsável pela sensação de bem-estar). Empate!

Ostra

Ela tem zinco, elemento que ajuda na produção de testosterona, o hormônio masculino fundamental para a excitação sexual.

Feromônios: o cheiro do desejo

🏵 Acreditava-se que só os animais liberavam feromônios. Mas os seres humanos também são capazes de produzi-los. Tanto que perfumes famosos como os de Paris Hilton e Jean Paul Gaultier incluíram a substância na fórmula.

🏵 Durante o cio, as fêmeas secretam substâncias sexuais odoríferas que são captadas pelos machos de uma mesma espécie. Essas substâncias, que são mensageiras químicas, levam o nome de feromônios.

🏵 Pesquisas recentes dizem que as mulheres também segregam substâncias semelhantes – tanto é que a indústria vem tentando desenvolver perfumes a partir delas.

🏵 A grande questão entre os estudiosos é: os homens conseguem detectar os feromônios? Uma pesquisa realizada no Hospital da Universidade de Huddinge, na Suécia, mostrou, por meio de tomografias, que as pessoas reagiram de forma diferente quando cheiraram algo relacionado ao sexo oposto. As mulheres tiveram um aumento da pressão sanguínea quando estavam diante de substâncias relacionadas ao androgênio (hormônio masculino). E com os homens aconteceu a mesma coisa quando cheiraram substâncias relacionadas ao estrogênio (hormônio feminino).

🏵 Muita gente prende a respiração ao sentir um odor mais revelador em seu parceiro, mas o cheiro do suor também contém os chamados feromônios.

🏵 Apesar do uso corriqueiro de loções e perfumes, o cheiro natural é, para muita gente, extremamente excitante.

✱ Uma pesquisa feita pela Universidade Federal do Rio de Janeiro com homens e mulheres entre vinte e cinquenta anos quis saber o que as pessoas acham que atrai mais sexualmente. A maioria das mulheres disse que é a inteligência. A maioria dos homens, a beleza.

> **DIFERENÇA DE IDADE**
> Muitos anos separam essas mulheres dos homens com quem são ou foram casadas:
>
> • Suzana Vieira, 28 anos mais velha que Marcelo Silva
> • Penny Lancaster, 26 anos mais nova que Rod Stewart
> • Marilia Gabriela, 24 anos mais velha que Reynaldo Gianecchini
> • Valéria Valenssa, 23 anos mais nova que Hans Donner
> • Paloma Duarte, 21 anos mais nova que Oswaldo Montenegro
> • Katie Holmes, 16 anos mais nova que Tom Cruise
> • Geena Davis, 16 anos mais velha que Reza Jarrahy
> • Demi Moore, 15 anos mais velha que Ashton Kutcher
> • Susan Sarandon, 12 anos mais velha que Tim Robins
>
> Veja outros na página 113

Por que os homens dormem depois do sexo e as mulheres sentem vontade de conversar?
Porque o orgasmo masculino libera substâncias às quais o corpo do homem não está habituado, como a prolactina (que nas mulheres ajuda na produção de leite). É a prolactina que dá aquela sensação de moleza e vontade de dormir depois do sexo.

Quem é mais tagarela: o homem ou a mulher?
Surpresa: deu empate! Pesquisadores de duas universidades americanas fizeram o teste com 396 estudantes – 210 homens e 186 mulheres – entre 1998 e 2004. Os participantes tinham entre 17 e 29 anos. Os voluntários carregaram gravadores o tempo todo em que estavam acordados. Os dados indicaram que, durante um período de 17 horas, as mulheres falaram, em média, 16.215 palavras, contra 15.669 dos homens. Então, por que se costuma dizer que elas falam bem mais que eles? "Nas discussões entre marido e mulher, elas fazem questão de falar sobre o problema e eles procuram se calar", explicou o psicólogo Matthias Mehl, responsável pela pesquisa. "Com isso, começou-se a generalizar esse conceito." Segundo Mehl, as pessoas costumam prestar mais atenção nos casos que confirmam suas ideias.

> **DICIONÁRIO DO SEXO**
> Você já ouviu falar em...
> **... borboleta de Vênus**: técnica criada pelos sexólogos Bob e Leah Schwartz, que estimula as preliminares. Quando ambos estiverem quase lá, é hora de dar um tempo e... recomeçar.
> **... condicionamento sexual**: a proposta dos médicos Hank Wuh e Mei Mei Fox é manter a circulação sanguínea eficiente para que a área genital fique bem irrigada.
> **... pompoarismo**: exercício para fortalecimento dos órgãos genitais femininos. Trabalha-se com a contração e o relaxamento.

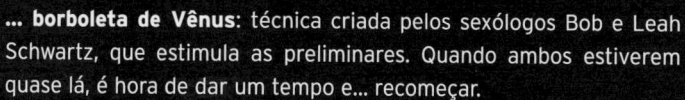

Kama Sutra

O *Kama Sutra*, que quer dizer "textos condensados para o prazer", foi escrito em sânscrito para a nobreza da Índia pelo celibatário Vatsyayana no século IV. Naquele tempo, os nobres não tinham o que fazer e sobrava tempo para se aperfeiçoar nas habilidades sexuais descritas no *Kama Sutra*. Entretanto, ele não ensina apenas posições sexuais, mas também orienta como explorar o prazer através do corpo e da mente. Embora não tenha ignorado as necessidades femininas, Vatsyayana escreveu o *Kama Sutra* para os homens.

Curiosidades sexuais

❊ O estímulo visual é o gatilho que aciona a libido (a vontade de transar). A visão de um homem ou uma mulher em trajes mínimos aciona o sistema límbico, responsável pela libido, que fica no hipotálamo, uma região do cérebro que rege a ação dos hormônios. Quando sentimos desejo por alguém, esse sistema libera adrenalina, substância que provoca o aumento dos batimentos cardíacos e da temperatura do corpo.

❊ Quando a pessoa se exercita, aumenta o fluxo sanguíneo também na região genital e, por isso, pessoas que praticam atividades físicas têm mais disposição para fazer sexo.

❊ Nos homens, o aumento do fluxo é essencial para que os vasos sanguíneos do pênis recebam mais sangue e a ereção aconteça. Para as mulheres, ele contribui para a dilatação e lubrificação da vagina na hora do sexo.

QUANDO A MULHER FICA EXCITADA...
... o clitóris pode aumentar de volume.
... os pequenos e grandes lábios podem dobrar de tamanho e perdem o tom rosa, ficando bem vermelhos.
... a vagina produz uma secreção parecida com a saliva e com o suor, numa quantidade que pode chegar a 1 copinho de café. Mas isso não tem nada a ver com ejaculação feminina.

DURANTE O ORGASMO FEMININO...
... a contração muscular da região dura de 4 a 5 segundos, podendo se estender a 8 ou 9 segundos.
... essas contrações se repetem até 12 vezes, com espaços de aproximadamente 0,8 segundo entre elas.
... se a mulher continuar sendo estimulada, essas contrações podem se repetir várias vezes em orgasmos múltiplos.

Onde fica o ponto G?

Segundo o obstetra e ginecologista alemão Ernest Gräfenberg, - o primeiro a descrever a ejaculação feminina - o ponto G é uma área localizada na parte interna e superior da vagina. Embora em 1944 tenha apresentado uma pesquisa relatando sua descoberta, foram os pesquisadores americanos Beverly Whipple e John D. Perry que criaram o nome (G, de Gräfenberg), numa homenagem ao médico alemão, em um trabalho científico publicado em 1982.

O que é vaginismo?

• É a contração involuntária dos músculos próximos à vagina, impedindo a penetração do pênis.
• A mulher não consegue controlar o movimento muscular e isso pode provocar, além da dor, sinais de pânico, medo e falta de ar.

- As causas orgânicas do vaginismo podem ser desequilíbrios hormonais, nódulos dolorosos ou infecções nos genitais.
- As causas psicológicas podem ser situações traumáticas vividas, como abuso sexual e estupro, ou mensagens antissexuais na infância, ouvindo os pais dizerem que sexo é sujo.
- Para tratar, o ginecologista pode utilizar técnicas de dessensibilização gradativa, como usar cones específicos ao longo do tratamento. Gel lubrificante também pode ajudar durante a relação com o parceiro.
- A psicoterapia é indicada quando há conflitos emocionais que interferem nas relações sexuais.

Por que eles são de Marte e elas são de Vênus?

ELES
- Têm dificuldade em lembrar e reviver as emoções.
- O ciúme deles é de caráter sexual.
- O homem experimenta sentimentos menos intensos de rivalidade.

ELAS
- Conseguem recapitular as experiências emocionais e sexuais em detalhes.
- Temem a traição emocional mais do que a traição sexual.
- Investem muito mais na procriação e estão mais dispostas a cuidar da prole. Esta seria a origem da ancestral competitividade feminina.

O IDEAL BIOLÓGICO
Há séculos, o macho favorito é aquele que tem...
... o maxilar quadrado, considerado atraente para as mulheres.
... voz grave, associada a altos níveis de testosterona.
... músculos desenvolvidos, que transmitem ideia de virilidade.

DIFICULDADES DA PRIMEIRA VEZ DELAS
- 59% não têm orgasmo
- 25% não conseguem se excitar
- 17% não têm vontade de fazer sexo
- 8% não satisfazem o parceiro

A pré-ejaculação pode engravidar uma mulher?

Pode. O fluido liberado através do pênis, que se chama fluido de Cowper, tem a função de lubrificar a uretra, preparando a passagem do esperma. Não há espermatozoides nesse fluido, mas pode haver espermatozoides residuais na uretra, desde a última ejaculação. Se ela for recente e o espermatozoide for empurrado pelo fluido, chegando vivo ao óvulo, pode haver fecundação.

Orgias de arrepiar

• Rei Salomão (973-933 a.c.) gostava de colocar diversas mulheres na mesma cama. Foi assim que ele conseguiu manter setecentas esposas e trezentas amantes.

• Cleópatra (69-30 a.c.) gostava dos convidados que aceitassem representar suas fantasias sexuais como se estivessem num teatro. Ela e Marco Antonio participavam muitas vezes da encenação.

• O papa Alexandre VI (1431-1503) não participava, mas adorava observar uma orgia. Certa vez, mandou chamar cinquenta prostitutas nuas para servir seus convidados.

• Honoré de Balzac (1799-1850) adorava mulheres mais velhas e mantinha vários casos ao mesmo tempo. Dizem que foi inspirado nelas que ele escreveu *A mulher de trinta anos*, cuja personagem deu origem ao termo "balzaquiana".

- Charles Chaplin (1889-1977) gostava de virgens e ninfetas. Casou-se quatro vezes com moças menores de 18 anos. Em Hollywood, dizia-se que ele era capaz de manter seis relações sucessivas, em intervalos de cinco minutos.

Mais uma de Cleópatra

Alguns estudiosos dizem que Cleópatra tinha uma legião de amantes e que fazia sexo oral em muitos homens na mesma noite. Entretanto, ela não beijava nenhum deles, porque não havia esse hábito na hora do sexo. Também não era hábito fazer sexo com os maridos. Casamentos representavam alianças políticas e não tinham nada a ver com amor ou sexo. Por isso, era comum casar-se com irmãos e primos, para que o poder permanecesse em família. Cleópatra casou-se com dois irmãos, mas os casamentos serviam apenas para que ela se mantivesse no trono.

LESBIANISMO

A palavra "lésbica" foi usada pela primeira vez para especificar uma homossexual feminina em 1883, num artigo de um jornal médico americano, numa alusão à ilha grega de Lesbos. Uma de suas habitantes, a poetisa Safo, acusada de participar de uma revolta contra o ditador Pítaco, foi exilada por duas vezes. Na segunda ocasião, Safo conheceu um rico comerciante da Sicília. Casaram-se e tiveram uma filha. Quando o marido morreu, ela voltou para Lesbos e passou a supervisionar uma escola de meninas, que gastavam o tempo curtindo música, poesia e amor. As meninas eram chamadas de *heteras* ("companheiras" em grego).

CINCO COISAS SOBRE SAFO
1. Safo nasceu em Eresos, em 625 a.C., e ainda muito menina foi viver em Mitilene. Essas duas cidades ficam na ilha de Lesbos, na Grécia, de onde ela foi líder da comunidade local, depois de ter ficado viúva e com uma filha.
2. Apaixonou-se pelo próprio irmão, mas ele a deixou para se casar com uma egípcia. Safo nunca se recuperou.
3. Átis era a aluna favorita, mas não correspondia ao amor de Safo. Os pais de Átis a tiraram da escola quando os boatos sobre os hábitos e costumes da instituição se espalharam pela cidade.

4. Assim como Homero foi visto como o maior poeta grego, Safo foi considerada a maior poetisa de todos os tempos na Grécia.
5. Dois séculos depois da sua morte, Platão a chamou de "décima musa".

A PROFISSÃO MAIS ANTIGA DO MUNDO

Prostituição é a troca de sexo por dinheiro. Mas na Grécia e no Egito antigos, as prostitutas recebiam honras de divindades por seus favores sexuais. Como ganhavam muito, passaram a ter de pagar impostos altos aos governos e também a ter de usar vestimentas que as identificassem. Mesmo assim, eram mulheres muito respeitadas. Na Grécia, exerciam grande poder político e eram convidadas para encontros onde só compareciam homens. Eram belas, cultas e muito refinadas. Durante a Idade Média, as prostitutas foram responsabilizadas pela propagação da sífilis. Como os casamentos só eram realizados por interesses políticos e familiares, a prostituição se manteve mais forte que nunca. Na época da Revolução Industrial, as mulheres foram às frentes de trabalho e apostou-se no fim da prostituição. Mas como as condições de trabalho eram quase desumanas, muitas mulheres se prostituíam em troca de favores de chefes e patrões. Em 1949, a ONU tentou tomar medidas para o controle da prostituição no mundo, mas em países como o Brasil e a Tailândia a exploração sexual continua a crescer.

Curiosidades

✪ Na Alemanha, Holanda, Austrália e Nova Zelândia, a prostituição é legalizada. Lá, os bordéis têm licença para funcionar e as prostitutas podem ter carteira de trabalho assinada, com direito a seguro-saúde e a aposentadoria. Mas exige-se idade mínima de 18 anos e os bordéis não podem funcionar em áreas residenciais.

✪ No Brasil, 40% das prostitutas permanecem na profissão por, no máximo, quatro anos.

✪ Prostitutas cariocas, usando a butique de luxo Daslu como inspiração, criaram a Daspu, uma grife de roupas idealizadas e confeccionadas por elas.

⊕ Ayse Tükrükçü e Saliha Ermez, duas prostitutas turcas que trabalhavam num bordel de Istambul, fundaram um partido político para lutar contra a exploração sexual e o tráfico de mulheres. Na Turquia, a prostituição é praticada com licenças expedidas pelo Estado e nos lugares estabelecidos pelas autoridades.

Casa da mãe joana

A mulher que emprestou seu nome à expressão foi Joana I (1326-1382), condessa de Provença e rainha de Nápoles. Em 1347, ela regulamentou os bordéis de Avignon, onde vivia refugiada. Casa da mãe joana tornou-se, então, sinônimo de prostíbulo, lugar de bagunça.

A história de Bruna Surfistinha

Em 2005, um blog virou campeão de visitação na internet. Nele, Bruna Surfistinha, codinome de Raquel Pacheco, contava suas aventuras como garota de programa. Menina de classe média, Raquel saiu da casa dos pais aos 17 anos para se prostituir em bordéis de luxo em São Paulo. Famosíssima na internet, passou a atender em seu próprio flat e escreveu o livro *O doce veneno do escorpião*, pela Panda Books. Vendeu 250 mil exemplares e foi traduzido para vários países como Itália, Portugal e Espanha. No ano seguinte, chegava às livrarias *O que aprendi com Bruna Surfistinha*, revelações da ex-garota de programa. Em 2007, Raquel escreveu seu terceiro livro, *Na cama com Bruna Surfistinha*, para ajudar o relacionamento de homens e mulheres na cama. Admitiu: "Sei tudo o que eles querem na cama".

> **VOCÊ SABE DE ONDE VEM A PALAVRA "FORNICAR"?**
> Fornices eram as construções abobadadas subterrâneas onde viviam pobres e prostitutas. Lá, elas recebiam seus clientes para situações íntimas que ficaram conhecidas como *fornicare*.

Assédio sexual

Assédio sexual sempre existiu e 74% das mulheres brasileiras já viveram essa experiência alguma vez na vida. A partir de maio de 2001, assediar sexualmente passou a ser considerado crime no Brasil. Segundo a Organização Internacional do Trabalho, 52% das mulheres brasileiras já sofreram algum tipo de assédio sexual. Mas como saber se você está sendo paquerada ou assediada? Se você se diverte com a abordagem e ela é feita de forma a não intervir no trabalho, isso é só uma paquera. Porém, se o elogio ou convite é feito na condição de manter o emprego ou interferir na manutenção dele, então pode ser visto como assédio. Além disso, o assédio sexual é sempre desconfortável, insulta, humilha ou intimida a vítima. Se é o caso...
1. Não ignore o que está acontecendo. Conte para alguém que possa, mais tarde, servir de testemunha a seu favor.
2. Faça um relato por escrito do incidente, incluindo nomes, locais, hora e situações em que ele se deu, para mais tarde poder embasar uma possível acusação.
3. Não se culpe por estar sendo assediada.
4. Peça àquele que a assedia que pare.
5. Notifique uma instância superior sobre o caso, mesmo havendo o risco de perder o emprego. Conserve provas e documentos de todas as etapas do episódio.

Onã, o pai da masturbação

Onã é um personagem bíblico citado em Gênesis, 38 (8-10). Ele era o segundo filho de Judá, fundador de uma das tribos de Israel. O filho mais velho, Er, foi obrigado a se casar com Tamar. Por ser "perverso com o Senhor", Er morreu. Judá, o pai, ordena então que Onã se relacione com a cunhada para que ela tenha filhos. O Antigo Testamento diz que Onã resolveu obedecer. Mas ao saber que a fecundação seria atribuída a seu irmão morto, todas as vezes que possuía a mulher do irmão, ele "deixava o sêmen cair na terra". Ou seja, na hora de ejacular, Onã praticava o coito interrompido – tirava o pênis de dentro de Tamar e deixava jorrar o sêmen no chão. Isso era um atentado contra a lei judaica. Judá não aprovou a história e matou o próprio filho. Essa história acabou criando a expressão "onanismo", como referência à masturbação, que entrou nos dicionários em 1835.

Você sabia?

57% das mulheres descobrem a masturbação por si mesmas. 75% dos homens tomam conhecimento ao ouvir falar sobre ela.

Que mania é essa?

A ninfomania (combinação de duas palavras gregas: *ninfa*, que quer dizer "mulher nova ou donzela"; e *mania*, que significa "excitação psíquica", "desejo não moderado") é um nível elevado de desejo, de fantasias sexuais, compulsão pelo ato sexual e controle inadequado dos impulsos. Também chamado "furor uterino", geralmente provoca sofrimento porque todos os pensamentos da ninfomaníaca giram em torno do sexo, desviando a atenção das atividades rotineiras. Erroneamente, pensa-se na ninfomaníaca como uma mulher que tem um apetite muito grande para o sexo. Mas a verdade é que ela não consegue satisfazer seus desejos. Por isso, sente a necessidade de ter vários atos seguidos para atingir gozo ou orgasmo.

Clube das mulheres

Em 1992, a autora Glória Perez escreveu a novela *De corpo e alma*, para a Rede Globo, na qual alguns rapazes dançavam e faziam *strip-tease* em uma boate. Os personagens eram interpretados pelos atores Vitor Fasano e Guilherme Leme. Não demorou para a realidade copiar a ficção. Antes que a novela chegasse ao fim, foi inaugurado em São Paulo o primeiro clube das mulheres, onde dez modelos apresentavam um show de *strip-tease*. Começavam vestidos com fantasias de médico, bombeiro, operário, garçom etc. e terminavam completamente nus. Durante a *performance*, as mulheres gritavam, jogavam dinheiro e até subiam no palco para dançar com os *strippers*. O show teve seu auge durante a década de 1990, quando chegou a ser exportado para outros países.

CORPO DA MULHER

O corpo das mulheres, assim como o dos homens, tem 23 pares de cromossomos – sequências de DNA – que determinam as características de cada pessoa. Mas apenas um desses pares recebe um nome diferente: cromossomos sexuais, que são definidos como cromossomo Y e cromossomo X. A presença de dois cromossomos X indica que a pessoa será do sexo feminino. A presença de um X e um Y indica uma do sexo masculino. Biologicamente, as mulheres são 44 + XX e os homens são 44 + XY. Da mãe, o bebê só pode herdar o cromossomo X. Já o pai pode transmitir um X ou um Y. Por isso ele é o responsável por definir o sexo da criança.

Da menarca à menopausa

❀ A menarca representa o começo da vida reprodutiva e é marcada pelo primeiro sangramento. A menopausa representa o fim da atividade dos ovários e o fim da vida reprodutiva por meios naturais.

❀ Ambas são determinadas pela hereditariedade.

❀ O hábito de fumar pode adiantar a chegada da menopausa em um ou dois anos.

❀ Não há ligação entre a idade da primeira menstruação e a da última.

❀ A primeira menstruação pode ser seguida de períodos irregulares. Demora aproximadamente dois anos, a partir da menarca, para o ciclo se regularizar.

❀ A chamada pré-menopausa determina o período em que começam a ocorrer irregularidades no ciclo menstrual e que prenunciam a menopausa. Os médicos preferem chamar o período de climatério.

❀ A duração do climatério é variável e pode se estender por até 10 ou 12 anos.

❀ Sintomas de que a menopausa se aproxima:
• Ondas de calor (75% a 80% das mulheres)
• Alterações do sono (62% das mulheres)
• Modificações do humor (60% das mulheres)
• Alterações no desejo sexual (50% a 70% das mulheres)
• Ressecamento vaginal (45% a 50% das mulheres)
• Perdas urinárias (35% a 50% das mulheres)
• Modificações na voz (17% das mulheres)

❀ O corpo da mulher se modifica antes da menarca e depois da menopausa. Antes da menarca, as curvas se acentuam na cintura e nos quadris. Depois da menopausa, a gordura tende a se acumular no abdome.

❀ Pela ação dos hormônios, os seios se desenvolvem antes da menarca.

❀ Não há relação entre o aparecimento dos pelos púbicos e a menarca. Mas, depois da menopausa, os pelos tendem a escassear.

❀ Na menopausa, a queda dos estrogênios aumenta o processo de perda óssea, que pode chegar a 5% ao ano. O empobrecimento do tecido ósseo é chamado osteopenia. Se a perda chegar a 30% em relação à massa de um adulto jovem, vira osteoporose.

O PAPEL DOS OVÁRIOS

Quando o feto do sexo feminino se desenvolve, aparecem folículos dentro dos ovários. Nesses folículos (mais ou menos 2 milhões) surgirão cerca de 300 mil óvulos depois da puberdade. Quando a mulher menstrua pela primeira vez, os folículos entram em atividade: no início da menstruação crescem e produzem um hormônio chamado estrogênio. Após 14 dias, quando acontece a ovulação, produz-se outro hormônio, a progesterona. Se houver fecundação por um espermatozoide, surgirá um óvulo que crescerá, gerando um bebê. Mas, se não for fecundado, atrofiará e será eliminado na próxima menstruação. Todo esse processo acontece dentro dos ovários direito ou esquerdo, a partir da primeira menstruação até a menopausa (ou última menstruação). É a chamada vida reprodutiva da mulher, que dura, em média, de 30 a 38 anos.

VAGINA
É o canal que leva ao útero, por onde desce a menstruação.

VULVA
É formada por pequenos e grandes lábios, uretra, clitóris, monte de Vênus, pelos e pelo introito, o orifício na entrada da vagina.

A MULHER DE TRINTA ANOS

Balzaquiana é a forma como são chamadas as mulheres na faixa dos trinta anos. Isso porque o escritor francês Honoré de Balzac escreveu um romance intitulado *A mulher de trinta anos*, no qual analisa o destino das jovens na primeira metade do século XIX, em particular dentro do casamento. E faz uma apologia às mulheres mais maduras, que podem viver o amor com maior plenitude. É o que acontece à heroína da narrativa, Júlia. Ela se casa com um oficial do Exército de Napoleão, Vitor d'Àiglemont, mas depois descobre que a relação está longe de ser o que imaginava. Não fica feliz nem mesmo quando nasce sua filha. Ao completar 26 anos, se encanta por um rapaz inglês, Arthur, que lhe promete um amor que seu marido não pode lhe dar. Mas também se desilude com ele. Ao se tornar uma trintona, porém, Júlia conhece o francês Carlos Vandenesse. É com ele que a personagem descobre que o amor numa fase mais madura da vida pode ser mais compensador e erótico.

Você sabia?

Há um século, a expectativa de vida das mulheres não ultrapassava os sessenta anos. Portanto, aos trinta elas eram consideradas velhas, porque já tinham passado da metade da vida.

Verdades sobre menstruação

1. O fluxo de sangue diário durante a menstruação varia entre 30 ml e 50 ml (entre 1/5 e 1/4 de um copo americano).
2. A mulher pode sangrar de um a sete dias.
3. O sangue da menstruação vem da descamação do endométrio, a camada que reveste o útero.
4. Transar durante a menstruação aumenta a possibilidade de infecções.
5. Cerca de 40% das mulheres entre 14 e 50 anos sofrem de TPM.
6. Os seios tendem a ficar mais doloridos por causa da grande produção de progesterona logo antes da menstruação, que aumenta os lóbulos mamários.
7. Os sintomas da TPM podem variar muito de um mês para o outro. Atividades físicas tendem a atenuar o problema.
8. A pele fica mais oleosa antes e durante a menstruação porque os hormônios determinam um aumento da produção de gordura.
9. A barriga fica inchada por causa da retenção hídrica. Mas isso não significa que a mulher engordou.
10. A vontade de comer doces pode aumentar, porque o corpo tende a procurar saídas para atenuar a tensão. O açúcar tem esse efeito.

Mentiras sobre a menstruação e a TPM

1. Sangue escuro é sinal de doença.
2. Durante a menstruação não dá para fazer ginástica.
3. Na piscina o sangue não desce.
4. Não dá para engravidar durante a menstruação.
5. Dá para ficar o dia todo com um absorvente interno.
6. Toda mulher fica inchada.
7. Com TPM não dá para fazer nada.
8. Refrigerante melhora a TPM.
9. Só adolescentes têm cólica.
10. Todo mundo engorda na TPM.

Você sabia?

Os absorventes industrializados podem demorar quinhentos anos para se decompor. Cada mulher usa entre 8 e 15 mil absorventes em toda a vida.

PERGUNTA CURIOSA
É verdade que as mulheres que convivem num mesmo ambiente podem ficar menstruadas na mesma época?
Sim. Isso acontece porque as pessoas que têm os mesmos hábitos tendem a regular seu biorritmo. O primeiro estudo sobre sincronicidade menstrual foi feito em 1971 pela psicóloga americana Martha McClintock.

Quem inventou o Modess?

Por milhares de anos, a proteção menstrual era uma faixa de algum material macio e absorvente preso por cordões e cintas. Durante a Primeira Guerra Mundial, surgiram as toalhinhas higiênicas, faixas de tecido atoalhado que, depois de utilizadas, eram lavadas. Apesar de relativamente seguras e econômicas, foram um terror para as mulheres, pois eram grossas, largas e ficavam ásperas depois de algumas lavadas. Na década de 1930, a Johnson & Johnson lançou Modess, o primeiro absorvente descartável. Passou a ser importado dos Estados Unidos em 1933 e só a partir de 1945 foi fabricado no Brasil. A empresa criou uma conselheira feminina, Anita Galvão, que respondia a milhares de cartas de mulheres que, em sigilo, pediam conselhos íntimos, livretos educativos e orientação sobre questões sexuais. A marca Modess virou sinônimo de absorvente íntimo feminino.

Depois veio o Tampax

Na década de 1930, o médico americano Earle C. Haas teve a ideia de utilizar o princípio do tampão cirúrgico para minimizar os incômodos da toalha higiênica usada pelas mulheres durante a menstruação. Em 1937, lançou os tampões Tampax. Os americanos Thomas F. Casey, Earle A. Griswold e Ellery W. Mann aperfeiçoaram a invenção. Uma campanha de informação sobre a menstruação feminina começou a divulgar o princípio do absorvente interno, até então pouco conhecido do público. Sua utilização se espalhou pelo mundo depois da Segunda Guerra Mundial.

O que significa O.B.?

É a abreviação de "ohne binde", que significa "sem absorvente", e surgiu em 1947, quando o engenheiro alemão dr. Carl Hahn viu um anúncio de absorventes internos publicado numa revista americana. O dr. Hahn se juntou então ao dr. Jur Heinz Mittag para montar uma fábrica de tampões na Alemanha. Cortar uma tira de algodão e enrolá-la, inserindo um cordão para retirar o absorvente do corpo da mulher foi fácil. O problema era prensar o algodão e evitar que ele voltasse a afofar. O desenho com oito sulcos só surgiu em 1992. No Brasil, o O.B. chegou em 1974.

A mulher pode perder a virgindade usando um absorvente interno?
Não, porque o hímen, a pele que fica na entrada da vagina, é elástica.

O absorvente interno pode se perder dentro do corpo?
Não, porque ele não tem para onde ir. O canal cervical, entre a vagina e o útero, é menor do que a cabeça de um palito de fósforo, e o absorvente não passa por lá.

Síndrome do choque tóxico

Os principais sintomas dessa síndrome são febre alta, diarreia, vômito, dor de cabeça e coloração avermelhada da pele, e é provocada por um microrganismo chamado *Staphylococcus aureus*. Embora seja uma doença rara, pode ser fatal. Tem sido relacionada ao uso de absorventes internos porque eles obstruem a saída do fluxo de sangue através da vagina. Assim, o sangue contaminado regressa ao útero, favorecendo a proliferação de bactérias e toxinas. Quanto mais tempo um absorvente interno ficar dentro do corpo, maiores serão os riscos de desenvolver essa síndrome. Por isso, os ginecologistas recomendam que a mulher jamais durma usando absorventes internos, que devem ser trocados a cada três ou quatro horas, no máximo.

Você sabia?

- Os antigos egípcios inventaram os primeiros tampões descartáveis feitos de papiro suavizado.
- Os antigos gregos inventaram tampões feitos de compressas enroladas em um pequeno pedaço de madeira.
- Em outros locais, as mulheres improvisavam com os materiais que tinham à mão: em Roma e Bizâncio era lã; no Japão, papel; na Indonésia, fibras vegetais; na África Equatorial, rolos de erva.

E A CÓLICA?

- Cerca de 50% das mulheres brasileiras em idade fértil têm cólicas menstruais.
- A cólica menstrual é a queixa feminina mais frequente e a maior responsável por perda de dias de trabalho e estudo.
- Cólicas excessivamente fortes e prolongadas podem indicar problemas de ovário ou útero.

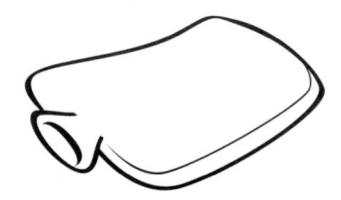

... mesmo após a menarca as meninas continuam crescendo. A média varia entre 5 e 7 centímetros.

... as oscilações hormonais tanto na época das menstruações quanto depois, no período do climatério, podem estimular as glândulas sebáceas, provocando o aparecimento de espinhas na pele.

... as mulheres engordam na menopausa porque o metabolismo fica cerca de 25% mais lento.

... muitas mulheres ficam com mais desejo de fazer sexo depois da menopausa porque já não há mais risco de gravidez.

Cirurgia absurda

Na década de 1920, era moda entre as mulheres frígidas – aquelas que não sentem desejo sexual – fazer uma cirurgia para deslocar o clitóris para o "lugar" certo, isto é, mais próximo à vagina. Acreditava-se que, assim, elas conseguiriam ter o desejo desperto e, por consequência, sentir prazer no sexo. Marie Laetitia Bonaparte, bisneta de um irmão de Napoleão, se submeteu à operação. Mas, ao se tratar com o dr. Sigmund Freud, descobriu que o problema não era o lugar do clitóris e voltou a ter prazer no sexo. Tornou-se sua maior porta-voz, fundou a Sociedade Psicanalítica de Paris e foi a primeira mulher a aplicar as teorias freudianas na Europa.

REMÉDIOS, TÔNICOS E LOÇÕES
Nos anos 1950, eles eram recordistas de venda nas farmácias. As mulheres eram as maiores compradoras.

- Emulsão de Scott (óleo de fígado de bacalhau)
- Pomada Minâncora (primeiras espinhas)
- Conhaque de Alcatrão de São João da Barra (tosse)
- Cristal Japonês (enxaqueca)
- Aurisedina, Antisardina (para deixar a pele macia)
- Hemovirtus (hemorroidas)
- Licor de Cacau Xavier (vermes)
- Lysoform Primo (mau hálito, frieiras e suor)
- Leite de Rosas (manter a pele limpa)
- Magnésia Bisurada (azia e má digestão)
- Água vegetomineral (cortes e infecções)

DOENÇAS FEMININAS

CÂNCER DE COLO DE ÚTERO
❀ O responsável, em 90% dos casos, é o HPV, ou papilomavírus, contraído nas relações sexuais.

❀ A realização periódica do exame papanicolaou (criado pelo médico grego George Papanicolaou, em 1940), que detecta alterações nas células do útero, permite flagrar o vírus e tratar as lesões que ele provoca, antes que se transforme em doença maligna.

❋ Descoberto no início, o câncer de colo de útero tem mais de 80% de chances de cura.
❋ É o terceiro tumor mais comum nas mulheres, atrás do câncer de mama (mais frequente nas mulheres) e do câncer de pele (comum nos homens e nas mulheres).
❋ Já existem vacinas capazes de prevenir a contaminação de alguns tipos de HPV.

CÂNCER DE MAMA

❋ Ataca uma em cada dez mulheres que vivem até os oitenta anos, mas pode ser diagnosticado nos primeiros estágios, quando há 90% de chance de cura.
❋ A mamografia é o exame mais eficiente para detectar microcalcificações malignas não palpáveis, mas estão sendo desenvolvidos exames que poderão ser feitos através da lágrima e da saliva.
❋ Os tumores maiores são tratados com quimioterapia antes de qualquer intervenção, para reduzir o tamanho.
❋ A mastectomia (retirada total da mama) ficou restrita ao câncer extremamente agressivo ou em casos em que haja mais focos da doença.
❋ Em casos de mastectomia, a reconstrução da mama é feita no mesmo ato cirúrgico.
❋ Apenas um pequeno grupo de mulheres com câncer de mama (entre 5% e 10%) carrega propensão genética para desenvolver o tumor. As outras 80% não tiveram casos na família.
❋ Manter o peso sob controle, usar pílula anticoncepcional com acompanhamento médico, praticar atividades físicas e manter uma dieta pobre em gorduras é determinante para manter as mamas sadias.

UMA MULHER DE PEITO!
Cássia Kiss estrelou uma campanha do Ministério da Saúde contra o câncer de mama em 2003. Num ato corajoso e inédito, exibiu os seios e mostrou como as mulheres deveriam fazer o autoexame de prevenção.

O FATOR IDADE
A chance de uma mulher ter câncer de mama por idade é:
• Aos 30 anos: 1 em 2.212
• Aos 40 anos: 1 em 235
• Aos 50 anos: 1 em 54
• Aos 60 anos: 1 em 23
• Aos 70 anos: 1 em 14
• Aos 80 anos: 1 em 10
• Acima dos 80 anos: 1 em 8
Fonte: Instituto Nacional do Câncer dos Estados Unidos.

Você sabia?

Nódulos nos seios são o primeiro sintoma de câncer de mama e estão presentes em 60% dos casos da doença. Mas, paradoxalmente, 95% dos nódulos são alterações benignas e não apresentam riscos.

CISTITE
❀ É qualquer doença inflamatória ou infecciosa na bexiga. As que mais atingem as mulheres são provocadas por germes e bactérias do trato intestinal, como a *Escherichia coli*, que se encontra nas fezes.
❀ A inflamação na bexiga é dez vezes mais frequente nas mulheres do que nos homens.
❀ Uma em cada cinco cistites não tratadas corretamente afeta os rins.
❀ A infecção urinária, que provoca inflamação na bexiga, pode ter várias causas: uma das mais frequentes é a limpeza inadequada após a evacuação, permitindo que bactérias do intestino migrem para a uretra.

❀ Beber muita água é uma das melhores maneiras de evitar a cistite, porque ajuda a limpar a bexiga.

PERGUNTA CURIOSA
Por que as mulheres fazem mais xixi do que os homens?
Porque a bexiga deles é maior. Enquanto a capacidade da bexiga da mulher varia entre 350 ml a 1/2 litro, a dos homens comporta entre 500 e 650 ml.

DISFUNÇÕES DA TIREOIDE
❀ As disfunções da tireoide são mais comuns em mulheres a partir de 35 anos.
❀ A tireoide é uma glândula que rege o funcionamento de todo o corpo. Mas, quando os hormônios T3 e T4 são produzidos em maior ou menor quantidade, todos os órgãos sofrem as consequências.
❀ O hipotireoidismo, ou doença de Hashimoto, faz com que o organismo produza anticorpos contra a própria tireoide, e ela desacelere seu funcionamento, o que pode gerar cansaço, batimentos cardíacos lentos e aumento de peso.
❀ O hipertireoidismo, ou doença de Graves, é hereditário e se caracteriza por um anticorpo que estimula a produção excessiva de hormônios. Ansiedade, insônia, aumento da frequência cardíaca e perda de peso são os sintomas mais evidentes.

ENDOMETRIOSE
❀ 15% das mulheres em idade fértil sofrem de endometriose – presença de endométrio (tecido que reveste internamente o útero) em outros lugares do corpo como o ovário e as trompas de falópio.
❀ Os sintomas da doença são cólicas menstruais intensas, dor na relação sexual e dificuldade para engravidar. A causa é desconhecida, mas a comunidade médica associa a endometriose ao estresse.

ENXAQUECA
❀ Três em cada dez mulheres relatam já ter sofrido de enxaqueca.
❀ É uma dor de cabeça pulsátil ou latejante, em um dos lados da cabeça, na fronte e na têmpora.

❂ Pode ser desencadeada por alimentos, bebidas, odores e oscilações hormonais.
❂ Pular refeições também pode desencadear a enxaqueca.
❂ Aparece de duas a quatro vezes por mês e cada crise tem duração de 4 a 72 horas.

FIBROMIALGIA

❂ 90% das vítimas são mulheres entre trinta e cinquenta anos.
❂ É uma forma de reumatismo, associada à sensibilidade de cada pessoa.
❂ É considerada uma síndrome, porque apresenta sintomas difusos: dor pelo corpo, cansaço até na hora de acordar, alterações de humor e sono de má qualidade.
❂ Não há um único exame que possa detectar o problema. O diagnóstico é feito através de exame clínico.
❂ O melhor remédio contra ela são os exercícios físicos leves e na água.

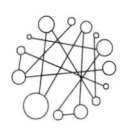

MIOMA

❂ 1/3 das mulheres adultas, em idade reprodutiva, têm miomas, um tumor que aparece no útero, mas que é benigno.
❂ O mioma pode causar infertilidade e é a causa de 90% das cirurgias de retirada do útero.
❂ Em 10% das portadoras, os miomas crescem e causam hemorragias intensas, o que pode provocar anemia.
❂ Em alguns casos, o mioma pode pressionar órgãos vizinhos, estimulando a vontade de urinar.
❂ Há três tipos de miomas e todos eles são estimulados pelo hormônio estradiol, um tipo de estrogênio: os intramurais, que crescem dentro do músculo; os submucosos, que se expandem pela cavidade uterina; e os pediculados, que se desenvolvem para fora do útero.

❋ As causas do mioma ainda são desconhecidas e, na maioria das mulheres, eles permanecem assintomáticos, com tendência a reduzir ou até desaparecer na menopausa, por causa da redução dos hormônios.

OSTEOPOROSE

❋ Depois da menopausa, estima-se que 30% das mulheres tenham os primeiros sintomas da osteoporose.

❋ Doença caracterizada pela diminuição da massa óssea, o que torna os ossos mais frágeis e aumenta o risco de fratura.

❋ A perda óssea se dá a partir dos quarenta anos, e nas mulheres essa perda aumenta depois da menopausa, por causa da diminuição dos hormônios femininos.

❋ Há formas de prevenir o problema, como o consumo de vegetais verdes, leite e derivados bem como a prática de atividade física constante, além de banhos de sol para melhor fixação da vitamina D.

VARIZES

❋ A palavra variz vem de *varix* que, em latim, quer dizer "serpente".

❋ 18% da população adulta tem varizes, e, destas, 2/3 são mulheres. Isso acontece por causa do hormônio progesterona, que favorece a dilatação das veias.

❋ São veias dilatadas que se desenvolvem na superfície da pele e que podem ser de pequeno, médio e grosso calibres.

❋ Surgem quando as veias que fazem o retorno do sangue perdem a elasticidade e a capacidade de se contrair. O sangue passa a refluir e fica parado dentro da veia, o que provoca ainda mais dilatação e o surgimento das varizes.

❋ Terapias de reposição hormonal e anticoncepcionais podem aumentar o aparecimento das varizes. Na gestação, o problema também é mais frequente.

❋ A escleroterapia, ou injeções secantes nos vasos, é o tratamento mais antigo para as varizes. Exercícios físicos atenuam o problema, mas é importante evitar sobrecargas nas pernas e o uso excessivo de salto alto.

Seis exames de grávida

São três ultrassons tradicionais – um por trimestre de gravidez – e três ultrassons para detectar possíveis malformações:

6 a 8 semanas: ultrassom: dá para ver se a mãe terá gêmeos e para saber se o feto está localizado corretamente dentro do útero. Também é nesse exame que o médico define qual é o tempo exato da gravidez.

10 a 14 semanas: translucência nucal: através de uma imagem de ultrassom, que mede a região da nuca do feto, o médico detecta malformação ocasionada por alterações cromossômicas.

10 a 14 semanas: *doppler* do ducto venoso: detecta, de maneira aperfeiçoada, malformação analisando o ducto venoso, um vaso sanguíneo do feto. Também é possível encontrar alterações cardíacas.

20 a 24 semanas: ultrassom: neste exame já é possível avaliar a formação dos órgãos e dos membros do bebê. A partir dessa data, dá para saber o sexo da criança com maior segurança.

34 a 36 semanas: ultrassom: serve para checar a posição da criança no útero e também para ver a evolução do feto. Podem-se avaliar as condições da placenta e do líquido amniótico.

a partir da 36ª semana: cardiotocografia anteparto: o estetoscópio capta os batimentos cardíacos do bebê e as contrações do útero.

Depressão pós-parto não é bobagem

A depressão pós-parto (chamada pelos americanos de *blues postpartum*) é um distúrbio emocional comum e pode ser considerado uma reação esperada no período imediato ao parto (primeira semana). Entre 50% e 80% das mulheres apresentarão reações emocionais em maior ou menor grau.

• Os sintomas mais comuns são crises de choro, fadiga, humor deprimido, irritabilidade, ansiedade e lapsos de memória.
• Algumas mulheres até abandonam os cuidados com o bebê.
• As reações podem durar até seis meses depois do nascimento do bebê.
• É chamada psicose puerperal aquela que aparece nos três primeiros meses, e não no pós-parto imediato. Apresesenta sintomas mais intensos e necessita de acompanhamento psicológico ou internação hospitalar.

MULHERES AO VOLANTE

As mulheres se perdem mais no trânsito do que os homens porque a testosterona (hormônio masculino) é determinante no desenvolvimento das noções de espaço e direção.

Elas podem dar seta para um lado e virar para o outro porque o estrogênio (hormônio essencialmente feminino) provoca reações mais lentas, fazendo com que, muitas vezes, as informações cheguem descompassadas aos dois lados do cérebro.

Elas se envolvem em menos acidentes com vítimas fatais. Para cada dez acidentes com mortes no Brasil, apenas dois foram provocados por mulheres.

POR QUE AS MENINAS ANDAM, FALAM E APRENDEM ANTES DOS MENINOS?

Porque elas têm mais conexões cerebrais. Os garotos têm um desenvolvimento precoce do lado direito do cérebro, responsável pelo processamento das imagens. Por isso têm melhor desempenho em jogos de tabuleiro e videogames. Porém, por causa das conexões cerebrais em menor número, são menos atentos do que elas. Por isso é que, até a adolescência, as mulheres têm a linguagem mais desenvolvida, falam e se expressam melhor. Isso também explica o melhor desempenho escolar, porque as avaliações tendem a ser feitas por meio de textos explicativos e provas orais.

Aborto no mundo

No século XIX, infanticídios e abortos eram muito praticados pelas mães. Segundo processos bretões, era comum as serviçais de propriedades rurais engravidarem dos patrões. Sozinhas e desonradas, se desfaziam dos fetos. Quando não conseguiam, enterravam ou afogavam os recém-nascidos como se fossem gatos.

- Na **Inglaterra**, a prática do aborto é legalizada desde 1960. Foi o primeiro país a ter a lei mais liberal sobre o tema. Em 1967, autorizou-se o aborto voluntário de até 28 semanas — quase sete meses — pelo simples fato de a mulher querer fazê-lo.

A mulher inglesa é obrigada a esperar alguns dias entre o pedido para fazer o aborto e a sua realização. A ideia é ter um prazo para pensar.

- Nos **Estados Unidos**, a Corte Suprema tornou o aborto legal em 1973. Mas esse é um tema que divide os americanos e há muitas campanhas que tentam restringir esse direito.

- Na **França** do começo do século XX, o recurso do aborto era muito mais tolerado, porque acreditava-se que o feto ainda não tinha vida dentro do útero. Era praticado não só por mulheres solteiras, mas também por mães de famílias grandes que viam no aborto uma forma de limitar a quantidade de filhos. Em 1971, muitas mulheres travaram batalhas pelo direito do aborto. Entre elas estava a atriz Catherine Deneuve e a escritora Simone de Beauvoir, que admitiram já ter feito aborto. Em 1974, a Assembleia Nacional Francesa legalizou o direito ao aborto.

Você sabia?

- A pílula abortiva RU 486 foi inventada na França. O direito ao uso doméstico foi dado às mulheres francesas em 2004.
- Na França sob ocupação nazista, as mulheres tinham o dever de fornecer filhos para o Terceiro Reich. Aquela que fazia aborto era julgada por crime de segurança nacional e podia até perder a cabeça na guilhotina.
- Na **Suíça**, o aborto foi descriminalizado em 2001.
- Em 2004, na **Itália**, país onde o aborto foi legalizado em 1978, o primeiro-ministro Silvio Berlusconi apresentou um projeto de lei propondo que o governo só custeasse o primeiro aborto de uma mulher.
- Em **Cuba**, **Porto Rico** e **Guiana**, o aborto é totalmente legal.
- O **Ministério da Saúde do Uruguai** recomenda aos médicos da rede pública que indiquem medidas para garantir saúde às mulheres que tenham decidido se submeter a abortos clandestinos.
- Em **Portugal**, 59% dos portugueses votaram um plebiscito a favor da descriminalização do aborto até dez semanas de gestação, em fevereiro de 2007. A lei, promulgando essa decisão, foi assinada em 10 de abril de 2007 pelo presidente português Aníbal Cavaco Silva, tido como conservador.
- Na **Colômbia**, o aborto é proibido. Mas as penas são menores quando o aborto é decorrente de uma gravidez por estupro.
- Na **Alemanha** é legal em alguns casos sociais e médicos, mas a lei obriga as mulheres a assinar um documento dizendo ter recebido informações sobre isso.
- No **Chile**, até 1989, o aborto era permitido para salvar a vida da mulher. Hoje é proibido.
- Entre os países da União Europeia, só em **Malta**, na **Polônia** e na **Irlanda** o aborto é considerado ilegal.
- 40,5% das mulheres do mundo vivem em 54 países que permitem o abortamento.
- Durante a Guerra da **Bósnia**, soldados sérvios cometeram estupros em massa em mulheres muçulmanas e católicas. Muitas abortaram. Outras seguiram o conselho do papa João Paulo II, que lhes pedia que transformassem um ato de violência em ato de amor.

O barco do aborto

Em 2003, uma organização não governamental holandesa montou uma clínica ginecológica para realizar abortos e a instalou dentro de um barco. A embarcação só visitava países onde o aborto era proibido, burlando a legislação local com ajuda da legislação marítima. Segundo as normas internacionais de navegação, as regras vigentes para um barco atracado num porto são as mesmas do país onde ele está ancorado. Mas a 12 milhas marítimas da costa (mais ou menos 22 quilômetros) as águas são consideradas internacionais e, portanto, vale a legislação do país de origem do barco. No caso da Holanda, o aborto é permitido.

O aborto no Brasil

* Cerca de um milhão de abortos são feitos clandestinamente por ano no Brasil.

* Trezentas mil mulheres são internadas por complicações decorrentes de abortos clandestinos por ano.

* Dez mil mulheres morrem por causa de abortos malfeitos todos os anos.

* Há mais de sessenta anos não havia pílula anticoncepcional e as brasileiras tinham, em média, seis filhos.

* Em 1940, o jurista Francisco Campos, que era ministro da Justiça do Estado Novo de Getúlio Vargas, incluiu o artigo 128 no Código Penal, que concede às mulheres o direito de fazer aborto em caso de estupro ou risco de vida para a mãe. Porém, na década de 1990, apenas sete hospitais públicos passaram a oferecer esse serviço às mulheres.

❋ É considerado crime contra a vida, segundo lei de 1984. A pena varia de um a três anos de prisão para o médico e para a mulher que se submete ao procedimento.

❋ 48% das mulheres que fazem abortos permitidos por lei (em casos de estupro e risco de vida para a mãe) têm menos de 19 anos.

❋ 6% das brasileiras já fizeram pelo menos um aborto.

Aids

O primeiro caso brasileiro de Aids, com transmissão de mãe para filho, foi registrado em 1985. Em 2007, de acordo com a Organização Mundial de Saúde (OMS), 45% dos portadores do HIV no mundo são mulheres.

Vale a pena saber
• A propagação do vírus avança mais rápido no sexo feminino.
• No Brasil, as notificações de casos aumentaram em 10,2% nos homens e 75,3% nas mulheres entre 2002 e 2006.
• A principal razão da propagação da doença entre as mulheres é a falta de proteção na hora do sexo.
• A maioria absoluta das brasileiras contrai o vírus por via sexual, e não por drogas injetáveis ou transfusões.

POR QUE A ELISA VIROU TESTE DE AIDS?
Na verdade não é um nome de mulher, mas uma sigla que, em inglês, resultou em nome feminino: **E**nzyme **L**inked **I**mmuno **S**orbent **A**ssay. Um resultado positivo num teste de Elisa é sempre confirmado por outros testes específicos, como o Western blot, que detecta proteínas do vírus, e o PCR, que detecta os ácidos nucleicos virais. Quando o vírus surgiu, as mulheres eram 6% dos soropositivos. Hoje são 40%.

Exames de mulher

Pressão: uma vez por ano, a partir dos vinte anos, para manter a pressão sob controle e evitar riscos de infarte e derrame.

Autoexame: uma vez por mês, logo depois da menstruação, para detectar secreções, feridas e caroços.

Colesterol: a cada dois anos, a partir dos trinta anos, para evitar riscos de infarto.

Densitometria óssea: uma vez por ano, depois da menopausa, para descobrir a evolução da perda de massa óssea.

Mamografia: a primeira com 35 anos e uma por ano depois dos quarenta anos, para detectar o câncer de mama precocemente.
Com o aumento da frequência de mamografias, os casos de mortes por câncer de mama caíram 30% desde os anos 1990.

Papanicolaou e colposcopia: uma vez por ano depois da primeira relação sexual, para detectar alterações no útero e ovário.
Com a popularização do exame papanicolaou nos anos 1940, o número de vítimas fatais por câncer de útero caiu 70%.

Ultrassom das mamas: uma vez por ano, a partir da primeira menstruação para mulheres com histórico de câncer na família para detectar tumores.

Ultrassom transvaginal: nas mulheres que não estão grávidas, serve para detectar possível câncer de endométrio. Deve ser feito anualmente.

Diferenças entre a saúde deles e delas

Os homens são mais resistentes. Mas as mulheres têm uma expectativa de vida mais longa. Enquanto a média para eles aqui no Brasil é de 70 anos, para elas é de 73.

CÉREBRO

• O cérebro dos homens é, em média, 15% maior e 10% mais pesado. Mas, nas mulheres, as conexões cerebrais entre os neurônios são mais numerosas. Essa rede mais ampla permite que o cérebro feminino lide com as informações de forma mais abrangente.

• A comunicação entre as duas porções do cérebro é feita por uma estrutura que se chama corpo caloso. Nas mulheres, essa ponte é maior, o que faz com que elas usem as duas metades do cérebro para uma mesma função e com mais eficiência.

VISÃO

• As células da retina, que identificam as cores, são controladas pelo cromossomo X, que as mulheres têm duas vezes. Elas também têm o estrógeno, que facilita o processamento de informações. Por isso, elas conseguem diferenciar melhor as cores.

• Os homens têm melhor visão central e de longa distância. Elas têm visão periférica melhor.

OLFATO

É mais aguçado nas mulheres e tende a ficar ainda melhor no período da ovulação.

AUDIÇÃO

Elas ouvem melhor os sons agudos enquanto eles diferenciam melhor os graves.

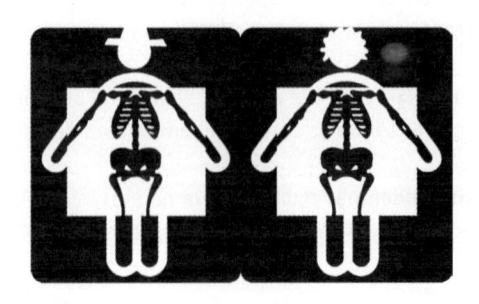

PALADAR
O masculino é mais aguçado para distinguir amargos e salgados. Elas identificam melhor os doces.

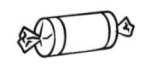

PULMÃO
O pulmão masculino é 20% maior, o que aumenta a capacidade respiratória deles.

CORAÇÃO
O deles é 30% maior do que o delas. Na mulher, o calibre das artérias é 15% menor e o coração delas bate 10% mais rápido.

PRESSÃO
Por influência dos hormônios, a pressão das mulheres é mais baixa. Depois da menopausa, tende a se igualar à pressão masculina.

SISTEMA IMUNOLÓGICO
As células de defesa das mulheres são mais eficientes do que as dos homens.

SISTEMA DIGESTIVO
Os hormônios ovarianos deixam os movimentos peristálticos mais lentos. Por isso, as mulheres têm intestinos mais presos.

PELE
A pele feminina é até dez vezes mais fina e sensível ao toque do que a masculina. O que explica a incidência de rugas maior em mulheres do que nos homens.

> **SOBRE O DNA**
> • É no DNA da pele que se define a velocidade do envelhecimento.
> • Um fio de DNA humano, se for esticado, mede 2 metros.
> • Se todos os fios de DNA forem alinhados, seu comprimento final equivale à distância de ida e volta à Lua 39 vezes.

TEMPERATURA

A testosterona – hormônio masculino – faz com que o organismo dos homens funcione num ritmo mais acelerado. Por isso, a temperatura corporal deles é um pouco mais alta do que a da mulher.

GORDURA

- Os homens têm depósito de gordura concentrado no abdome e nas costas.
- As mulheres têm adiposidade concentrada nos quadris, glúteos, coxas e braços.

OSSOS

Nos homens, as células construtoras de ossos sofrem menos o efeito do envelhecimento do que nas mulheres. Por isso, elas são mais propensas à osteoporose. A densidade óssea nas mulheres tende a ser 10% menor.

E as unhas?

A unha das mãos das mulheres é mais frágil e cresce 20% mais devagar do que a unha dos homens.

Você sabia?

- As unhas dos dedos anular, indicador e médio da mão crescem mais rápido que as dos dedos polegar e mínimo.
- As unhas das mãos crescem, em média, 3 mm por mês, aproximadamente quatro vezes mais rápido que as unhas dos pés.
- Por ansiedade, nervosismo ou estresse, 1/3 da população feminina do mundo rói as unhas.
- Nas obesas a unha cresce mais rápido do que nas mulheres magras. Mas, quando envelhecem, todas as pessoas têm o ritmo de crescimento das unhas desacelerado.

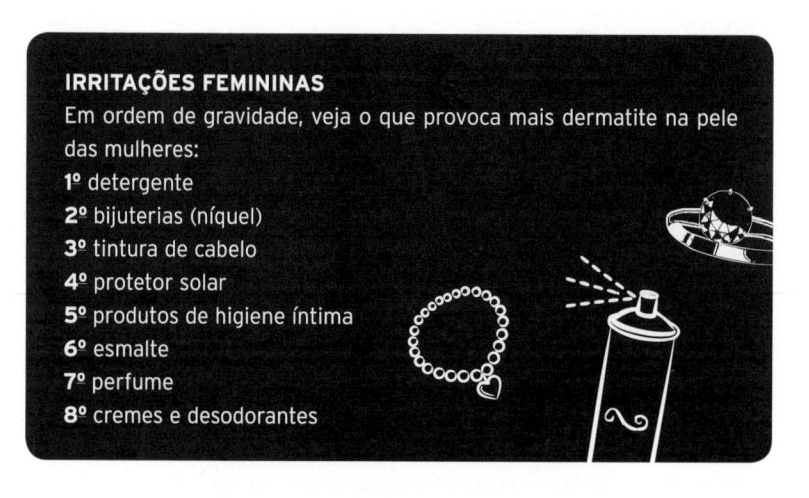

IRRITAÇÕES FEMININAS
Em ordem de gravidade, veja o que provoca mais dermatite na pele das mulheres:
1º detergente
2º bijuterias (níquel)
3º tintura de cabelo
4º protetor solar
5º produtos de higiene íntima
6º esmalte
7º perfume
8º cremes e desodorantes

Elas transpiram menos. Mas não custa prevenir...

Por causa da testosterona, os homens transpiram mais que as mulheres e o suor deles também tem cheiro mais intenso. Mas elas não podem descuidar:

1. Use sabonete antisséptico. Ele ajuda a combater a ação das bactérias que, em contato com o oxigênio, produzem o mau cheiro.

2. Não dispense a bucha. Todo mundo lembra de colocar desodorante. Pouca gente lembra de tirar. O excesso de produto pode invalidar a ação da nova aplicação.

3. Prefira desodorante antiperspirante. Ele contém sais de alumínio ou zircônio, que bloqueiam a passagem do suor para fora da pele.

4. Beba líquidos. Quando o corpo está bem hidratado, ele transpira em abundância, mas com uma menor concentração de sais e, portanto, de mau cheiro.

5. Depile-se. Quanto mais pelos, mais área de acúmulo de bactérias e pior o odor da transpiração.

6. Use tecidos naturais. Os tecidos sintéticos funcionam como barreira para a pele e impedem que a umidade do suor seque. Isso provoca mau cheiro e irritação na pele.

Tudo ao mesmo tempo!

O desenvolvimento do sistema nervoso central tem um papel fundamental na vantagem que as mulheres levam sobre os homens. Elas são capazes de trabalhar simultaneamente com os dois hemisférios cerebrais: o intuitivo (direito) e o racional (esquerdo). Por causa disso, conseguem processar informações muito variadas ao mesmo tempo. Em outras palavras: elas conseguem fazer, com sucesso, muitas coisas ao mesmo tempo. Mas isso só até a metade da vida. A partir dos cinquenta anos, os homens levam vantagem por causa da baixa produção dos hormônios femininos que elas sofrem durante a menopausa.

Quem fica mais doente: o homem ou a mulher?

❋ Nos homens, os entupimentos costumam comprometer artérias maiores, o que facilita o diagnóstico. Nas mulheres, apenas uma em cada cinco apresentam sintomas clássicos de infarto como dores no peito e no braço esquerdo. Nos homens, as doenças coronarianas são mais presentes a partir dos 35 anos e nas mulheres, a partir dos 45.

❋ Nas mulheres, os níveis de colesterol HDL, o colesterol bom, costumam ser mais altos.

❋ Uma em cada três mulheres que sofrem derrame não apresenta sintomas clássicos como paralisia de um dos lados do corpo ou dificuldade de fala. Elas também costumam apresentar menos sequelas depois do derrame do que eles.

❋ As mulheres sentem mais dor do que os homens e também são mais suscetíveis ao estresse.

❋ Entre as mulheres, o vício do cigarro é mais psicológico. Entre os homens, mais químico. As mulheres são mais sensíveis a substâncias tóxicas. Quando fumam, têm 70% mais chances de ter câncer de pulmão do que os homens.

❀ As mulheres são mais propensas a doenças autoimunes e para cada dois homens com depressão há quatro mulheres sofrendo do mal.

❀ Cerca de oito em cada dez vítimas de lesão por esforço repetitivo são mulheres.

MEDICAMENTOS

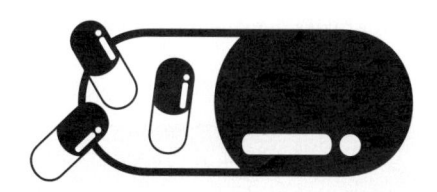

Remédios que não combinam

Muitas mulheres fazem uso frequente de determinados medicamentos. Mas nem sempre a parceria entre eles é boa.

Anfetaminas (para controlar o apetite)
• Com antidepressivos podem desencadear crises de hipertensão e aceleração do ritmo cardíaco.
• Com medicamentos hormonais para a tireoide causam agitação e aceleram a frequência cardíaca.

Antiácidos (contra azia e má digestão)
• Com laxantes podem provocar diarreia.
• Com cálcio podem dar origem a cálculos renais.

Antialérgicos (contra alergias e urticárias)
Com antidepressivos podem desencadear aceleração do ritmo cardíaco.

Antibióticos (contra infecções)
Se forem tomados no mesmo dia de antidepressivos à base de lítio, terão sua ação diminuída.

Anticoncepcionais (prevenção da gravidez)
• Quando se tomam antibióticos os riscos de gravidez aumentam.

- Os corticosteroides tomados por quem usa pílulas ficam potencializados.

Anti-inflamatórios (contra inflamações e dores)
- Assossiados a analgésicos, aumentam os riscos de problemas renais e grastrintestinais.
- Com anticoagulantes, aumentam os sangramentos.

Antitérmicos (contra febre e dor)
- Com calmantes, podem provocar alterações de humor e confusão mental.
- Antiácidos e corticosteroides diminuem a ação do antitérmico.

> **DUPLA PERIGOSA: CIGARRO E PÍLULA**
> Um dos efeitos da nicotina, do alcatrão e das outras substâncias do cigarro é espessar o sangue. Já a pílula pode diminuir o calibre das artérias, dificultando a passagem do sangue. Os dois juntos podem causar trombose.

CONTRACEPÇÃO

Quem foram os pais da tabelinha?

Hermann Knaus, médico austríaco, e Kysaku Ogino, ginecologista japonês, foram os primeiros a determinar os dias férteis da mulher. Para Ogino, a mulher seria fértil durante nove dias no mês, e para Knaus, durante cinco dias. Foi assim que nasceu a popular "tabelinha", o método anticoncepcional mais utilizado do mundo.

Para entender melhor...
... uma mulher com ciclos que variam entre 25 e 30 dias poderá estar fértil entre o 8º e o 17º dia após o primeiro dia da última menstruação.

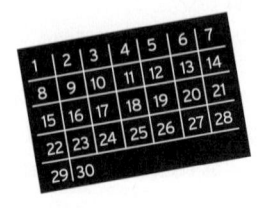

Camisa de vênus, preservativo, camisinha

Não se sabe exatamente quando teve início seu uso. Gravuras e desenhos do Antigo Egito já mostravam homens com um envoltório no pênis. Uma das primeiras referências seguras vem do anatomista italiano Gabriel Fallopius, publicada em 1564. Ele recomendava um saquinho feito de linho amarrado com um laço, que provavelmente não era utilizado como anticoncepcional, mas para proteger contra doenças venéreas. Um século depois, um médico inglês conhecido como doutor Condon – alarmado com o número de filhos legítimos de Carlos II da Inglaterra (1630-1685) – resolveu criar para o rei um protetor feito de tripa de animais para prevenir o nascimento de bastardos reais. Com a descoberta do processo de vulcanização da borracha, em 1945, as camisinhas passaram a ser fabricadas com esse material e se tornaram elásticas.

Vênus, a deusa romana do amor, batizou o preservativo numa alusão de que ele serviria como uma camisa protetora para o órgão masculino na hora de fazer amor. O monte pubiano da mulher também é conhecido como monte de Vênus, na mesma referência à deusa.

Você sabia?

O poliuretano facilitou o lançamento do primeiro preservativo feminino, em 1992.

Oito motivos para usar camisinha

1. É o método anticoncepcional mais barato.
2. Evita contaminação pelo HIV, o vírus da Aids.
3. Ajuda a prevenir a gravidez com 97% de eficiência.
4. Evita contaminação pelo HPV, o vírus responsável pelo câncer de colo de útero, além de outras doenças sexualmente transmissíveis.
5. Existem camisinhas com diferentes espessuras e para todos os tamanhos de pênis. Portanto, ele não pode se queixar de falta de sensibilidade.
6. Dispensa prescrição médica.
7. Pode incrementar a relação sexual, porque existem camisinhas de cores e sabores variáveis.
8. Pode aproximar o casal, na hora de colocar o preservativo.

A mulher pode ajudar na hora de colocar a camisinha

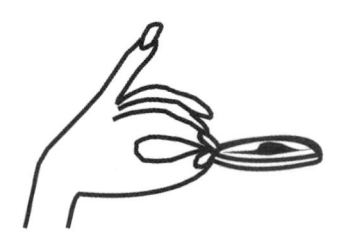

❀ Os sexólogos dizem que isso até estimula o contato sexual.

❀ O certo é colocar o preservativo antes da penetração, quando o pênis já estiver ereto. É nessa hora que o envelope da camisinha deve ser aberto.

❀ O preservativo deve ser colocado com a ponta para cima e a ponta deve ser apertada entre os dedos para tirar o ar e garantir espaço para o esperma. Mas a ponta deve ficar murcha, e não inflada, sem ar dentro, para não haver risco de furar.

❀ O último passo é empurrar o anel para baixo. A camisinha deve ser desenrolada até a base do pênis. Esse ajuste é muito importante para evitar vazamento de esperma.

Métodos anticoncepcionais

Pílula: deve ser tomada diariamente, em ciclos de 21 dias, com intervalos de sete dias. Algumas são tomadas ininterruptamente. Tem eficácia de 99% contra a gravidez e ainda ajuda a regular o ciclo menstrual. Algumas mulheres podem ter ganho de peso, dores de cabeça e problemas de pele. São contraindicadas para as fumantes e mulheres com mais de quarenta anos.

Você sabia?

- O contraceptivo hormonal surgiu na década de 1950. Naquela época já existiam outros contraceptivos que permitiam que as decisões sobre a maternidade estivessem sob controle da mulher: capa cervical (1838), diafragma (1882) e DIU (década de 1920).

- Quando a pílula surgiu, logo foi aceita pelas mulheres. Mas a Igreja Católica condenou imediatamente o método. Entre outras coisas, os padres diziam que não podia ser bom um método usado sem conhecimento dos pais ou do marido.

- No ano 460 a.c., Hipócrates já sabia que a semente da cenoura era capaz de prevenir a gravidez.

- Os antigos egípcios utilizavam tampões vaginais feitos com excrementos de crocodilo, linho e folhas comprimidas. Não eram tampões como os usados durante a menstruação, mas apenas para que o esperma não penetrasse no útero.

- É o método anticoncepcional mais usado depois da camisinha.

Injeção: são hormônios que impedem a ovulação. Devem ser injetados mensal ou trimestralmente e a taxa de eficácia é de 99%. A grande vantagem sobre a pílula é não precisar lembrar de tomar todo dia. Mas os efeitos colaterais são semelhantes.

Implantes: funcionam como as injeções, mas são aplicados em forma de filetes sob a pele. A taxa de eficácia é de 99%, porém existem casos em que desregulam os ciclos menstruais. A desvantagem é que podem ser difíceis de retirar.

Diafragma: feito de borracha, é colocado dentro da vagina para fechar a entrada do colo do útero, impedindo a passagem do esperma. Deve ser usado com geleia espermicida (que destrói o espermatozoide) e tem taxa de eficácia de 94%. Pode ser inserido até seis horas antes da relação, mas a maioria das mulheres tem dificuldade em colocá-lo. Também não pode ser retirado até seis horas depois da relação e precisa ser bem higienizado antes de guardar.

Camisinha feminina: são dois anéis. O interno deve ser colocado dentro da vagina e o externo fica 3 centímetros para fora, cobrindo os lábios vaginais. Captura o esperma, evitando que ele entre em contato com o óvulo. Mostra 95% de eficácia se for colocada corretamente. Tem a vantagem de proteger também contra as doenças sexualmente transmissíveis, mas o grande inconveniente é seu aspecto nada atraente esteticamente. Além disso, pode sair do lugar se não for bem lubrificada.

E a pílula do dia seguinte?

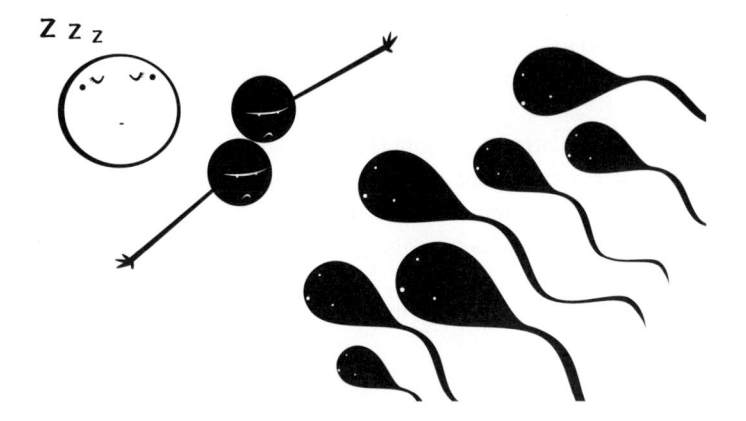

A pílula do dia seguinte tem uma carga extra de hormônios que retarda a ovulação, impedindo a fecundação. No caso de os espermatozoides já terem encontrado o óvulo, não permite que eles se fixem no útero, evitando a gravidez. O kit é composto de dois comprimidos, mas só funciona se a mulher tomar até 72 horas depois da relação. Quanto maior a demora, menor é a eficácia.

• Desde 2006, os postos de saúde da rede pública do estado de São Paulo distribuem a pílula do dia seguinte mediante apresentação de receita médica. Portanto, antes de ir ao posto, é preciso que a mulher passe por um médico credenciado à rede de saúde pública.

• Essa iniciativa visa a diminuir o número de abortos realizados em adolescentes. No ano 2000, o SUS realizou 646 mil partos em meninas de 15 a 19 anos em todo o país, o que corresponde a aproximadamente 25% de todos os partos realizados pelo Sistema Único de Saúde. Essa porcentagem caiu para 21% em 2003.

O que dificulta a maternidade?

• **Estresse**: altera a ovulação e dificulta a implantação do embrião. O estresse também pode afetar a produção de espermatozoides.

• **Endometriose**: 6 milhões de brasileiras sofrem dessa doença que provoca infertilidade.

• **Poluição**: o Laboratório de Poluição da Faculdade de Medicina da Universidade de São Paulo observou uma piora na qualidade do sêmen de homens que vivem em cidades muito poluídas.

• **Obesidade**: assim como a magreza excessiva, a obesidade provoca alterações no metabolismo que inibem a ovulação.

• **Cigarro**: pode ser responsável pela fragmentação do DNA do espermatozoide. Nas mulheres, a nicotina diminui o fluxo de sangue nos ovários.

AS CHANCES DE UMA MULHER ENGRAVIDAR
Espontaneamente, entre 18 e 27 anos: 65%
Espontaneamente, entre 30 e 34 anos: 50%
Espontaneamente, entre 34 e 39 anos: 25%
Espontaneamente, depois dos 40 anos: 4%
Com relações programadas: de 14% a 18% por tentativa
Com inseminação artificial: de 12% a 18%
Com fertilização *in vitro*: de 25% a 40%
Com injeção de espermatozoides: de 25% a 40%
Com doação de óvulos: de 40% a 60%

Você sabia?

Mulheres que fumam têm 20% menos chances de engravidar.

Gordurinha na medida certa

Se você está com problemas para engravidar, um dos motivos pode ser o seu peso. O corpo da mulher precisa de certa quantidade de gordura (não muita!) para produzir os hormônios da ovulação. A Escola de Saúde Pública da Universidade Harvard observou que mulheres muito magras – com índice de massa corporal abaixo de 18,5 – podem ter mais dificuldade de engravidar. O estudo alerta que a magreza pode afetar a fertilidade, e não que magrinhas não possam engravidar. Aquelas cujo IMC supera 25 podem enfrentar o mesmo problema das mais magras (veja como calcular o seu IMC na página 362).

BOCA E DENTES

As brasileiras substituem a escova de dentes a cada cinco meses, uma média bem melhor do que a dos homens. Eles só substituem a escova velha por uma nova a cada oito meses.

1. Ao escovar os dentes quatro vezes por dia, comece pelas gengivas. Massageie da parte mais profunda até os dentes.
2. Vá ao dentista a cada seis meses.
3. Não dispense o uso do fio dental a cada escovação.
4. Se comer doces, faça isso após as refeições. Com o estômago vazio, ácidos são liberados e eles afetam a saúde das gengivas.

5. Evite o cigarro. A nicotina e as mais de cem substâncias que compõem o cigarro impedem a boa circulação sanguínea nas gengivas.
6. Prefira escovas macias, trocadas a cada dois meses, no lugar das que têm cerdas mais duras, que machucam as gengivas.
7. Na hora de escovar os dentes, dedique 20% da escovação aos dentes da frente, 30% aos laterais e 50% aos do fundo. As impurezas se acumulam com mais facilidade nessa região.
8. Uma vez por dia, use enxaguatório bucal. Depois do bochecho, fique pelo menos meia hora sem beber água ou comer.

Você sabia?

- Apenas 50% das brasileiras usam fio dental.
- Fechar a torneira enquanto escova os dentes faz você economizar 18 litros de água a cada dois minutos. Como o tempo de escovação ideal é de 4 minutos, com 36 litros de água você pode lavar os cabelos aproximadamente três vezes.

A doença do beijo

O que é: mononucleose, provocada por um vírus transmitido pela saliva.
Sintomas: dor no corpo, aumento dos gânglios do pescoço, virilha e axilas, febre, manchas vermelhas nas costas, barriga e peito.
Tratamento: os remédios não são indicados para curar a doença, mas para aliviar os sintomas. É preciso fazer repouso e beber muito líquido. Os sintomas levam cerca de um mês para desaparecer.

Os homens roncam mais do que as mulheres?

Isso depende da faixa etária.
- Antes dos quarenta anos, 26% dos homens roncam contra apenas 9% das mulheres.
- Depois dos quarenta anos, 36% dos homens roncam contra 26% das mulheres.
- Após os sessenta anos, o número de homens e mulheres que roncam se iguala. São cerca de 40%. Isso acontece porque a traqueia, por onde passa o ar, fica mais estreita. Para os que fumam ou estão acima do peso, o problema tende a se agravar ainda mais.

> **POR QUE AS MULHERES VÃO JUNTAS AO BANHEIRO?**
> Este é um dos maiores mistérios femininos na opinião dos homens. Pergunte às mulheres e você terá uma relação enorme de explicação. No caso de uma mesa com muita gente, o banheiro é um excelente local para fazer comentários (ou fofocas) que não ficariam bem à mesa. Como também costumam retocar a maquiagem, as mulheres podem pedir para a acompanhante verificar se está tudo em ordem (se bem que uma olhada no espelho resolveria isso). Na verdade, esse costume vem do fato de que as mulheres andavam acompanhadas de *chaperones* (damas de companhia de jovens solteiras, populares no século XVI). Houve épocas, inclusive, em que elas eram fundamentais até para ajudar sua ama a vestir ou despir aqueles vestidos cheios de tecido, babados e armações metálicas. Ao longo do tempo, as mulheres se acostumaram a ter a presença de amigas nesses momentos íntimos.

♀

8

Quando uma garota se casa, troca as atenções de muitos homens pela desatenção de um só.

HELEN ROWLAND
(1875-1950), jornalista norte-americana

Ritos de passagem

BRINQUEDOS DE MENINA

De todas as brincadeiras de meninas, a de bonecas é a mais secular. As garotas brincam com elas desde os tempos dos gregos e romanos, quando confeccionavam as suas com os mais diversos materiais.

Bonecas de todos os tempos

As mais comuns:

- **De pano**: recheadas com estopa ou espuma, têm o rosto pintado ou olhos de botão. Feitas até hoje por comunidades naturalistas.
- **De madeira**: as mais antigas de que se tem notícia, lembram uma espécie de escultura e são esculpidas até hoje por índios de várias tribos norte-americanas.
- **De plástico duro**: os traços são mais nítidos e bem definidos. Foram comuns nos anos 1930 e 1940.
- **De metal**: só a cabeça é feita desse material, muito comum no século XIX.
- **De porcelana**: a argila é modelada, pintada e queimada a mais de 200 ºC, deixando o material translúcido.
- **De vinil**: popularizaram-se nos anos 1960. O vinil vem se tornando cada vez mais macio e maleável.
- **De papel**: muito comuns nos anos 1970. O corpo era feito em papelão duro e as roupinhas recortáveis e intercambiáveis em papel fino.
- **De papel machê**: a massa é feita com base em papel picado umedecido com uma mistura de água e cola. Depois de seco, o material endurece e pode ser pintado.
- **De biscuit**: a massa fina é modelada, mas não precisa ser queimada no forno. Depois de seca, dá origem a um material semelhante à pedra.

Bonecas ao redor do mundo

Japão: os primeiros bonecos japoneses eram chamados *haniwa*, estatuetas de barro encontradas nas tumbas. Mais tarde, entre os anos 710 e 794, no período Nara, as bonecas receberam influência da China e ganharam roupas de seda, bordadas em dourado e com os cabelos presos. Trezentos anos mais tarde, por causa das guerras, as mulheres simplificaram as vestimentas e isso refletiu nas bonecas. Hoje, as bonecas japonesas mais tradicionais vêm de Kyoto e são dadas de presente para as noivas na época do casamento.

África do Sul: tem a tradição de dar uma boneca para as meninas, que devem presenteá-la ao seu primeiro filho. Quando o bebê nasce, a mãe ganha de sua mãe ou parente mais idosa uma outra boneca, que fica guardada para o próximo filho.

Portugal: na região do Algarve, a boneca Maia tem o tamanho de uma criança e é feita de palha e trapos. No dia 1º de maio, ela fica no meio da sala e todos cantam e dançam ao seu redor. Existem ainda as bonecas de palha que representam o artesanato local.

Rússia: as *matrioshkas* são um conjunto de bonecas de madeira de tília, em tamanho decrescente, que cabem umas dentro das outras. Em cada região são pintadas de uma cor.

Alemanha: o mais popular é o boneco quebra-nozes, usado na época do Natal.

Bonecas que marcaram época

Barbie: foi criada pelos americanos Ruth e Eliot Handler em 1936. Os pais de Bárbara, sempre viam a filha brincando de trocar as roupas das bonecas de papel. Criaram uma boneca com feições adultas, diferente das que tinham rosto de bebê ou de criança, porque achavam que toda menina sonha com o dia de se tornar moça. Em 1959, ela seria industrializada e vendida a milhares de meninas.

Shirley Temple: a boneca foi lançada em 1940. Tinha 38 cm de altura e era uma homenagem à atriz mirim Shirley Temple, que encantava mães e meninas. Os cabelos da boneca eram loiros e ela vinha com três tipos de vestidos diferentes.

Clara: foi lançada pela Estrela nos anos 1950 e era a maior boneca do mercado, com meio metro de altura.

Meu Brotinho: primeira boneca inteiramente de plástico, foi lançada pela Estrela em 1950. Ela andava, virava a cabeça, chorava, dormia e... o melhor de tudo: era lavável.

Pupi: boneca articulada de poliestireno que dormia e chorava, lançada no início da década de 1950. Teve mais sucesso que a Meu Brotinho, porque seu preço era metade do da precursora.

Susi: nasceu na década de 1960 para ser a concorrente da Barbie no conceito de *fashion-doll* (boneca da moda). Em 1985 deixou de ser fabricada e voltou à linha de produção em 1997.

Gui Gui: ela ria quando a criança abria e fechava os seus bracinhos. Fez tanto sucesso que a Estrela lançou a Beijoca, que mandava beijinhos. Foram lançadas na década de 1960.

Amiguinha: primeira boneca do mercado brasileiro com altura e proporções de uma criança. Foi lançada em 1985 e media 83 cm. Foi relançada e atualmente mede 90 cm.

Meu Bebê: primeiro bebê do mercado brasileiro, lançado na década de 1980. Reproduzia a aparência de um recém-nascido.

Amore: lançada em 1986 para ser a primeira boneca interativa. Hoje, a versão "Engatinha" vem com expressões faciais de um bebê de verdade. Ri, abre e fecha os olhos e engatinha movendo a cabeça.

Sapequinha: primeira boneca a utilizar fibra ótica e fotossensor para identificar a aproximação da criança. Foi lançada nos anos 2000.

Hello Kitty

A famosa gatinha japonesa foi criada em 1º de novembro de 1974 por um desenhista da empresa Sanrio, que na época produzia brindes. Com o sucesso da personagem, ela virou uma linha de produtos diferenciados. Hoje, a bonequinha aparece em enfeites de cabelo, porta-moedas, papéis de carta e até em torradeiras.

- Hello Kitty só ganhou este nome em 1975, quando já era bastante conhecida no mercado.
- A Sanrio justifica o fato de a boneca não ter boca dizendo que ela "fala pelo coração".
- Originalmente, a boneca usava um macacão azul com camiseta amarela. Depois, ganhou um guarda-roupa variado.
- Ela mora em uma casa branca, de telhado vermelho, no subúrbio de Londres, Inglaterra.

- A gatinha tem uma irmã gêmea. Mimi usa um lacinho na orelha direita, ao contrário de Kitty, que o coloca no lado esquerdo.
- Em 1981, a dupla estrelou um filme chamado *O novo guarda-chuva de Kitty e Mimi*.
- A joalheria Tanaka Kikinzoku lançou uma edição especial da boneca em homenagem aos seus trinta anos. Os modelos de platina são cravejados com 131 brilhantes. A Austrália também lançou moedas comemorativas de ouro e prata com a imagem de Hello Kitty trajada com roupas japonesas.
- Para as comemorações de seu 30º aniversário, um grupo de artistas plásticos ingleses desenhou uma gigantesca imagem da gatinha em uma plantação de milho da cidade de Yatesbury. A ideia foi inspirada naqueles estranhos desenhos que surgem do nada em plantações de todo o mundo. Alguns acreditam ser sinais deixados por ETs.

Bonecas na moda

Após a Segunda Guerra, em 1945, a alta-costura parisiense estava sem dinheiro. Para se fortalecer novamente, criaram uma exposição de moda para exibir as últimas novidades. O problema é que não havia material suficiente para fazer os modelos em tamanho real. A solução foi vestir pequenas bonecas com trajes criados por todos os grandes nomes da alta-costura francesa. Foram vestidas 237 bonecas com trajes esportivos, roupas do dia a dia e vestidos de gala, incluindo na montagem do visual sapatos, bolsas, chapéus, peles e acessórios. Tudo confeccionado manualmente, com acabamento idêntico ao que receberia o modelo em tamanho real. Mais de duzentos mil franceses visitaram a exposição, que seguiu para vários países, como Espanha, Inglaterra, Áustria e Estados Unidos.

O mundo de Barbie

♣ A boneca mais famosa do mundo entrou em linha de produção para ser fabricada em 9 de março de 1959. Foi inspirada e ganhou o nome de Barbie Handler, filha da americana Ruth Handler, fabricante de brinquedos. O primeiro modelo vinha com um maiô listrado.

♣ Ruth achava as caras das bonecas da época infantis demais e desenhou a Barbie com um ar mais adulto. Ao lado do marido, Elliot, que fabricava casas de bonecas, em 1945 ela fundou a fábrica de brinquedos Mattel.

♣ Ken, o namorado de Barbie, criado em 1961, também foi inspirado no filho do casal. Os dois terminaram, conforme anunciou a fabricante dos bonecos Mattel, em fevereiro de 2004. Logo depois, ela engatou um namoro com o surfista australiano Blaine. O boneco foi batizado em junho de 2004 por meio de uma votação promovida pela Mattel.

♣ Susi, boneca lançada pela Estrela, foi a coqueluche das meninas nos anos 1960 e 1970. Também loirinha, foi inspirada numa boneca americana chamada Tammy. Ela cedeu seu lugar à Barbie em 1985.

♣ Uma das Barbies mais vendidas até hoje foi a Totally Hair, cujos cabelos iam até os pés. Foram mais de 10 milhões de unidades.

♣ A boneca tem 38 bichinhos de estimação, entre eles cachorros, gatos, pôneis, cavalos, papagaio, urso panda, chimpanzé, leão, girafa e zebra.

♣ Já seu guarda-roupa teve mais de 1 bilhão de pares de sapatos e 1 bilhão de peças de roupas.

♣ No bicentenário da Independência dos Estados Unidos, em 1976, uma Barbie foi colocada em uma cápsula do tempo. Só será aberta em 2076, para mostrar às futuras gerações como eram as mulheres daquela época.

♣ Na ocasião do 20º aniversário da morte do cantor Elvis Presley, em agosto de 1997, Barbie ganhou uma versão na qual dançava com um boneco do ídolo.

♣ Em agosto de 1997, ela ganhou uma exposição no Museu Nacional de Mônaco. Eram 110 bonecas vestidas por 55 grandes costureiros, como Christian Dior, Christian Lacroix, Claude Montana, Guy Laroche, Paco Rabanne, Pierre Balmain, Ted Lapidus, Louis Ferraud. A madrinha da exposição foi a princesa Stephanie, de Mônaco.

♣ Em 1999, o artista americano Tom Forsythe fotografou Barbies em poses sexies, e a nudez das bonecas ilustrou quarenta cartões-postais. A Mattel tentou impedir a divulgação do material, mas a justiça liberou, alegando que o ensaio era apenas uma paródia e não afetava os direitos autorais do brinquedo.

♣ A boneca deixou sua marca na Calçada da Fama, em Hollywood (EUA), em 2002.

♣ Existem diversas versões da boneca. Nos Estados Unidos, a fabricante chegou a lançar um modelo portador de deficiência física, que andava em cadeira de rodas. O empresário Ammar Saadeh lançou em 2003 uma Barbie muçulmana. Razanne usa o *hijab* (véu) e carrega um *Corão* (livro sagrado islâmico).

♣ Quando a Barbie foi lançada, na Toy Fair, em 1959, as pessoas não acreditavam que faria sucesso. Engano! As vendas foram tão bem-sucedidas que a Mattel levou algum tempo até conseguir atender a todos os pedidos. Só no primeiro ano, foram vendidas 351 mil unidades.

♣ O primeiro modelo custava 3 dólares. Hoje, uma Barbie pode custar até 10 mil dólares.

♣ *Playable Barbies pink box* são as Barbies fabricadas para as crianças. As *Barbies collectibles* são feitas para os colecionadores, mais detalhadas e caras.

♣ A boneca é vendida em cerca de 150 países.

♣ Barbie tem três irmãs: Skipper, com 18 anos; Stacie, com 11; e Kelly, com 4.

♣ A boneca já ganhou várias amigas. A primeira foi Midge, criada em 1963. Ela era ruiva e sardenta, e tinha olhos verdes.

♣ A cada segundo, duas Barbies são vendidas no mundo.

♣ A bonequinha acompanha as tendências de seu tempo: no começo, tinha ares de Doris Day. Em 1964, foi inspirada em Brigitte Bardot. Três anos mais tarde, passou a usar minissaia. Em 1965, ganhou uma versão negra por causa de problemas raciais americanos. Em 1969, por causa de Woodstock, tornou-se *hippie*. Na década de 1970, aderiu aos patins e à moda *country*.

♣ Barbie já interpretou mais de oitenta personagens diferentes: enfermeira, secretária, médica, empresária, mergulhadora, tenista, atleta, dentista, bombeira, militar, universitária etc. Tornou-se cirurgiã em 1973, mulher de negócios em 1985, astronauta no ano seguinte e candidata à presidência em 1993.

♣ Peter Graf, pai da tenista Steffi Graf, incentivava a filha a praticar o esporte. Aos quatro anos, se ela acertasse vinte bolas seguidas, ganhava um pirulito. Quando chegou aos oito anos, Steffi precisava rebater cinquenta bolas para ganhar uma boneca Barbie nova.

Você sabia?

• O *hobby* de colecionar bonecas é o terceiro mais popular do mundo.
• A mais famosa casa de bonecas foi construída por sir Edwin Lutyens, em 1924, para reproduzir o castelo da rainha Mary I. Os detalhes são tão impressionantes que até os livrinhos da minibiblioteca foram feitos por escritores da época. Os sistemas hidráulico e elétrico, assim como os dois elevadores, funcionavam de verdade. Esta casa de bonecas está em exposição no castelo de Windsor, na Inglaterra.
• A palavra "pupila" vem do latim *puppila* e quer dizer bonequinha. Isso se deve ao fato de que, quando uma pessoa olha no olho da outra, vê a si mesma em miniatura.

Polly, a sucessora

Ela foi lançada no começo dos anos 1990 pela Wheels americana e logo chegou ao Brasil, importada pela Mattel. Foi criada para ser uma boneca barata (tem 10 cm de altura) e vinha dentro de caixas-maletas de vários formatos e com várias opções de acessórios: carro, banheira, bicicleta, bichinhos, casa, cadeira de praia... Como as meninas queriam ter o maior número possível de roupas da boneca, a brincadeira ficava caríssima.

> **CURIOSIDADE NADA DIVERTIDA**
> Em 2006, os ímãs que seguravam as roupinhas de alguns modelos das bonecas se desprenderam e colocaram em risco a vida de crianças que os ingeriram. Isso fez com que a empresa Mattel convocasse um *recall* mundial para repor as peças com defeito.

Brincadeiras de menina

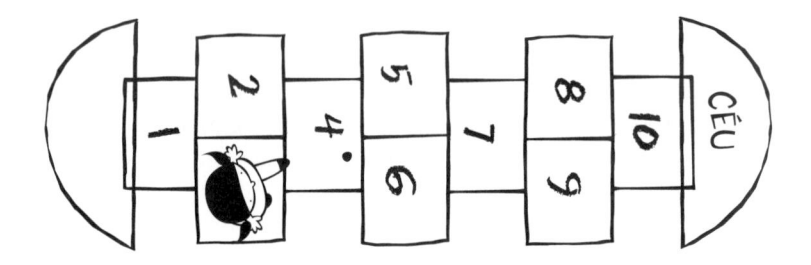

Amarelinha: muito parecido com o jogo de odres, dos romanos, era um jogo de equilíbrio feito sobre pele de bode untada com azeite. Na França, no século XVIII, a brincadeira foi resgatada e ganhou o nome de *marelle*. Entre um quadrado que é o céu e que fica na parte de cima, e o outro, que é o inferno, e fica na parte de baixo, risca-se um diagrama no chão com números de um a dez, e que vão sendo pulados com um ou dois pés. A cada rodada, um número fica de fora e precisa ser superado. No Brasil, também é conhecida como pula-macaco.

Bate-mão: foi invenção das meninas internas dos colégios de freira, que não podiam levar bonecas para a escola no princípio do século XX. Para se entreter, inventavam uma língua própria e jogavam nos intervalos das aulas, sempre entre duas meninas. É acompanhado de um trava-língua, uma parlenda ou uma forma verbal que não tem nenhum sentido, mas que serve para memorizar e praticar rimas. Elas batem as duas mãos juntas, separadas, cruzadas, alternando com palmas e tapinhas nas pernas.

Bate-latinha: brincadeira de meninas pobres do começo do século XX, que podiam ficar na rua até tarde da noite. Uma saía na escuridão batendo uma latinha e as outras tinham de encontrá-la.

Bilboquê: por volta de 1950, as meninas não podiam jogar bolas de gude nem pião com os meninos porque usavam vestido e não havia como se abaixar no chão. Também não empinavam pipa, porque para fazê-lo precisavam correr, o que as despenteava e amassava suas roupas. Por isso, jogavam bilboquê, um pauzinho amarrado com um pedaço de barbante a uma latinha. Num movimento de vaivém, o pauzinho tinha de embocar a latinha furada.

Cabra-cega: nos anos 1920, 1930, não havia brinquedos eletrônicos, tampouco televisão. As brincadeiras usavam a percepção e os sentidos. Nessa época brincava-se de cabra-cega, um jogo em que uma menina ficava vendada com um lenço e tentava pegar as outras que fugiam, gritando ao seu redor, justamente para confundi-la.

Cama de gato: a brincadeira tem origem no Japão e também entre os esquimós. Os meninos não podiam brincar porque havia o risco de se confundirem na hora da pesca, embaraçando as cordas do arpão. Há muitos anos essa brincadeira se espalhou pelo mundo todo. Consiste em traçar um barbante entre os dedos das duas mãos em linhas simétricas. A outra jogadora precisa encontrar um jeito de retirar os barbantes, construindo uma nova forma entrelaçada.

Cantigas de roda: no Brasil, elas eram entoadas pelas amas de leite para suas sinhazinhas, desde a infância mais precoce. Estão incorporadas no folclore brasileiro do século XX. Enquanto as cantigas de roda eram rapidamente esquecidas pelos meninos, a quem era permitido correr e pular, eram cultivadas pelas meninas, que as cantavam enquanto giravam em uma roda de mãos dadas, o máximo de movimentação que lhes era autorizado.

Caracol: similar à amarelinha, o caracol pode ter quantas casas quiser. É um desenho feito em espiral, com quadrados que devem ser numerados. A cada rodada, um número é pulado. Sai da brincadeira quem ficar tonta e parar antes de chegar ao final.

Casinha: de todas as brincadeiras de meninas, foi a mais cultivada pelos nobres franceses, que mandavam construir mansões e pequenos palacetes para suas filhas brincarem. Mas, naquela época, as bonecas disponíveis não cabiam nas pequenas maquetes, que acabavam encostadas pelas meninas ou viravam peças de exposição.

Cinco-marias: brincadeira que surgiu no Japão, nas regiões de plantação de arroz. Pequenas porções de arroz eram embaladas em saquinhos de tecido bem costurados, compondo um jogo de cinco saquinhos que eram alternados, jogando-se um para cima e pegando o outro que estava em cima da mesa. No Brasil, as cinco-marias também eram feitas com aveia, farinha de milho ou alpiste, desde os anos 1920.

Damas e dominós: em 1283, o rei de Castela e Leon, Afonso X, que ficou conhecido como "O Sábio", relatou sobre os jogos de salão que promovia entre seus convivas e que eram também muito adequados às damas, porque as acalmava. Entre esses jogos, estavam as Damas e os Dominós.

Peteca: atribui-se sua origem às tribos tupi, que se expandiram por Minas Gerais. Era confeccionada em couro e palha de milho, com penas de galinha espetadas de um só lado. Em 1985, a peteca foi considerada um esporte genuinamente brasileiro, apesar de relatos de um escritor francês mostrarem que na China, no Japão e na Coreia a peteca é jogada há mais de 2 mil anos, com o objetivo de espantar o frio.

Passa-anel: brincadeira de damas da corte francesa no século XVII, para indicar quem deveria aceitar a próxima dança. Consiste em colocar um pequeno anel entre as palmas das mãos e deixá-lo cair entre as mãos unidas de outra pessoa. Aos jogadores, cabe descobrir quem recebeu o anel.

Pula-elástico: bastante comum também entre as meninas dos internatos do começo do século XX. Consiste em passar um longo elástico ao redor das pernas de duas meninas. A terceira terá de pular em várias movimentações, sem deixar que o elástico saia debaixo dos seus pés.

Queimada: dizem que a brincadeira foi inventada pelos soldados durante a Primeira Guerra Mundial, com o objetivo de treiná-los para que fugissem dos tiros do inimigo. Nos anos 1960, era praticada no Brasil pelas meninas que ainda não tinham o hábito de jogar futebol. Dois times se dividem em lados opostos da quadra e o objetivo é que, atirando uma bola, consiga-se esbarrá--la em alguém do time adversário. Aquela que for queimada cai fora do jogo. Outros nomes são dados à queimada: mata-mata, mata-soldado, cemitério, queimado, bola-queimada e barra-bola.

Oito curiosidades sobre garotas

1. Na Grécia, Ártemis era a deusa grega encarregada de tutelar as meninas para que vivessem seus últimos anos numa infância livre de atributos sexuais antes de entregá-las a Afrodite.
2. Até meados do século XIX, o ritual que marcava a entrada da criança na vida adulta era a sua primeira confissão: aos sete anos.
3. No século XIX, a idade boa para uma mulher se casar era 15 anos. Nessa idade seu corpo já estava definido, e o noivo devidamente escolhido pela família.
4. No Japão, quando as meninas completam sete anos são autorizadas a vestir o *obi* (faixa que prende o quimono) pela primeira vez. Aos 13 anos, elas são autorizadas a usar roupas íntimas, num reconhecimento à maturidade sexual.
5. Em tribos da África, as meninas devem passar por um ritual que envolve música e pinturas pelo corpo para serem autorizadas a assistir a cerimônias de casamento e fúnebres.
6. O *debut* das meninas americanas acontece quando elas são convidadas pela primeira vez para serem damas de uma noiva, entrando em pares na igreja.
7. Em 3 de março comemora-se o Dia das Meninas no Japão. Nessa data, as bonecas ficam expostas na sala de visitas em um altar de cinco andares, e no alto dele são colocados dois bonecos para reproduzir o casal imperial.
8. Em 2001, o regime Taliban foi condenado pela Unesco por impedir que as mulheres muçulmanas, depois que entrassem na adolescência, saíssem com o rosto descoberto.

DEBUTANTES

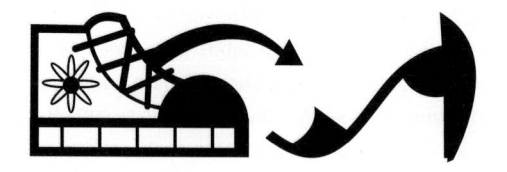

♣ O termo "debutar" é de origem francesa e foi usado pela primeira vez no século XVIII para falar de atores que estavam estreando no palco.

♣ Em 1930, sob influência inglesa, a palavra foi associada às moças que faziam sua estreia na sociedade.

♣ Até o seu guarda-roupa era radicalmente transformado, como se um dia antes de completar 15 anos ela fosse uma criança e no dia do aniversário se tornasse uma moça.

♣ A tradicional festa de debutantes como se vê hoje passou a ser realizada no século XX. Não mais com o intuito de exibir a moça à sociedade, mas principalmente para permitir que ela conhecesse a sociedade e os rapazes, podendo, assim, escolher um pretendente que lhe agradasse. Esse tipo de ritual marca o fim da tradição patriarcal de determinar as relações da família.

♣ A tradição da valsa dos 15 anos vem do século XIX. A menina convidava 15 amigas para dançar com seus pares. A aniversariante tinha direito a dançar com três pares diferentes: o pai, um irmão ou parente e algum amigo... indicado pela família.

Debu antecipado

As meninas japonesas são apresentadas à sociedade com dois ou três anos e isso vai definir a que grupo social ela pertencerá futuramente. O debu das garotinhas recém-saídas das fraldas acontece no jardim da infância. Se elas e as suas mães usam roupas de grife, têm *status* familiar e dinheiro, são aceitas por outros grupos de mães que frequentam a escola e os parques da cidade. Se não forem aceitas, tornam-se espécies de marginais à procura de um grupo onde se encaixar. Por isso, é comum ver mães e filhas vagando em parques de diversão; estão tentando encontrar outras mães e filhas para serem suas amigas.

ELAS PERGUNTAM: POR QUE SERÁ QUE ELES...

Mudam de voz quando entram na adolescência?
Porque os hormônios deixam as cordas vocais mais espessas, fazendo com que a voz fique desafinada até engrossar de vez.

Têm menos celulite?
Porque os hormônios femininos é que estimulam o aparecimento da celulite, além de outros fatores hereditários ligados ao sexo feminino.

Têm mania de coçar o pênis?
Porque essa é uma forma inconsciente de valorizar o órgão masculino.

Não conseguem falar abertamente sobre seus sentimentos?
Porque desde pequenos os meninos ouvem que homem não chora, não demonstra emoções... que tudo isso é coisa de mulher.

Cheiram mal quando estão suados?
Porque as glândulas sudoríparas (que produzem suor) e as sebáceas (que produzem gordura) são mais abundantes e produzem mais secreção do que nas mulheres.

Acordam de pênis duro?
Todo homem tem ereção quando dorme, em média de seis a oito vezes. Mas isso não tem a ver com excitação. É uma reação fisiológica: entre 6 e 7 horas da manhã acontece um pico de produção de testosterona, o hormônio masculino que atua na ereção.

CASAMENTO

O casamento ao longo dos tempos

♣ No século II, uma lei grega proibia a mulher de usar maquiagem antes do casamento, porque ela escondia sua verdadeira aparência. Essa mesma lei foi adotada pelo Parlamento inglês em 1770. Segundo ela, o noivo poderia anular o casamento se a noiva estivesse usando maquiagem, dentadura ou peruca.

♣ No Egito, a família da noiva se encarrega de cozinhar para os noivos na primeira semana do casamento para que o casal possa desfrutar da nova vida em comum.

♣ Na Idade Média, o sacerdote que celebrava o casamento também recebia um presente dos pais dos noivos. No dia seguinte ao casamento, o noivo oferecia móveis e peças de decoração à noiva naquilo que era chamado "presente da manhã". Era uma oferenda de agradecimento para compensar a noiva pela perda da virgindade.

♣ Quando os nobres se casavam em seus castelos, era hábito abrir as portas da fortaleza para que os mendigos se divertissem com as sobras do banquete. O rei também costumava soltar alguns presos para celebrar a ocasião.

♣ Muitas culturas acreditavam que quando os casais se beijavam no final da cerimônia suas almas também eram compartilhadas.

♣ Na China, antigamente, os noivos só se conheciam no dia do casamento. Segundo a tradição, a noiva chinesa escolhe suas damas de honra entre as moças mais feias do local, para que assim ela seja a mais bela.

♣ Os egípcios eram monógamos. Apesar de os faraós desposarem suas irmãs e até filhas, a população não adotava essa prática. Na Grécia, o casamento começava na casa dos pais da noiva, diante do fogo, e havia um sacrifício para as divindades. Ela era transportada com o rosto velado até a casa do futuro marido e seu véu era consagrado à deusa Hera.

♣ O conceito de casal, próximo do que temos hoje, surgiu no século XIII. O homem e a mulher deveriam cooperar e gerir o casamento como se fosse um negócio.

Símbolos do casamento

Buquê: surgiu na Grécia e era usado pelas noivas como uma espécie de proteção contra o mau-olhado. Junto com as flores eram colocadas cabeças de alho, ervas e temperos. E para cada flor do arranjo havia um significado especial: a hera representava a fidelidade; o lírio, a pureza; as rosas vermelhas, o amor; violetas, a modéstia; não-te-esqueças-de-mim, o amor verdadeiro. Flores de laranjeira trariam fertilidade e alegria ao casal.

Grinalda: é o arranjo de cabeça que ajuda a segurar o véu e que faz com que a noiva pareça uma rainha, ficando diferenciada das outras convidadas. No começo do século XX, quanto maior fosse a grinalda maior a riqueza da família ela representava.

Véu: em árabe, a palavra *hijab* (véu) significa algo que separa duas coisas. O véu significa que a mulher está se separando da vida de solteira para assumir a vida de esposa. Os gregos acreditavam que a noiva, ao cobrir o rosto, estava protegida do mau-olhado das mulheres e da cobiça dos homens.

Por que a noiva joga o buquê?

Esse hábito surgiu na Grécia. A noiva mandava fazer dois buquês idênticos e ambos benzidos pelo padre. Um ela guardava em casa, e o outro jogava para as solteiras para que elas não ficassem com inveja da noiva, mas, ao contrário, ficassem com a mesma sorte dela para conseguir um marido.

DÉCADAS DE BUQUÊ

1940: eram enormes e pendiam para um dos lados, como uma braçada de flores mistas.

1950: pequenos e arredondados, eram feitos de flores nobres como as orquídeas.

1960: na época da moda *hippie*, os buquês eram de margaridas.

1970: as rosas brancas entraram em alta para compor buquês redondos e fartos.

1980: tulipas e flores do campo. Os buquês ganham flores exóticas.

1990: desenvolve-se o tingimento para as flores; os buquês verdes e azuis viram moda.

2000: rosas colombianas e vermelhas são a opção de muitas noivas, mas as flores brancas voltam à moda.

MÊS DAS NOIVAS

Por influência da Igreja Católica, maio é tido como o mês das noivas porque é quando ocorre a consagração de Maria, mãe de Jesus. Outra explicação seria a chegada da primavera no hemisfério Norte, uma estação que está muito ligada à feminilidade e às mulheres. Mas, de acordo com os últimos dados do Instituto Brasileiro de Geografia e Estatística (IBGE), o mês campeão de casamentos é dezembro (99.169), o segundo preferido é setembro (72.767) e em terceiro lugar está maio (69.041). A explicação é simples: em dezembro o trabalhador recebe o 13º salário, férias e outros benefícios.

O casamento ao redor do mundo

♣ Pela tradição hindu, chover no dia do casamento é sinal de sorte.

♣ No Japão, os noivos bebem nove goles de saquê porque, de acordo com a numerologia adotada no país, é um número dos "bons começos". Mas os noivos tornam-se marido e mulher depois do primeiro gole.

♣ Na Alemanha, o vestido de noiva deve ter um pequeno bolso para carregar sal, que é sinal de prosperidade. Já o noivo carrega cereais em grão para o casal ter saúde.

♣ Na China, as festas de casamento sempre têm muitas fitas vermelhas amarradas na mesa de doces e nas taças, porque vermelho é a cor do amor.

♣ As noivas turcas deixam que duas amigas solteiras escrevam seus nomes nas solas dos seus sapatos. A sola mais gasta no final do casamento indica a próxima noiva.

♣ Na Holanda, os recém-casados plantam pinheiros ao redor da nova casa, como sinal de fertilidade.

♣ Na antiga Inglaterra, o sábado era o pior dia para se casar, tido como muito popular e, portanto, nada glamoroso para se realizar a cerimônia.

♣ No Egito, a maneira de desejar boa sorte à noiva no dia do casamento é dar-lhe um pequeno beliscão.

♣ No Oriente Médio, as noivas pintam as mãos com *hena* para afastar o mau-olhado.

♣ Na Suécia, o pai da noiva oferece uma moeda de prata, e a mãe, uma de ouro. Ambas são colocadas dentro dos sapatos da noiva para garantir um futuro próspero.

♣ No Marrocos, as mulheres tomam banho de leite antes do casamento para se livrarem das impurezas.

Casamento à brasileira

Hábitos que estão se consagrando por aqui:

• **Cartão da loja no convite**: para que o convidado saiba onde encontrar a lista de presentes dos noivos.
• **Gravata cortada**: os padrinhos do noivo oferecem aos convidados pedacinhos da gravata dele em troca de doações em dinheiro para o casal.
• **Sapato da noiva**: depois da gravata picada, adotou-se o hábito de passar o sapato da noiva, também para pedir uma ajuda financeira.
• **Corte do bolo de baixo para cima**: dizem que é para o casamento começar em alto-astral.

• **Lembrancinha**: é costume oferecer um porta-retrato com a foto do convidado tirada durante a cerimônia, ou uma caixinha de prata ou porcelana com amêndoas. Em casamentos mais simples, oferecem-se amêndoas coloridas, embrulhadas em tule, ou enfeites de flores de tecido.

A união indígena

♣ O casamento entre índios tem diversas regras, que variam de tribo para tribo. A poligamia é permitida em tribos como xavantes e tenethara. Os timbira prezam a monogamia, enquanto os nambiquara só permitem a poligamia entre os chefes.

♣ Ao se casar, o homem xavante deve morar na casa dos sogros. Casa-se com uma ou mais mulheres da mesma casa.

♣ Na tribo ticunas, o homem que deseja se casar procura um outro que tenha uma irmã. Pede para se casar com a irmã dele e lhe oferece ao mesmo tempo sua irmã solteira.

♣ Entre os tupi, suruí e asurini é permitido e frequente o casamento de um homem com a sobrinha, filha de sua irmã.

♣ O chefe nambiquara tem o privilégio de ter várias esposas. A primeira cuida do filho e das tarefas domésticas. As outras mulheres, mais jovens, acompanham o marido no trabalho.

♣ No meio dos índios, o amor não é o principal fator para a escolha de um cônjuge. As mulheres preferem um grande caçador, um bom agricultor, um guerreiro ou um curandeiro de prestígio. Os homens, por sua vez, preferem as mulheres mais trabalhadoras, em vez de as mais bonitas.

♣ Os casais indígenas não andam de mãos dadas, nem abraçados, nem se beijam. O afeto é demonstrado de outras maneiras. Um exemplo são os índios krahó. A mulher pinta o corpo do marido de urucum e carvão, tira-lhe os piolhos do cabelo, tira-lhe os cílios e as sobrancelhas. Ao cair da tarde, o casal estende uma esteira no chão, fora de casa, e fica sentado sobre ela, fumando ou conversando. Quando um dos dois adoece, o outro não sai de casa.

♣ Na tribo dos tucanos, as meninas perdem a virgindade de um modo bastante peculiar: um velho impotente introduz o dedo em sua vagina e faz a defloração. Já os meninos iniciam sua vida sexual com a própria mãe, na presença do pai. As mulheres grávidas devem evitar novas relações sexuais. Se transarem, os índios acreditam que o número de fetos pode crescer até o ponto de a barriga explodir.

Trocando alianças

A palavra "aliança" tem origem no latim *alligare*, que quer dizer compor.

NOIVADO
• No início do século XVI, os venezianos formalizavam seus compromissos de casamento com anéis de diamante. Por isso essa pedra tornou-se a mais usada para essa finalidade.
• Pérolas para anel de noivado eram associadas à má sorte, porque lembrariam uma lágrima.
• A água-marinha é símbolo de honestidade e lealdade. Representa um casamento longo e feliz.

CASAMENTO
• Quem inventou as alianças foram os egípcios. Para eles, a aliança representava a eternidade.
• Já os gregos faziam as alianças de ferro imantado, pois acreditavam que assim poderiam atrair o coração humano.
• Como tradição cristã teria surgido no século XI, quando o anel era colocado no dedo anular esquerdo, pois acreditava-se que havia comunicação direta desse dedo com o coração por meio de uma veia.
• Em hebraico aliança tem sentido de compromisso. O anel usado pelos casados tem a função da ambivalência: unir e isolar. Colocar o anel no dedo de outra pessoa significa aceitar o dom do outro como um tesouro seu.

• Em defesa do meio ambiente, a noiva Sabrina Campos decidiu fazer seu casamento com o espanhol Rafael Velasco Megías numa jornada ecológica. Foi realizado no parque Trianon, em São Paulo, em abril de 2007, com doces servidos em pratos de material reciclável. As alianças eram de fibra de coco.

Você sabia?

A aliança passa da mão direita (noivado) para a mão esquerda (casamento) a fim de representar a aproximação do compromisso definitivo. Do lado esquerdo ela fica mais próxima do coração.

BODAS DE QUÊ?

1º ano .... algodão
2º ano .... papel
3º ano .... couro
4º ano .... flores
5º ano .... madeira
6º ano .... ferro
7º ano .... cobre
8º ano .... bronze
9º ano .... cerâmica
10º ano .... estanho
11º ano .... aço
12º ano .... seda
13º ano .... renda

14º ano .... quartzo
15º ano .... cristal
20º ano .... porcelana
25º ano .... prata
30º ano .... pérola
35º ano .... coral
40º ano .... rubi
45º ano .... safira
50º ano .... ouro
55º ano .... esmeralda
60º ano .... diamante
75º ano .... brilhante
80º ano .... carvalho

Vestidos de todas as cores

♣ Em Portugal, o vestido de casamento usado antes do século XX era preto.

♣ A tradição do vestido branco existe apenas no Ocidente. Foi criada pela rainha Victoria, em 1840, ocasião do seu casamento com seu primo, o príncipe Albert. O pedido de casamento foi feito pela apaixonada noiva, já que homem algum poderia se atrever a fazer tal proposta a uma rainha. A escolha do branco para seu vestido simbolizava castidade e pureza.

♣ Na antiga China e na Idade Média as noivas cobriam-se de vermelho, pois era a cor do amor.

Curiosidades sobre casamento

1. Por que as noivas usam flor de laranjeira?
Veio das tradições islâmicas. Para eles, a flor de laranjeira era cara e nobre.

2. Por que são os pais da noiva que oferecem a festa?
Porque desde a Idade Média o costume era que a família da noiva oferecesse o dote. Como hoje em dia não se usa mais o dote, a família da noiva oferece a festa. Por essa mesma tradição, cabia aos pais do noivo oferecer a casa, bem como um rendimento para que o novo casal pudesse viver bem.

3. O que é o dote?
O chamado dote nada mais era do que um caprichado presente de casamento, que poderia vir em forma de dinheiro ou de imóveis. O valor do dote era combinado entre a família do noivo e da noiva, durante os acertos do casamento. Por ocasião do matrimônio, a família da noiva entregava à família do noivo o "presente" acertado. Por que tanto gasto? Porque, após

o casamento, a noiva passava a ser parte integrante de uma nova família, a família do noivo, que deveria custear todos os seus gastos a partir de então. Assim, o dote servia para aumentar o fluxo de caixa, já que as mulheres não trabalhavam e, portanto, não tinham rendimentos próprios.

Você sabia?

Portugal foi um dote de casamento. Foi dado a dom Henrique, conde de Borgonha, por sua união com dona Tereza, filha do rei de Castela e Galiza, no final do século XI.

4. De onde veio o hábito de jogar arroz nos noivos?
Há 4 mil anos, na China, o arroz era tido como símbolo de fartura e já era costume jogar alguns grãos sobre os noivos após a cerimônia. Conta-se que um poderoso mandarim quis mostrar sua riqueza e realizou o casamento de sua filha sob uma verdadeira "chuva" de arroz. Já nas aldeias medievais, os camponeses tinham o hábito de jogar grãos de trigo nos noivos para lhes desejar uma família numerosa. Com a escassez do trigo, houve a substituição pelo arroz.

5. Por que o noivo deve entrar com a noiva no colo na nova casa?
Algumas tradições acreditam em "mau agouro" se a noiva cair à entrada da casa. Outras falam em azar se ela entrar com o pé esquerdo. Se o noivo levá-la no colo, evita esses dissabores. Uma explicação alternativa para o fato é que os anglo-saxões costumavam roubar a noiva e carregá-la nas costas. É desse povo o costume de a noiva ficar do lado esquerdo do noivo. Como ele tinha medo do ataque de "dragões" e inimigos, deveria ter o braço livre para sacar a espada e proteger sua amada. Além desse ritual, uma gama de símbolos está presente na celebração.

6. De onde vieram as daminhas de honra?
De Roma. Os romanos acreditavam que vestir meninas com roupas muito semelhantes à da noiva ajudava a enganar os maus espíritos que quisessem estragar o casamento.

Quem inventou o bolo de casamento?

Uma tradição romana dizia que era preciso partir pedaços de pão sobre a cabeça da noiva para lhe desejar fertilidade. Os romanos faziam bolos com farinha, sal e água. Para que os convidados não precisassem levar o pão, com o tempo os noivos passaram a oferecê-lo. Na Inglaterra, durante a Idade Média, os convidados passaram a levar pequenos bolos e os colocavam empilhados para que os noivos se beijassem por cima sem derrubar. Isso garantia sorte e prosperidade. Nos Estados Unidos, os bolos de noivos são feitos em três ou quatro andares. O andar de cima do bolo é congelado durante um ano. Na primeira boda, deve ser comido pelo casal para celebrar a alegria dos dias vividos.

HISTÓRIA DA MARCHA NUPCIAL
- A *Marcha nupcial* foi composta pelo alemão Felix Mendelssohn (1809-1847) quando tinha 17 anos. Não é uma música isolada; faz parte da obra *Sonhos de uma noite de verão*, inspirada na peça de Shakespeare.
- A música foi tocada no casamento da princesa inglesa Victoria. A partir daí, passou a ser usada também por outros príncipes e princesas, e também pelos plebeus.

DELÍCIA DE BEM-CASADO
A tradição vem da França, onde o hábito era servir pequenos bolinhos cobertos de glacê aos convidados. No Brasil o costume foi aprimorado: no começo do século passado eles eram feitos dois a dois e unidos com doce de leite, representando simbolicamente o encontro do casal.

Receita de bem-casado
4 ovos
4 colheres (sopa) de açúcar refinado
150 g de fécula de batata
1 colher (sopa) de farinha de trigo
1 colher (café) de fermento em pó
1 colher (café) de bicarbonato
raspas de limão

- Bata os ovos com o açúcar refinado em batedeira bem potente por 10 minutos, ou 18 minutos em batedeira comum.
- Peneire a fécula, a farinha, o fermento e o bicarbonato.
- Na mistura de ovos junte o limão e os ingredientes peneirados; mexa uma única vez.
- Forre uma forma com papel manteiga e modele a massa do bem--casado com duas colheres, deixando espaço entre eles.
- Asse em forno a 180 ºC por 10 minutos, ou até os bem-casados começarem a dourar nas bordas. Com a ajuda de uma espátula retire os bem-casados ainda quentes e deixe esfriar.
- Una o bem-casado (dois a dois) com 1 a 2 colheres (chá) de doce de leite ou creme de ovos, goiabada ou geleia de frutas e passe-os no açúcar de confeiteiro. Se preferir, faça uma pasta rala, com água e açúcar de confeiteiro, ou banhe em calda grossa de açúcar. Embeba o bem-casado e deixe-o secar.

O TEMPO VAI PASSANDO, AS CHANCES VÃO DIMINUINDO
De acordo com dados de 2006 dos Cartórios de Registro Civil do Brasil, as chances de uma mulher solteira se casar são de...
... 40% aos 25 anos
... 27,6% aos 30 anos
... 17% aos 35 anos
... 13,7% aos 40 anos
... 10% aos 45 anos
... 6% aos 50 anos
... 13% a partir dos 55 anos, o que significa que, depois dessa idade, fica mais fácil encontrar um parceiro

Jesus, alegria dos homens, de Bach; *Marcha nupcial*, de Mendelssohn; *Ave Maria*, de Schubert; e *Noturno*, de Chopin, são algumas das canções mais tocadas em casamentos.

Chegados num casamento

• Theresa Vaughan mostrou que gosta de casar. Em 1922, aos 24 anos, confessou na cidade de Sheffield, na Inglaterra, que nos últimos cinco anos havia se casado com 61 homens em cinquenta cidades diferentes da Inglaterra, Alemanha e África do Sul. Ela se casava em média uma vez por mês.

• Outro casadouro é Giovanni Vigliotto, que casou 104 vezes entre 1949 e 1981 em 27 estados e 14 países. Ele foi condenado em 28 de março de 1983, em Phoenix, Estados Unidos, a uma pena de seis anos por fraude e bigamia.

ESSES TAMBÉM CASARAM MUUUUITO...
Rainha Kahena, Estados Unidos: 400 maridos
Beverly N. Avery, Estados Unidos: 16 maridos
Martha Jane Burke (a Calamity Jane), Estados Unidos: 12 maridos
Mari McDonald, Estados Unidos: 8 maridos
Elizabeth Taylor, Estados Unidos: 8 maridos (casou-se duas vezes com Richard Burton)

PARA NÃO CONFUNDIR A BIGAMIA
Bi, do grego, quer dizer dois, e *gamos* é casamento. Portanto, bígamo é quem mantém dois casamentos ao mesmo tempo, o que é crime no Brasil. No mundo muçulmano, entretanto, um homem pode casar-se até quatro vezes, desde que tenha o consentimento da mulher anterior (ou das mulheres anteriores). Ah, e precisa ter condições financeiras para manter todas elas e aos seus filhos.

CASAMENTOS-RELÂMPAGO
Britney Spears e Chris Judd: 55 horas
Carmen Electra e Dennis Rodman: 9 dias
Drew Barrymore e Jeremy Thomas: 3 semanas
Muller e Miriam Rodrigues: 60 dias
Ronaldo e Daniela Cicarelli: 86 dias
Nicolas Cage e Lisa Marie Presley: 107 dias
Fabio Jr. e Patricia de Sabrit: 120 dias
Renee Zellweger e Kenny Chesney: 21 dias
Adriane Galisteu e Roberto Justus: 253 dias
Jennifer Lopez e Cris Judd: 260 dias
Carola e Chiquinho Scarpa: 270 dias
Jim Carrey e Lauren Holly: 280 dias

Casamento curto, paixão eterna

No dia 14 de janeiro de 1954, Marilyn Monroe se casou com o jogador de basebol Joe DiMaggio, e o casal seguiu em lua de mel para Tóquio. Marilyn aproveitou a viagem à Ásia para fazer uma apresentação aos militares que estavam servindo na Coreia, o que desagradou ao marido. Nove meses e 13 dias depois, o casal se divorciou. Mesmo assim, Joe não a esqueceu. Desde a morte da atriz, em 1962, até o dia da morte dele, em 1999, Joe mandava trocar as flores do túmulo de Marilyn três vezes por semana.

ELAS NUNCA SE CASARAM
- Jane Austen, escritora inglesa
- Elizabeth Blackwell, física americana
- Elizabeth I, rainha da Inglaterra
- Joana D'Arc, santa e heroína francesa
- Maria Montessori, educadora italiana
- Gabrielle Chanel, estilista francesa

Casamento em números

♣ No Brasil, a idade mínima para se casar é 18 anos. Se a menina quiser se casar antes, precisa de autorização dos pais.

♣ 27 anos é a idade média das mulheres brasileiras no primeiro casamento. Em 1980, essa idade variava entre 18 e 19 anos.

♣ 33 anos é a idade média das inglesas no primeiro casamento. Na Índia, a idade é vinte anos.

♣ Até 2005, as francesas podiam se casar com 15 anos sem ter de pedir autorização aos pais. Uma lei aumentou a idade para 18 anos.

♣ Estimativas mostram que 80% dos casados oficialmente permanecem juntos depois de cinco anos.

♣ 10% dos casais que moram juntos continuam assim depois de cinco anos.

♣ O ano de 1999 foi o campeão dos matrimônios no Brasil: 788 mil.

♣ O número de mulheres entre 35 e 39 anos que continuavam solteiras era 30% maior em 2007 do que foi em 1997.

Chá de cozinha X chá de *lingerie*

CHÁ DE COZINHA

Segundo uma lenda holandesa, um moleiro pobre era apaixonado por uma rica donzela. Para ajudá-lo, seus amigos se reuniram e lhe ofereceram itens para a nova casa. Assim nasceu o famoso chá de cozinha. No Brasil, era hábito até os anos 1980. Com a chegada da era *yuppie*, quando muitos jovens passaram a viver sozinhos em apartamentos superequipados, o chá de cozinha deixou de ter sentido.

CHÁ DE *LINGERIE*

Em 1990, chegaram ao Brasil as primeiras lojas de *lingeries* e produtos eróticos para mulheres, importados de países como Alemanha, Holanda, França e Estados Unidos. Para atrair a atenção da clientela feminina, as butiques eróticas passaram a promover chás de *lingerie*, nos quais a futura noiva poderia se reunir com as amigas para pedir acessórios e peças íntimas que incrementassem a relação a dois.

QUEM INVENTOU O DIA DA NOIVA?

Nos anos 1980, quando a inflação era galopante no Brasil, a rede de cabeleireiros Jacques e Janine foi a primeira a perceber que, para conter os gastos, as noivas optavam por dois profissionais indispensáveis para a produção: cabeleireiro e maquiador. Para vender outros serviços, decidiu oferecer pacotes completos de beleza, incluindo banhos relaxantes, manicure, depilação, cabelo e maquiagem a um custo viável. Além disso, abriam espaço para que todos os serviços fossem agendados para algumas horas antes do casamento, permitindo que a noiva saísse pronta para a cerimônia.

Obra do amor

O Taj Mahal é um mausoléu que fica nas encostas do rio Yamuna em Agra, na Índia. Por ordem do imperador Shah Jahan, foi construído em homenagem à sua segunda esposa, Aryumand Banu Begam, a quem ele chamava de Muntaz Mahal (A primeira-dama do palácio). Ela morreu em 1630 ao dar à luz o 14º filho do casal. O prédio de mármore branco incrustado de pedras semipreciosas levou 22 anos para ser finalizado e consumiu o trabalho de 20 mil homens. A palavra persa "taj" significa "coroa". Taj Mahal seria "A coroa de Mahal", devido à sua cúpula. O Taj Mahal, que foi eleito uma das Novas Sete Maravilhas do Mundo Moderno, foi construído sobre o túmulo de Muntaz Mahal e considerado a maior prova de amor do mundo.

De onde surgiu o termo "lua de mel"?
Há três versões:
1. Na antiga Roma, o povo espalhava gotas de mel na soleira da casa dos recém-casados.
2. Entre os povos germanos, era costume casar na lua nova, e os noivos levavam uma mistura de água e mel para beber ao luar.
3. Na Irlanda, os recém-casados tinham o hábito de tomar uma bebida de baixo teor alcoólico, chamada *mead*, ou hidromel, composta de mel fermentado e água. A poção deveria ser consumida durante um mês ou uma lua.

E A SOGRA?
Sogra é a mãe do marido de uma mulher ou a mãe da mulher de um sujeito. Ela é também o alvo favorito das piadas, das frases de caminhão e até já virou tema de livro e de filme aqui no Brasil.

Olho de sogra: doce feito de ovo e coco e colocado em uma ameixa seca semiaberta com cobertura de calda caramelada ou açúcar cristal. Ganhou esse nome porque a ameixa, cortada e vista de lado, parece um olho espionando de cima da mesa.

Língua de sogra: brinquedo feito com um apito de plástico e papel fino que se desenrola quando é assoprado. Foi apelidado assim porque, dizem, basta dar uma assopradinha para que a língua cresça e apareça. Na América Latina o brinquedinho é chamado de "espanta-sogras".

Casa da sogra: é aquele lugar onde o marido da filha podia ficar à vontade, beneficiando-se das mordomias, mas sem nenhuma obrigação.

> **DIA DA SOGRA** — 28 abril
> A sogra também tem o seu dia. No Brasil, comemora-se em 28 de abril.

CONCUBINA
No Brasil, elas têm praticamente os mesmos direitos, porque o nome concubina serve para designar uma mulher que vive com um homem, mesmo que seja fora do casamento. Mas como o termo latino é *concumbere* (deitar junto), e ficou pejorativo, no seu lugar usa-se companheira.

A LEI DO CONCUBINATO
- O novo Código Civil, de janeiro de 2002, alterou o antigo Código, de 1916. Uma das mudanças diz respeito aos companheiros estáveis, que aparece no artigo 1.723. Ela é definida como convivência duradoura de homem e mulher com o objetivo de constituir família.
- A união estável é permitida quando o casal está separado de fato, judicialmente ou divorciado.
- As crianças que nascem sob uma união estável, mesmo sem haver casamento formal, não são mais consideradas ilegítimas. Terão direito à herança da mesma forma que os outros filhos.
- Em uma união estável, os companheiros têm deveres e direitos gerais iguais, como lealdade, respeito, assistência, guarda, sustento e educação dos filhos.
- A lei assegura direito à pensão alimentícia que inclui moradia, educação, vestuário e alimentação.
- A mulher que vive em união estável com um homem por mais de dois anos tem os mesmos direitos de uma que seja casada em comunhão parcial de bens.

Crises de um casamento

Existe um folclore de que, entre o 1º e o 3º anos de casamento, marido e mulher estão apaixonados e mantêm uma vida sexual intensa. A partir daí e até o 6º ano do casamento, a paixão sairia de cena e o casal passaria a se ver como realmente é, o que explicaria as crises. Felizmente, isso não corresponde à realidade de todos os casamentos...

• Crise do 7º ano: muitos casais já tiveram filhos nesse período e, com frequência, a mulher se desinteressa da vida sexual por causa do filho. As mágoas e os problemas não resolvidos dos primeiros anos surgem no cenário. Despesas maiores com filhos costumam piorar a situação. A maioria das separações acontece nessa fase.

• Crise do 10º ano: a convivência pode gerar desinteresse sexual de ambas as partes. É a fase em que marido e mulher em crise descobrem uma nova paixão.

• Crise do 15º ano: em geral, ambos já passaram dos quarenta anos e surge um sentimento de urgência de aproveitar a vida. É comum a sensação de que se perderam um do outro ou de que os interesses que os uniam já não existem mais.

• Crise do 20º ano: com a aproximação da maturidade, a vida sexual pode ter caído em absoluta rotina ou está rarefeita. Se o casal fica junto, mesmo havendo problemas, surge uma sensação de desânimo de ambas as partes e desinteresse em partilharem a vida.

"O CASAMENTO É O TÚMULO DO AMOR"

Você já ouviu essa frase? Pois a autora foi a francesa Olympe de Gouges, considerada pelos pesquisadores a primeira autêntica feminista da história. Republicana, oradora e escritora, defendeu o divórcio, as mães solteiras e os filhos nascidos fora do casamento. Morreu na guilhotina.

Como se anula um casamento

1. Entre as razões para que os tribunais da Igreja Católica anulem um casamento estão: impotência, recusa da mulher em gerar uma criança e imaturidade psicológica na hora de dizer "eu aceito".
2. O processo é conduzido no tribunal eclesiástico e tem as mesmas características de uma causa jurídica, com audiências, testemunhas e advogados especializados em direito canônico.
3. Juridicamente, os motivos aceitos para se anular um casamento são: coação (quando um dos cônjuges declara ter sido obrigado a se casar contra a vontade) e o erro (quando o marido ou a esposa alegam desconhecer algum fato desabonador a respeito do outro). Problemas médicos também podem justificar uma anulação de casamento.

Você sabia?

Alegar que a mulher não era mais virgem era motivo para um pedido de anulação de casamento até os anos 1960. Hoje, com o novo Código Civil em vigor, os juízes não consideram mais essa hipótese.

Divórcio no Brasil

Em 28 de junho de 1977, o senador Nelson Carneiro conseguiu a aprovação da emenda constitucional que permitia a instauração do divórcio no Brasil.

- Em 2005 foi registrada a maior taxa de divórcios. Um em cada cinco casamentos acabou em divórcio.
- Entre os que se divorciaram, a duração média do primeiro casamento foi de dez anos.
- A idade média dos homens ao se divorciar é 35 anos, e das mulheres, 29.
- O número médio de filhos do casal ao se divorciar é dois.
- Das separações não consensuais, 72% dos pedidos foram feitos por mulheres.
- 75% dos separados se casam pela segunda ou terceira vez.

MATERNIDADE

No século XVI, mulheres com dificuldade para engravidar, como Catarina de Médicis, que mais tarde se tornaria rainha da França, eram aconselhadas a beber uma xícara de urina fresca de mula todos os dias pela manhã.

♣ Algumas tribos, como os assam, na África, não têm famílias, mas *maharis*, ou mães.

♣ Os gregos festejavam o Dia das Mães na primavera, evocando Rhea, a mãe dos deuses. Presenteavam todas as mães com bolos de mel e flores.

♣ As famílias chinesas usam prefixo no nome relativo à mãe da família, como Zhang, Wang ou Li.

♣ Os hindus atribuem suas escrituras a Kali Ma, a grande mãe. Teria sido ela a inventora dos pictogramas e imagens do alfabeto.

♣ A palavra sânscrita *mantra* e a grega *meter* significam respectivamente mãe e medida.

♣ Os pequenos esquimós chamam as mães e as avós pelo mesmo nome, porque ambas criam as crianças igualmente.

Por que a mulher engorda tanto na gravidez?

Os obstetras consideram aceitável um ganho de peso entre 9 e 14 quilos até o dia do parto. Esse peso fica distribuído da seguinte forma:
• 2,5 kg de aumento no volume de sangue e do útero
• 1,5 kg de placenta e líquido amniótico
• 3,5 kg do bebê
• 2 kg em líquidos retidos pelo corpo
• 4,5% de gordura em todo o corpo (esse é o volume de peso que varia quando a mulher ganha mais ou menos peso)

Para amamentar, uma mulher gasta cerca de

500

calorias por dia.

PERGUNTAS CURIOSAS SOBRE GRAVIDEZ

Por que os pés das grávidas aumentam?
Pela ação da gravidade. Todo o peso ganho sobrecarrega os pés, que tendem a ficar alargados. Muitas vezes, nem mesmo depois de emagrecer os ossos voltam à posição original e os pés permanecem maiores.

Por que as coelhas morriam nos antigos testes de gravidez?
Na década de 1920, os médicos descobriram um hormônio chamado gonadotrofina coriônica, produzido no começo da gravidez. Quando injetado em alguns animais provocava mudança nos ovários das fêmeas. O bicho escolhido era a coelha. Injetava-se urina humana no animal. Após 48 horas ela morria e seus ovários eram examinados. Se tivessem crescido, a mulher estava grávida.

Por que a mulher fica mais cabeluda quando está grávida?
Isso acontece nos primeiros três meses, por causa da ação dos hormônios. A situação se reverte inteiramente depois do nascimento do bebê, e, devido à dança hormonal, os cabelos tendem a cair mais nesse período.

Quanto tempo dura o período pós-parto?
O mesmo tempo que dura a gestação: aproximadamente nove meses. Durante esse período os hormônios se reorganizam e o corpo volta à forma original. É inteiramente aceitável levar nove meses depois do nascimento do bebê para recuperar as formas de antes.

Queijo branco, peixe cru e ovo cru são proibidos para as grávidas?
Sim, porque é nesse tipo de alimento que se hospeda a bactéria *Literia monocytogenes*, que causa listeriose, uma doença que pode ser mortal. Em geral, esse problema é facilmente combatido por pessoas saudáveis, mas a gestante está mais vulnerável e a bactéria pode ser transmitida ao feto.

Azia na gravidez significa que o bebê é cabeludo?
Não, isso é um mito. A azia é provocada pela progesterona, que relaxa os músculos entre o esôfago e o estômago.

Por que os mamilos ficam marrons durante a gravidez?
A "culpa" é do aumento nos níveis de estrogênio e dos hormônios melanócito-estimulantes, os mesmos que produzem desorganização nas células de melanina, muitas vezes provocando manchas no rosto durante a gravidez.

O que provoca cãibras na grávida?
Elas são mais comuns a partir do 4º mês de gestação e podem ser resultado do peso extra, que altera a circulação das pernas. A suplementação de magnésio pode ajudar a resolver o problema, mas fazer exercícios durante a gravidez, sem dúvida, é a melhor solução.

Por que as grávidas não podem pintar o cabelo?
Porque o couro cabeludo é poroso e toda substância com a qual ele entra em contato pode ir para a corrente sanguínea, sendo transmitida ao bebê. As colorações quase sempre têm metais tóxicos que na mulher não trazem nenhuma consequência, mas que podem ser perigosos para o feto.

Gatos são perigosos para mulheres grávidas?
Os gatos não, mas o parasita *Toxoplasma gondii*, presente nas fezes deles, sim. Esse parasita, que também pode ser encontrado na carne crua, representa risco de toxoplasmose para o feto, que pode provocar aborto ou parto prematuro, bem como cegueira.

Por que algumas mulheres grávidas têm vontade de comer barro?
O barro tem uma grande concentração de ferro e, às vezes, esse desejo pode indicar carência do nutriente no organismo. Algumas grávidas chegam a raspar tijolos com colher para suprir a necessidade. Melhor seria ingerir carne vermelha, como fígado de boi, e verduras de tom verde-escuro, que são ricas em ferro. Para ajudar na fixação do mineral, o ideal é tomar um copo de suco de frutas cítricas como laranja, limão ou tangerina logo em seguida.

Licença-maternidade no mundo

África do Sul	16 semanas
Alemanha	14 semanas
Argentina	3 meses
Austrália	52 semanas
Brasil	17 semanas*
Canadá	até 18 semanas
Chile	18 semanas
Cuba	18 semanas
Dinamarca	18 semanas
Egito	1 mês e 20 dias
Eslováquia	7 meses
Estados Unidos	12 semanas
Hungria	6 meses
Itália	5 meses
Líbano	7 semanas
Portugal	18 semanas
Quênia	2 meses
Reino Unido	26 semanas
Suécia	64 semanas

* Em 2007, entrou em votação na Câmara dos Deputados um projeto para ampliação da licença para 25 semanas.

Gravidez semana a semana

1ª A camada interna do útero está preparada para o óvulo. A temperatura do corpo aumenta 1 ºC na ovulação.
2ª Acontece a fecundação.
3ª Começa a formação da placenta. O ovo está implantado.
4ª Formam-se os três tecidos que vão compor as partes diferentes do corpo do bebê: endoderma (pulmões, fígado, sistema digestivo e pâncreas), mesoderma (esqueleto, músculos, rins, vasos sanguíneos e coração) e ectoderma (pele, cabelo, olhos, esmalte dos dentes e sistema nervoso).

5ª O ovo, que mede 2 mm, passa a ser chamado de embrião.
6ª O coração do embrião começa a bater.
7ª É possível ver a íris e as narinas.
8ª Começa a formação dos dedos das mãos e dos pés.
9ª O útero está mais espesso e o hormônio da gravidez está em produção máxima.
10ª 250 mil novos neurônios se formam a cada minuto. O coração embrionário está desenvolvido.
11ª A cabeça é a metade do comprimento do corpo. O feto pesa o equivalente a 8 g.
12ª Os enjoos tendem a parar. Diminuem os riscos de aborto.
13ª Começa a maturação dos órgãos internos.
14ª Surge a lanugem, penugem que cobre o corpo do feto.
15ª Aparecem cílios e sobrancelhas, e a mãe começa a ganhar peso.
16ª Tem cerca de 15 centímetros e 80 gramas. Se for menina, 5 milhões de óvulos serão formados nessa fase. O seio da mãe cresce porque começa a produção de leite.
17ª Os músculos da face permitem que o feto faça caretas.
18ª O feto é capaz de ouvir o som do próprio coração. Nessa fase, a mãe sente os primeiros movimentos do feto.
19ª Responde a estímulos externos se mexendo.
20ª Tem cerca de 16 cm e pesa 250 g.
21ª Os seios começam a produzir colostro, o primeiro leite materno, que é rico em proteínas e minerais.
22ª Os sentidos do bebê se desenvolvem e ele toca o rosto e coloca o dedo na boca.
23ª O útero materno já treina para o parto, com espasmos irregulares e indolores, as chamadas contrações de Braxton Hicks.
24ª O feto consegue dar chutes fortes e as azias são mais comuns na mãe.
25ª Os pulmões começam a se formar e o cérebro se desenvolve rapidamente. O útero tem o tamanho de uma bola de futebol.

26ª O feto começa a engordar e sua movimentação causa dores na gestante.
27ª O feto tem 85% de chances de sobreviver fora do útero.
28ª O cérebro desenvolve as dobras e os cabelos estão mais compridos. Ele pesa cerca de 1,1 kg.
29ª Os olhos do bebê se abrem por alguns períodos e o útero começa a pressionar a bexiga da mãe, aumentando a vontade de urinar.
30ª A partir dessa semana aumentam as chances de parto prematuro.
31ª A contração dos músculos das costas da mãe se prepara para o parto e provoca dores. O aparelho respiratório do bebê está maduro.
32ª Se o bebê estiver de cabeça para baixo, seus pés podem pressionar o abdome materno.
33ª O bebê pesa cerca de 2 quilos e o útero tende a comprimir os pulmões da mãe.
34ª O bebê começa a se posicionar, procurando a melhor posição para nascer.

35ª Tem cerca de 2,5 kg e 33 cm.
36ª A partir de agora, a tendência é o bebê engordar de 28 a 30 gramas por dia.
37ª O sistema nervoso do bebê está pronto.
38ª O bebê está pronto para nascer e pesa entre 2,9 a 5 quilos.
39ª Não produz mais anticorpos e vai sobreviver os seis primeiros meses com os que recebeu da mãe.
40ª Na primeira gestação o trabalho de parto pode durar até dez horas.

Curiosidades ao nascer

♣ Entre os egípcios, ajudar a dar à luz era uma arte sagrada. As parteiras faziam escola nos templos e eram chamadas de mães divinas. Ísis, esposa de Osíris, era a deusa dos partos. O parto estava, em todos os seus aspectos, sob a tutela da divindade e pertencia ao âmbito da experiência religiosa.

♣ Há 3000 a.C. existia a "pedra de vir ao mundo", três pedras que formavam um assento sobre o qual a mulher se ajoelhava ou sentava para parir.

♣ No Museu do Louvre, em Paris, um vaso mostra Leto, deusa-mãe dos gêmeos Ártemis e Apolo, dando à luz: ela está de joelhos, apoiada sobre os cotovelos. As romanas faziam uso de uma cadeira especial e eram acompanhadas por parteiras.

♣ Entre as incas, os partos eram de cócoras ou sobre uma cadeira baixa, como se vê nos vasos de cerâmica. Nos baixos-relevos das pirâmides maias há representações de partos com uma mulher apoiada com um pé no chão e a outra perna ajoelhada.

♣ As astecas tinham uma deusa do parto, Tlazolteotl, que ajudava as mulheres a darem à luz de cócoras.

♣ As índias brasileiras trabalhavam até a hora de dar à luz. As primeiras dores aconteciam onde quer que estivessem, no mato cortando lenha, à beira d'água ou no terreno da aldeia. Então, a indígena punha-se de cócoras e o feto descia. A própria mãe cortava o cordão umbilical com uma lasca de taquara.

♣ Na Antiguidade, o parto era assunto de mulher. As parteiras eram muito respeitadas e cuidavam da mulher integralmente: além de assistir aos partos, prescreviam chás anticoncepcionais, praticavam o aborto, tratavam todas as doenças ginecológicas e a mulher como um todo. Os cuidados durante a gestação e o parto, como exercícios físicos e respiratórios, massagens e medicamentos eram associados aos cultos religiosos.

♣ Entre os astecas, que acreditavam em vários céus para onde as pessoas iam de acordo com a morte que tivessem, o céu dos guerreiros mortos em batalha é o mesmo das mães que morrem em trabalho de parto.

♣ A partir da adolescência as egípcias começavam a preocupar-se com o futuro papel de mãe. Usavam cintos com adornos feitos de motivos de ouro em forma de *cauri*, concha-símbolo da vulva que podia procriar.

♣ Para saber se estavam grávidas, as egípcias regavam cevada e trigo com a urina delas. Se ambos germinassem, ela procriaria. Se a cevada germinasse primeiro, seria menino; se fosse o trigo, menina.

♣ Caso a criança egípcia nascesse antes do tempo, eram empregadas fórmulas mágicas para mantê-la com vida. Quanto às mães, o estudo das múmias revelou que inúmeras mulheres morriam de parto. Depois de dar à luz, a mãe ficava 14 dias afastada de sua vida normal e passava por uma purificação ritual numa espécie de pavilhão. No decorrer desse período, tratava apenas de alimentar bem o bebê e protegê-lo do mal. Era importante que ela amamentasse à criança no seio durante os três primeiros anos de vida.

Qual é o destino da placenta?

A placenta é um órgão composto por várias membranas e se forma a partir do ovo fecundado para envolver o feto que vai crescer dentro dela. Permeável, a placenta permite que ocorram trocas sanguíneas entre a mãe e o bebê, possibilitando que ele seja alimentado e se desenvolva. Os gregos a chamavam *deútera*, que quer dizer segunda, seguinte, aquela que vem depois. Assim que a mãe dá à luz, expelindo o bebê, ela expele também a placenta.

OS COSTUMES LIGADOS À PLACENTA
• Na África, a placenta é considerada parte espiritual da criança, aquela parte que a acompanhou do Céu para a Terra.
• Para os povos dos Andes, todas as placentas são enterradas numa colina, que está orientada para a vida, e não para a morte.
• Para reanimar as crianças nascidas mortas, as parteiras tradicionais da América Central e Meridional ateiam fogo à placenta expelida, com o cordão ainda íntegro, ligado ao bebê, para que este retome a vida.
• Na América do Norte surgiram grupos chamados *placenta eaters*, comedores de placenta, que se reúnem após o nascimento da criança para consumir uma refeição feita com a placenta.
• Na Europa, de maneira mais sutil e elaborada, as puérperas tomam doses mínimas de pó de placenta para a rápida recuperação após o parto.
• As parteiras da América Central usam a tintura de placenta para tratar infecções vaginais por papilomavírus.
• Na Itália surgiu uma discussão sobre a propriedade da placenta. Alguns hospitais não querem entregá-la às mulheres que a solicitam.

> **MAMAR NO PEITO**
> A Sociedade Brasileira de Pediatria recomenda que a porcentagem de leite materno na alimentação dos bebês seja:
> Até seis meses: 100%
> Dos seis aos oito meses: 70%
> Dos nove aos onze meses: 55%
> Um a dois anos: 40%

Você sabia?

- A amamentação nutre, estimula a liberação de endorfina, o hormônio associado à sensação de prazer e bem-estar, e transmite anticorpos ao bebê.
- Reduz o risco de diabete na mãe.
- O leite materno contém um tipo especial de carboidrato que é necessário para a formação da flora intestinal protetora, que inibe o desenvolvimento de germes e parasitas intestinais.
- A incidência de diarreia é de 3 a 14 vezes maior em bebês alimentados com mamadeiras em relação aos que mamam no peito.

Sete curiosidades sobre o Dia das Mães

1. As mais antigas celebrações do Dia das Mães remontam às comemorações primaveris da Grécia Antiga, em honra de Rhea, mulher de Cronos e mãe dos deuses.
2. Em Roma, as festas comemorativas do Dia das Mães eram dedicadas a Cybele, a mãe dos deuses romanos, e as cerimônias em sua homenagem começaram por volta de 250 a.C.
3. Durante o século XVII, a Inglaterra celebrava no 4º domingo de Quaresma (quarenta dias antes da Páscoa) o "Domingo da Mãe", que pretendia homenagear todas as mães inglesas. Neste período, a maior parte da classe baixa inglesa trabalhava longe de casa e vivia com os patrões. No Domingo da Mãe, os servos tinham um dia de folga e eram encorajados a voltar para casa e passar esse dia com a sua mãe.
4. Nos Estados Unidos, a comemoração de um dia dedicado às mães foi sugerida pela primeira vez em 1872 por Julia Ward Howe, com o apoio de outras mulheres, que se uniram contra a crueldade da guerra e lutavam, principalmente, por um dia dedicado à paz. Mas a data nunca foi fixada oficialmente.

5. A luta para estabelecer oficialmente um dia em homenagem às mães partiu de Anna Jarvis, em 1904, quando sua mãe morreu e ela mandou rezar uma missa em homenagem a todas as mães. Três anos depois, a 10 de maio de 1907, foi celebrado o primeiro Dia das Mães na igreja de Grafton, no estado norte-americano de Massachusetts. Nessa ocasião, Jarvis enviou para a igreja quinhentos cravos brancos que deviam ser usados por todos, e que simbolizavam as virtudes da maternidade.

6. Ao longo dos anos, Anna enviou mais de 10 mil cravos para a igreja de Grafton – encarnados para as mães ainda vivas e brancos para as já desaparecidas –, que são hoje considerados mundialmente símbolos de pureza, força e resistência das mães.

7. A campanha foi aceita e copiada por todos os estados americanos. Em 1914, o presidente Wilson declarou oficialmente que o segundo domingo de maio seria o Dia da Mães em todo o território americano.

POR QUE SE DIZ QUE UMA MÃE É CORUJA?
Toda mãe exagera nas qualidades de seus filhos. Mas a "mãe coruja" exagera bem mais. A expressão nasceu na fábula "A coruja e a águia". As duas aves fizeram um acordo: uma não poderia comer os filhotes da outra. Foi aí que a águia perguntou à coruja como eram os seus filhotes. Ela respondeu: "São os mais lindos do mundo". Depois de algum tempo, durante um voo, a águia avista um ninho com filhotes bem feios. Ela ataca o ninho e come todos. Descobre, então, que aqueles filhotes horrorosos eram da coruja, que os achava lindos.

Você sabia?

Nos bancos de sêmen brasileiros, o biotipo mais procurado é o do homem com altura superior a 1,75 metro, cabelos e olhos castanhos, nível superior completo e tipo sanguíneo A positivo. Em 2007, o sêmen nacional para inseminação custava 400 reais. O importado saía por 1.800 reais.

As santas protetoras...

Santa Ágata: doença das mamas
Santa Apolônia: dor de dente
Santa Bárbara: lutas
Santa Dinfma: doentes mentais
Santa Edwiges: dívidas
Santa Genoveva: desastres
Santa Isabel: guerras
Santa Luzia: olhos
Santa Margarida: complicações no parto
Santa Rita de Cássia: causas impossíveis
Santa Terezinha: falta de fé
Santa Valburga: fome
Santa Viviana: epilepsia
Santa Zita: chaves perdidas

... e as padroeiras

- Padroeira dos desfavorecidos: a menina Izildinha morreu em 1919, mas seu corpo permaneceu intacto após quarenta anos. Ficou conhecida como o anjo do senhor.

- Protetora dos aflitos: Alma Milagrosa teria sido uma escrava que viveu na região de Franca (SP), e foi morta de forma cruel.

- Santa da gravidez impossível: Maria Conceição de Barros morreu em 1928, assassinada pela família de um estudante de quem ela engravidou.

- Maria degolada dos amores contrariados: Maria Francelina Trenes foi degolada em 1899 por seu amante, no bairro do Partenon, em Porto Alegre (RS).

- Padroeira das crianças: Ana Lídia Braga morreu em 1973, depois de ter sido violentada com sete anos.

Quais foram os três segredos de Fátima?

Em 13 de maio de 1917, três crianças portuguesas, os irmãos Francisco e Jacinta e a prima Lúcia, foram testemunhas de seis aparições de Nossa Senhora de Fátima, que lhes confidenciou três segredos:

1. Em 1944, Lúcia revelou o primeiro segredo: uma horrível descrição do inferno.

2. No mesmo ano, revelou que Nossa Senhora teria dito que apenas se a Rússia se convertesse ao cristianismo a humanidade conseguiria se redimir.

3. O papa Pio XII foi guardião do último segredo, em 1960, que só foi revelado publicamente quarenta anos depois: papa, bispos e religiosos seguem uma trilha de cadáveres que caem após serem baleados. A Igreja relacionou esse segredo ao atentado que o papa João Paulo II sofreu em 1981.

Pequenas histórias de deusas

1. Ísis: a deusa egípcia do luto, casada com Osíris. Quando ele morreu, ela o velou e depois recuperou seu corpo para conceber um filho dele, ao qual chamou Hórus.

2. Hator: protetora dos amantes. Acolhia as almas no mundo subterrâneo e as reanimava com alimentos.

3. **Atena**: a deusa virgem. A poderosa filha de Zeus rivalizava em inteligência com o pai e, dedicada aos estudos e descobertas, jamais se entregou a ninguém.

4. **Ártemis**: protegia não apenas sua castidade como também a de suas companheiras.

5. **Afrodite**: gerou muitos filhos. Mas seu mais belo amante, Adonis, não lhe deu nenhum. Antes que a fecundasse, foi morto por um javali.

Quem era Penélope?

Segundo a mitologia grega, casou-se com Ulisses, por quem era apaixonada. Quando ele lutou na Guerra de Troia, o pai de Penélope sugeriu que ela se casasse novamente. Mas ela amava o marido e decidiu esperar sua volta. Contudo, para não desagradar o pai, aceitou a corte de vários pretendentes e disse que só se casaria com um deles quando a colcha matrimonial que tecia estivesse pronta. Durante a noite, desfazia o trabalho feito de dia. Quando uma escrava a delatou, Penélope concordou em se casar, mas só com aquele que atirasse tão bem uma flecha quanto Ulisses. Nenhum pretendente conseguiu. Depois de alguns dias, um mendigo pediu para tentar e acertou o alvo. Imediatamente ela o reconheceu: era Ulisses.

Heroínas

Nos mitos, as heroínas enfrentam grandes desafios. Veja em que perfil você se encaixa.

- **Antígona**: é uma entre os quatro filhos que Édipo teve com Jocasta, sem saber que ela era sua mãe. Quando descobre, Édipo cega a si próprio, recusando o trono. Representa a integridade e a ética.

- **Dânae**: mãe de Perseu, que mata o avô por acidente sem saber do parentesco. Mesmo assim, a mãe o protege. Representa a função materna.

- **Ifigênia**: filha de Agamenon, é oferecida em sacrifício à deusa Ártemis pelo pai. Embora Ifigênia aceite resignada a missão, Ártemis a recusa e a transforma em rainha. Representa a sabedoria e a paciência.

- **Hipólita**: filha de Ares, é rainha das amazonas, tribo de guerreiras. Tem o cinturão mágico que entrega a Hércules, por paixão. Representa poder e perseverança.

- **Hipermnestra**: obrigada pelo pai a se casar com um homem da família inimiga, para antes da noite de núpcias assassiná-lo, ela contraria a ordem. Representa a contestação dos valores patriarcais.

- **Psique**: era mortal e tão bela que encantou o deus Eros, do amor. Mas ele a proibiu de olhá-lo. Enquanto ele dormia, ela o iluminou com a lamparina e acabou queimando-o, o que lhe valeu uma punição de Afrodite. No final, Psique foi salva por Eros e casou-se com ele. Representa a transformação da paixão em amor.

> **O QUE HAVIA DENTRO DA CAIXA DE PANDORA?**
> A humanidade poderia viver em paz até hoje não fosse uma vingança de Zeus. O deus do Olimpo perdeu a paciência quando o titã Prometeu, contrariando sua vontade, ensinou aos humanos como fazer fogo. Irritado, Zeus mandou que fosse feita uma estátua de uma linda donzela, batizada de Pandora, e deu a ela uma caixa cheia de malefícios para a humanidade. Ordenou então que descesse até a Terra e abrisse por lá o seu presente. Foi aí que começaram nossos problemas. A caixinha continha, entre outras coisas, dores, doenças, guerras e sofrimentos.

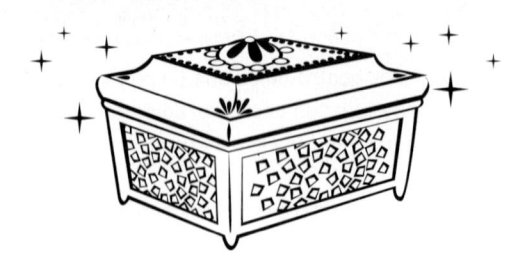

Sereias

- De acordo com os nórdicos, elas eram mulheres-peixe que simbolizavam o perigo dos oceanos. De acordo com algumas lendas bretãs, eram fadas do mar.

- Para os gregos, as sereias viviam na ilha do Ponnant, na França, e eram feiticeiras. Mas o cadáver de uma delas – Parténope – teria sido encontrado na Campânia. Assim, a cidade foi batizada com esse nome e, muitos anos mais tarde, rebatizada como Nápoles.

- Na Antiguidade, as sereias eram invocadas no momento da morte. Por isso, muitos sepulcros têm estátuas de sereias.

- A obra literária mais antiga que fala sobre as sereias é *Odisseia*, de Homero, escrita em 850 a.C. Ulisses, alertado pela feiticeira Circe, fica prisioneiro dos seus encantos ao passar próximo da ilha onde habitavam as sereias. Desde então, elas se transformaram em símbolo mitológico da arte da sedução.

Seis curiosidades sobre mulheres e religiões

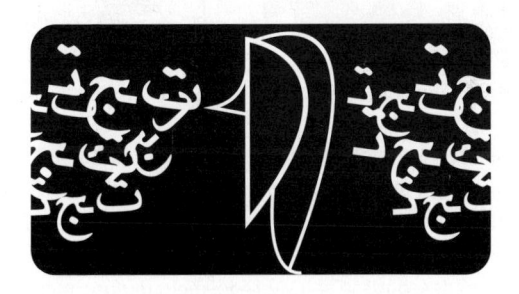

1. Para os muçulmanos, o físico da mulher não é uma vitrine de exibição e deve se manter coberto dos olhares de todos. O uso do véu é visto como uma maneira de proteger a mulher, escondendo seu rosto, que pode ser mostrado apenas para seus parentes e amigos próximos.

2. De acordo com a Igreja Católica, só os padres recebem o sacramento da ordem concedido pelos bispos. Para a Igreja, as mulheres não podem se ordenar porque os apóstolos de Jesus eram todos homens.

3. Ao pedir ao chefe da religião judaica que transmitissem as leis da Torá, Deus teria dito que as mulheres fossem comunicadas primeiro, porque aceitariam melhor e ainda ajudariam a convencer os homens.

4. Para os cristãos evangélicos, as mulheres devem se vestir com modéstia e bom senso. Elas não cortam os cabelos porque, segundo a religião, eles representam a glória da mulher.

5. Os templos budistas liderados por monjas são menores e submetidos a templos maiores e mais poderosos presididos por monges. Muitas se orgulham de não participar das questões políticas, porque isso permite que se atenham exclusivamente às questões religiosas.

6. O médium Chico Xavier destinava 2/3 dos lugares nas mesas de trabalho às mulheres. Das comunicações que intermediou, 80% eram mensagens de filhos mortos para suas mães desesperadas.

Orixás femininos

IANSÃ
Quem é: Mulher guerreira, que se afasta do lar para batalhar.
História: Ogum caçava quando viu um búfalo. Preparou a lança, mas o búfalo parou, abaixou a cabeça e começou a se despir da própria pele. Surgiu uma bela mulher, Iansã, vestida com panos coloridos e pulseiras. Disfarçava-se para que ninguém descobrisse seu segredo, meio mulher, meio animal. Ogum descobriu e casou-se com ela.
Filhas de Iansã: São voluntariosas e só se deixam convencer por quem sabe conter seus ímpetos.
Cor: vermelho.

IEMANJÁ

Quem é: Rainha do mar e mãe dos orixás.
História: Tinha vergonha dos seios caídos de tanto amamentar, e por causa deles foi ofendida pelo marido Okerê. Transformou-se em rio e fugiu em direção ao mar, onde vivia sua mãe. O marido se transformou em montanha, para interromper o curso do rio, e Iemanjá pediu ao filho Xangô, o senhor da justiça, que mandasse raios e partisse a montanha ao meio. Iemanjá chegou ao mar e lá vive até hoje.
Filhas de Iemanjá: Gostam de luxo e ostentação. Força e determinação são suas melhores qualidades.
Cor: azul translúcido.

NANÃ

Quem é: Dona e guardiã do reino da morte.
História: Fez o caminho inverso ao de Iemanjá, e suas histórias são rodeadas de mistérios. Era ela quem recebia e aconchegava os cadáveres para modificá-los e permitir que nascessem de novo. É considerada uma figura austera e justiceira, incapaz de brincadeira.
As filhas de Nanã não se expõem, jamais se permitem uma explosão emocional. Envelhecem rápido e aparentam mais idade do que têm.
Cor: roxo.

OBÁ

Quem é: Energética, era desprovida de vaidade.
História: Quando Xangô, marido de Oxum, casou-se com Obá, Oxum quis morrer de ciúme. Tramou enganar Obá, dizendo que a comida favorita do marido era uma sopa afrodisíaca feita com suas próprias orelhas. Na verdade, ela cozinhava imensos cogumelos. Obá, enganada por Oxum, cortou e cozinhou as próprias orelhas, causando repugnância e horror em Xangô.
As filhas de Obá são incompreendidas e tendem a viver com amargor suas experiências de vida.
Cor: cobre e marrom.

OXUM

Quem é: Senhora dos rios e controladora da fecundidade.

História: Existem 16 tipos diferentes de Oxum – das adolescentes às mais velhas. Usam arco e flecha para se defender, mas não gostam de guerra. Sua natureza era ter filhos e criar bebês e crianças.

As filhas de Oxum preferem contornar um obstáculo com habilidade a ter de enfrentá-lo. São teimosas, obstinadas e muito persistentes. Mas tendem a ser vaidosas, narcisistas e fofoqueiras.

Cor: amarelo.

9

Quem disse que ganhar ou perder não importa, provavelmente perdeu.

MARTINA NAVRATILOVA
(1956-), tenista

Esportes e dança

Na Idade Média, a Igreja Católica ainda ditava as normas de comportamento da sociedade e, entre elas, havia a proibição de mulheres praticarem esportes. Só a partir do Renascimento essas regras começaram a ser revistas. Até mesmo no início das Olimpíadas da Era Moderna, as mulheres tiveram de enfrentar um inimigo: o criador dos próprios jogos, o barão de Coubertin, era contra a presença delas. Coubertin caiu fora e, aos poucos, as modalidades foram oficializando as competições para os dois sexos – o basquete feminino entrou para os Jogos apenas em 1976, e o salto de vara feminino, em 2000. No futebol, os homens nem se classificaram para os Jogos de Atenas, em 2004, e as mulheres terminaram com a medalha de prata. As barreiras foram ficando para trás.

BRASILEIRAS QUE FIZERAM BONITO

Aída dos Santos (atletismo)
Foi a responsável pela melhor *performance* feminina do Brasil em atletismo nas Olimpíadas. Ficou em quarto lugar no salto em altura nos Jogos de Tóquio, em 1964.

Ana Moser (vôlei)
Foi uma das principais armas ofensivas da Seleção Brasileira durante toda a década de 1990. Conquistou dois Grand Prix (1994 e 1996) e participou de três Olimpíadas (1988, 1992 e 1996). Em Atlanta, a jogadora catarinense de 1,85 metro recuperou-se de uma cirurgia a tempo de ajudar a equipe a conquistar a medalha de bronze, a primeira em toda a história do vôlei feminino em Olimpíadas. Despediu-se das quadras em 1999.

Daiane dos Santos (ginástica olímpica)
A gaúcha nascida em 1983 foi descoberta aos 11 anos, brincando no trepa--trepa de uma praça. Além de conquistar ouro no exercício de solo no Mundial de Ginástica Olímpica de 2003, a ginasta gaúcha de 1,45 metro fez história com o seu inédito "duplo *twist* carpado", batizado de "Dos Santos" pela Federação Internacional de Ginástica. No ano seguinte, apresentou o "duplo *twist* esticado". Na Olimpíada de Atenas, em 2004, ficou em quinto lugar.

Daniele Hypólito (ginástica olímpica)
Foi a primeira brasileira a ganhar medalhas em etapas de importantes competições internacionais – prata na categoria solo no Mundial da Bélgica (2001, com apenas 17 anos) e ouro na trave na etapa da Alemanha da Copa do Mundo (2002). Em 1997, a ginasta estava no ônibus que sofreu um acidente na via Dutra. Sua técnica, Georgette Vidor, ficou paraplégica, mas continuou treinando a atleta.

Fernanda Keller (triatlo)
É a maior triatleta brasileira. Compete no esporte que reúne três modalidades – natação, ciclismo e corrida – desde os 18 anos. Participou do disputadíssimo Campeonato Mundial de Iron Man, no Havaí, de 1986 a 2004, um recorde entre mulheres. Conquistou seis medalhas de bronze ao longo dos anos.

Fernanda Venturini (vôlei)
É considerada uma das melhores levantadoras da história do vôlei. Substituiu as antigas estrelas do esporte, Isabel e Vera Mossa. Fernanda tornou-se titular absoluta da Seleção Brasileira e participou das principais conquistas da equipe na primeira metade dos anos 1990. Pediu aposentadoria da Seleção em 1998, mas voltou em 2003. Despediu-se da Seleção novamente em 2004, após o quarto lugar nos Jogos Olímpicos de Atenas. Fernanda é casada desde 1999 com o seu ex-técnico, Bernardo Resende, com quem tem uma filha, Julia.

Jacqueline Silva e **Sandra Pires** (vôlei de praia)
A dupla entrou para a história ao conquistar o primeiro ouro feminino do Brasil no torneio de vôlei de praia, que fazia sua estreia nos Jogos Olímpicos de Atlanta (EUA), em 1996. Outra dupla brasileira, **Adriana Samuel** e **Mônica Rodrigues**, ficou com a medalha de prata.

Janeth (basquete)
A jogadora encerrou a carreira de 25 anos com a medalha de prata nos Jogos Pan-Americanos do Rio de Janeiro, em 2007. O Brasil perdeu a final para a seleção dos Estados Unidos por 79 X 66. Ela era a última remanescente das equipes que conquistaram as medalhas de ouro no Pan de Havana (1991) e no Mundial de 1994, as de prata nos Jogos Olímpicos de Atlanta (1996) e no Pan de Indianápolis (1987) e o bronze nas Olimpíadas de Sydney (2000). Janeth conquistou também um tetracampeonato da WNBA, a liga norte-americana.

> Na despedida, ela cantou um trecho da música de Roberto Carlos: "Se chorei ou se sorri, o importante é que emoções eu vivi".

Hortência (basquete)
Nos Jogos Pan-Americanos de Cuba, em 1991, venceu o time da casa e recebeu a medalha de prata das mãos do próprio Fidel Castro. Participou da conquista do mundial de basquete de 1994. Também ganhou a medalha de prata nas Olimpíadas de 1996, que marcou sua despedida das quadras. Tornou-se recordista de pontos em uma só partida (121). A jogadora entrou para o Hall da Fama do esporte em 2005. Foi a primeira brasileira a receber a honraria. Até 2007, o Hall da Fama só contava com mais uma atleta não americana: a russa Ulana Seminova, que ingressou em 1993.

Paula (basquete)
Companheira de Hortência no time campeão do mundo de 1994 e medalha de prata nas Olimpíadas de 1996, passou a ser chamada de "Magic Paula" por seu desempenho nas quadras de basquete. O apelido faz referência a Magic Johnson, um dos mais importantes jogadores de basquete norte-americanos da história do esporte. Paula, de 1,74 metro, era considerada baixa para o esporte.

Piedade Coutinho (natação)
Chegou em quinto lugar na prova dos 400 m nado livre nos Jogos Olímpicos de Berlim, em 1936. Doze anos depois, voltou a competir, e terminou em sexto lugar nas Olimpíadas de Londres.

Virna (vôlei)
A potiguar Virna Dias, de 1,84 metro, foi convocada pela primeira vez para a Seleção Brasileira adulta em 1991. Mas somente com a entrada do técnico Bernardinho, em 1993, é que ela teve as melhores oportunidades. Entre 1994 e 2004, conquistou quatro medalhas de ouro em Grand Prix. Despediu-se da Seleção depois dos Jogos de Atenas e começou a jogar vôlei de praia ao lado de **Sandra Pires**, em 2006.

AS DUAS SUPERMARIAS

Maria Esther Bueno (1939-)
• Nasceu na cidade de São Paulo e começou a jogar tênis em 1950 no Clube de Regatas Tietê.
• Em seus vinte anos de carreira, colecionou 585 títulos internacionais, entre os quais se destacam feitos importantes, como a conquista dos torneios individuais de Forest Hills (onde era disputado o US Open), em 1959, 1963, 1964 e 1966, e os de duplas de 1960 (com Darlene Hard), 1962 (Darlene Hard), 1966 (Nancy Richey) e 1968 (Margaret Court). Ganhou também os torneios individuais de Wimbledon, na Inglaterra, em 1959, 1960 e 1964, e os de duplas em 1958 (com Althea Gibson), 1960 (Darlene Hard), 1963 (Darlene Hard), 1965 (Billie Moffitt) e 1966 (Nancy Richey).
• Ganhou ainda os individuais de Roland Garros, na França, em 1960; o Torneio Aberto da Itália, em 1958, 1960 e 1965; e o de duplas do Torneio Aberto da Austrália, em 1960.
• Em novembro de 1978, Maria Esther Bueno foi homenageada com a inclusão de seu nome na galeria do exclusivíssimo International Tennis Hall of Fame, numa cerimônia realizada no Hotel Waldorf-Astoria, de Nova York.

Maria Lenk (1915-2007)

Maria Emma Hulda Lenk Zigler nasceu na cidade de São Paulo. Começou a nadar aos dez anos, em 1925, nas então límpidas águas do rio Tietê, em São Paulo. Aprendeu a nadar com o pai, Paul, ex-ginasta, para se curar de uma pneumonia.

- Ela foi a primeira atleta sul-americana a disputar os Jogos Olímpicos, em 1932, na cidade de Los Angeles, nos Estados Unidos. Era a única mulher entre os 66 atletas brasileiros. Tinha apenas 17 anos. Usou um maiô de lã emprestado e competiu nas provas de 100 m livre, 100 m costas e 200 m peito.
- Foi a primeira mulher a adotar o estilo borboleta nas Olimpíadas de Berlim, na Alemanha, em 1936.
- Maria Lenk foi a primeira sul-americana a quebrar recordes mundiais – 200 m e 400 m peito – em 1939. As façanhas contribuíram para reforçar seu prestígio internacional.
- No ano de 1943, a nadadora organizou as primeiras apresentações de balé aquático no Brasil. Essas apresentações ajudaram a criar o nado sincronizado por aqui.
- A atleta entrou para o Hall da Fama da Federação Internacional de Esportes Aquáticos em 1988. É a única nadadora sul-americana a figurar no Hall.
- Em 2000, ganhou cinco medalhas de ouro no Mundial Masters, na categoria 85-90 anos.
- A nadadora morreu em 16 de abril de 2007, aos 92 anos, depois de se sentir mal na piscina do Flamengo, no Rio de Janeiro. Ela treinava para o Campeonato Brasileiro de Masters. Diariamente, nadava 1.500 m. Maria Lenk sofreu um rompimento da aorta torácica e teve uma parada cardíaca.

AS MULHERES NAS OLIMPÍADAS

Nos Jogos Olímpicos da Antiguidade, os homens competiam nus e as mulheres eram proibidas até mesmo de assistir às competições. O primeiro artigo do regulamento olímpico proibia a participação feminina em qualquer modalidade. O próprio barão de Coubertin, criador dos Jogos Olímpicos da era moderna, opunha-se à presença de mulheres nas disputas. Mas havia uma grande pressão por parte das feministas, cada vez mais atuantes. Em 1900, elas eram seis corajosas tenistas e cinco golfistas, que enfrentaram as recusas dos organizadores. Para acalmar a fúria destas precursoras, foi montada uma espécie de torneio paralelo. Em 1920, inscreveram-se 63 mulheres nos Jogos da Antuérpia. Elas já somavam 136 em 1924. Logo na abertura dos Jogos de Amsterdã, em 1928, o barão subiu à tribuna e pediu demissão do cargo de presidente de honra do Comitê Olímpico Internacional. No discurso, ele acusou seus seguidores de haverem "traído o ideal olímpico, permitindo a presença de mulheres".

◈ A tenista britânica **Charlotte Cooper** ganhou a primeira medalha de ouro feminina da história, em 1900, mas demorou a descobrir. Seus familiares só receberam a notícia em 1983, quando o Comitê Olímpico dos Estados Unidos fez um grande levantamento sobre a história desses Jogos em Paris.

◈ A ginasta ucraniana **Larissa Latynina** foi a atleta que mais ganhou medalhas em jogos olímpicos – 18 no total: 9 de ouro, 5 de prata e 4 de bronze. Sua última participação foi em Tóquio (1964), quando ganhou 6 medalhas.

◈ Nas Olimpíadas de 1924, em Paris, a norte-americana **Gertrude Ederle** ganhou a medalha de bronze nos 100 m nado livre. Mas, dois anos depois, ela se notabilizaria por ser a primeira mulher a atravessar o Canal da Mancha a nado.

◈ A atleta canadense **Ethel Catherwood** foi eleita a "musa dos Jogos Olímpicos de 1928", em Amsterdã (Holanda), pelo jornal *The New York Times*. Fez tanto sucesso que acabou sendo convidada para ser estrela em Hollywood. Mas recusou o convite. Outros tempos...

◈ Por considerarem as mulheres ainda frágeis, os organizadores de atletismo dos Jogos não faziam provas mais longas que 400 m rasos para elas. Em 1928, nas Olimpíadas de Amsterdã, foi realizada pela primeira vez a prova de 800 m. A alemã **Lina Radke** venceu a prova, mas várias competidoras desmaiaram na pista. A prova foi suspensa e só voltou a ser disputada nos Jogos de Roma, em 1960.

◈ Polonesa radicada nos Estados Unidos, **Stanislawa Walasiewicz** venceu a prova dos 100 m rasos nos Jogos Olímpicos de Los Angeles (EUA), em 1932. Ela morreu em 1980, vítima de uma bala perdida. Na autópsia, descobriu-se que Stanislawa era, na verdade, um homem.

◈ Um exemplo do melhor espírito olímpico: na final da prova de esgrima, em 1932, a britânica Judy Guinness chamou a atenção do árbitro para os dois pontos que sua rival, a austríaca **Ellen Preis**, havia feito. Com os dois pontos, Ellen ficou com o ouro e Judy, com a prata.

◈ Medalha de ouro nos 100 m costas em 1932, a nadadora e atriz norte-americana **Eleanor Holm** (1913-2004) foi expulsa da delegação que competiria nos Jogos de Berlim, em 1936. Durante uma festa no navio que levava a equipe para a Alemanha, Eleanor teria tomado um porre de champanhe tão grande que quase ficou em coma. Eleanor desmentiu essa versão. Disse que, de fato, bebera um pouquinho, mas não obedeceu uma ordem de ir se deitar às 21 horas.

◈ A norte-americana **Helen Stephens** contou que, ao subir na tribuna para receber a medalha de ouro pelos 100 m rasos, nos Jogos de Berlim-36, recebeu um abraço do *führer* alemão Adolf Hitler e um convite para "um final de semana". A atleta não topou.

◈ Em 1936, a norte-americana **Marjorie Gestring** conquistou o ouro nos saltos ornamentais. Marjorie tinha 13 anos e 267 dias, e até hoje é a mais jovem mulher a vencer uma prova individual nos Jogos Olímpicos. Só que a mais jovem medalhista é a nadadora dinamarquesa **Inge Sorensen**, de 12 anos e 24 dias, bronze nos 200 m nado de peito, nas mesmas Olimpíadas.

◈ O arremessador americano Harold Connoly, ouro no martelo, e a arremessadora tcheca **Olga Fikotová**, ouro no disco, se apaixonaram durante os Jogos de Melbourne (Austrália), em 1956. Um ano depois, desafiando a Guerra Fria, os dois se casaram. Olga naturalizou-se e disputou ainda quatro Olimpíadas pelos Estados Unidos. O casal se separou em 1973.

✧ Como forma de penitência por só ter conseguido o quinto lugar no arremesso de dardo, em Tóquio-64, a soviética **Elvira Ozolina** cortou sozinha seus longos cabelos loiros.

✧ A britânica **Mary Bignal-Rand** demorou para comemorar a sua vitória e o recorde mundial do salto em distância nos Jogos Olímpicos de Tóquio (Japão), em 1964. Ela teve de consultar uma tabela de conversão de medidas, pois estava acostumada apenas com os resultados em pés e polegadas.

✧ As 16 garotas da Seleção Japonesa de vôlei treinaram duro por muito tempo para os Jogos Olímpicos de Tóquio. Elas eram operárias e trabalhavam das 7 horas às 15h30. A partir das 16 horas, as atletas começavam a treinar. Isso ia até meia-noite. Aos domingos, elas não trabalhavam. Em compensação, ficavam treinando o dia inteiro. Não havia, portanto, tempo para o lazer, para a família e para o namoro. Quando as japonesas ganharam a medalha de ouro, o imperador pediu ao povo para ajudá-las a encontrar namorados. Depois disso, nenhuma delas teve problemas amorosos.

✧ Em 1968, **Norma Enriqueta Basílio Satelo**, do atletismo, se tornou a primeira mulher a acender a pira olímpica no estádio Olímpico, na Cidade do México.

✧ A ginasta soviética **Olga Korbut** emocionou muita gente com as duas medalhas de ouro e uma de prata que conquistou nos Jogos Olímpicos de Munique (Alemanha), em 1972. Mas a garota de 17 anos virou a "queridinha do público" quando caiu das barras assimétricas e recebeu uma nota 7,5. Chorou tanto que acabou recebendo um buquê de flores de um torcedor. Só assim as lágrimas pararam.

◈ Em 1992, em Barcelona, **Derartu Tulu**, da Etiópia, foi a primeira africana a vencer uma Olimpíada. No final dos 10 mil metros, a corredora aguardou a segunda colocada, a sul-africana **Elana Meyer**, para cruzarem a linha de chegada de mãos dadas. O ato simbolizava o fim do *apartheid* na África.

◈ A holandesa **Fanny Blankers-Koen** bateu 16 recordes mundiais em oito provas de atletismo. Depois da Segunda Grande Guerra, ela, que tinha trinta anos e dois filhos, brilhou nas Olimpíadas de Londres (1948) com quatro medalhas de ouro.

◈ Opositora do comunismo, a ginasta tcheca **Vera Cáslavská** assinou o "Manifesto das 2 mil Palavras" em abril de 1968. Por isso, ela teve de se esconder nas montanhas por três semanas quando as tropas soviéticas invadiram seu país. Isso dois meses antes das Olimpíadas do México (1968). O novo governo da Tchecoslováquia a perdoou a tempo de Vera competir no México e conquistar quatro medalhas de ouro e duas de prata.

◈ Entre 1980 e 2004, a alemã **Birgit Fischer** ganhou medalhas de ouro em canoagem em todas as edições dos Jogos Olímpicos de que participou. Ganhou uma em 1980, 1992, 1996 e 2004, e duas em 1988 e 2000. Não disputou as Olimpíadas de 1984 porque a Alemanha Oriental boicotou a competição.

◈ A atleta australiana **Cathy Freeman** foi escolhida para acender a pira olímpica nos Jogos de Sydney, em 2000, por causa de sua ascendência aborígine. Foi o modo que o país encontrou para simbolizar o desejo de reconciliação com os povos que habitavam o país antes da chegada dos colonizadores europeus. Nas pistas, Cathy ganhou o ouro na prova de 400 m.

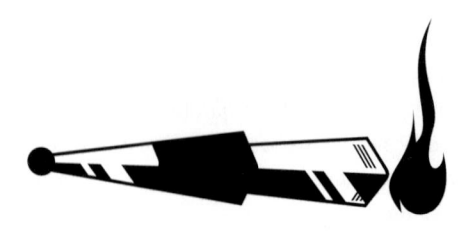

EVOLUÇÃO DO NÚMERO DE MULHERES NOS JOGOS OLÍMPICOS

1896	-	1936	331	1980	1.115
1900	22	1948	390	1984	1.566
1904	6	1952	519	1988	2.194
1908	37	1956	376	1992	2.704
1912	48	1960	611	1996	3.512
1920	65	1964	678	2000	4.069
1924	135	1968	781	2004	4.439
1928	277	1972	1.059		
1932	126	1976	1.260		

NÚMERO DE ATLETAS BRASILEIRAS NAS OLIMPÍADAS

1920	-	1972	5
1924	-	1976	7
1932	1	1980	15
1936	6	1984	21
1948	11	1988	34
1952	5	1992	50
1956	1	1996	66
1960	1	2000	94
1964	1	2004	122
1968	3		

O Brasil não participou dos Jogos Olímpicos de 1896, 1900, 1904, 1908, 1912 e 1928.

As campeãs da perseverança

✧ A americana **Wilma Glodean Rudolph**, apelidada de "Gazela Negra", nasceu prematura, com apenas 2 kg, e muitos não acreditavam que sobrevivesse. Ela resistiu e teve uma vida normal até os quatro anos, quando contraiu pneumonia dupla e escarlatina, doenças que quase a mataram. Conseguiu superá-las, mas logo depois foi atingida pela pólio, que atrofiou seu pé e perna direitos. Fez exercícios de correção, usou sapatos e aparelhos especiais, e, como parte do tratamento, começou a praticar esportes. Tornou-se uma excelente jogadora de basquete. Estreou nos Jogos de 1956 na natação, com uma medalha de bronze no revezamento 4 X 100 m, aos 16 anos. Seu desempenho foi tão bom que participou dos Jogos Olímpicos de Roma, em 1960, e ganhou três medalhas de ouro – 100 e 200 m, e do revezamento 4 X 100 m.

✧ A americana **Elizabeth Robinson** venceu a prova dos 100 m em 1928 e voltou a ganhar o ouro no revezamento 4 X 100 m em 1936. Acontece que, entre uma medalha e outra, Elizabeth sofreu um desastre de avião em que teve concussão cerebral, quebrou uma perna e um braço, ficou inconsciente durante sete semanas, perdeu em parte a capacidade de ver e ouvir, e demorou dois anos para voltar a andar normalmente.

✧ Mesmo sem mexer as pernas, por causa de uma poliomielite, a amazona dinamarquesa **Lis Hartel** conquistou a medalha de prata no hipismo nos Jogos de Helsinque (Finlândia), em 1952.

✧ Aos 35 anos, idade considerada avançada para a ginástica, a húngara **Agnes Keleti** conquistou três medalhas de ouro e uma de prata nos Jogos de Melbourne (Austrália). Depois da competição, ela pediu asilo político à Austrália, pois seu país havia sido invadido por tropas soviéticas.

✧ Faltando 17 dias para o início dos Jogos Olímpicos de Los Angeles (EUA), em 1984, a norte-americana **Joan Benoit** estourou o joelho e teve de passar por uma artroscopia. A operação foi um sucesso e ela voltou a tempo de ganhar a medalha de ouro na maratona feminina.

✧ A cena mais comovente dos Jogos de Los Angeles, em 1984, foi o gesto de heroísmo da atleta suíça **Gabrielle Andersen-Scheiss**, de 39 anos. Ela entrou trôpega, cambaleante e desequilibrada no estádio Coliseu, demorando sete longos minutos para percorrer dramaticamente os últimos 400 m dos 42 km da maratona, acompanhada de perto pela equipe médica do Comitê Organizador. Foi o 37º lugar mais aplaudido da história olímpica.

✧ A nadadora alemã-oriental **Kristin Otto** ganhou seis medalhas de ouro nos Jogos Olímpicos de Seul (Coreia do Sul), em 1988. Foram quatro individuais e mais duas por equipe. Kristin garante que não se dopava. Sua conterrânea Kornelia Ender, quatro ouros e quatro pratas em 1972, admitiu que era dopada sem saber.

◆ Em 1991, a americana **Gail Devers** mal podia andar. Era vítima de uma doença rara e esteve ameaçada de sofrer a amputação dos pés. Nos Jogos de Barcelona, em 1992, ela venceu os 100 m e só não ficou com o ouro nos 100 m com barreiras porque tropeçou no último obstáculo.

◆ A cubana **Anna Quirot** foi medalha de prata nos 800 m dos Jogos Olímpicos de Atlanta (EUA), em 1996. Três anos antes, ela sofreu um acidente doméstico em que queimou quase todo o seu corpo.

◆ Foi uma das cenas mais emocionantes dos Jogos de Atlanta. Mesmo com o tornozelo torcido, a ginasta americana **Kerri Strug** realizou o segundo salto sobre o cavalo para ajudar sua equipe a ganhar o ouro.

◆ Em 2000, a nigeriana **Glory Alozie** precisou de muita coragem para ir a Sydney. Duas semanas antes, seu noivo havia morrido atropelado na cidade australiana. A atleta perdeu muito peso antes das provas e seu treinador tinha de colocar a comida em sua boca para que ela se alimentasse. Mesmo assim, Glory conquistou a prata nos 100 m com barreiras. Especialistas declararam que, se ela não estivesse tão fraca, poderia ter conseguido o ouro.

> A brasileira **Juliana Veloso** já teve vinte ossos quebrados em treinos e competições de saltos ornamentais. Ela quebrou o punho direito nos Jogos Pan-Americanos de 2003, quando bateu na água – a velocidade do impacto supera os 150 km/hora. A dor foi recompensada por uma medalha de bronze.

TRÊS GRANDES MULHERES

A "vovó" australiana

✧ A australiana **Dawn Fraser** (1937-) foi a única nadadora a ganhar a mesma prova olímpica – no seu caso, os 100 m livres – em três Jogos consecutivos (1956, 1960 e 1964). Na primeira delas, Dawn dedicou a medalha a seu irmão, que morrera de leucemia. Em sua última Olimpíada, ela estava com 27 anos, enquanto suas companheiras beiravam os 14 anos. Ganhou o apelido de "Vovó". Sete meses antes, Dawn se envolvera num acidente de carro. Sua mãe morreu, uma irmã ficou ferida e ela própria machucou o pescoço.

✧ Fraser bateu 27 vezes o recorde mundial (e outros 12 em provas de revezamento) e foi a primeira mulher a baixar um minuto a marca dos 100 m livres.

✧ Em 1965, ela foi suspensa por dez anos em razão de três incidentes ocorridos nos Jogos um ano antes:
1. Dawn participou da cerimônia de abertura apesar da ordem em contrário, já que ela competiria no dia seguinte.
2. Recusou-se a usar o maiô oficial da equipe.
3. Atravessou o fosso ao redor do Palácio Imperial de madrugada para roubar uma bandeira japonesa como suvenir. Foi surpreendida pela polícia. Reconhecida, ela foi liberada e pôde até ficar com a bandeira. As autoridades australianas, no entanto, não a perdoaram.

A nadadora brasileira Rebeca Gusmão tatuou os anéis olímpicos em seu ombro direito.

A "menininha" romena

◆ Nas Olimpíadas de 1976, a romena **Nadia Comaneci** (1961-) – uma meninota de 1,49 m e 39 kg – conseguiu uma proeza tida como impossível: a primeira nota máxima (10) da história dos Jogos. Foi nas barras assimétricas. Como só chegava a 9,99, o placar eletrônico teve de fazer uma improvisação: 1.00. Aí o locutor teve de anunciar ao público a façanha da romena: "Nota 10 para Nadia Comaneci". Ela ainda ganharia mais duas medalhas de ouro, uma de prata e uma de bronze.

◆ Ao desembarcar de regresso a Bucareste, onde era esperada por uma multidão, Nadia chorava porque esquecera sua boneca no avião.

◆ Filha de um mecânico e de uma faxineira, Nadia tinha seis anos quando despertou a atenção do casal de treinadores Marta e Bela Karoly (que fugiriam para os Estados Unidos em 1981, onde se naturalizaram americanos). Passou a ser submetida a cinco horas de treino por dia e deixou de ir à escola. Conquistou mais duas medalhas de ouro e duas de prata para a Romênia nos Jogos de 1980, antes de encerrar sua carreira, quatro anos depois.

◆ Em 1989, Nadia cruzou a pé a fronteira da Romênia com a Hungria e pediu asilo político aos Estados Unidos.

A "gigante" soviética

◆ **Uliana Semenova** nasceu na cidade de Meduni, na Letônia, em 9 de março de 1952. Mede 2,10 m e calça tênis número 52. É a única alta da família. Tem um irmão de 1,80 m e uma irmã de 1,70 m, a mesma altura de seus pais. Começou a jogar basquete em 1965. Gosta também de vôlei, atletismo e esqui. É formada em educação física.

◆ Semenova lembra muito o grandalhão Richard Kiel, o vilão de dentes de aço dos filmes de 007. Ele mede 2,19 m.

◆ Só para efeito de comparação, o mais alto jogador de todos os tempos é Suleiman Ali (Líbia), com 2,44 m.

FUTEBOL FEMININO

A melhor do mundo

A alagoana **Marta Vieira da Silva** (1986-) foi escolhida a melhor jogadora de futebol feminino em 2006 – nos dois anos anteriores, ela chegou também à final. Natural da cidade de Dois Riachos, a jogadora defendeu o Vasco da Gama entre 2000 e 2002. Deixou o país para defender o Umea, da Suécia. Ajudou a Seleção Brasileira a conquistar a medalha de prata nos Jogos Olímpicos de Atenas, em 2004, e duas de ouro nos Jogos Pan-Americanos de 2003 e 2007. No Pan do Rio, ela foi artilheira da competição, com 12 gols, e passou a ser chamada de "Pelé de Saia".

Os Estados Unidos não têm tradição no futebol masculino. Em compensação, no feminino, já conquistaram dois campeonatos mundiais (1991 e 1999) e duas medalhas de ouro olímpicas (1996 e 2004). O principal nome do esporte por lá é o de Mia Hamm (1972-). Ela jogou até 2004. Aposentou-se aos 32 anos, com 158 gols em competições oficiais. É mãe de um casal de gêmeos de seu segundo casamento.

Musas na grande área

Faz tempo que futebol deixou de ser coisa de homem. Tanto é que certas mulheres trocaram o salto alto de profissões como atriz ou apresentadora de TV pelas chuteiras e também se aventuraram nos gramados. Conheça as feras que batem um bolão:

Vanessa Cristina Soares Dias, a Tina: a esquentadinha do Big Brother Brasil 2 resolveu canalizar sua agressividade para o esporte e foi contratada pelo Fluminense em 2002.

Suzana Werner: atual mulher do goleiro Júlio César, a modelo e atriz jogou pelo Fluminense como centroavante e capitã do time em 1996.

Milene Domingues: a ex-esposa de Ronaldo ficou conhecida como a "Rainha das Embaixadinhas", em 1996, depois de entrar para o *Guinness Book*, completando 55.187 embaixadas. No mesmo ano, jogou pelo Corinthians e depois no time espanhol Rayo Vallecano.

Isabel Cristina de Araújo Nunes, a Bel: a atleta gaúcha era atacante da Seleção Brasileira feminina em 1995, quando foi capa da revista *Playboy*. Um ano antes, atuou no futebol italiano pelo Torino.

Cléo Brandão: mais conhecida como apresentadora de programas esportivos, a jornalista jogou pelo São Paulo em 1997.

RÁDIO MULHER

A experiência durou apenas cinco anos, de 1969 a 1974, mas marcou tanto que até hoje é lembrada. A Rádio Mulher, de São Paulo, apresentou uma inédita equipe esportiva, totalmente feminina. A equipe era formada pela locutora Zuleide Ranieri Dias, as comentaristas Jurema Iara e Leilá Silveira, a árbitra Lea Campos (comentarista de arbitragem), as repórteres Germana Garili, Claudete Troiano e Branca Amaral, e as locutoras de plantão Liliam Loy, Siomara Nagi e Terezinha Ribeiro. O *slogan* da Rádio Mulher era: "A cada mulher a mais no estádio, um palavrão a menos". As comentaristas da Rádio Mulher também se diferenciavam por analisar a beleza dos jogadores – Zuleide foi a primeira a comentar sobre as pernas famosas do goleiro do Palmeiras, na época, Emerson Leão – e as cores dos uniformes.

Sensualidade

◆ As jogadoras da Seleção Australiana de futebol feminino, apelidada de "As Matildas", ganharam notoriedade ao posarem nuas para um calendário no final de 1999. Nas fotos, algumas jogadoras apareceram em nu frontal. O objetivo era arrecadar fundos para o esporte. Foram vendidos 60 mil exemplares.

◆ Várias atletas brasileiras posaram nuas para a revista *Playboy*. Uma das mais famosas foi Hortência, a "Rainha do Basquete", em 1988. Mas nenhuma causou tanta polêmica quanto a bandeirinha Ana Paula Oliveira, que posou nua para a revista *Playboy* em julho de 2007. Ana Paula esgotou rapidamente os 250 mil exemplares colocados à venda e ganhou uma edição especial da revista logo em seguida.

✧ A remadora brasileira Fabiana Beltrame aproveitou o assédio da mídia no Pan-Americano de 2007 para estrelar um ensaio sensual num site especializado. Fabiana disse que só participou do ensaio porque "não era nada vulgar e também pelo cachê muito bom".

✧ Antes do início dos Jogos Pan-Americanos do Rio de Janeiro, em 2007, sete das dezessete atletas da Seleção Brasileira de Softbol foram fotografadas para um catálogo em poses sensuais. Dirigentes da Confederação Brasileira de Softbol afirmaram que era uma maneira de divulgar o esporte e, também, de "mostrar a beleza que existe sob os uniformes". A maioria das jogadoras tem origem oriental. Uma delas, a paulista Cynthia Takahashi, declarou que tinha disputado um concurso de beleza oriental com a apresentadora de TV Sabrina Sato, em 1999.

✧ A mesma tática havia sido usada em 1949 por uma cervejaria americana. A Arizona Brewing Company montou uma equipe feminina de softbol para funcionar como uma peça publicitária: "Primeiro, analisamos o caráter; em segundo lugar, está o charme feminino, e, por último, a sua habilidade em jogar softbol", declaravam os seus dirigentes, à época, sobre a escolha das atletas.

A história do filme *Uma equipe muito especial* (1992) é baseada num fato real. Durante a Segunda Guerra Mundial, muitos jogadores da liga de beisebol americano foram para a frente de batalha e o campeonato foi suspenso. Até que as mulheres resolveram criar uma liga feminina. Duas irmãs (Geena Davis e Lori Petty) entram para um dos times, que é dirigido por Tom Hanks, no papel de um técnico alcoólatra e ex-astro da liga masculina. Madonna faz o papel de uma jogadora atrapalhada. A liga durou até que os homens voltassem para casa.

VAIDADE X *DOPING*

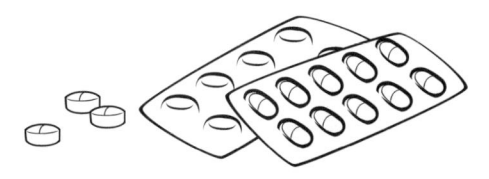

Maureen Maggi

Poucos dias antes do Pan-Americano de Santo Domingo, em 2003, a saltadora Maureen Maggi foi suspensa da competição, acusada de usar substância dopante. Ela alegou que não sabia da presença de clostebol, encontrado em seu organismo, na composição do creme cicatrizante Novaderm, que foi aplicado após uma sessão de depilação definitiva. A droga é a primeira na lista de proibições da Associação Internacional de Federações de Atletismo (IAAF).

Jaqueline

Um dia antes do início dos Jogos Pan-Americanos de 2007, no Rio de Janeiro, a ponta do vôlei feminino Jaqueline Pereira de Carvalho foi cortada oficialmente da seleção. Jaqueline foi pega no exame antidoping feito pelo Comitê Olímpico Italiano. O exame acusou o uso da substância sibutramina, utilizada em medicamentos para emagrecer. A atleta afirmou que comprou um remédio para controle de celulite na Itália, mas que a farmacêutica lhe garantiu que era um produto natural.

A velocista americana Florence Griffith Joyner, conhecida como "Flo-Jo", supervalorizava os seus atributos femininos. Para competir, colocava cílios postiços e pintava as enormes unhas com as cores da bandeira de seu país. Foi medalha de prata nos 200 m nas Olimpíadas de Los Angeles, em 1984. Nos Jogos Olímpicos de Seul, quatro anos depois, surpreendeu o mundo com um corpo totalmente musculoso e marcas excepcionais. Ganhou três medalhas de ouro e uma de prata. Morreu prematuramente de um mal súbito em 1998. Para muitos, a morte foi causada pelo uso de *doping*, mas nada foi provado.

A MUSA DO TÊNIS

✧ A tenista Maria Sharapova nasceu em Nyagan (Rússia), em 19 de abril de 1987.

✧ Quando tinha quatro anos, se apresentou em um torneio no qual jogava Martina Navratilova. Seu pai aproveitou a oportunidade e pediu uns conselhos à jogadora. Ela lhe disse para colocar a menina na academia de tênis Nick Bollettieri. Papai Sharapova aceitou a sugestão e mudou-se para os Estados Unidos com a menina e apenas 700 dólares no bolso.

✧ Sharapova tem mania de gemer durante o jogo. Seus grunhidos são tão altos que ela já foi advertida por atrapalhar as adversárias. Em um jogo da temporada 2005 de Wimbledon, o barulho atingiu 100 decibéis (o mesmo som feito por uma sirene de ambulância). Seus gritos fazem tanto sucesso que viraram campainha de celular nos Estados Unidos.

✧ Foi a atleta mais bem paga do mundo, segundo uma edição da revista norte-americana *Forbes*, publicada em 2005.

✧ Lançou em 2005 uma boneca com seu nome.

✧ No mesmo ano, tornou-se a primeira russa a figurar no primeiro lugar do *ranking* mundial de tenistas. Tinha apenas 18 anos.

As irmãs Vênus e Serena Williams

Elas nasceram numa família de seis meninas na Califórnia e as duas se tornaram campeãs. Ambas já estiveram também no primeiro lugar do *ranking* mundial.

Vênus Ebone Starr Williams (1980-) conquistou 14 títulos de torneios do Grand Slam – seis individuais (quatro deles em Wimbledon), seis duplas e dois duplas mistas. Ganhou também duas medalhas de ouro nos Jogos Olímpicos de Sydney, em 2000, a individual e a de duplas, ao lado de sua irmã.

> Um de seus saques atingiu a velocidade de 207 km/h (58 metros por segundo).

Serena Jameka Williams (1981-) tem oito títulos do Grand Slam no currículo, todos eles individuais. Como você leu antes, ela conquistou a medalha de ouro de duplas nas Olimpíadas de Sydney, com a irmã.

OS AMORES DA QUADRA

◈ Em sua biografia *Being myself* (Sendo eu mesma), lançada em 1985, Martina fala abertamente de sua homossexualidade. Conta que, ainda menina, sentia-se atraída por sua professora. Aos 17 anos, apaixonou-se pelo único namorado que teve. Com ele, aconteceu sua primeira e última relação sexual com um homem, da qual só guarda a lembrança do medo de engravidar. Já nos Estados Unidos, Martina iniciou um romance com a escritora Rita Mae. Ela namorou também a jogadora de basquete Nancy Lieberman.

◈ O mundo do tênis já havia se abalado com o escândalo que se seguiu à separação da famosa tenista Billie Jean King. A amante a levou à Justiça para exigir uma enorme indenização financeira pelo fim do caso.

◈ Outra tenista conhecida, Chris Evert Lloyd, dá uma extensa lista de namorados na biografia *Lloyd on Lloyd*, escrita por Carol Thatcher, filha da primeira-ministra inglesa Margareth Thatcher: o tenista Jimmy Connors, o ator Bruce Reynolds, Jack Pord (filho do presidente norte-americano Gerald Ford) e o cantor pop Adam Faith. Seu marido foi o tenista John Lloyd.

✧ Adam Levine, vocalista do grupo Maroon 5, namorou Maria Sharapova em 2005. Terminado o romance, o deselegante rapaz contou ao jornal russo *Exile* a atuação da tenista na cama: "Ela não fazia nenhum barulho na hora do sexo. Não posso dizer o quanto eu ficava desapontado. Eu sempre esperava, como outros caras, que ela gritasse bastante, mas, ao contrário, ela deitava e ficava que nem um sapo".

TEM MULHER NA DIREÇÃO

✧ A primeira pilota da história foi a francesa madame Laumaillé, que disputou uma prova de duas baterias entre Marselha e Nice, em 1898. Na primeira, ela terminou em primeiro lugar. Na segunda, ficou em quarto (seu marido foi o sexto!).

✧ Quando chegou ao Brasil para disputar corridas na Gávea, Rio de Janeiro, e nas ruas de São Paulo, na década de 1930, a francesa Hellenice escandalizou a sociedade da época ao volante de um Alfa Romeo.

✧ A italiana Lella Lombardi foi a primeira e única mulher a pontuar em provas de Fórmula 1. Ela disputou 12 Grandes Prêmios, entre o GP da África do Sul de 1975 e o GP da Áustria de 1976. Conseguiu marcar meio ponto pela equipe March no GP da Espanha de 1975 (como a corrida foi interrompida antes da metade, na 29ª volta, por causa de um acidente, os classificados receberam apenas metade dos pontos normais). Com esse resultado, terminou o campeonato em 21º lugar. Lella morreu em 1992, aos 48 anos.

✧ Antes dela, a também italiana Maria Teresa de Filippis participou do Mundial de Fórmula 1, em 1958. Parou de correr já no ano seguinte.

✧ Outras três mulheres tentaram disputar GPs oficiais, mas nunca conseguiram se classificar para largar: a inglesa Divina Galica, nos anos 1970; a sul-africana Desiré Wilson, na década seguinte; e a italiana Giovanna Amati, em

1992. Divina Galica só se destacou por inscrever-se para o GP da Inglaterra de 1976 com um carro número 13 (toc-toc-toc). Desiré venceu em Brands Hatch uma etapa do torneio inglês Aurora AFX, que usava carros de F1 dos anos anteriores. Ela correu também na Fórmula Indy e no Mundial de Protótipos. Giovanna Amati fez três tentativas com uma Brabham, mas não se classificou para nenhuma prova. Foi substituída três meses depois pelo inglês Damon Hill. Giovanna é herdeira de uma rede de cinemas. Em 1978, foi sequestrada e acabou se apaixonando por seu carcereiro, Daniel Neto, preso ao se encontrar com ela tempos depois.

✧ O número de mulheres na Fórmula Indy não chega a ser muito maior. A mais famosa delas é a norte-americana Lyn Saint James, participante de algumas provas da temporada, em especial das 500 Milhas de Indianápolis. Em 1994, aos 47 anos, ela largou em sexto lugar na prova, uma posição na frente do campeão Nigel Mansell. Outras que se destacaram foram: (de novo) a sul-africana Desiré Wilson (1983 e 1986), Arlene Hiss (1976 a 1979) e Janet Guthrie (1976 a 1979). Janet foi a primeira a disputar as 500 Milhas, em 1976. Sarah Fisher estreou na categoria em 1999 e ficou até 2004. Depois de duas temporadas na Fórmula Nascar, ela voltou para a Indy em 2006.

✧ A norte-americana Danica Sue Patrick, 1,55 metro e 45 quilos, estreou na Fórmula Indy em 2005, aos 23 anos. E estreou com o pé direito. Para começar, foi a primeira mulher a liderar uma prova da categoria e justamente na tradicional 500 Milhas de Indianápolis. Terminou em quarto lugar – e superou a melhor marca feminina, que era de Janet Guthrie (quinto lugar em Milwaukee, em 1979). A euforia pelo quarto lugar foi tão grande que a asa dianteira de seu carro foi a leilão na internet e acabou vendida por 5 mil dólares. No ano seguinte, ela foi eleita a 42ª mulher mais sexy do mundo pela revista inglesa *FHM* e fez um ensaio bem provocante com um maiô vermelho.

PARECE ATÉ PROVOCAÇÃO

Estas provas parecem ter sido criadas para provocar as mulheres. Só que elas competem (e vencem)... com muito bom humor.

ARREMESSO DE CELULAR

A ideia do Campeonato de Arremesso de Celular foi da finlandesa Christine Lund no ano de 1999. A competição acontece na cidade de Savonlinna, quase na fronteira com a Rússia. Lund disse que os competidores têm todos sua marca favorita de celular para arremessar. "As pessoas escolhem por tamanho, cor ou como ele fica na mão... Alguns acreditam que um modelo pesado permite um arremesso longe, alguns preferem um mais leve."

CARREGAMENTO DE ESPOSAS

Os finlandeses promovem o Campeonato Mundial de Carregamento de Esposas desde 2002. Mas essa tradição surgiu no século XIX. O campeão em 2007 foi o estoniano Margo Uusorg, que superou competidores de outros países. Ele carregou nas costas sua mulher, Birgit Ulrich, por um percurso de 250 m, com água pela cintura. A vantagem é que Birgit pesava apenas 33,2 quilos. A desvantagem é que o vencedor recebe o equivalente ao peso da esposa em cerveja.

CORRIDA DE SALTO ALTO

Uma competição inusitada aconteceu na cidade russa de São Petersburgo em julho de 2007. Foi a corrida de salto alto. Para participar, é preciso calçar, no mínimo, um sapato com salto de 9 (!) cm. Entre tombos e escorregões, a vencedora ganhou o singelo prêmio de 2 mil dólares. Detalhe: em vale-compras...

DANÇA

POR QUE AS BAILARINAS DANÇAM NA PONTA DOS PÉS?

As sapatilhas de ponta na realidade não servem para deixar as dançarinas mais altas, mas sim para gerar efeitos especiais nas coreografias. Sílvia Bittencourt, professora de dança e de artes dramáticas, diz que essas sapatilhas foram criadas no século XIX, na Europa, pela italiana Maria Taglione. "Era a época do Romantismo, em que as pessoas buscavam figuras míticas, como guerreiros, heroínas, mulheres virgens e endeusadas", descreve Sílvia. "As sapatilhas de ponta foram criadas para que os movimentos das bailarinas dessem a impressão de que elas são capazes de voar nos salões."

EM HOMENAGEM ÀS MULHERES

Martha Graham (1894-1991) foi criada na Califórnia, e estudou dança étnica e primitiva em Hollywood. Dançava no Greenwich Village Follies e, ao se lançar como bailarina e coreógrafa independente, chocou Nova York com seus movimentos angulares, próximos do chão. Suas coreografias se baseavam em temas como amor, morte, natureza, e exploravam movimentos de contração e relaxamento de várias partes do corpo. Em 1932 se tornou a primeira bailarina a receber uma bolsa da Fundação Guggenheim e criou números inspirados em mulheres famosas como Joana D'Arc e Emily Dickenson. Coreografou 180 peças, sendo considerada a bailarina de dança moderna com a carreira mais longa.

Isadora Duncan e o balé moderno

1. Isadora Duncan (1877-1927) odiava sapatilhas e quando era criança chegou a fugir de uma escola de dança que tentava lhe impor o estilo tradicional
2. Nasceu em São Francisco (EUA), com o nome de Dora Angela Duncanon, mas teve seu talento reconhecido na Europa, para onde partiu aos 18 anos.
3. Sua primeira escola de balé moderno ela inaugurou em Berlim, Alemanha.

Lá, ensinava o que chamava de dança livre, em que procurava imitar o movimento e ritmo das ondas.

4. Para Isadora, o corpo e a natureza eram uma coisa só. Ela dançava com os pés descalços e vestida com túnicas.

5. Foi mãe de dois filhos, cada um de um namorado.

6. Os dois filhos morreram juntos, vítimas de um desastre de carro em Paris, em 1913.

7. O marido, Serge Essenin, um poeta soviético, suicidou-se pouco tempo depois.

8. Isadora morreu na miséria, estrangulada pela própria echarpe, que se prendeu numa das rodas do carro em que estava, em Nice, França.

Rainha do salão

Louise Frida Reynold Poças Leitão nasceu em Lausanne, na Suíça, de onde saiu em 1914, fugindo da Primeira Guerra Mundial. Recém-chegada a São Paulo, decidiu ganhar dinheiro com aquilo que fazia melhor: ensinar boas maneiras e dança. Acostumada aos bailes europeus, decidiu que ensinaria as jovens da sociedade paulistana a dançar. Falando em francês e com um chicotinho nas mãos, vistoriava os sapatos, os cabelos e as unhas dos alunos antes da aula. Ensinava ritmos como foxtrote e valsa, mas, no fim da vida, quando parou de dar aulas em 1966, já havia se aperfeiçoado e ensinava até mesmo o samba.

Você sabia?

- As primeiras danças de salão foram as pavanas, no século XIV. Os pares dançavam tão empertigados que lembravam pavões.
- A tradição de manter a dama do lado direito do cavalheiro se explica: eles usavam a espada do lado esquerdo.
- Luís XV foi o responsável pela popularização da dança de salão. Ele costumava promover bailes de máscaras onde os nobres podiam se misturar com os plebeus.
- Nas gafieiras tradicionais é proibido beijar na boca. As mulheres não podem recusar um convite masculino para dançar.
- Os primeiros tangos eram dançados por um par de homens. A dança entre um homem e uma mulher era considerada obscena.
- No Rio de Janeiro dos anos 1950, havia o *scort dancer*, senhores contratados para dançar com damas sem par, evitando que elas tomassem chá de cadeira.
- Fred Astaire não aprendeu a dançar na escola, mas com sua irmã mais velha, Adele. Como ela era muito alta, não tinha par nas festas. Então, recrutava o irmão para dançar com ela.

Grandes bailarinas brasileiras

Ana Botafogo (1957-) iniciou seus estudos de balé clássico no Rio de Janeiro, mas foi no exterior que ela complementou sua formação. Frequentou a Academia Goubé, em Paris; a Academia Internacional de Dança Rosella Hightower, em Cannes; e o Dance Center-Covent Garden, em Londres.
Foi no Ballet de Marseille, do famoso coreógrafo Roland Petit, que a bailarina brasileira dançou como profissional pela primeira vez. De volta ao Brasil no final da década de 1970, foi nomeada Bailarina Principal do Teatro Guaíra (Curitiba, PR), da Associação de Ballet do Rio de Janeiro, e, em 1981 juntou-se ao balé do Teatro Municipal do Rio de Janeiro, onde é primeira bailarina desde então.

Curiosidades

✪ Em 1995, na qualidade de *étoille* convidada da Companhia de Opera Lodz (Polônia), interpretou o papel feminino do balé *Zorba, o Grego*, dançando em várias cidades do Brasil.

✪ Entre seus *partners* internacionais, os mais expressivos foram Fernando Bujones, Julio Bocca e Desmond Kelly.

✪ Atuou como atriz na novela *Páginas da vida*, escrita por Manoel Carlos, da Rede Globo. Fez o papel de uma professora de balé.

✪ É embaixatriz da cidade do Rio de Janeiro.

Márcia Haydée Salavarry Pereira da Silva (1937-) nasceu em Niterói e com três anos começou a estudar balé clássico. Aos 15, foi estudar na Royal Ballet School, em Londres. Em 1961, foi convidada a dançar no Ballet de Stuttgart, na Alemanha, tornando-se primeira bailarina em pouco tempo. Quinze anos depois, assumiu a direção geral do grupo. Em 1993, passou a ser diretora do Santiago Ballet, no Chile, que abandonou três anos depois.

Curiosidades

✪ Com 64 anos, três anos após ter abandonado o balé, voltou a se apresentar no Ballet de Stuttgart, dançando *Tristão e Isolda* ao lado do bailarino brasileiro Ismael Ivo.

✪ Foi *partner* de importantes bailarinos como Rudolf Nureyev, Jorge Donn, Mikhail Baryshnikov e Anthony Dowell.

Sapatilhas famosas no Brasil

✧ Marika Gidali: húngara, veio para o Brasil com dez anos, onde dançou em um dos mais célebres corpos de baile, o Ballet do IV Centenário de São Paulo. Em 1971 fundou sua própria companhia, o Ballet Stagium.

✧ Renée Gumiel: francesa, radicada no Brasil, foi a precursora da dança moderna no país.

✧ Raquel Steglich: primeira bailarina brasileira a ingressar no corpo de baile do Teatro Bolshoi, na Rússia. Foi escolhida em 2003.

Você sabia?

- A atriz Eva Wilma pediu demissão do Ballet do IV Centenário, de São Paulo, para ser atriz. Fazia teatro em domicílio.
- A única escola do Teatro Bolshoi fora da Rússia funciona em Joinville (SC), que é considerada a capital brasileira do balé clássico. Lá estudam 256 meninas e meninos entre 8 e 17 anos.
- Antes de iniciar a carreira como atriz, Suzana Vieira se apresentou no Teatro Cólon, de Buenos Aires (Argentina), como bailarina.

Estrelas internacionais

Giselle é uma obra-prima do balé romântico. *Copélia*, uma obra envolta em fantasia. Essas estrelas deram vida às personagens da dança clássica.

ANNA PAVLOVA

Nascida em São Petesburgo em 1881, foi considerada a mais importante bailarina do século XX. Aos oito anos foi rejeitada pela Imperial Ballet School por ser miúda demais. Voltou a insistir quando tinha dez anos e, dessa vez, foi aceita. Transformou-se em referência de bailarina russa, sendo copiada por todas as outras que vieram depois.

Curiosidades

✪ Foi Anna Pavlova quem inventou a sapatilha de ponta como se conhece hoje. Tinha os pés muito arqueados e, para não se machucar, usava um pedaço de couro na ponta da sapatilha, para poder se apoiar na ponta dos dedos.

✪ Morreu de pneumonia aos cinquenta anos. Durante uma viagem à Holanda, seu trem quebrou no meio do percurso. Vestindo apenas pijamas, ela saiu ao relento para ver o que havia acontecido. Morreu algumas semanas depois.

MARGOT FONTEYN
Peggy Hookham nasceu em 1919, na Inglaterra, e viveu parte da infância na China. Aos 14 anos, voltou à Inglaterra, onde foi convidada para dançar como um pequeno floco de neve no balé *Quebra-nozes*. Foi quando passou a usar o nome Margot Fonteyn. Assumiu como primeira bailarina do Ballet de Valoi em 1935, a pedido da titular que estava saindo. Dançou os mais célebres balés – *Cinderela*, *Giselle*, *Lago dos cisnes* – e se tornou a mais famosa bailarina de todos os tempos.

Curiosidades
✪ Junto com Nureyev, vinte anos mais novo, formou a mais famosa parceria da história do balé clássico. Ele a chamava de "a grande dama".
✪ Apresentou-se pela última vez na década de 1970 e abandonou a dança para cuidar do marido inválido.
✪ Morreu de câncer em 1991.

MAYA PLISETSKAYA
Russa de Moscou, nasceu em 1925, numa família de artistas judeus. Durante o stalinismo, seu pai foi executado e sua mãe, deportada para o Casaquistão. Ela foi criada por uma tia bailarina, que a introduziu na arte da dança. Sua primeira *performance* foi no Ballet Bolshoi, aos 11 anos. Teve balés criados para ela especialmente por mestres como Roland Petit e Maurice Bejart.

Curiosidades
✪ Seu cabelo naturalmente vermelho a destacava de todo o restante do corpo de balé.
✪ Detestava ensaiar e sempre que podia fugia das aulas. Era ameaçada pelos professores, mas, como sempre se saía bem nas apresentações, jamais perdeu os papéis principais.

NATALIA MAKAROVA

Russa de Leningrado, nasceu em 1940. Dançou no Ballet Kirov de 1956 a 1970, quando, durante uma viagem, desertou, pedindo asilo nos Estados Unidos. Depois disso, dançou no Royal Ballet e no American Ballet Theatre, sempre como primeira bailarina.

Curiosidade

✪ Em 1989 voltou ao Kirov, onde foi homenageada pelos bailarinos e por toda a sua família. O reencontro valeu um filme, chamado *O retorno de Makarova*. Em agradecimento, ela entregou todos os seus tutus de balé para ficarem em exposição no museu do Ballet Kirov.

NINGUÉM QUIS DANÇAR COM ELA

Anastasia Volochkova, 1,83 m de altura e 60 kg, perdeu o emprego de primeira bailarina do Ballet Bolshoi em 2003. Nenhum parceiro aguentava levantar o corpão da moça. Alegavam que, depois de dançar uma temporada com ela, tinham de tratar problemas na coluna.

Quem é Pina Bausch?
Pina Bausch nasceu na Alemanha, em 1940, e adorava dançar entre as cadeiras do restaurante de seu pai, na cidade de Solingen. Ao contrário de outras bailarinas que aprenderam a dançar ainda garotinhas, Pina começou a estudar balé clássico com 15 anos. Formada, resolveu ter aulas na Juillard School of Music, em Nova York, onde passou a experimentar modelos modernos de dança. De volta à Alemanha, foi contratada para dirigir um dos mais tradicionais corpos de baile locais, do Tanztheater. Em pouco tempo, rompeu com o modelo tradicional da dança e criou a dança-teatro, uma linguagem incomum para a década de 1970. É considerada uma das coreógrafas mais influentes do século XX. A partir dos anos 1980, suas peças passaram a ser criadas com inspiração em países e sua situação social.

DEZ CURIOSIDADES SOBRE DEBORAH COLKER

1. Ela é formada em psicologia e foi jogadora de vôlei. Estudou piano durante dez anos.
2. Estreou como coreógrafa profissional em 1984, a convite da atriz Dina Sfat, para a peça *A irresistível aventura*.
3. Não gosta de ser chamada de bailarina nem de coreógrafa, mas de diretora de movimento.
4. Trabalhou com diretores como Moacyr Góes, Ulysses Cruz e Antônio Abujamra, e com atores como Marco Nanini e Antônio Fagundes.
5. Fundou a Companhia de Dança Deborah Colker depois de participar do Carlton Dance Festival, em 1994.
6. Coreografou shows de Fernanda Abreu, Adriana Calcanhoto e Legião Urbana.
7. Sua coreografia *Paixão* faz parte do repertório do Corpo de Baile do Theatro Municipal do Rio de Janeiro.
8. Coreografou a Comissão de Frente da Mangueira por três anos consecutivos.
9. Ganhou o troféu Mambembe em 1999 e foi escolhida representante do Conseil International de La Danse, da Unesco.
10. Foi a primeira brasileira a receber o prêmio Laurence Olivier, em Londres, pelo seu espetáculo *MIX*.

Balés que contam histórias de mulheres

La fille mal gardée **(A menina malguardada)**: trata-se de um balé cômico e conta a história de Lise, uma menina que decide escolher seu próprio namorado numa época em que os pais faziam isso para elas.
• A primeira apresentação desse balé aqui no Brasil foi feita no Ballet do Theatro Municipal do Rio de Janeiro, em 1928, com Anna Pavlova no papel principal.
• Como a protagonista é uma camponesa, os figurinos são leves, os tutus têm aventais coloridos e as bailarinas usam flores no cabelo.

Giselle: é a história de uma menina alemã que vive na região dos vinhedos e, apesar da sua beleza, é vítima de um amor impossível.
• O primeiro ato é alegre e juvenil, mas o segundo é sombrio e triste, quando se anuncia a morte de Giselle.
• Em uma versão criada pelo American Ballet Theatre, a personagem principal não morre; enlouquece.

Copélia: filha de um inventor de brinquedos da Galícia, Copélia é uma moça que adora ler e vive na sacada da sua casa. Seu mistério desperta paixões que irritam seu pai.
• Os brinquedos ganham vida e dão colorido a este balé, um dos que ganhou o maior número de versões pelo mundo.

O lago dos cisnes: o príncipe herdeiro do trono precisa escolher uma moça com quem se casar, mas se apaixona por um cisne encantado, na verdade uma moça transformada em animal por um bruxo da floresta.
• Na montagem de Sandro Borelli, para o Ballet da Cidade de São Paulo, em 2001, todos os cisnes eram homens.
• Este balé é um desafio para as bailarinas, que devem dançar dois papéis diferentes: Odette, mais suave, e Odille, mais ágil.

O quebra-nozes: numa noite de Natal, Clara ganha de presente um boneco quebra-nozes, que a leva para conhecer o reino da fantasia.

• Embora o enredo se desenvolva por meio de uma menina, a coreografia traz variações de muitas outras personagens femininas, como a Fada Açucarada.

10

Dê-me um frasco de veneno
e construirei um crime perfeito.

AGATHA CHRISTIE
(1890-1976), escritora

Letras e artes

LITERATURA

Escritoras brasileiras

ADÉLIA PRADO (1935-)
- Fez seus primeiros versos aos 15 anos, quando a mãe morreu.
- Somente em 1973 mandou seus primeiros originais para apreciação do crítico Affonso Romano de Sant'Anna.
- Em 1975, Carlos Drummond de Andrade a recomenda à editora Imago porque, segundo ele, seus poemas eram fenomenais. *Bagagem* é lançado em 1976.
- Em 1978, seu livro *Coração disparado* ganha o prêmio Jabuti da Câmara Brasileira do Livro.
- A peça *Dona Doida*, interpretada por Fernanda Montenegro, fez enorme sucesso. Foi baseada em textos de Adélia Prado.
- Foi convidada a participar de semanas de poesia no mundo todo. Em 1984 sofreu uma crise de depressão que a fez interromper seu trabalho.
- Recuperada, voltou a escrever textos que, segundo ela, retratam o cotidiano e a perplexidade diante da vida.
- Tem livros traduzidos para o inglês e o espanhol.
- A escritora mineira é mãe de cinco filhos.

"Não vemos as coisas como elas são, mas como nós somos."

Anaïs Nin

ANA MARIA MACHADO (1941-)
• Ana Maria Machado nasceu no Rio de Janeiro, estudou artes no Museu de Arte Moderna e letras na Universidade Federal do Rio de Janeiro. Seguiu a carreira de pintora por 12 anos e chegou a fazer algumas exposições individuais.
• Trabalhou como jornalista na BBC, de Londres, e na revista *Elle*, de Paris. Foi também professora na Universidade Sorbonne, na capital francesa.
• De volta ao Brasil, em 1972, trabalhou no *Jornal do Brasil* e na rádio JB.
• Em 1979, Ana Maria abriu a primeira livraria especializada em literatura infantil do Brasil, a Malasartes, no Rio de Janeiro. A livraria funciona até hoje no bairro da Gávea.
• Em 24 de abril de 2003, foi eleita para ocupar a cadeira de número 1 da Academia Brasileira de Letras, cujo patrono é o poeta Adelino Fontoura. Ana sucedeu o escritor Evandro Lins e Silva.
• Apesar de ter ficado conhecida por suas publicações infantis, o primeiro livro da autora foi um título adulto, *Recado do nome*, de 1976. O primeiro livro infantil, *Bento que bento é o frade*, veio em 1977.

CECÍLIA MEIRELES (1901-1964)
• A poetisa criou a primeira biblioteca infantil do país em 1934.
• Ela foi professora durante a maior parte de sua vida, inclusive em outros países. Na Universidade do Texas (EUA), lecionou literatura e cultura brasileira.
• Entre 1930 e 1934, escreveu uma coluna sobre problemas da educação no jornal *Diário de Notícias*.
• Já em 1935 falava-se em astrologia. Ela tirou um "L" do sobrenome por sugestão de um astrólogo, depois do suicídio do primeiro marido, o artista plástico Fernando Correia Dias, com quem teve três filhas.
• Em 2001, a família da escritora não permitiu que a cantora Maria Bethânia apresentasse uma canção que continha trechos de poemas de Cecília.
• Ela foi a primeira mulher a ter um livro (*A viagem*) premiado pela Academia Brasileira de Letras (1939).

CLARICE LISPECTOR (1920-1977)
- A escritora Clarice Lispector nasceu em Tchetchenillk (Ucrânia), com o nome de Haia ("vida"). Quando tinha um ano e três meses, seus pais vieram para o Brasil com as três filhas e foram morar em Maceió e depois em Recife.
- Ficou órfã de mãe aos nove anos e pouco depois a família mudou-se para o Rio de Janeiro. Entrou na faculdade de Direito em 1939. Quatro anos mais tarde, casou-se com Maury Gurgel Valente e terminou o curso. Gurgel Valente era diplomata. Por isso, o casal viveu fora do Brasil por 15 anos.
- Clarice costumava dizer que detestava a vida de esposa de diplomata – "A Suíça é um cemitério de sensações", disse aos amigos – e, também por esse motivo, acabou se separando de Valente. Tiveram dois filhos: Pedro e Paulo. O casal se separou em 1959 e Clarice voltou para o Brasil, onde viviam suas irmãs.
- Trabalhou como redatora na Agência Nacional, órgão vinculado ao Departamento de Imprensa e Propaganda da ditadura de Getúlio Vargas. Em 1942 trabalhou no *Jornal da Noite*.
- Em 1944, publicou sua primeira obra, *Perto do coração selvagem*, que havia sido iniciada dois anos antes.
- Em setembro de 1967, Clarice tentou apagar com as mãos um incêndio em seu quarto (dizem que foi provocado por um cigarro) e ficou muito ferida. Passou três dias no hospital, entre a vida e a morte. Em consequência do acidente, perdeu um pouco da mobilidade da mão direita.
- Foi grande amiga de Lygia Fagundes Telles e entrevistou personalidades como Tom Jobim, Vinicius de Moraes e Pablo Neruda, para a revista *O Cruzeiro*. A escritora morreu de câncer um dia antes de completar 57 anos.
- Queria ser enterrada no Cemitério São João Batista, no Rio de Janeiro, mas não pôde porque era judia. Foi enterrada no Cemitério Israelita do Caju.
- O Museu da Língua Portuguesa rendeu homenagem à escritora no cinquentenário de sua morte (2007), destinando todo o seu primeiro andar a uma exposição sobre a obra e a vida de Clarice Lispector.

CORA CORALINA (1889-1985)
- Ana Lins dos Guimarães Peixoto Bretas é o nome verdadeiro da poetisa que nasceu em Vila Boa de Goiás (GO).

- Embora fosse filha de desembargador nomeado por dom Pedro II, estudou só até o 4º ano. Seus primeiros textos foram publicados em jornais locais quando tinha 14 anos.
- Casou-se com um advogado e foi viver com ele em São Paulo. Ana fazia suas poesias e as guardava, sem mostrá-las a ninguém.
- Viúva e sem ter como se sustentar, passou a ganhar dinheiro fazendo doces.
- Aos cinquenta anos teve uma mudança radical e deixou de atender pelo nome Ana, assumindo o pseudônimo Cora Coralina, que havia escolhido para si muitos anos antes.
- Ao ter sua poesia reconhecida por Carlos Drummond de Andrade, Cora Coralina ficou conhecida em todo o país. Seu primeiro livro, *Poemas dos becos e outras histórias mais* foi publicado quando ela tinha 75 anos.

BRIGAS NA JUSTIÇA

1. Simone de Beauvoir foi acusada de corrupção de menores pela mãe de uma de suas alunas. Por causa disso, depois de vinte anos como professora em diversas universidades francesas, perdeu o direito de lecionar.

2. Lillian Hellman processou por calúnia a escritora Mary McCarthy, sua rival, depois que ela alegou num programa de televisão que todas as palavras de Lillian eram mentiras e não passavam de invencionices. Lillian também foi acusada de comunismo e por causa disso pagou multas altíssimas que a deixaram falida e na lista negra de Hollywood.

3. Hilda Hist foi censurada sob a acusação de escrever obscenidades.

4. A família de Cecília Meireles pediu, na justiça, que o músico Raimundo Fagner tivesse seus discos retirados das lojas por não ter dado crédito à poetisa na canção *Canteiros*, poema escrito por Cecília e musicado pelo cantor.

5. Ana Maria Machado foi presa durante uma manifestação contra a ditadura em 1962. No final desse ano, decidiu deixar o país.

6. Susan Sontang foi uma crítica do governo George W. Bush e dos soldados americanos na penitenciária de Abu Gharaib. Por isso, enfrentou várias acusações na justiça.

DINAH SILVEIRA DE QUEIROZ (1911-1982)

- Sua mãe, Dinorah Ribeiro Silveira, morreu aos 22 anos, quando Dinah ainda era bem pequena. Ela e a irmã, Helena, foram criadas em casas de parentes. O pai das duas, Alarico Silveira, autor da *Enciclopédia brasileira*, era um homem muito ocupado e pediu a ajuda dos familiares.
- Seu primeiro livro foi *Floradas na serra*, de 1939.
- A escritora casou-se aos 19 anos com o advogado Narcélio de Queiroz. Teve duas filhas, Zelinda e Lea. Em 1961, Narcélio faleceu. No ano seguinte, Dinah casou-se com o diplomata Dário Moreira de Castro Alves.
- O romance *A muralha*, de 1954, conta a história da chegada dos bandeirantes a São Paulo. O livro foi escrito em comemoração ao IV centenário de São Paulo e já foi adaptado para a televisão três vezes: em 1961, pela TV Tupi; em 1968, pela TV Excelsior; e em 2000, pela Rede Globo.
- Quando era criança, a escritora gostava dos livros de H. G. Wells, autor da ficção científica *A guerra dos mundos*.
- Dinah foi eleita, em 10 de julho de 1980, para ocupar a cadeira de número 7 da Academia Brasileira de Letras, cujo patrono é Castro Alves. Sucedeu Pontes de Miranda, e foi sucedida por Sérgio Corrêa Costa. Dinah foi a segunda mulher a entrar para a Academia Brasileira de Letras. A primeira foi Rachel de Queiroz, prima de seu primeiro marido.

PREMIADAS

- A mais velha a receber um **Nobel de Literatura**: Doris Lessing (2007).
- **Christian Andersen**, o maior prêmio internacional de literatura infantil: Lygia Bojunga (1982) e Ana Maria Machado (2002).
- Primeira mulher a ter um livro (*A viagem*) premiado pela **Academia Brasileira de Letras**: Cecília Meireles (1939).
- Primeira mulher a receber o **Prêmio Príncipe das Astúrias**, um dos mais prestigiados da literatura mundial: Nelida Piñon (2005).
- **Prêmio Camões**, o mais importante da língua portuguesa: Lygia Fagundes Telles (2005).
- Comenda da **Ordem do Mérito Cultural** do Ministério da Cultura: Ruth Rocha (1998).
- **Associação Paulista dos Críticos de Arte**: Maria Clara Machado (1955).

HILDA HILST (1930-2004)
- Seus pais se separaram quando ela ainda era muito pequena. O pai era fazendeiro, ensaísta, poeta e jornalista, e sofria de esquizofrenia.
- Foi na Faculdade de Direito do Largo de São Francisco, em São Paulo, que ela conheceu sua melhor amiga, Lygia Fagundes Telles. Ambas estudavam para se tornar advogadas.
- Escreveu vinte livros de poesia, 12 de ficção e oito peças de teatro.
- Namorou o ator Dean Martin e tentou assediar Marlon Brando. Sem sucesso.
- Embora muito agraciada com prêmios, seus livros não vendiam muito. Com *A obscena senhora D*, a escritora partiu para uma literatura mais picante. Justificava essa mudança radical como uma tentativa de vender mais e assim conquistar o reconhecimento do público.

> "Eu ouvi mami dizer que esse verão bem que a gente podia ir pra praia, mas eu fico triste porque não vamos ter as pessoas pra eu chupar como sorvete e me lamber como gato se lambe."
> (*O caderno rosa de Lori Lamby*)

LYGIA FAGUNDES TELLES (1923-)
- Passou a infância em diversas cidades do interior por causa da profissão do pai, promotor público.
- Seu primeiro livro de contos, *Porão e sobrado*, foi publicado em 1938 e a edição foi paga por seu pai.
- Na época da Faculdade de Direito no Largo de São Francisco conheceu a nata literária, inclusive Oswald e Mário de Andrade. Seu terceiro livro, *O cacto vermelho*, recebeu o prêmio Afonso Arinos da Academia Brasileira de Letras.
- Com o romance *As meninas*, ganhou todos os prêmios importantes do Brasil.
- Em 1982 foi eleita para ocupar a cadeira 28 da Academia Paulista de Letras. Três anos depois, foi eleita para ocupar a cadeira 16 da Academia Brasileira de Letras.

NELIDA PIÑON (1937-)
- Seu nome é um anagrama do nome do avô, Daniel.
- Entrou para a Academia Brasileira de Letras em 1989. Foi a primeira mulher a integrar a diretoria e ocupar a presidência da casa, no ano do seu primeiro centenário (1996).
- Foi a primeira representante do sexo feminino a levar para casa o Prêmio Internacional de Literatura Juan Rulfo.
- Suas obras já foram publicadas em mais de vinte países e traduzidas para dez idiomas.
- Ela diz que o que a preocupa é que a literatura feita por mãos femininas em terras nacionais ainda é vista como pouco instigante.
- Ela só fala de seus livros quando eles já estão prontos e publicados.
- Sobre os livros escritos por celebridades, ela declarou: "As celebridades não têm profissão, trabalho, esforço, não têm biografia. E o pior é que os jovens acreditam nessas pessoas e deixam de fazer coisas sérias por isso".

PATRICIA REHDER GALVÃO - PAGU (1910-1962)
- Revolucionária, aos 17 anos ela já saía às ruas maquiada, com roupas curtas e fumando.
- Frequentava o ambiente contestatório do movimento antropofágico e se filiou ao Partido Comunista Brasileiro, o que a fez ser presa em 1931. Foi a primeira vez que uma mulher brasileira foi presa por motivos políticos. Ela seria presa ainda outras 22 vezes.
- Apaixonou-se por Oswald de Andrade, que abandonou Tarsila do Amaral para ficar com ela. Os dois se casaram em um cemitério.
- O apelido Pagu surgiu de um erro do poeta modernista Raul Bopp, autor de *Cobra norato*. Bopp inventou este apelido ao dedicar-lhe um poema, porque imaginou que seu nome fosse Patrícia Goulart.
- Em viagem à China, Pagu obteve as primeiras sementes de soja que foram plantadas no Brasil.
- Em 2004, uma catadora de rua de Santos encontrou fotos e os documentos originais da escritora e do jornalista Geraldo Ferraz, seu último companheiro, jogados no lixo. Entre os achados, estava uma foto de Pagu com dedicatória para Geraldo.
- Em 1988 a vida de Pagu foi contada em filme, com Carla Camurati no papel-título e Antônio Fagundes como Oswald de Andrade.

RACHEL DE QUEIROZ (1910-2003)

- Jornalista e escritora, Rachel de Queiroz nasceu no dia 17 de novembro de 1910, em Fortaleza (CE). Seu pai, que era juiz na cidade de Quixadá, no sertão cearense, mudou-se para Fortaleza por causa da terrível seca que atingiu o Nordeste em 1915. A família ainda moraria no Rio de Janeiro e depois em Belém do Pará.
- Na infância, Rachel e suas primas costumavam tomar conta da avó que já estava bem idosa. Para distraí-la, as netas liam romances religiosos em francês. Em 1925, Rachel se formou como normalista no colégio Imaculada Conceição, de Fortaleza. Dois anos mais tarde, ingressou na carreira jornalística, como colaboradora do jornal *O Ceará*. Tudo começou quando Rachel foi eleita "Rainha dos Estudantes", aos 16 anos.
- Seu primeiro livro, *O Quinze*, foi publicado quando Raquel tinha 19 anos. Aos trinta ela ajudou a fundar o Partido Comunista do Ceará, mas se desvinculou dele quando os colegas pediram que ela mudasse a história da obra *João Miguel*. A exigência era de que a personagem que representava uma prostituta fosse filha do dono da terra, e não do camponês.
- Foi a primeira mulher a ingressar na Academia Brasileira de Letras, em 1977.
- Em 1964, a escritora defendeu a implantação do Regime Militar no país por causa de seu primo, o general Humberto Castello Branco.
- Era parente de outro escritor famoso brasileiro: José de Alencar, autor de *Iracema*. Uma de suas avós, Maria de Macedo Lima, era prima-irmã de Alencar.

HOMEM? NÃO, MULHER!
Rachel de Queiroz se divertia escrevendo artigos em tom masculino e assinando com nomes de mulher. Isso confundia os leitores.

AS IMORTAIS

Depois de Rachel de Queiroz, a primeira mulher a entrar para a Academia, vieram outras cinco:

1. Dinah Silveira de Queiroz (1980)
2. Lygia Fagundes Telles (1985)
3. Nélida Piñon (1989)
4. Zélia Gattai (2001)
5. Ana Maria Machado (2003)

- No começo do século XX, a poetisa Júlia Lopes de Almeida tentou uma vaga e não conseguiu. Entrou o marido dela, Filinto de Almeida, que se apresentava jocosamente como "o acadêmico consorte".
- Clóvis Bevilacqua tentou eleger a mulher, Amélia de Freitas Bevilacqua; fracassando, renunciou à cadeira 14.
- Carlos de Laet defendia a entrada de mulheres na ABL. Dizia: "Elas já trazem as cadeiras".

ZÉLIA GATTAI (1916-2008)
- Filha de italianos, viveu toda a infância na alameda Franca, em São Paulo.
- Seu primeiro casamento durou oito anos. Junto com os pais, participava do movimento dos anarquistas, experiência que ela retratou no livro *Anarquistas, graças a Deus*.
- Leitora assídua de Jorge Amado, Zélia o conheceu em 1945, durante movimentos a favor da anistia dos presos políticos.
- Exilada com o marido Jorge Amado, ela foi estudar na Sorbonne, em Paris. Mais tarde, mudaram-se para a Checoslováquia, onde nasceu sua filha, Paloma.
- Na Europa, Zélia aprendeu a fotografar e se dedicou a registrar todos os momentos da vida do marido.
- Depois da morte de Jorge Amado, ela foi eleita para ocupar a cadeira 23 da Academia Brasileira de Letras, que o marido tinha ocupado.
- Zélia Gattai tem três livros infantis. Seu livro lançado em 2002, *Um baiano romântico e sensual*, foi dedicado ao marido, Jorge Amado.

Uma história anglo-brasileira

A poetisa americana **Elizabeth Bishop** (1911-1979) e a escritora brasileira **Marta Góes** viveram em Petrópolis nos anos 1970. Eram vizinhas, mas não se conheciam pessoalmente. Outra coincidência entre elas: ambas nasceram nos Estados Unidos: a primeira em Massachusetts, e a segunda em Michigan. Foi no 20º aniversário da Powerhouse (temporada de verão de teatro, em Nova York), em 2001, que Marta Góes resgatou a obra de Elizabeth Bishop escrevendo a peça *Um porto para Elizabeth Bishop*, que acabou sendo traduzida para o inglês e apresentada nos palcos pela atriz Amy Irving, casada com o diretor de cinema Bruno Barreto.

CINCO COISAS SOBRE ELIZABETH BISHOP
1. Quando comeu caju, disse: "É uma combinação indecente de fruta com castanha". Em seguida, sofreu terrível reação alérgica.
2. Era filha única, órfã, sofria de asma e depressão.
3. Alcoólatra e lésbica, a poetisa era muito carente. Foi tratada com carinho por muitos amigos brasileiros, em especial por Lota Macedo Soares, por quem se apaixonou e com quem viveu até 1974.
4. Venceu o Prêmio Pulitzer de 1956.
5. O monólogo que contou sua história foi encenado no Brasil em 2001, com Regina Braga no papel principal.

As *best-sellers* do século XXI

Elas são *habitués* nas listas de mais vendidos.

Lya Luft nasceu em 1938, em Santa Cruz do Sul (RS), e durante muitos anos trabalhou como tradutora de grandes escritores como Hermann Hesse, Virginia Woolf e Doris Lessing. Aos 21 anos estudava para entrar no seminário quando conheceu o irmão marista Celso Pedro Luft, um homem que tinha o dobro da sua idade. Casou-se com ele aos 25 e permaneceram casados por 22 anos. Embora tenha publicado alguns livros de poesia, só escreveu e lançou seu primeiro livro de contos, *Matéria do cotidiano*, quando tinha quarenta anos. Ficou conhecida nacionalmente em 2003 com o livro *Perdas e ganhos*, que permaneceu vinte semanas nas listas dos mais vendidos em todo o Brasil.

◯ Foi professora universitária de linguística, mas não gostava da função.
◯ Depois de lançar o livro *O lado fatal*, em 1989, dedicado ao marido, o escritor e psicanalista Helio Pellegrino, falecido um ano antes, ela ficou sem escrever durante oito anos.

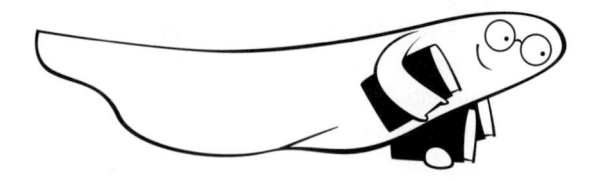

Zibia Gaspareto (1926-) recebeu o primeiro espírito quando tinha vinte anos. Católica, ficou muito assustada e procurou a Federação Espírita de São Paulo. Fundou um centro espírita e, junto com o marido, começou a escrever o *Evangelho no lar*. Alguns anos depois, recebeu o espírito mensageiro de Lucius, que ditou para ela *O amor venceu*. O livro levou cinco anos para ficar pronto. Foi recebendo mensagens e nunca mais deixou de escrever.
◯ Em uma mesma semana, ela teve quatro livros na lista dos mais vendidos.
◯ A peça que escreveu, inspirada no seu romance *Laços eternos*, ficou 13 anos em cartaz.

Uma autora na fogueira

Anayde Beiriz (1905-1930) era uma jovem paraibana que ousava frequentar as rodas literárias, que eram reservadas aos homens. Fazia poemas e condenava os textos publicados em algumas revistas enaltecendo o preconceito contra a mulher. Anayde teria sido aceita não fosse um detalhe: ela era namorada do advogado João Dantas, inimigo político de João Pessoa, então presidente da Paraíba. As cartas de amor do casal eram trancafiadas num cofre no escritório de Dantas. Um dia, o local foi invadido, o cofre, saqueado e as cartas, esparramadas pelas ruas da cidade. Desconfiado de João Pessoa, Dantas o matou com dois tiros no peito, e Anayde acabou sendo perseguida por causa disso. Seus textos foram excluídos da história da Paraíba e boa parte da sua produção foi queimada.

Romance e tiros

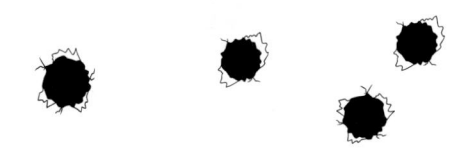

Anna Emília Ribeiro (1871-1951) casou-se com o escritor Euclides da Cunha em 1890, amigo do seu pai e defensor da República. Euclides tinha um temperamento tímido, introvertido e gostava de ficar recluso para escrever. Em 1897, foi enviado pelo jornal *O Estado de S. Paulo* para a região de Canudos, para uma série de reportagens, que também originaram o livro *Os sertões*, escrito dois anos depois em São José do Rio Pardo. Ao voltar de viagem, Anna tinha dado à luz um filho loiro e de olhos azuis, o que despertou a desconfiança em Euclides de traição da mulher, o que de fato acontecia. Em 1909, ao chegar em casa e não encontrar Anna, foi a seu encalço na casa dos irmãos Dilermando e Dinorah de Assis. Encontrando-a com Dilermando, iniciaram um tiroteio. Euclides acertou a espinha de Dinorah e foi alvejado mortalmente por Dilermando. Viúva, Anna casou-se com Dilermando. Com ódio, seu filho, Euclides da Cunha Filho, o Quinzinho, tentou matar Dilermando seis anos depois, mas, como o pai, foi morto por ele. Anna e Dilermando tiveram quatro filhos e, depois de 14 anos de casamento, Dilermando a deixou.

A favorita da garotada

- Ruth Machado nasceu na cidade de São Paulo em 1931. O nome Rocha veio de seu marido, Eduardo Rocha, com quem ela se casou em 1956.
- Ela se formou em sociologia e política pela Universidade de São Paulo, em 1956, e fez pós-graduação em Orientação Educacional pela PUC, em 1970.
- Ruth começou a escrever profissionalmente em 1967. Na época a escritora fazia artigos sobre educação para a revista *Claudia*.
- O primeiro livro, *Palavras muitas palavras*, foi lançado em 1976.
- A autora já recebeu cinco prêmios Jabuti da Câmara Brasileira do Livro: em 1990, 1993 (dois prêmios), 1997 e 2002.
- Em 1996, Ruth escreveu diversas historinhas infantis para a revista *Recreio*, direcionada às crianças.
- A autora possui trabalhos traduzidos em 25 idiomas.

Premiadíssima

A escritora pelotense **Lygia Bojunga** (1932-) começou sua carreira profissional como atriz de teatro e de rádio. A partir de seus primeiros livros passou a ser chamada "Monteiro Lobato de saias". Frequentemente é comparada a escritores como Antoine de Saint-Exupéry e Maurice Druon. Em suas obras trata com doçura temas áridos como o abandono e a morte.

- Em 1973, recebeu seu primeiro Prêmio Jabuti pelo livro *Os colegas*. Pelo mesmo livro entrou para a Lista de Honra dos livros juvenis, da International Board on Books for Young People.
- Em 1996, recebeu o prêmio Orígenes Lessa, na categoria Hors Concours, por seu livro *O abraço*.
- Em 2004, recebeu da princesa Victoria, da Suécia, o prêmio Alma (Astrid Lindgren Memorial Award), o maior prêmio internacional instituído em prol da literatura para crianças e jovens.

Fantasminha e Cavalinho

Maria Clara Jacob Machado (1921-2001) nasceu no Rio de Janeiro, segunda de cinco irmãs, todas Marias. Cresceu numa casa muito grande de Ipanema, entre os melhores amigos do seu pai, o escritor Aníbal Machado, Di Cavalcanti, Oswald de Andrade e Pagu. Menina rica, estudou em colégio de freiras e aos 19 anos foi viver em Paris, onde estudou teatro e mímica. De volta ao Rio, montou o Tablado, companhia que modificou completamente a visão sobre o teatro infantil, ajudando a formar atores mirins como Malu Mader, Louise Cardoso, Leonardo Brício, Miguel Falabella, Cláudia Abreu, Andrea Beltrão e Mauricio Mattar.

OS FEITOS DE MARIA CLARA MACHADO
- Escreveu 23 peças infantis. *Pluft, o fantasminha* é a mais famosa.
- Seus textos foram traduzidos para dez línguas.

- Foi comparada a nomes como Hans Christian Andersen e Mark Twain.
- Arrancou lágrimas de Manoel Bandeira com a peça *O cavalinho azul*.
- Esteve no elenco de sua primeira peça, *O boi e o burro a caminho de Belém*, em 1953.
- Sua peça *O cavalinho azul* foi o maior sucesso da história do teatro infantil entre 1960 e 1980. A peça foi encenada na Alemanha e nos Estados Unidos.
- É considerada a maior autora brasileira de teatro infantil.

> **QUEM FOI A DONA CAROCHINHA?**
> Carocha era uma carapuça de papel usada para castigar as crianças na escola. Com o tempo, as mulheres perceberam que poderiam usar o acessório para intrigar e despertar curiosidade das crianças, desenhando caretas na hora de contar histórias. A malvada carocha se transformou, então, na amiga carochinha. São chamados contos da dona Carochinha os contados através dos tempos, muitas vezes sem autoria conhecida.

Feministas de carteirinha

Com seus textos corajosos, elas ajudaram as mulheres a refletir sobre a sua condição na sociedade.

Carmem da Silva era gaúcha e consolidou seu trabalho de escritora em revistas e jornais. Seus escritos contribuíram para a reflexão das mulheres sobre sua condição na sociedade. Com a coluna "A arte de ser mulher", publicada de 1963 a 1985 na revista *Claudia*, Carmen influenciou várias gerações. A forma franca e direta que tinha para expor suas ideias influencia o jornalismo feminino até hoje. Foi a grande responsável pela morte do termo "rainha do lar". Morreu em Volta Redonda (RJ), onde dava uma palestra sobre feminismo, em 1985.

Marina Colasanti nasceu na Etiópia e morou até os 11 anos na Itália, terra de sua família. Escreveu para diversas revistas femininas e publicou contos, crônicas, poemas e livros infantis. Recebeu o Prêmio Jabuti com *Eu sei mas não devia*. Seu livro *A nova mulher* vendeu cem mil exemplares.

Rose Marie Muraro nasceu praticamente cega e os médicos garantiram que seria muito difícil que ela aprendesse a escrever. Dizem que sua mãe era muito feminina e por isso também muito fútil. Rose foi casada e teve cinco filhos, mas declarou que o marido era um fracasso. Traduzindo *A mística feminina*, de Betty Friedan, ela se encontrou no feminismo dos anos 1970. A partir de então, tornou-se uma feminista sem papas na língua e muito polêmica por suas posições.

Livros que mudaram a vida das mulheres

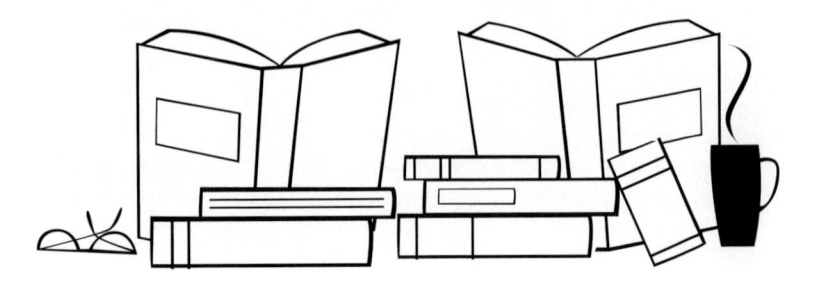

* ***A mulher de trinta anos*, Honoré de Balzac (1832)**: Julia D'Àiglemont é uma mulher de trinta anos, casada, que se dá conta da infelicidade que vive em sua vida matrimonial. Seus questionamentos a levam a desacreditar no amor. Foi a obra mais famosa do escritor e deu origem ao termo "balzaquiana".

* ***O segundo sexo*, Simone de Beauvoir (1949)**: uma das principais bases para o feminismo contemporâneo. A frase "Nós não nascemos mulher, nos tornamos mulher" inspirou as gerações de mulheres que lutaram pela igualdade nos anos 1970. Beauvoir ousou descrever a sexualidade das mulheres. Falava em clitóris, vagina, menstruação e prazer feminino sem eufemismos.

* ***A vida do bebê*, Rinaldo de Lamare (1955)**: A primeira edição foi lançada numa década em que as mulheres não tinham conhecimentos sobre a saúde dos filhos. O livro vendeu 7 milhões de exemplares e é considerado um manual de cuidados com os bebês.

* ***A mística feminina*, Betty Friedan (1963)**: rejeitado no começo, virou *best-seller* por discutir a crise de identidade feminina, analisando minuciosamente a construção da imagem da mulher como dona de casa, mãe e esposa. Foi o responsável pela segunda onda feminista do Ocidente. A ideia do livro surgiu de um encontro de ex-alunos do Smith College onde Betty havia estu-

dado. Ela comprovou que suas antigas colegas estavam tão insatisfeitas com a vida doméstica quanto ela.

* Sebastiana quebra-galho, Nenzinha Machado Salles (1968): Nenzinha Machado Salles, uma dona de casa prática, organizou um livro de conselhos funcionais para ajudar as mulheres que eram, então, rainhas do lar. Das dicas de tira-manchas ao que fazer com as sobras do arroz havia um pouco de tudo.

* Relatório Hite, Shere Hite (1976): depois de entrevistar 4.500 mulheres (que se mantiveram anônimas), ela traça um panorama da sexualidade feminina. O livro causou tamanho impacto que foi considerado um dos cem livros fundamentais do século XX.

* O mito do amor materno, Elizabeth Badinter (1985): a filósofa francesa discute o instinto materno como mito. Ela mostra que esse amor pode variar de acordo com flutuações socioeconômicas. Causou grande polêmica, porque até essa época não se questionava o amor de mãe.

ALGO EM COMUM
Silvia Plath suicidou-se inalando gás de cozinha. Já **Virginia Woolf** afogou-se no rio Ouse, no Condado de Sussex, Inglaterra.

Escritoras ao redor do mundo

AGATHA CHRISTIE (1890-1976)

Agatha Mary Clarice Miller, ou Agatha Christie, ficou conhecida no mundo como a rainha do crime. Ela começou a escrever durante uma forte gripe. Sem ter nada para fazer, seguiu o conselho da mãe que lhe dissera para escrever uma história a fim de se entreter. Anos mais tarde, disse que se divertia ao escrever romances em que os personagens morriam. Seu primeiro livro foi *O misterioso caso de Styles* (1920). Foi a primeira aparição do detetive Hercule Poirot.

Agatha Christie em fatos e números
- Seus livros venderam mais de 1 bilhão de cópias em inglês e outro 1 bilhão em idiomas estrangeiros.
- É autora de oitenta romances de crime, 19 peças e seis romances escritos sob o pseudônimo de Mary Westmacott.
- Durante a Segunda Guerra, ela trabalhou em um hospital e em uma farmácia. Como lidava com os medicamentos, isso a influenciou para escrever sobre os assassinatos. Muitas das vítimas morriam envenenadas.
- Em 1926, após a média de um livro por ano, Agatha Christie escreveu sua obra-prima: *O assassinato de Roger Ackroyd*. Foi o primeiro dos seus livros a ser publicado pela editora Colins e marcou um relacionamento que durou cinquenta anos e setenta obras.
- *A ratoeira*, peça mais famosa de Agatha Christie, estreou em 1952 e é a peça de maior duração em cartaz da história.
- Um dos seus livros mais famosos, *O caso dos dez negrinhos*, teve o título baseado numa cantiga inglesa infantil. Mas causou polêmica nos Estados Unidos: ela foi acusada de racismo. Edições mais recentes ganharam o título *Then there were none* (E não sobrou nenhum).

- No livro *Cai o pano*, Agatha Christie matou Hercule Poirot. Disse que preferia matar a personagem mais famosa do que ver publicações que ela não aprovava serem lançadas após a sua morte.
- *Um crime adormecido*, o último da personagem Miss Marple, foi escrito na década de 1940 e guardado durante muitos anos no cofre de um banco. Agatha temia não sobreviver à Segunda Guerra Mundial.
- Depois da morte da mãe e de um pedido de divórcio do marido, o carro de Agatha foi encontrado à beira de um lago, com as portas abertas. Foram feitas muitas buscas e até o marido infiel virou suspeito. Doze dias depois, um empregado de hotel em Harrogate contatou a polícia, informando sobre uma hóspede que se parecia com a autora. Ela havia se registrado lá sob o nome de Theresa Neele, nome da amante do seu marido.
- Morreu aos 85 anos, de causas naturais e em sua residência, em Oxfordshire. Está enterrada no Cemitério da Paróquia de St. Mary, Oxon. Deixou uma fortuna de 20 milhões de dólares e uma filha, Rosalind Hicks, que veio a falecer muitos anos mais tarde, com a mesma idade que a mãe tinha quando morreu.

ANAÏS NIN (1903-1977)

Esta francesa, que viveu nos Estados Unidos e escreveu todas as suas obras em inglês, foi uma das inspiradoras do feminismo. Começou a escrever em 1940, sob encomenda, por um dólar a página. Seus contos se transformaram em dois volumes: *Delta de Vênus* e *Pequenos pássaros*, considerados pelos especialistas como os melhores exemplos de literatura feminina. Até meados dos anos 1960, com a publicação do primeiro volume do seu *Diário*, pouca gente conhecia Anaïs. Os ingredientes de sua história pessoal, no entanto, causaram escândalo: incesto, infidelidade (apesar de ser casada com Hugh Guiler, manteve relações com escritores famosos como Gore Vidal e com vários de seus analistas) e bissexualidade (relacionava-se com o casal June e Arthur Miller, história que rendeu o filme *Henry e June*, em 1990). Mas o marido não se opunha às vivências de Anaïs, que aproveitava as experiências para escrever suas obras. Em *Casa do incesto*, de 1936, contou o romance que viveu com o pai e em *The winter of artifice*, a história de um aborto que ela fez em 1937. Recebeu honras especiais do Colégio de Arte da Filadélfia em 1973 e do Instituto Nacional de Artes. Seu *Diário* foi considerado um documento histórico de tudo que aconteceu de mais importante no mundo de 1914 a 1977. Mas também foi muito condenada por ser considerada uma mulher despudorada, com uma sexualidade exacerbada.

✪ Manteve um diário desde os 11 anos até o dia da sua morte.

✪ Depois de mandar a biografia de Anaïs para seu irmão Joaquim, a escritora Deirdre Bair recebeu dele uma carta que dizia: "Minha irmã fez mesmo todas as coisas terríveis que sempre suspeitei. Mas tinha dignidade e continuo amando-a".

CAMILLE PAGLIA (1947-)

Filha de italianos, passou a infância em uma fazenda no interior de Nova York. Um dos seus primeiros textos foi publicado em 1963 pela revista *Newsweek*, escrito depois que ela leu o livro *O segundo sexo*, de Simone de Beauvoir. No artigo, ela defendia os direitos iguais entre homens e mulheres. Mais tarde, estudou na Universidade de Yale e ganhou projeção por suas posições contra o feminismo tradicional. Em seu livro *Personas sexuais*, chocou os conservadores e virou estrela da intelectualidade americana. Inimiga do politicamente correto, se tornou uma figura respeitada nas mesas de debates sobre as conquistas da mulher ao redor do mundo.

✪ Em seu último *best-seller*, *Vamps e vadias*, ela expõe suas opiniões sobre aborto e homossexualismo.

CHARLOTTE (1816-1855) E EMILY BRONTË (1818-1848)

As irmãs Brontë, como ficaram conhecidas, nasceram em Yorkshire, em Thornton, na Inglaterra. Foram criadas pela tia e permaneciam muitas horas sozinhas caminhando pelos pântanos e lendo. Também escreviam incansavelmente. Charlotte escreveu 23 romances em 15 meses. Com a irmã Emily escreveu uma série de histórias sobre reinos imaginários. Em 1846, Charlotte descobriu os poemas secretos de Emily, o que as motivou a lançarem juntas seus poemas. O livro que tornou Charlotte conhecida foi *Jane Eyre*, e o de Emily foi *O morro dos ventos uivantes*. Ambos contêm muitos elementos autobiográficos.

✪ O primeiro livro conjunto das irmãs, *Poems of currer*, vendeu dois exemplares.
✪ Tinham um irmão que era pintor fracassado e viciado em ópio.
✪ A irmã mais nova, Anne, também ficou conhecida como poetisa e romancista.
✪ Foram obrigadas a estudar num colégio para filhos de clérigos, onde comiam comida fria, tomavam banho gelado e dormiam em camas duras.
✪ Ambas morreram de tuberculose.

DORIS LESSING (1919-)

Nasceu na Pérsia (atualmente Irã), mas cresceu na Rodésia do Sul (atual Zimbábue), que era colônia britânica. Aos sete anos, foi mandada para um internato de onde decidiu sair aos 14 anos, interrompendo seus estudos. Trabalhou como babá, datilógrafa, telefonista e jornalista, e teve formação intelectual autodidata. Dedicou-se a escrever sobre violência contra crianças, temas ligados ao feminismo e política racial. Foi militante comunista e defensora dos direitos dos negros. Diz que seu maior sacrifício em nome da literatura foi ter abandonado o marido e os dois filhos na África e voltado para a Europa, onde se dedicou exclusivamente à carreira de escritora.

✪ Foi a mulher mais velha a receber um Prêmio Nobel de Literatura, o que aconteceu em 2007, quando ela estava prestes a completar 88 anos.
✪ Escreveu cinquenta livros; 12 deles foram traduzidos para o português. Sua obra mais famosa é *O carnê dourado*, que relata fatos reais da vida da autora.

EMILY DICKINSON (1830-1886)
De família rica, estudou nos melhores colégios do estado de Massachusetts. Ao terminar os estudos, voltou para casa e levava uma vida muito reclusa, sem visitas, amigos ou namoros. Ao fazer uma viagem para cuidar dos olhos na Filadélfia, conheceu o clérigo Charles Wadsworth. A ele teria dirigido todas as cartas e poemas de amor que ela escreveu durante sua vida.

✪ Em 1858, escreveu à mão e encadernou ela mesma seus fascículos.
✪ Os 1.800 poemas e as mil cartas que escreveu só foram publicados após sua morte, quando críticos literários lhe atribuíram valor.
✪ Diminuiu o ritmo da produção em 1870, quando começou a perder a visão.

FLORBELA ESPANCA (1894-1930)
A poetisa e escritora portuguesa fez seu primeiro poema aos sete anos, abordando temas sombrios e melancólicos. Seus poemas e contos se baseavam em histórias de saudade e tristeza. O primeiro deles, *O livro de mágoas*, foi lançado em 1919 e fez grande sucesso. Viveu em diversas cidades portuguesas e sua obra tem um teor de amargura inspirado nos três casamentos, dois abortos e na morte do irmão.

✪ A mulher de seu pai não conseguia ter filhos e ele os foi ter com Antonia, mãe de Florbela, que mais tarde a abandonou.
✪ Matou-se no dia do seu 36º aniversário, ingerindo um frasco de remédios para dormir, depois de outras duas tentativas fracassadas.

GEORGE SAND (1804-1876)

Filha de uma família aristocrática francesa, Amandine Aurore Lucille Dupin casou-se aos 18 anos e se separou nove anos depois. Para poder frequentar as rodas literárias da França e participar das discussões intelectuais, usava roupas masculinas e fumava cigarrilhas. Seu primeiro romance, *Rosa e branco*, foi escrito em parceria com Jules Sandeau, que era seu amante e de quem tomou emprestado o pseudônimo J. Sand. Amiga do compositor Franz Liszt, do pintor Delacroix e dos escritores Victor Hugo, Honoré de Balzac e Gustave Flaubert, ela conheceu também o compositor Frédéric Chopin, por quem se apaixonou.

✪ Ela escreveu 96 romances, 26 volumes de correspondências e 24 comédias.
✪ Sua segunda filha era de um amante, mas foi registrada com o sobrenome do marido.
✪ O nome George Sand só apareceu em 1932, no romance *Indiana*, que fez estrondoso sucesso. Os leitores acreditavam tratar-se de um homem.
✪ Ela achava que para se vestir bem em Paris era preciso gastar muito. Então, manteve o guarda-roupa masculino, que custava mais barato.

LILLIAN HELLMAN (1905-1984)

Para essa americana não faltou ousadia. Quando todas as mulheres do seu tempo pensavam em casar, ela abandonou os estudos e foi trabalhar numa editora em Nova York, como leitora de manuscritos de outros autores, o que a fez conviver com a nata dos intelectuais. Combateu o nazismo. Casou-se com o jovem escritor e agente teatral Arthur Kober, com quem foi viver em Hollywood. Lá, foi contratada pela Metro Goldwyn Mayer para selecionar *scripts*. Durante trinta anos foi amante de um dos maiores *best-sellers* americanos, o autor Dashiell Hammett. Escreveu *The children's hour* (1934), um sucesso estrondoso na Broadway. A peça virou filme, com Shirley MacLaine e Audrey Hepburn. Rica, Lillian comprou uma fazenda em Martha's Vineyard (estado de Massachusetts), que se tornou seu refúgio.

✪ Lillian gostava de uma briga. Agredia, inclusive fisicamente, quem ousasse atravessar o jardim da sua casa para chegar mais rápido à praia.
✪ Morreu quase cega, sem abrir mão das coisas de que mais gostava: brigas, cigarros, bebidas e homens.

MARGUERITE DURAS (1914-1996)

Nasceu na Indochina, atual Vietnã, e ficou órfã de pai aos quatro anos. Sua mãe lutou para mantê-la na escola. Na adolescência, teve um caso com um chinês muito rico, que aparece em diversos livros de sua autoria. Formou-se em direito e ciências políticas. *Hiroshima, meu amor* e *O amante*, obras adaptadas para o cinema, deram muita projeção à autora.

✪ Aos 66 anos, Marguerite se apaixonou por um homem 38 anos mais novo do que ela e viveu com ele até sua morte.

HÁBITOS CURIOSOS
- Agatha Cristie gostava de andar disfarçada.
- Barbara Cartland passava batom e perfume antes de sentar-se à sua mesa de trabalho. Em sua própria casa.
- Clarice Lispector foi *ghost writer* da modelo Ilka Soares.
- Cora Coralina vendia banha de porco e linguiça.
- Doris Lessing decidiu abandonar os estudos com 14 anos.
- Emily Dickinson encadernava seus livros à mão.
- J. K. Rowling gosta de escrever em locais públicos.
- Simone de Beauvoir não tinha residência fixa: morava em hotéis e pardieiros.

MARGUERITE YOURCENAR (1903-1987)

A autora de *A obra em negro* e *Memórias de Adriano* levou 27 anos para escrevê-las. Belga, naturalizou-se americana por ter profunda identificação com os Estados Unidos. Órfã de mãe, viajou o mundo todo com o pai, o que lhe deu grande bagagem cultural e erudita. Graças ao conhecimento da literatura mundial, decidiu tornar-se contista e romancista. Marguerite viveu quarenta anos com a namorada Grace Frick. Aos 77 anos, casou-se com o amigo Jerry Wilson que, seis anos depois, morreria de aids. Graças a seu trabalho literário, foi a primeira mulher a entrar para a Academia Francesa de Letras, em 1980.

◯ Ela não frequentou escolas nem universidades. Recebeu toda sua educação de professores particulares.

◯ No final da vida, mandou gravar em seu túmulo a inscrição 1903-19... Ao ser questionada sobre isso, declarou: "Creio que o ano 2000 não é para mim".

SIDONIE-GABRIELLE COLETTE (1873-1954)

Foi uma das mais emblemáticas escritoras francesas e também atuou nos teatros do mundo. Seus livros, aparentemente para meninas bem-comportadas, eram tão escandalosos quanto a vida da autora. Suas personagens eram eroticamente irrequietas, como as da série *Claudine*, que ela assinava com o nome do marido, Willy, porque ele a trancava no quarto só permitindo que saísse após escrever um determinado número de páginas.

◯ Foi a primeira mulher a ter direito a funeral de estado na França.

◯ Seus livros eram trancados a chave para que as meninas não os pudessem ler, pois o conteúdo era considerado muito sexualizado e impróprio para as mais jovens.

SIMONE DE BEAUVOIR (1908-1986)

Filha de aristocratas, sempre foi estimulada a escrever. Na adolescência, a família viveu uma situação financeira complicada e ela decidiu virar professora, antes de realizar seu sonho de escrever. Para se aprimorar, estudou filosofia na Sorbonne, onde conheceu Jean Paul Sartre. Com ele, manteve uma relação afetivo-intelectual de uma vida. Embora ele tenha proposto, ela sempre se recusou ao casamento, pelo qual tinha grande desprezo. Viveram fases mais isoladas e também vários triângulos amorosos, quase sempre com outra mulher. Teve tantas passagens marcantes na vida que precisou escrever quatro livros de memórias para registrá-las. O primeiro volume, *Memórias de uma moça bem-comportada*, virou *best-seller* logo após o lançamento, transformando Simone na autora mais importante do mundo.

◯ Seu pai dizia que ela era muito feia para conseguir um marido.

◯ Em 1942, a editora Gallimard aceitou publicar o romance recém-terminado de Simone, mas exigiu que ela trocasse o nome original, "Legítima defesa". Ela o rebatizou de *A convidada*. O livro foi dedicado a Sartre e a Olga, uma aluna que compunha um triângulo amoroso com o casal. O livro causou alvoroço e Simone se transformou em celebridade.

✪ Sua única peça teatral, *Les bouches inutiles* (As bocas inúteis), foi um fracasso.
✪ Seu maior sucesso, *O segundo sexo*, começou a ser publicado em capítulos na revista *Les Temps Modernes*, de propriedade da autora.
✪ Até 1953, quatro anos depois do lançamento, *O segundo sexo* já havia sido traduzido para 22 idiomas e tinha vendido 2 milhões de exemplares.
✪ Teve outras paixões como o escritor americano Nelson Algren e o francês Claude Lanzmann, 27 anos mais novo. Recusou casamento a ambos.

SUSAN SONTAG (1933-2004)

Filha de judeus americanos, seu pai, que vendia peles de animais, morreu de tuberculose quando Susan tinha cinco anos. A mãe voltou a se casar e Susan adotou o sobrenome do padrasto. Estudou em universidades importantes como Berkeley e Harvard. Casou-se com 17 anos, teve um filho que veio a ser seu editor. Seus artigos e seus 17 livros se destacaram pela defesa dos direitos humanos.

✪ Pediu para ser cremada em Paris, no cemitério de Montparnasse.
✪ Dizia que a hegemonia da raça branca era o câncer da sociedade.
✪ Adorava balé e fotografia.

> **VOVÓ QUERIDA**
> • O maior sucesso de Ana Maria Machado foi *Bisa Bia, bisa Bel*, no qual a autora conta a história de Isabel, uma menininha que conhece sua bisavó Bia por retrato. A autora escreveu a história porque tinha muita saudade da avó e queria que seus filhos soubessem um pouco mais sobre ela.
> • A morte marcou a vida de Cecília Meireles. Seu pai morreu três meses antes de ela nascer, e a mãe, antes que ela completasse três anos. Cecília foi criada pela avó materna, a quem dedicou muitos dos seus poemas.

VIRGINIA WOOLF (1882-1941)

Filha de um editor inglês, entrou muito cedo para a vida literária, embora se queixasse disso: "Pense como fui criada! Jamais aproveitei o que uma escola oferece: bagunça, gírias e vulgaridade. Vivi perambulando entre os livros de meu pai". Sua primeira obra, *Noite e dia*, publicada em 1919, fez muito sucesso. O romance *Mrs. Dalloway*, que no cinema ganhou o nome *As horas*, mescla a história da protagonista com sua própria história. Seu romance mais conhecido é *Orlando*, no qual ela aborda o amor entre duas mulheres. Foi publicado em 1928. Suicidou-se em 1941.

✪ Ficou conhecida como a Proust inglesa, tamanha a importância de sua obra.
✪ Sua última obra, *Entre atos*, foi publicada após sua morte.

POEMAS SUICIDAS

Silvia Plath (1932-1963) é considerada uma das mais importantes poetisas americanas. Durante toda a adolescência colaborou com jornais e revistas americanos escrevendo poesias, o que lhe valeu uma bolsa de estudos no Smith College. Mas Silvia era depressiva e tentou suicídio várias vezes, chegando a ser internada aos vinte anos por causa de uma crise profunda e mais uma tentativa de se matar. Recuperada, casou-se com o poeta Ted Hughes, com quem teve dois filhos. Mas ressentia-se pelo fato de apenas ele ser reconhecido no meio literário como grande poeta. Viver à sombra do marido a deprimia e a doença chegou ao auge quando ela descobriu que era traída por ele. Nos dez meses que antecederam sua morte, sua produção poética foi intensa, mas não publicada. Seu trabalho foi reconhecido após o seu suicídio.

MEU PAI É UM PROBLEMA
• Anaïs Nin teve um caso com o próprio pai, que a obrigava a posar nua desde pequena.
• O pai de Lygia Fagundes Telles gostava de jogar e levava a filha com ele. Na roleta, sempre apostava no verde, que se transformou na cor presente em toda a obra ficcional da escritora. Lygia disse que verde é a cor da esperança, como aprendeu com seu pai.
• Quando Hilda Hilst foi visitar o pai no sanatório, ele a confundiu com a mãe e implorou por uma noite de amor. Hilda tinha 16 anos.

Com você... madame Harry Potter!

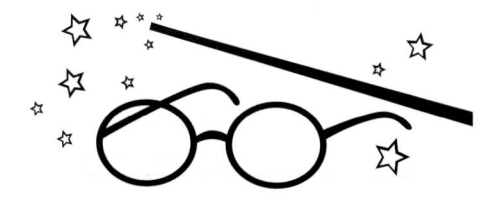

Joanne Kathleen Rowling (1965-), ou J. K. Rowling, casou-se com um homem que fugiu logo que soube que ela estava grávida. Desempregada e em péssima situação financeira, sobrevivia com seguro-desemprego. Como sua casa não tinha sistema de aquecimento, quando a filha nasceu ela punha o bebê num carrinho e ia para um café próximo. Foi nessa época que começou a escrever uma história infantil sobre o bruxinho Harry Potter. Inúmeras editoras recusaram seus originais. Quando a Bloomsbury aceitou, pagou um pequeno adiantamento pelos direitos autorais. Niguel Newton, diretor da editora, diz que Rowling teve sorte, pois eles sequer editam livros infantis. Mas, como o original estava no alto da pilha, ele leu, adorou e resolveu publicar. Para ajudar na conclusão do segundo volume, Rowling recebeu do Scottish Arts Council uma bolsa de incentivo à criação.

Você sabia?

• Por contrato, ela não tem prazos rígidos para a entrega dos originais dos livros.
• Rowling aprova tudo a respeito de seu personagem bruxo: capas de caderno, camisetas e brinquedos.

Sherazade, a esperta contadora de histórias

No século X, o rei Shariar (ou Shariman, para alguns) descobre que está sendo traído pela esposa, que tem um servo como amante. Enfurecido, o rei mata os dois. Depois, toma uma decisão terrível: a cada noite vai se casar com uma nova mulher e, na manhã seguinte, ordenará sua execução para nunca mais ser traído. Assim ele faz por três anos. Um dia, a filha mais velha do primeiro-ministro do rei, a bela e sábia Sherazade, diz ao pai que tem um plano para acabar com a barbaridade do rei. Mas, para aplicá-lo, ela precisa casar-se com ele. Horrorizado, o pai tenta convencer a filha a desistir da ideia, mas Sherazade não desiste. Quando chega a noite de núpcias, sua irmã mais nova, Duniazade, faz o que sua Sherazade havia pedido. Vai de madrugada até o quarto dos recém-casados e, chorando, pede para ouvir uma das fabulosas histórias que a irmã conhece. Sherazade começa então a narrar uma intrigante história que cativa a atenção do rei, porém não tem tempo de acabar antes do amanhecer. Curioso para saber o fim do conto, Shariar concede-lhe mais um dia de vida. As histórias de Sherazade são sempre interrompidas na parte mais interessante. Assim, dia após dia, sua morte vai sendo adiada. Na verdade, a forma como Sherazade aprendeu todos esses contos explica também outro mistério da obra: ela não tem autor! As histórias de *As mil e uma noites* eram contadas de uma pessoa para outra e ninguém sabe quem as inventou; são parte da tradição oral do povo árabe, que se reunia nas ruas e mercados.

E por que mil e uma noites?
Os árabes eram muito supersticiosos e acreditavam que números redondos atraíam coisas ruins.

O que aconteceu com Sherazade na 1002ª noite?
O sultão Shariar percebeu que não conseguiria mais viver sem as histórias da esposa e, por isso, não mandou executá-la. Ficaram casados por muitos anos.

Uma avó inspiradora

O pintor Paul Gauguin foi neto de uma das primeiras feministas da história: **Flora Tristán**. Filha de um aristocrata e de uma plebeia, ela nasceu em 1803, em Paris. Como era filha bastarda, passou a viver na miséria aos quatro anos, quando ficou órfã de pai. Trabalhou como operária e casou-se para ter o que comer. Mas apanhava muito do marido e acabou fugindo dele, levando consigo os dois filhos e um terceiro na barriga. Trabalhou como doméstica e alguns anos depois lançou seu primeiro manifesto feminista em defesa das mulheres proletárias. Durante toda a vida lutou para ser reconhecida pela família do pai. Seu trabalho literário só ficou conhecido no fim de sua vida, quando ela quase foi assassinada pelo ex-marido. Em 2004, o escritor Mario Vargas Llosa lançou *O paraíso na outra esquina*, inspirado na vida e na obra de Flora Tristán.

Personagens femininas

ANNA KARIÊNINA (*Anna Kariênina*, de Leon Tolstói, 1877)
É uma mulher russa, do tempo dos czares, que corre atrás do amante e se enreda nas próprias mentiras e contradições.

CAPITU (*Dom Casmurro*, de Machado de Assis, 1900)
Tinha olhos de cigana oblíqua e dissimulada, segundo seu marido ciumento, que desconfia de seu adultério.

DIADORIM (*Grande sertão: veredas*, de João Guimarães Rosa, 1956)
Ela se veste de jagunço e desperta o amor de Riobaldo, que não sabe sua verdadeira identidade. Só descobre que Diadorim é uma mulher depois que ela morre lutando.

EMMA BOVARY (*Madame Bovary*, de Gustave Flaubert, 1857)
Bonita e sonhadora, ela se casa com um médico e percebe que os romances da vida real não são como os da literatura. Graças a esse romance, que levou dez anos para ser escrito, Flaubert foi levado aos tribunais, acusado de ofensa à moral e à religião.

FLOR (*Dona Flor e seus dois maridos*, de Jorge Amado, 1966)
Depois de enviuvar do espevitado marido Vadinho, ela se casa com o comportado Teodoro. Mas o marido morto aparece para dividir a cama com o novo casal.

LOLITA (*Lolita*, de Vladimir Nabokov, 1955)
Dolores é o alvo da paixão do padrasto Humbert, um professor de poesia, que a apelida de Lolita. Polêmico, o romance foi rejeitado por diversas editoras.

LUÍSA E JULIANA (*Primo Basílio*, de Eça de Queirós, 1878)
Luísa vive entediada com o marido, até que se apaixona pelo primo Basílio.

A empregada Juliana, virgem, solteira e bastarda, a chantageia, transformando a patroa em escrava.

MACABÉA (*A hora da estrela*, de Clarice Lispector, 1977)
Moça nordestina e humilde, enfrenta a vida no Rio de Janeiro e se orgulha de ser datilógrafa. Virgem e semianalfabeta, ela gosta de goiabada com queijo e quer ser estrela de cinema.

MARÍLIA (*Marília de Dirceu*, Tomás Antonio Gonzaga, 1792)
A pastora Marília encanta o jovem poeta Dirceu, que lhe compõe liras. Primeiro em tom romântico, depois trágico. Foi escrito em três partes, mas apenas as duas primeiras são do autor.

MARIA MOURA (*Memorial de Maria Moura*, de Rachel de Queiroz, 1992)
Cangaceira nordestina que, com apenas 17 anos, perde a família, a honra e a terra. Mas não aceita o papel submisso reservado às mulheres do século XIX.

SOFIA (*O mundo de Sofia*, de Jostein Gaarder, 1991)
Com a ajuda do professor de filosofia, Sofia viaja até o ano 600 a.C., onde encontra os maiores filósofos da história.

Quem foi Pollyana?

Pollyana é a personagem principal do livro homônimo de Eleanor H. Porter, lançado em 1913. Ela ficou famosa na literatura infanto-juvenil pelo seu otimismo exagerado. Até quando tudo dava errado, ela insitia em ver o lado bom das coisas.

E por falar em otimismo...
• De 1962 a 1965, a Clínica Mayo, em Minnesota (EUA), estudou 839 pessoas classificadas entre otimistas e pessimistas. Trinta anos mais tarde, constataram que havia 19% mais otimistas vivos do que pessimistas.
• Segundo a mesma pesquisa, as mulheres tendem a ser mais otimistas que os homens.

Livro após a morte

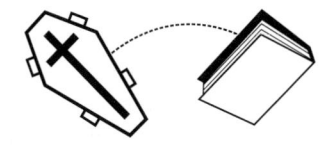

Anneliese Marie Frank, a **Anne Frank** (1929-1945), foi uma judia que viveu escondida dos nazistas durante o holocausto. Junto com sua família e outros fugitivos, escondeu-se num porão de Amsterdã por 25 meses. Durante esse período, escreveu seu diário, ao qual chamava Kitty. Nele anotava seus sentimentos, as emoções e sua visão da guerra. Denunciada, foi deportada para os campos de concentração, primeiro de Auschwitz e depois Bergen-Belsen, onde acabou morrendo de tifo, aos 15 anos de idade. Não teve tempo para ver o campo ser libertado, apenas duas semanas após sua morte. Seu diário, guardado durante a guerra, foi publicado em 1947 por iniciativa de seu pai Otto, o único sobrevivente.

Curiosidades
✪ *O diário de Anne Frank* foi traduzido para 67 línguas.
✪ O local onde Anne se manteve refugiada com outras famílias ficou conhecido como Anexo Secreto e foi transformado em museu.
✪ O livro tornou-se o mais famoso símbolo do holocausto.

Ela virou personagem de cinema

O filme *Entre dois amores*, em que Meryl Streep e Robert Redford vivem um romance passado no Quênia, teve inspiração na vida real. Ele conta a história de **Karen Blixen**, uma das mais importantes escritoras do século XX. Sua história é uma sucessão de tragédias:

• o pai se enforcou quando Karen tinha dez anos;
• apaixonou-se loucamente por um rapaz que não a quis e acabou se casando com o irmão gêmeo dele;
• contraiu sífilis do marido;
• apaixonou-se por um piloto inglês e engravidou dele. Sofreu um aborto no meio da gestação;
• teve de administrar a fazenda falida por descuido do marido;
• disposta a se separar, teve de enfrentar a pouca disposição do amante para assumir um compromisso;

- sem ter como se manter na África, partiu para a Dinamarca. Ao ver a reação fria do amante, cortou os pulsos para tentar se matar, mas sobreviveu;
- o amante morreu alguns meses depois, num desastre de avião.

Você sabia?

- A casa que serviu de cenário para o filme *Entre dois amores* foi a moradia real de Karen Blixen. Hoje abriga um museu.
- Outro romance famoso de Karen Blixen é *A festa de Babete*. O que é bastante curioso, já que o filme tem como assunto principal as relações de afeto entre moradores de um povoado e a comida. Karen havia sido vítima de uma operação que lhe tirara 1/3 do estômago e praticamente não podia comer. Morreu pesando 35 quilos.

Agora é tarde... Inês é morta!

A expressão tem origem histórica e literária, e significa a inutilidade de ações feitas tardiamente. **Inês de Castro** (1320-1355) viveu um romance com o príncipe dom Pedro (1320-1367) e com ele teve três filhos. A mando de dom Afonso IV, ela foi condenada à morte por decapitação. Quando se tornou o oitavo rei de Portugal, dom Pedro ordenou a morte dos três assassinos de Inês, que tiveram o coração arrancado. No cortejo de morte de Inês, o rei obrigou todos os nobres a beijarem a mão do cadáver. Ainda concedeu à ex-amante o título de rainha. A homenagem tardia era inútil, pois Inês já estava morta. A personagem foi celebrada na obra *Os Lusíadas*, de Luís de Camões.

A mãe dos romances *fast-food*

A inglesa **Barbara Cartland** (1901-2000) foi uma das mais bem-sucedidas escritoras do mundo. Escreveu 723 romances, que foram traduzidos para 36 idiomas. Atingiu a marca de 1 bilhão de livros vendidos, mas sempre foi ignorada pela crítica de todos esses países. A única homenagem que recebeu foi a condecoração de Dame Concorder da Ordem do Império Britânico, em honra aos seus 70 anos de contribuição literária. Barbara se notabilizou por escrever histórias de amor impossível, em que mulheres inocentes e angelicais se apaixonavam por homens ricos e poderosos. No Brasil, a editora Nova Cultural publicou romances de Barbara Cartland a partir de 1978, época em que as fotonovelas ainda faziam sucesso.

- O site oficial de Barbara vende uma coleção com 160 romances inéditos deixados por ela. O nome da coleção é "Pink". Era a cor preferida de Barbara, que vestia-se obrigatoriamente de rosa toda vez que ia escrever.
- Casou-se com um oficial das Forças Armadas e teve com ele uma filha, que muitos anos depois tornou-se madrasta de Diana, a lady Di.
- Além dos romances açucarados, ela escreveu também livros de receitas, livros com dicas de saúde e algumas biografias, como a de seu irmão, Ronald Cartland, o primeiro membro do Parlamento Inglês a ser morto durante a Segunda Guerra Mundial. O primeiro-ministro Winston Churchill escreveu o prefácio. Em 1978, Barbara gravou um disco com temas de amor com a Royal Phillarmonic Orchestra.

Julia, Sabrina e Bianca

Com o sucesso dos livros de Barbara Cartland, surgiu o gênero romance *fast-food*, aqueles que são consumidos em menos de uma hora de leitura. Os mais célebres são os das coleções que levam nome de mulher. Julia é para a mulher madura e mais experiente; Sabrina, para as mais românticas; e Bianca traz um toque de humor ao romance. Recentemente surgiu também Mirella, com temas mais picantes.

Curiosidades

❂ O direito desses livros pertence à editora Harlequin Books, dos Estados Unidos.
❂ Alguns livros não têm autoria. Existe uma equipe incumbida de criar as histórias.

QUEM ERA A CLAUDIA, QUE DEU NOME À REVISTA?
Silvana Civita e seu marido, Victor, fundador da editora Abril, tiveram dois filhos: Richard e Roberto. A menina que ela sonhava ter e a quem daria o nome Claudia nunca veio. Em 1961, Victor achou que as brasileiras precisavam de uma publicação para falar sobre seus problemas, seu cotidiano, seus anseios. Em outubro daquele ano lançou a revista *Claudia* em homenagem à esposa.

Curiosidades
- *Claudia* tem vários "filhotes": *Claudia Cozinha*, *Casa Claudia*, *Claudia Moda* e *Claudia Bebê*.
- Em 1996, a revista instituiu o prêmio Claudia para consagrar mulheres com iniciativas pioneiras e relevantes junto à comunidade em que vivem. Marta Suplicy, Viviane Senna, Fernanda Montenegro e Mayana Zatz foram algumas das vencedoras.

Fotonovelas

Considerada um subgênero da literatura, a fotonovela é uma novela contada quadro a quadro, por meio de fotografias e textos curtos. A primeira fotonovela foi publicada na França, em 1949. No Brasil, a precursora foi a revista *Capricho*, da editora Abril, que nos anos 1950 comprava suas fotonovelas da Itália e as traduzia aqui. Depois de alguns anos, passou a comprar histórias da Argentina e produzi-las aqui também. Uma década depois, surgiu a revista *Melodia*, que também publicava fotonovelas, mas não vendia nada parecido com os 500 mil exemplares da antecessora. A revista *Capricho* deixou de publicar fotonovelas nos anos 1980, quando se transformou numa revista para adolescentes com o *slogan*: "a revista da gatinha".

TEATRO

Bibi Ferreira (1924-): estreou no teatro com 24 dias de vida, substituindo uma boneca que desaparecera da cena. Dançava no corpo de baile do Theatro Municipal do Rio de Janeiro e, aos nove anos, teve sua matrícula negada no colégio Sion, de Laranjeiras, por ser filha de ator de teatro. Sempre enfatizou que seu maior mérito é ter conseguido muita popularidade sem jamais ter feito telenovelas.

- Na companhia do pai, Procópio Ferreira, apresentou-se em sacristias, *hall* de prefeituras e até no meio do mato.
- Na década de 1950, custeou a vinda de atrizes americanas para um espetáculo no Brasil, pagando cachês altíssimos. Alguns dias depois da estreia, o teatro pegou fogo e Bibi perdeu tudo que havia investido.
- Ao lado de Paulo Autran encenou *My fair lady*, um dos maiores sucessos do teatro nos anos 1960.
- Com *Gota d'água*, em 1975, se consagrou como dama do teatro.

Cacilda Becker (1921-1969): como era filha de pais pobres e separados, não podia frequentar a alta sociedade. Ficou conhecida em Santos por dançar a "Dança do fogo", com desembaraço e numa roupa transparente, com apenas 16 anos. Sua atuação nos palcos lhe valeu citação de Carlos Drummond de Andrade quando ela morreu. Ele disse: "Morreram Cacilda Becker", de tantas que ela era.

- Ao roubar frutas do vizinho, ela caiu e machucou o pé. Teve tétano e quase morreu.
- Durante a última apresentação que fez em *Esperando Godot*, Cacilda se apoiou no ator e marido Walmor Chagas e disse: "Estou tendo um derrame". Era um aneurisma. Ela sobreviveu mais 38 dias.

Cleyde Yáconis (1926-2013): a irmã mais nova de Cacilda Becker teve uma infância difícil, acompanhando a mãe separada em suas andanças pelo interior de São Paulo. Começou como camareira no Teatro Brasileiro de Comédia. Estreou acidentalmente, num dia em que Nydia Licia faltou ao trabalho e ela a substituiu.

- Embora o TCB – Teatro Cacilda Becker – levasse o nome da irmã mais velha, Cleyde Yáconis, e o cunhado Walmor Chagas, também foram seus fundadores.
- Um de seus papéis mais premiados foi Simone de Beauvoir, que ela viveu nos anos 1980, na peça *Cerimônia do adeus*, sob direção de Mauro Rasi.

Dina Sfat (1938-1989): era filha de judeus poloneses e começou a trabalhar com 16 anos, como assistente de um laboratório. Estreou aos 22 anos no teatro de Arena, com a peça *Os fuzis da senhora Carrar*. Com uma personalidade densa e dramática, sem nunca ter perdido a sensualidade, conseguiu sucesso no teatro, no cinema e na televisão igualmente.

- Era feminista declarada e participava de passeatas e movimentos em defesa da mulher.
- Enquanto se tratava de câncer na Rússia, aproveitou o tempo livre para filmar um documentário sobre o país.

Fernanda Montenegro (1929-): seu verdadeiro nome é Arlette Pinheiro Esteves da Silva. Trabalhava no rádio fazendo traduções e adaptações de peças literárias para o formato de radionovelas. Não tinha vinte anos e, para completar o orçamento, ainda dava aulas de português para estrangeiros na Berlitz, mesma escola de idiomas em que aprendia inglês e francês. Certa vez, declarou: "Tenho mais vocação do que talento. Sou uma operária".

- Foi a primeira e única atriz brasileira a concorrer ao Oscar de melhor atriz, pelo filme *Central do Brasil*, em 1998.
- Quando estava no palco, durante a peça *O amante de madame Vidal*, uma barata voadora pousou no cenário. Fernanda fingiu não ver e correu para o outro lado do palco. Mas a barata a seguia. Então ela parou o espetáculo e

deu uma sapatada na barata. Depois de cinco minutos de aplausos retomou a apresentação.
• Durante vinte dias, no final dos anos 1970, encenou a peça É..., de Millôr Fernandes, com a luz da plateia acesa. Medida de segurança por causa dos tempos da ditadura.
• É mãe da atriz **Fernanda Torres**.

Lilian Lemmertz (1938-1986): apaixonada pelo teatro estudantil, ela não pensava em seguir carreira e entrou para a faculdade de línguas neolatinas. Na faculdade acabou formando o grupo Comediantes da Cidade, que foi visto por Cacilda Becker. Ela, então, os convidou para integrar sua companhia.
• A família alemã não queria que ela viajasse para São Paulo sozinha para seguir a carreira teatral.
• Foi musa do cineasta Walter Hugo Khoury
• Seu último trabalho foi no especial *Nego Leo*, escrito por Chico Anysio para a televisão. Ela morreu de ataque cardíaco com apenas 48 anos.
• É mãe da atriz **Julia Lemmertz**.

Maria Della Costa (1926-): sua beleza lhe garantiu brilho nas passarelas nos anos 1940, quando surgiam as primeiras modelos que desfilavam para a Casa Canadá. Mas era nos cassinos que ela ganhava dinheiro fazendo shows do teatro de revista. Fundou o Teatro Popular de Arte que, mais tarde, ganhou seu nome.

• É dona da pousada Coxixo, em Paraty (RJ).
• Foi casada com o consultor de moda Fernando de Barros.
• Otávio Frias, fundador do jornal *Folha de S. Paulo*, foi quem lhe conseguiu um financiamento para que ela construísse seu teatro, projeto de Lucio Costa e Oscar Niemeyer.

Marília Pêra (1943-): era uma garotinha que adorava pintar suas bonecas e vivia nos camarins dos teatros, acompanhando os pais, tios e avós. Subiu ao palco pela primeira vez para interpretar a filha de Medéia, o que lhe causou muito medo: "Eu era envenenada pela minha própria mãe", ela disse.

• Começou sua carreira artística com apenas 19 dias. Filha de dois atores de teatro, Manuel Pêra e Dinorah Marzulho, ela subiu ao palco como um bebê numa cena da peça encenada pelos pais.
• Conheceu o primeiro marido, Paulo Graça Mello, quando tinha 15 anos, no musical *De Cabral a JK*. Foi o primeiro homem que beijou. Ele morreu num acidente de carro, em 1969.
• Derrotou Elis Regina num teste para o musical *Como vencer na vida sem fazer força*. Pouco depois, passou a namorar Nelson Motta, que tinha namorado Elis.
• Com *Fala baixo senão eu grito*, em 1969, ganhou o Prêmio Molière.
• Foi presa durante a apresentação da peça *Roda Viva* (1968), de Chico Buarque.

Nathália Timberg (1929-): estreou no Teatro Universitário e logo em seguida mudou-se para Paris, onde se dedicou a estudar teatro nos anos 1950. De volta ao Brasil, entrou para a Companhia Dramática Nacional e seu primeiro papel foi na peça *Senhora dos afogados*, de Nelson Rodrigues, com direção de Bibi Ferreira. Anos depois, passou a integrar o elenco do Teatro Brasileiro de Comédia.

• Interpretou peças clássicas como *O pagador de promessas*, de Dias Gomes, e *A casa de chá do luar de agosto*, de John Patrick.

- Sua interpretação cheia de refinamento lhe valeu o Prêmio Molière, em 1964. Acredita que uma grande atriz tem de saber como andar, gesticular e usar um vestido sem perder a elegância.
- Ao lado do marido Sylvan Paezzo, criou o Circo do Povo, em 1970, um teatro popular construído com mastros e lona.
- Protagonizou dezenas de novelas, como *O direito de nascer*.

Ruth de Souza (1921-): nasceu no Rio de Janeiro, mas viveu até os nove anos numa fazenda do interior de Minas Gerais. Com a morte do pai, voltou ao Rio, onde a mãe era lavadeira numa vila de Copacabana. Sua diversão era ir ao cinema aos domingos, onde se inspirava em talentos como Bette Davis e sonhava em ser atriz. Com a mãe, aprendeu a ler aos quatro anos e alguns anos mais tarde foi estudar no colégio de freiras, onde era punida por cantar músicas de Carnaval.

- Com 17 anos, ingressou no Teatro Experimental do Negro. Foi a primeira atriz negra a subir no palco do Theatro Municipal do Rio de Janeiro, com a peça *O imperador Jones*.
- Foi a primeira atriz brasileira a ser indicada para um prêmio internacional no Festival de Veneza, em 1954.
- Estudou teatro nos Estados Unidos, onde também aprendeu iluminação, sonoplastia, direção e cenografia.

Ruth Escobar (1934-): portuguesa, casou-se com um brasileiro e estudou teatro na França. De volta ao Brasil, resolveu investir no teatro popular e adaptou um ônibus para levar suas peças à periferia. Tornou-se não apenas atriz, mas empresária do teatro.

- Em 1963, inaugurou o teatro que leva seu nome. Quem ajudou na tarefa da construção e inauguração foi a comunidade portuguesa residente em São Paulo.
- Foi eleita deputada estadual por São Paulo duas vezes consecutivas.

Tônia Carrero (1922-): formou-se em educação física e pretendia seguir a carreira de professora. Porém, casou-se com o artista plástico Carlos Arthur Thiré e foi morar na França. Lá estudou dramaturgia. De volta ao Brasil, e já separada, formou uma companhia com o novo marido, Adolfo Celi, e Paulo Autran.

- Seu primeiro professor de teatro lhe disse: "Você pode dar uma ótima senhora de sociedade, mas não tem nada a ver com o teatro".
- Seu maior sucesso no cinema foi *Tico-tico no fubá*, pelos estúdios Vera Cruz.
- No teatro, teve *performances* muito elogiadas com *Quem tem medo de Virginia Woolf* e *A divina Sarah*.
- É mãe do ator Cecil Thiré.

15 curiosidades de uma grande diva

Henriette-Rosine Barnard, ou **Sarah Bernhardt**, nasceu em Paris em outubro de 1844. Pai incerto e mãe cortesã, era uma criança fraca, que desmaiava e vomitava com frequência. Quando era adolescente, seus dois sonhos eram: ter um caixão de madeira aromática forrado de cetim branco para ser enterrada e seguir a carreira religiosa. Conseguiu o caixão, mas a mãe não lhe permitiu ser freira.

1. Suas roupas e seus papéis de carta eram bordados e grafados com a expressão *Quand même*, que quer dizer "apesar de tudo".
2. Era judia, mas foi educada num convento, porque a mãe, que trabalhava atendendo homens, não podia criá-la.
3. Por causa das boas relações da mãe com homens poderosos conseguiu estudar no Conservatório de Paris e foi contratada pela Comédie Française.

4. Foi num papel masculino, do trovador Zanetto, que Sarah virou a musa dos poetas franceses. Seu 1,50 metro de altura a ajudou a compor o garoto.
5. Um de seus primeiros romances foi com o herdeiro da casa real da Bélgica, que acabou em virtude da guerra franco-prussiana em 1870.
6. Victor Hugo a escolheu para viver a rainha Maria e ela voltou à Comédie Française após ter sido demitida por agredir uma das atrizes.
7. Numa das ocasiões em que deixou de pagar os empregados, a criadagem, revoltada, depenou a casa. Ela mobiliou tudo novamente e acrescentou uma peça de desejo: um moderno bidê.
8. Depois de arrecadar dinheiro com algumas esculturas que fazia, comprou bichinhos de estimação: um guepardo e seis camaleões, um dos quais ela vestia e levava para passear amarrado numa corrente de ouro.
9. Foi a primeira celebridade a usar sua imagem para vender perfumes, vestidos, produtos para o cabelo, doces e sardinhas.
10. Um bispo de Montreal, no Canadá, ameaçou excomungar quem assistisse às suas montagens.
11. Gastou 25 mil dólares num vestido de baile para *A dama das camélias*. Vivia com problemas financeiros.
12. Sustentava o filho, Maurice, que jamais trabalhou, e o marido Jacques Damala, um ator grego sem talento que era amante de sua irmã.
13. Interpretou os personagens mais célebres do teatro como Teodora, Cleópatra e Tosca.
14. Em 1915 teve a perna direita amputada. Circulava numa liteira.
15. Morreu em 1923, aos 79 anos. Durante três dias, os parisienses desfilaram diante do caixão branco, o mesmo onde muitas vezes ela dormiu e se deixou fotografar.

MONGA, A MULHER GORILA
A famosa atração circense foi inspirada em uma história real. Uma mexicana descendente de índios chamada Júlia Pastrana (1834-1960) sofria de hipertricose, doença que faz nascer pelos grossos e escuros por todo o corpo. Tinha ainda a mandíbula projetada para a frente, lembrando mesmo um macaco. Seu 1,37 m de altura lhe dava um ar mais assustador.
• A mãe de Júlia a vendeu para um homem que fazia shows com aberrações. Outro empresário do ramo, Theodore Lent, enxergou em Júlia uma grande atração e a cortejou até que se casaram em 1854. Lent ensinou a mulher a cantar e a dançar, números que Júlia passou a apresentar.
• Em 1860, o casal teve um filho, que nasceu com a mesma doença. Só que o bebê resistiu por apenas 35 horas. Alguns dias depois, Júlia também não suportou as complicações do parto e morreu. Lent vendeu os dois corpos para um professor da Universidade de Moscou. Quando percebeu que os corpos embalsamados viraram atração, Lent os pediu de volta. Passou a exibir as múmias de Júlia e do filho em cabines de vidro.
• Algum tempo depois, Lent descobriu outra mulher-gorila e a apresentava como uma "irmã escondida de Júlia". Ele morreu louco e na miséria (jogou quase todo o seu dinheiro no rio) em 1880.
• No século XIX, a história de Júlia virou uma atração de ilusionismo. Com um jogo de espelhos, uma linda mulher se transformava na mulher-gorila, que fugia da jaula e perseguia os espectadores, que saíam em desabalada correria.

ARTE

Brasileiras modernistas

Tudo começou com a Semana de 1922, quando os artistas se rebelaram contra a arte tradicional. Mas o movimento modernista se dividiu em três fases:

a primeira era mais irreverente, a segunda mais amena e romântica, e a terceira se opunha à primeira. Estava na hora de começar tudo outra vez...

ANITA MALFATI (1889-1964)

Anita foi iniciada na arte por sua mãe, professora de pintura. Estudou na Alemanha e nos Estados Unidos. Por causa de uma severa crítica feita por Monteiro Lobato, num artigo chamado "Paranoia ou mistificação", após sua primeira exposição em 1917, permaneceu algum tempo pintando no estilo mais tradicional. Por volta de 1921, incentivada pelos modernistas da Semana de Arte Moderna de São Paulo, voltou a arriscar pinturas mais vanguardistas.

✪ Ela era apaixonada por Mário de Andrade e todos pensavam que o amor era não declarado. Mas, em 1995, após a morte do escritor, um cofre da sua propriedade foi aberto e dentro dele foi encontrada uma carta apaixonada de Anita.

MARIA MARTINS (1900-1973)

A escultora mineira nasceu em família rica e casou-se com o historiador Otávio Tarquinio de Souza, com quem foi muito infeliz. Embarcou para Paris, onde conheceu e se casou com o embaixador Carlos Martins. Em 1926, vivendo no Japão, passou a se dedicar à escultura em madeira, terracota e cerâmica, passando a usar mármore e bronze alguns anos mais tarde. Em 1939, vivendo na Bélgica, se tornou a única artista plástica brasileira a se envolver no surrealismo parisiense. Sua segunda exposição em Nova York, chamada *Amazônia*, fez enorme sucesso e atraiu artistas europeus famosos como Marcel Duchamp, que era considerado um mito e se apaixonou pela artista. Mas ela preferiu ficar com o marido.

✪ Durante os anos em que viveu com o marido em Washington, promoveu festas históricas às quais compareceram artistas como Carmen Miranda, Candido Portinari e Heitor Villa-Lobos.
✪ Em 1946, o apaixonado Marcel Duchamp presenteou a artista com uma caixa que continha um estranho desenho em celuloide. Análises químicas posteriores identificaram o material como esperma.

TARSILA DO AMARAL (1890-1973)

A pintora brasileira foi uma das principais artistas do movimento modernista. Nascida em Capivari (SP), estudou artes em Barcelona. Depois de se separar do marido, estudou escultura, desenho e pintura em Paris. Uma de suas telas foi admitida no Salão Oficial dos Artistas Franceses. Após a Semana de Arte Moderna, formou, com Anita Malfati, Oswald de Andrade, Mário de Andrade e Menotti del Picchia, o grupo dos cinco. A partir de 1924, sua pintura entrou na fase brasileira, com cores e temática nacionais. Casou-se com Oswald de Andrade e pintou *Abaporu* ("o homem que come", em tupi-guarani), uma figura disforme, com os pés enormes. Era um presente para o marido e inaugurava a fase antropofágica de Tarsila.

✪ Foi considerada a pintora mais representativa do primeiro Modernismo no Brasil. Recebeu o Prêmio de Pintura Nacional na I Bienal de São Paulo, em 1951.
✪ O *Abaporu* (1928) foi leiloado na casa Christie's, de Nova York, em 1995. O investidor argentino Eduardo Constantini a arrematou por 1,5 milhão de dólares. Desde então, é considerada a pintura mais cara já feita por um artista brasileiro. A obra está exposta no museu Malba, em Buenos Aires.
✪ O casamento com Oswald durou só quatro anos. A pintora se separou dele ao descobrir que o marido estava tendo um caso com a então estudante Pagu.
✪ A pintora costumava levar cachaça em suas viagens, enganando os oficiais da alfândega ao dizer que era álcool para passar na pele.

Jeito diferente de fazer arte

Em 1950, **Lygia Clark** (1920-1988), dona de casa mineira e mãe de três filhos, buscou ajuda do paisagista Roberto Burle Marx. Ela queria ser pintora. Dez anos depois, consagrou-se como artista-terapeuta. Recebia nomes famosos em seu ateliê-consultório para, através da arte, falar da vida. Visitaram Lygia Clark nomes como Caetano Veloso, Jards Macalé e Ferreira Gullar.

A criadora do MASP

LINA BO BARDI (1914-1992) era italiana naturalizada brasileira.
- Estudou arquitetura em Roma e foi membro da resistência antifascista.
- Chegou ao Brasil em 1946 com o marido Pietro Maria Bardi, convidado para criar o Museu de Arte de São Paulo. Trabalhou com ele no projeto.
- Lecionou na Faculdade de Arquitetura e Urbanismo da Universidade de São Paulo nos anos 1950.
- Nos anos 1970, desenvolveu o projeto de restauração do centro histórico de Salvador, como a área da ladeira da Misericórdia.
- Em 1977, transformou uma antiga fábrica do início do século em centro de lazer: o Sesc Fábrica da Pompeia, em São Paulo.

Coisa de mulher

Em meados do século XIX, a vida cotidiana das pintoras não era fácil. O ateliê era um mundo de homens onde elas só eram admitidas como modelos. Para conseguir pintar e ter direito a usar calças compridas durante o trabalho, a pintora **Rosa Bonheur** teve de solicitar autorização do chefe de polícia.

Você sabia?

Como as mulheres não eram aceitas no círculo de pintores, acabavam se relacionando apenas entre elas. Muitas acabaram descobrindo que a companhia de seus pares era mais interessante, inclusive sexualmente. Foram muitas as pintoras lésbicas no século XIX.

Quem eram as mulheres que serviam de modelo para pintura?

Duquesa de Alba: Francisco Goya (1746-1828) foi um daqueles homens que não tinham medo de enfrentar Deus e o mundo em nome de sua arte. Em 1805, quando a Inquisição ditava a conduta da sociedade, ele resolveu desafiar a Igreja Católica e pintar uma mulher nua. A duquesa de Alba, amante do pintor, topou ser a modelo. Só que ela era casada. Seu marido, ao ouvir rumores sobre o quadro, foi tirar satisfações com Goya. Mas ao chegar lá deu de cara com um retrato de sua esposa vestida da cabeça aos pés. Ciente da visita que o sujeito faria, o artista pintou uma versão mais comportada da tela da noite para o dia. Hoje, *A maja desnuda* e *A maja vestida* fazem parte do acervo do Museu Nacional Del Prado, em Madri, na Espanha.

Simonetta Vespucci: na Idade Média, as cortesãs se refinavam na arte da sedução de homens importantes para que eles pagassem pintores e escultores para imortalizá-las. Foi o que aconteceu com Simonetta Vespucci, amante de Juliano de Médici, importalizada por Botticelli. Quando Simonetta morreu, seu caixão desfilou aberto pelas ruas de Florença para que os florentinos pudessem admirar seus belos traços pela última vez.

Imperia, amante do banqueiro Chigi, foi modelo de Rafael. Quando ela morreu, em 1511, toda Roma se vestiu de preto em sua homenagem.

> **ESCANDALOSA**
> A tela *L'origine du monde*, de Coubert, que hoje está no Museu d'Orsay, em Paris, causou escândalo. Foi pintada em 1866 para um colecionador de telas eróticas, Kalil Bey, um ex-embaixador turco que guardava seus quadros secretamente sob uma cortina. Nesta obra, a mulher aparece nua, com a vulva entreaberta. Anos mais tarde, o quadro pertenceu ao psicanalista Jacques Lacan.

A artista mexicana

A mexicana **Frida Khalo** (1907-1954) teve poliomielite quando criança, o que deixou sua perna direita mais fina. Aos 18 anos, sofreu um acidente de ônibus e fraturou a coluna, costelas, e esmagou sua perna. Frida teve de ficar imobilizada por um longo período; entediada, começou a pintar para passar o tempo. Depois de fazer alguns autorretratos, procurou o artista Diego Rivera, que se entusiasmou com sua obra surrealista fantástica. Frida e Diego se casaram e participaram ativamente da política. Viajaram a Paris e Nova York, onde ela gozava de prestígio e admiração. Sua única exposição em seu país, o México, aconteceu em 1953, quando Frida estava doente. Mesmo assim ela fez questão de comparecer. Foi de maca, bebeu e cantou. Meses mais tarde, seu estado piorou e sua perna foi amputada. Morreu com 47 anos.

Curiosidades
✪ Frida Kahlo tinha tanto prestígio nos Estados Unidos que foi capa da revista *Vogue* americana.
✪ Sua casa particular se transformou em Museu Frida Kahlo.
✪ O bonde-ônibus que atropelou Frida quando criança também atropelou o artista Gaudi, na Espanha.
✪ Ela dizia que conhecer Diego Rivera foi o segundo acidente mais trágico da sua vida.
✪ Quando a mãe de Frida soube do casamento da filha com Rivera (que era gordo), disse que era o casamento de uma pomba com um elefante.
✪ Numa das traições de Diego Rivera, Frida decidiu puni-lo. Raspou os cabelos, a parte dela que ele dizia venerar, e lhe enviou pelo correio.
✪ Frida levou homens e mulheres famosos para a cama, como Trótski e Maria Felix.
✪ Frida era extremamente feminina e não tinha bigodes, mas um leve buço. Em seus autorretratos, ela exagerou nos traços para parecer mais masculina.
✪ Madonna e Jennifer Lopez lutaram para viver a pintora no cinema. Mas foi Salma Hayek quem acabou ficando com o papel.

O CUBISMO NASCEU COM ELAS

Quando pintou *Les demoiselles d'Avignon* (As moças de Avignon), Pablo Picasso (1881-1973) retratou cinco figuras femininas disformes, com rostos que pareciam máscaras e corpos imperfeitos. Foi uma revolução na arte e essas imagens quase selvagens ganharam um nome: cubismo, um movimento estético que procurava decompor os objetos até chegar às suas formas básicas.

Mona Lisa

Mona Lisa, com seu enigmático sorriso, foi inspirada em uma modelo viva, Lisa Gherardini, terceira esposa de um rico mercador florentino, Francesco Del Giocondo, 19 anos mais velho. Francesco encomendou um retrato da mulher para pendurá-lo na sala de jantar, e Lisa começou a posar em 1503. Leonardo da Vinci levou quatro anos fazendo o trabalho e jamais chegou a concluí-lo como desejava. É que Francesco ficou impaciente com a demora, proibiu sua mulher de continuar posando e não pagou pela obra. O rei francês Francisco I comprou o quadro para decorar o banheiro e pagou o equivalente a 15,3 quilos de ouro.

• Alguns estudiosos dizem que Mona Lisa poderia ser Constanza d'Avalos, amante de Giuliano de Medici.
• Há também quem sustente que Leonardo da Vinci teria pintado um quadro de Mona Lisa nua. O quadro e os esboços nunca foram encontrados.
• Mona Lisa não tinha sobrancelhas. Há diversas versões que explicam o fato. O médico Julio Cruz y Hermida diz no livro *A Gioconda vista por um médico* que a modelo sofria de uma doença chamada alopecia. O mal causa a queda de todos os pelos do corpo. Também existe uma história que conta que um restaurador desastrado apagou as sobrancelhas ao usar um solvente muito forte na obra. Mas a justificativa mais aceita é a de que Mona Lisa raspava os pelos do rosto, como era costume na Renascença.
• O quadro tem 77 cm de altura por 53 de largura.

Curiosidades

☉ A técnica usada pelo pintor para imprimir um ar misterioso à jovem retratada é *sfumato* (esfumaçado). Já foi feita uma versão mais clara da obra e comprovou-se que ela perde toda sua profundidade e beleza.

☉ Segundo o biógrafo Giorgio Vasari, Leonardo chamou músicos e bufões para tocar em seu estúdio na tentativa de arrancar um sorriso de sua modelo. Na época, não era apropriado uma moça sorrir demais.

☉ Em 6 de abril de 2005, o quadro foi transferido para uma sala especialmente construída para ele no Museu do Louvre, em Paris. O recinto, que possui holofotes especiais, custou cerca de 16 milhões de reais e demorou quatro anos para ficar pronto. Antes, a tela de Da Vinci ficava no setor de pinturas italianas.

☉ Pesquisadores da Universidade de Amsterdã (Holanda) aplicaram sob a obra, em dezembro de 2005, um programa de "reconhecimento de emoções". O software concluiu que a modelo retratada estava 83% feliz, 9% entediada, 6% atemorizada e 2% enfadada.

☉ Especialistas do Centro de Pesquisa e Restauração do Museu da França chegaram à conclusão de que Mona Lisa poderia estar grávida quando o quadro foi pintado. Eles descobriram, por meio de raios infravermelho, que o pintor modificou a obra diversas vezes. A Mona Lisa inicial usava um vestido fino feito de gaze, vestimenta comum para mulheres grávidas da época.

Foi ficando, foi ficando... ficou!

A japonesa **Tomie Ohtake** (1913-) tinha 23 anos quando resolveu visitar o irmão que morava no Brasil. A ideia era ficar um ou dois anos e voltar para Kyoto. Mas as coisas no Japão não estavam muito boas por causa da guerra e ela foi ficando. Como era *expert* em caligrafia, arte que as meninas aprendem no Japão desde muito pequenas, começou a rabiscar. Porém, os primeiros quadros ela só produziu dez anos depois. Transformou-se na maior representante brasileira da arte abstrata.

A artista que também foi musa

1. **Camille Claudel** (1864-1943) foi criada num mosteiro presbiteriano construído por seu avô. Filha mais velha, ainda criança determinou que o irmão Paul fosse escritor e a irmã caçula Louise fosse musicista.
2. Na infância, gostava de fazer pequenas esculturas usando ossos como material. A mãe detestava esse hábito e jogava as esculturas de Camille no lixo.
3. Com apenas 17 anos, foi estudar artes em Paris. Seu segundo mestre foi Auguste Rodin. Ele costumava dizer que estava sendo muito bom ao admiti-la como aprendiz em seu ateliê. Mas a verdade é que ela contribuía muito para realizar obras que ele assinava solitariamente quando ficavam prontas.
4. Camille se apaixonou por Rodin no primeiro ano em que trabalhou com o escultor. Porém, ele se recusava a deixar Rose Beuret, sua mulher. Para piorar, disseminava entre os amigos que as obras de Camille eram feitas, na verdade, por ele.
5. Em 1898 ela rompe definitivamente com Rodin e apresenta uma das suas obras mais famosas, *L'âge mûr* (A idade madura).
6. Sem conseguir esquecer Rodin, Camille Claudel apresenta os primeiros sinais de paranoia. Acredita que todos a visitavam e a procuravam para roubar seus trabalhos. Os estudiosos de sua obra acreditam que ela desenvolveu o problema porque várias obras que esculpiu foram realmente expostas por Rodin como se ele as tivesse feito.
7. Suas obras fizeram grande sucesso de público e crítica, mas ela jamais usufruiu do sucesso por causa da instabilidade psíquica. Aos quarenta anos, se tornou completamente dependente do álcool.
8. Passou a esculpir e, em seguida, a destruir as obras e suas maquetes. Depois, enterrava tudo, da mesma forma que sua mãe fazia com suas pequenas obras na infância.
9. Antes de ser internada em um manicômio, Camille vivia em um apartamento que tinha um único sofá. Seu passatempo era arrancar pedaços do papel de parede.
10. Viveu trinta anos internada num hospício de Avignon.

Protetora dos artistas

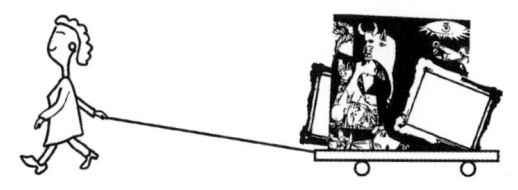

Yolanda Penteado (1903-1983) foi a melhor mecenas que os artistas brasileiros podiam ter.
- Organizou a primeira Bienal de Artes no Brasil, em 1951, e convenceu Pablo Picasso a emprestar *Guernica*, uma das suas obras mais célebres, para a exposição.
- Influenciou o segundo marido, Francisco Matarazzo Sobrinho, o Ciccillo Matarazzo, a adquirir quadros importantes, que mais tarde comporiam o acervo do Museu de Arte Moderna de São Paulo, que ele também fundou.
- A atriz Ana Paula Arósio fez o papel de Yolanda Penteado na minissérie *Um só coração* (2004).

A dona de casa que virou mecenas

Maria de Lourdes Egydio Villela (1948-) estudou psicologia, porém sua ocupação era cuidar da casa e dos filhos. Em 1982, com a morte do irmão, teve de colocar os dois pés no mundo das finanças, assumindo seu posto no Banco Itaú, do qual é a maior acionista individual. Em pouco tempo, Maria de Lourdes virou **Milú Villela**, a mulher que ganhou fama internacional como presidente do Museu de Arte Moderna de São Paulo e também presidente do Instituto Cultural Itaú. Por sua história como voluntária em centros educacionais, foi escolhida também para presidir o Centro do Voluntariado de São Paulo.

QUADRINHOS

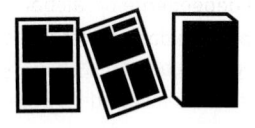

Quadrinhos e quadris

Conheça algumas beldades que povoam a imaginação de gerações de leitores de gibis.

Betty Boop
Betty Boop era uma garota insinuante, sempre de vestido curto e cinta-liga. Seu rosto foi inspirado na atriz Helen Kate (que processou o autor, o desenhista Max Fleischer) e o corpo, no da polêmica Mae West. Ela apareceu em 1930 como desenho animado e, em 1934, em tiras de jornais. É uma paródia às musas e ao *glamour* de Hollywood. Teve problemas tão sérios com a censura americana, que a publicação da tira e dos desenhos animados foi cancelada, respectivamente, em 1937 e 1938.

Rapidinha
Pin-up é uma representação de mulheres em poses eróticas em forma de pôsteres, calendários ou cartazes.

Mulher-gato
Selina Kyle, a mulher-gato, apareceu em 1940, já no papel de ladra de joias e nas histórias do Batman. No começo era uma personagem sem muito apelo sexual. Mas, com o tempo, isso mudou. Quem não se lembra da série televisiva dos anos 1960, em que ela aparecia em trajes bem colantes? Nos quadrinhos, um ponto bem explorado é o dos sentimentos reprimidos entre ela e o Homem-Morcego, apesar de estarem em lados opostos da lei.

As mulheres de Zéfiro
Em 1948, surgiram as primeiras historinhas pornográficas em quadrinhos, assinadas por Carlos Zéfiro, pseudônimo de Alcides Caminha. Nas tirinhas ele desafiou a ditadura militar mostrando mulheres comuns e acessíveis despidas e em cenas eróticas. Eram donas de casa, secretárias e viúvas cheias de amor para dar. A verdadeira identidade de Zéfiro foi revelada 53 anos após sua estreia, numa reportagem de Juca Kfouri para a revista *Playboy*. Em 1997, Marisa Monte usou imagens dos quadrinhos de Zéfiro para ilustrar seu CD "Barulhinho bom".

Rê Bordosa
Representante da geração *dark*, a personagem de Angeli nas tirinhas *Chiclete com banana* bebia todas e nunca sabia quem era o homem que acordava do seu lado.

Radical Chic
Na década de 1980, a Radical de Miguel Paiva assume a "peruíce". Suas grandes crises envolvem seus furinhos de celulite e o peitinho que começa a cair.

Lara Croft

É a grande heroína dos tempos digitais da internet. Surgiu em 1995 no jogo *Tomb Raider* e se transformou em sucesso mundial. Muito se deve à aparência mais que agradável de Lara: longas pernas mostradas em um short curtinho e uma blusa colante. Dos videogames para os quadrinhos foi um pulo: a adaptação aconteceu em 1999, com roteiro de Dan Jurgens, conhecido por ter criado a história da morte do Super-Homem, e desenhos de Andy Park. Lara Croft é uma espécie de versão feminina e moderna do Indiana Jones, sempre caçando tesouros arqueológicos. No cinema, Lara foi interpretada, em 2001, pela belíssima atriz Angelina Jolie. Outra curiosidade: Lara Croft tem mais sites dedicados a ela do que Super-Homem, Marilyn Monroe e Pamela Anderson.

Assim começou a guerra dos sexos

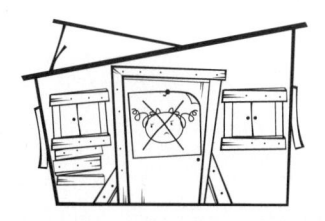

A Turma da Luluzinha foi criada em 1935 pela cartunista americana Marjorie Henserdon Buell, mais conhecida como Marge. Pode-se dizer que aí teve início a guerra dos sexos na animação. Um dos personagens principais do desenho era o garoto Bolinha. Ele construiu um clube em que só era permitida a entrada de meninos. Um aviso na porta deixava isso muito claro: "Menina não entra". Até hoje, a expressão "Clube do Bolinha" é usada para encontros exclusivamente masculinos. Para provar que conseguia entrar no Clube do Bolinha, Luluzinha arquitetava planos que não davam certo e acabava sendo descoberta pelos meninos. Mas não desistia. Sua melhor amiga era Aninha, irmã de Carequinha, que fazia parte do clube dos meninos. Luluzinha também se ressentia do fato de Bolinha ter verdadeiro amor por uma garota loira do bairro chamada Glorinha. Mas ela não dava a menor bola para ele e preferia namorar Plínio, menino rico e mimado, que tinha até um mordomo à sua disposição. Isso servia como uma vingança pessoal para Luluzinha.

Meninas inesquecíveis

Mafalda: a menina é criação do cartunista argentino Quino. Os primeiros quadrinhos de Mafalda foram publicados em 1964, no diário *Clarin*, e mostravam uma garota preocupada com a paz mundial e os destinos da humanidade. Mafalda tem seis anos, odeia sopa, mas adora os Beatles e os desenhos do Pica-Pau.

Mônica: foi criada por Mauricio de Sousa em 1960, inspirada em sua filha que tinha o mesmo nome. Brava e briguenta, Mônica usa o coelho Sansão para se defender das provocações dos meninos. Seus melhores amigos, Cebolinha e Cascão, estão invariavelmente tramando um plano infalível para derrotá-la. Ela sempre descobre tudo.

Magali: na história de Mauricio de Sousa, Magali era amiga da Mônica. Na vida real, ele se inspirou em sua filha, de mesmo nome, uma garotinha muito comilona que adorava melancia. Magali não perdia a oportunidade de jantar, almoçar e ir às festinhas de aniversário para se fartar com as gostosuras. Também era fã de picolé. O mais engraçado é que, apesar de comer muito em todas as histórias, Magali sempre foi uma menina muito magrinha.

MULHERES ALTERADAS

Maitena Burundarena nasceu em Buenos Aires, Argentina, em 1962, e teve pelo menos quatro funções profissionais antes de se tornar cartunista. Ilustrava livros escolares, foi roteirista de televisão, dona de restaurante e de um bar. Em 1994, a revista *Para ti*, líder no segmento de revistas femininas na Argentina, contratou-a para escrever tiras humorísticas. Maitena enfrentava uma crise financeira e aceitou a proposta, criando as primeiras histórias das mulheres alteradas, que eram baseadas em suas próprias experiências e nas das amigas. Fizeram tanto sucesso que ela transformou as tirinhas em livro, que vendeu trezentos mil exemplares no mundo todo, dando origem a cinco livros com o mesmo título. Depois deles vieram as duas edições de *Curvas perigosas* e as três de *Mulheres superadas*.

REFERÊNCIAS BIBLIOGRÁFICAS

- APTER, Terri. *O mito da maturidade*. Rio de Janeiro: Rocco, 2001.
- ASHCAR, Renata e FARIA, Roberta. *Banho – histórias e rituais*. São Paulo: Grifo, 2006.
- BADINTER, Elisabeth. *Um amor conquistado*. Rio de Janeiro: Nova Fronteira, 1985.
- BAUDOT, François. *Elsa Schiaparelli*. Nova York: Universe Vendome, 1997.
- BONNELL, Kimberly. *What to wear?* Londres: St. Martin's Press, 1999.
- BRAUN, Lara e BORGONOVI, Eduardo Castor. *Marias – a jornada heroica de 50 mulheres que fizeram história*. São Paulo: Campus Elsevier, 2003.
- BRINK Jr. e SHEREVE, R. N. *A indústria dos processos químicos*. Rio de Janeiro: Guanabara Dois, 1980.
- BRUZZI, Stella. *Undressing cinema: clothing and identity in the movies*. Nova York: Routledge, 1997.
- BURR, Chandler. *O imperador do olfato*. São Paulo: Companhia das Letras, 2006.
- CASTILHO, Kathia e GALVÃO, Diana. *A moda do corpo e o corpo da moda*. São Paulo: Esfera, 2002.
- CHAHINE, Nathalie et al. *Beauté du Siècle*. Paris: Assouline, 2000.
- CLASSEN, Constance; HOWES, David; SYNNOTT, Anthony. *Aroma – a história cultural dos odores*. São Paulo: Jorge Zahar, 1996.
- CORBAIN, Alain. *Saberes e odores: o olfato e o imaginário social nos séculos XVIII e XIX*. São Paulo: Companhia das Letras, 1987.
- COSTA, Moacir. *Amar bem*. São Paulo: Gente, 2003.
- DOLTO, Françoise. *As etapas decisivas da infância*. São Paulo: Martins Fontes, 1999.
- EDWALD FILHO, Rubens. *Dicionário de cineastas*. São Paulo: Companhia Editora Nacional, 2002.
- EISENBERG, Arlene; MURKOFF, Heidi; HATHAWAY, Sandee. *What to expect when you're expecting*. Nova York: Workman, 1984.
- FARAH, Alexandra. *Filme fashion – grandes estilistas no cinema*. São Paulo: Takano e Centro Cultural Banco do Brasil, 2004.
- FERNANDES, Ismael. *Memória da telenovela brasileira*. São Paulo: Brasiliense, 1997.
- FÈVRE, Francis. *Hatchepsut, filha do Sol – faraona de Tebas*. São Paulo: Mercuryo, 1991.
- FREUD, Sigmund. *A interpretação dos sonhos*. São Paulo: Círculo do Livro, 1991.

- HINNELLS, John R. *Dicionário das religiões*. São Paulo: Cultrix, 1984.
- IRVINE, Susan. *The creation and allure of classic fragrances*. Nova York: Crescent Books, 1995.
- JAZDZEWSKI, Catherine. *Mémoire de la beauté Helena Rubinstein*. Paris: Assouline, 2003.
- JOFFILY, Ruth. *O jornalismo e produção de moda*. Rio de Janeiro: Nova Fronteira, 1991.
- KARDEC, Allan. *O livro dos espíritos*. Paris: Petit, 1857.
- LAVER, James. *A roupa e a moda – uma história concisa*. São Paulo: Companhia das Letras, 1989.
- LAVERY, Sheila. *Aromatherapy*. Grã-Bretanha: Element, 1997.
- LEESE, Elizabeth. *Costume design in the movies*. Nova York: Dover, 1991.
- LEIBOLD, Gerhard. *Hidroterapia practica*. Madri: Edaf, 1982.
- MACEDO, Otávio Roberti. *Segredos da boa pele*. São Paulo: Senac, 1999.
- MORAN, Jan. *Fabulous fragrances*. Los Angeles: Crescent House Publishing Beverly Hills, 1994.
- O'HARA, Georgina. *The encyclopaedia of fashion*. Londres: Thames and Hudson, 1986.
- PEQUENO *almanaque Zoomp dos sentidos*. São Paulo: Produtora Prata, 1997.
- PERROT, Michelle. *Minha história das mulheres*. São Paulo: Contexto, 2007.
- PHILIPPI, Sonia Tucunduva. *A dieta do bom humor*. São Paulo: Panda Books, 2006.
- POSTERNAK, Leonardo. *O direito à verdade – cartas para uma criança*. São Paulo: Globo, 2002.
- PÖTZSCH, Regine. *A farmácia*. Basileia: Roche, 1996.
- PROUST, Joêlle. *Menopausa – 100 perguntas e respostas*. São Paulo: Larousse do Brasil, 2003.
- PRUDÊNCIO, Osvaldo. *Princípios de saúde e vida natural*. São Paulo: Maranata, 1993.
- RIBEIRO, Teté. *A Nova York de Carrie, Samantha, Charlotte e Miranda – guia não autorizado com o melhor de Sex and the City*. São Paulo: ARX, 2004.
- ROLKA, Gail Meyer. *100 mulheres que mudaram a história do mundo*. Rio de Janeiro: Prestígio, 2004.
- SABINO, Marco. *Dicionário da moda*. São Paulo: Campus Elsevier, 2006.
- SALGADO, Jocelem Mastrodi Salgado. *Alimentos inteligentes*. São Paulo: Prestígio, 2005.
- SCHUMAHER, Schuma e BRAZIL, Érico Vital. *Dicionário mulheres do Brasil*. Rio de Janeiro: Jorge Zahar, 2000.

- SOUTER, Keith. *Muito mais que um simples banho.* São Paulo: Ática, 1997.
- STONE, Joane, EDDLEMAN, Keith. *The pregnancy bible.* Londres: Carrol & Brown, 2003.
- SÜSKIND, Patrick. *O perfume: história de um assassino.* Rio de Janeiro: Record, 1995.
- TRINDADE, Diamantino Fernandes. *Como fazer perfumes.* São Paulo: Ícone, 1988.
- TRUCHIS-LENEVEU, Chantal. *O despertar de seu filho.* São Paulo: Paulus, 1998.
- XAVIER, Nilson. *Almanaque da telenovela brasileira.* São Paulo: Panda Books, 2007.
- WILLIS, Roy. *Mitologias, deuses, heróis e xamãs nas tradições e lendas de todo o mundo.* São Paulo: Publifolha, 2006.

Sites

www.dicionariompb.com.br
www.releituras.com

AGRADECIMENTOS

- Aílton Amélio da Silva, professor da disciplina de Relacionamento Amoroso do Instituto de Psicologia da USP
- Afonso Soares, teólogo da PUC-SP
- Ala Szerman, cosmetóloga
- Albangela Machado, terapeuta de casais do projeto Sexualidade do Hospital das Clínicas de São Paulo
- Alessandra Lopes, assessora de imprensa
- Alessandra Oliveira, assessora de imprensa
- Alex Atala, chef de cozinha
- Alexandre Saadeh, psiquiatra
- Alice Aciolly, assessora de imprensa
- Antonio Augusto Fagundes, folclorista
- Antonio Roberto Chacra, endocrinologista da Universidade Federal de São Paulo
- Arnaldo Jabor, cineasta e escritor
- Associação Brasileira de Dermatologia
- Bia Marques, assessora de imprensa
- Bráulio Gusmão, sexólogo do Instituto Brasileiro de Medicina e Reabilitação do Rio de Janeiro
- Carlos Roberto Nogueira, professor de História na USP e especialista em Idade Média
- Christiane Fleury, diretora de comunicação da Vichy
- Christiane Santos, assessora de imprensa
- Claudia Matarazzo, autora do livro *Amante elegante – um guia de etiqueta a dois*
- Edi Camargo, assessora de imprensa
- Eduardo Ferreira-Santos, autor dos livros *Ciúme, o medo da perda* e *Ciúme: o lado amargo do amor*
- Fabrice Lenud, *chef patissier*
- Fabricio Gonzalez, assessor de imprensa
- Fatima Nobre, assessora de imprensa
- Flavia Quaresma, *chef* de cozinha
- Fundação das Nações Unidas para a Infância – Unicef
- Giancarlo Spizzirri, do projeto Sexualidade do Hospital das Clínicas de São Paulo
- Glene Rodrigues, ginecologista e terapeuta sexual do Hospital Pérola Byngton, em São Paulo
- Hospital Israelita Albert Einstein

- Ivo Pitanguy, cirurgião plástico
- Jaqueline Januzzi, assessora de imprensa
- Joaquim Ferreira dos Santos, jornalista
- José Yoshikazu Tariki, cirurgião plástico
- Kassio Rotgger Bergamin, professor do Senac de Águas de São Pedro e Campos do Jordão
- Laboratórios Fleury
- Lenita Assef, diretora da revista *Elle*
- Ligia Kogos, dermatologista
- Lilian Pacce, jornalista
- Luli Rodfahrer, professor do curso de publicidade e propaganda da Escola de Comunicação e Artes da USP
- Luzia Nagib Eluf, procuradora de Justiça do Ministério Público de São Paulo e autora do livro *A paixão no banco dos réus*
- Maria Luíza Corassin, professora do curso de história da Universidade de São Paulo
- Mariangela Bordon, proprietária da grife EOS
- Monica Monteiro, dona da agência Monica Monteiro São Paulo Model Agency
- Nabil Ghorayeb, cardiologista do Instituto Dante Pazzanese
- Nilson Xavier, criador do site www.teledramaturgia.com.br
- Paulo Zogarib, médico fisiologista do Hospital Sírio Libanês de São Paulo
- Renato Machado, jornalista
- Roberta Sudbrack, *chef* de cozinha
- Sonia Corazza, engenheira química
- Turibio Leite de Barros, fisiologista
- Vanessa Rodrigues, assessora de imprensa
- Wagner José Gonçalves, chefe da disciplina de Oncologia Ginecológica da Escola Paulista de Medicina
- Wilson Carrara, ginecologista

CRÉDITOS DAS ILUSTRAÇÕES

Andrea Ebert (www.andreaebert.com.br)
Páginas: 16, 27, 32, 50, 53, 63, 67, 72, 83, 105, 112, 117, 122, 125, 129, 137, 143, 148, 158, 164, 177, 188, 201, 208, 214, 220, 224, 232, 238, 244, 250, 256, 264, 268, 276, 285, 288, 297, 305, 314, 320, 325, 343, 347, 352, 359, 363, 372, 380, 391, 398, 402, 409, 415, 418, 426, 431, 441, 445, 447, 452, 466, 477, 482, 489, 492, 498, 505, 512, 516, 547, 550, 559, 566, 569.

Fabiana Shizue (www.fshizue.com)
Páginas: 10, 18, 29, 44, 52, 54, 66, 75, 85, 92, 102, 110, 115, 119, 126, 130, 134, 145, 150, 156, 173, 178, 191, 196, 204, 213, 218, 222, 228, 235, 244, 249, 252, 260, 267, 272, 280, 286, 294, 301, 304, 316, 326, 327, 328, 330, 344, 349, 353, 357, 361, 367, 376, 387, 394, 401, 404, 411, 417, 422, 428, 434, 442, 457, 462, 465, 471, 472, 474, 480, 490, 497, 503, 506, 510, 517, 530, 534, 538, 545, 548, 555, 563, 567, 571.

Pauli Pastorek
Páginas: 12, 21, 36, 49, 55, 60, 65, 71, 73, 84, 94, 100, 107, 114, 120, 132, 141, 147, 152, 162, 171, 180, 192, 198, 202, 211, 216, 226, 233, 237, 240, 246, 255, 258, 266, 270, 276, 277, 283, 291, 299, 302, 308, 328, 340, 345, 348, 354, 358, 365, 373, 374, 382, 390, 396, 413, 420, 423, 426, 438, 446, 448, 461, 473, 478, 481, 486, 494, 500, 504, 508, 513, 543, 549, 552, 560, 564, 569, 571.

OBRAS DE MARCELO DUARTE

Coleção O guia dos curiosos
O guia dos curiosos (Panda Books)
O guia dos curiosos – Brasil (Panda Books)
O guia dos curiosos – Esportes (Panda Books)
O guia dos curiosos – Invenções (Panda Books)
O guia dos curiosos – Jogos Olímpicos (Panda Books)
O guia dos curiosos – Língua Portuguesa (Panda Books)
O guia dos curiosos – Sexo (Panda Books)

Livros de referência
Os endereços curiosos de São Paulo (Panda Books)
Almanaque das bandeiras (Moderna)
A origem de datas e festas (Panda Books)

Infanto-juvenis
A arca dos bichos (Cia. das Letrinhas)
A mulher que falava para-choquês (Panda Books)
Deu a louca no tempo (Ática)
Jogo sujo (Ática)
Meu outro eu (Ática)
O dia em que me tornei corintiano (Panda Books)
O guia dos curiosinhos – Super-heróis (Panda Books)
O ladrão de sorrisos (Ática)
O livro dos segundos socorros (Panda Books)
Ouviram do Ipiranga (Panda Books)
Tem lagartixa no computador (Ática)

OBRAS DE INÊS DE CASTRO

A moda no trabalho (Panda Books)
Como fazer seu chefe amar você (Original)
Etiqueta da beleza (Panda Books)
Guia da cirurgia plástica para homens e mulheres (O Nome da Rosa)
Mamãe vai trabalhar e volta já (Original)

PARA ENTRAR EM CONTATO COM OS AUTORES:

Rua Henrique Schaumann, 286, cj. 41 – 05413-010 – São Paulo – SP
Tel./Fax: (11) 2628-1323
e-mail: mduarte@pandabooks.com.br
idecastro@uol.com.br
Visite o site da Panda Books: www.pandabooks.com.br

Confira curiosidades novas todos os dias no site
www.guiadoscuriosos.com.br